Herausgegeben von:

Hans-Jürgen Lendzian
und
Wolfgang Mattes

Autoren:

Lambert Austermann
Siegfried Bethlehem
Ulrich Bröhenhorst
Hans-Jürgen Lendzian
Christoph Andreas Marx
Wolfgang Mattes

# Zeiten und Menschen

**4**

Schöningh

© 2006 Bildungshaus Schulbuchverlage
Westermann Schroedel Diesterweg Schöningh Winklers GmbH
Braunschweig, Paderborn, Darmstadt

www.schoeningh-schulbuch.de
Schöningh Verlag, Jühenplatz 1–3, 33098 Paderborn

Druck  4  3  2  /  Jahr 2014  13  12
Die letzte Zahl bezeichnet das Jahr dieses Druckes.

Umschlaggestaltung: Yvonne Junge-Illies, Berlin
Druck und Bindung: westermann druck GmbH, Braunschweig

ISBN 978-3-14-034507-1

# Inhaltsverzeichnis

Die mit Sternchen (*) gekennzeichneten Inhalte dienen der Erweiterung bzw. Vertiefung des Kerncurriculums

# Inhaltsverzeichnis

# Inhaltsverzeichnis

# Inhaltsverzeichnis

# Methodenbox

### Die Methodenboxen in diesem Band:

- Sprachliche historische Quellen interpretieren (S. 17)
- Umgang mit Plakaten (S. 26)
- Umgang mit historischer Sekundärliteratur (S. 57)
- Archivarbeit (S. 108)
- Wir halten Referate (S. 118)
- Perspektivenwechsel (S. 135)
- Zeitzeugenbefragung (S. 171)
- Einen Vortrag halten (S. 191)
- Dokumentieren (S. 221)

# Methodenbox

# Methodenbox

# Methodenbox

Auf S. 182/183 findet sich außerdem eine Anleitung zur Erstellung eines html-Lexikons.

Filmszene aus „Im Westen nichts Neues"

# Das 20. Jahrhundert

„Geschichte wird in ihren
Bildern lebendig.
An einige dieser Bilder
erinnern wir uns alle."

(Guido Knopp)

Berlin, 30. Januar 1933: Fackelzug uniformierter Hitler-Anhänger (nachgestelltes Bild am dritten Jahrestag des Ereignisses, es gibt keine Originalfotos!)

Der „Tag von Potsdam" (21. März 1933): Adolf Hitler begrüßt den Reichspräsidenten Hindenburg.

8

Berlin, 9. November 1918:
Revolutionäre Demonstranten am Brandenburger Tor

Die Massen jubeln Hitler zu
(Foto 1938).

9

Auschwitz 1942

Hiroshima 1945

Berlin 1945

Ludwig Erhard 1957

10

Berlin 1961

Warschau 1970

Mauerfall Berlin 1989

# Das 20. Jahrhundert: Was prägt es?

„Nichts führt die Kontraste dieser 100 Jahre deutlicher, bewegender vor Augen als die großen Bilder des Jahrhunderts. [...] Fast jedes historische Ereignis, jeder schicksalhafte Augenblick sind fotografisch dokumentiert, auf Zelluloid gebannt. Das 20. Jahrhundert liefert mit der flächendeckenden Verbreitung von Fotografie und Film in überreichem Maße jene Bilder, die Geschichte machten. [...] Große Bilder sind stets mehr als nur Momentaufnahmen. Sie stehen für eine ganze Epoche, markieren das Schicksal einer ganzen Generation. [...] Bilder wie diese haben sich Menschen eingeprägt, erzählen Geschichte und sind Geschichte. [...]"

(G. Knopp, 100 Jahre, München 1999, S. 9ff.)

Wenn wir die ausgewählten Bilder betrachten, welche Antworten geben sie auf die oft gestellte Frage danach, was für ein Jahrhundert das vergangene 20. Jahrhundert war?

War es

- ein „Jahrhundert der Ideologien",

- ein „Jahrhundert der Kriege",

- ein „Jahrhundert der Extreme",

- eher ein „amerikanisches Jahrhundert"

- oder sogar „das deutsche Jahrhundert"?

So sieht es zum Beispiel der Historiker Eberhard Jäckel, wenn er schreibt:

„Kein anderes Land hat Europa und der Welt im 20. Jahrhundert so tief seinen Stempel eingebrannt wie Deutschland, schon im Ersten Weltkrieg, als es im Mittelpunkt aller Leidenschaften stand, dann natürlich im Zweiten Weltkrieg, zumal mit dem Verbrechen des Jahrhunderts, dem Mord an den europäischen Juden, und in mancher Hinsicht gilt es kaum weniger für die Zeit nach 1945. Die zweite Hälfte des Jahrhunderts war von den Nachwirkungen beherrscht, und noch an seinem Ende nimmt Deutschland wegen dieser Ereignisse einen herausragenden Platz im Gedächtnis der Völker ein."

(Eberhard Jäckel, Das deutsche Jahrhundert. Eine historische Bilanz, Stuttgart 1996, S. 7ff.)

Die Kapitel in diesem Band geben Einblicke in die bewegte Geschichte des 20. Jahrhunderts. Ausgehend von der Entwicklungsgeschichte der Weimarer Republik in Deutschland, die in die nationalsozialistische Diktatur und den Zweiten Weltkrieg mündet, werden die zentralen Zusammenhänge der internationalen und deutschen Nachkriegsgeschichte vom Beginn des weltumspannenden Ost-West-Konflikts bis zu seinem Ende im ausgehenden 20. Jahrhundert behandelt. Die Erarbeitung der zentralen Zusammenhänge der internationalen und deutschen Geschichte ermöglicht es, zu untersuchen, was das 20. Jahrhundert für ein Jahrhundert gewesen ist.

# Die Weimarer Republik: Die erste deutsche Demokratie

Es ist der 9. November 1918, 14.00 Uhr. Menschen jubeln einem neuen deutschen Staat zu. Vom Balkon des Reichstagsgebäudes ruft der Sozialdemokrat Philipp Scheidemann die erste deutsche Republik aus. Tausende von Menschen bevölkern zu diesem Zeitpunkt die Straßen von Berlin, so auch den Platz vor dem Reichstagsgebäude, den diese alte Postkarte zeigt.

„Weimarer Republik", so nennen wir diese erste Demokratie auf deutschem Boden. Sie wurde so bezeichnet, weil das erste vom Volk gewählte Parlament aufgrund der Unruhen unter der Bevölkerung nicht in Berlin, sondern in der Stadt Weimar tagte.

## Der 9. November 1918: Die Ausrufung der Republik

## Der 30. Januar 1933: Das Ende der Weimarer Republik

Nachgestelltes Bild am dritten Jahrestag des Ereignisses: Fackelzug uniformierter Hitleranhänger am 30. Januar 1933 (es gibt keine Originalfotos!)

Vierzehn Jahre später. Es ist der 30. Januar 1933. Wieder jubeln Menschen einem neuen Staat und vor allem einem neuen Führer zu: Adolf Hitler. Er wird an diesem Tag zum Reichskanzler ernannt. Jubelnd ziehen die Menschen durch die Straßen von Berlin. Sie glauben an den Beginn einer neuen Staatsordnung, die die wirtschaftlichen, sozialen und politischen Probleme überwinden wird. Stattdessen beseitigt Hitler innerhalb weniger Monate die Grundpfeiler der Weimarer Demokratie.

Oft wird diese Weimarer Demokratie nur als gescheiterter politischer Versuch gesehen. Heutigen Fachhistorikerinnen und -historikern, die sich mit diesem folgenreichen Zeitabschnitt der deutschen Geschichte des 20. Jahrhunderts beschäftigen, erscheint eine solche Betrachtung aber zu einseitig. Gerade aus der Sicht demokratischer Traditionen in Deutschland sind nach ihrer Meinung auch die Leistungen der neuen Republik gleichermaßen in den Blick zu nehmen. Zwei Frageperspektiven sind in diesem Fall die gedankliche Leitlinie für den Untersuchungsgang:

● **Welche Leistungen hat diese erste deutsche Demokratie hervorgebracht?**

● **Warum scheiterte die Republik trotz ihrer Errungenschaften?**

Das nachfolgende Kapitel, das die Entstehung und Entwicklungsgeschichte der Weimarer Republik behandelt, nimmt diesen Betrachtungsansatz auf.

# Die Republik entsteht

## Info Herbst 1918 –
## Niederlage und Revolution

Der folgende Text schildert wichtige Entwicklungen und Ereignisse in diesem dramatischen Herbst des Jahres 1918. Ihr könnt die Informationen mithilfe einer Zeitleiste knapp zusammenfassen.

**„Weihnachtslied" 1918**

*„O Tannenbaum, o Tannenbaum,*
*Der Kaiser hat in Sack gehaun.*
*Er kauft sich einen Henkelmann*
*Und fängt beim Krupp als Dreher an."*

(Zit. nach: Günther Willms, Geträumte Republik. Jugend zwischen Kaiserreich und Machtergreifung. Freiburg (Herder) 1985, S. 30)

„Der Kaiser hat in Sack gehaun". So dachten viele Menschen im Herbst 1918. Im Angesicht der Niederlage verließ der Kaiser Deutschland; zurück blieb ein Volk, dessen Siegeszuversicht längst erloschen war, das unter den Folgen des Krieges schwer litt, das sich eine neue Staatsordnung geben musste.

### Antikriegsstimmung

Bereits 1916 hatte sich ein Stimmungsumschwung in der Bevölkerung bemerkbar gemacht. Es kam zu ersten „wilden" Streiks in der Rüstungsindustrie. Diese Aktionen waren begrenzt und häufig wirtschaftlich motiviert. 1917 wurde das Verlangen nach Frieden deutlicher vertreten. Auftrieb erhielt diese Antikriegsstimmung durch die revolutionären Ereignisse in Russland. Ende Januar 1918 entstand eine Streikwelle, die zu den größten Massenaktionen des Kaiserreiches führte. Allein in Berlin, dem Zentrum des Streiks, traten 400 000 Arbeiter in den Ausstand. Von hier sprang der Funke auf fast alle Industriestädte über.

### Die Niederlage

Im Frühjahr 1918 wollte die Oberste Heeresleitung die militärische Entscheidung im Westen suchen. Doch diese Anspannung aller Kräfte war nicht mehr erfolgreich. Heer und Marine wurden von Auflösungserscheinungen ergriffen. Befehlsverweigerungen, Disziplinverstöße und Desertationen häuften sich. Der Durchbruch britischer Tanks im August 1918 besiegelte die deutsche Niederlage. Im September 1918 wurde auch der Obersten Heeresleitung klar, dass der Erste Weltkrieg für Deutschland verloren war. Am 29. September verkündete General Ludendorff vor Vertretern des Kaiserreichs im Hauptquartier der Obersten Heeresleitung im belgischen Spa, dass die Weiterführung des Krieges aussichtslos sei. Auf die deutschen Truppen sei kein Verlass mehr, da sie bereits vom antimonarchischen Denken „verseucht" seien.

Der Simplicissimus zur Abdankung Wilhelms II.: Das Ende. „Wir weinen ihm keine Träne nach, er hat uns keine zu weinen übrig gelassen." (Zeichnung von Th. Th. Heine)

14

## Legendenbildung: Die Dolchstoßlegende

General Ludendorff forderte die unverzügliche Aufnahme von Waffenstillstandsverhandlungen. Er fügte hinzu: „Ich habe seine Majestät gebeten, jetzt diejenigen Kreise an die Regierung zu bringen, denen wir es in der Hauptsache zu verdanken haben, dass wir so weit gekommen sind. […] Sie sollen die Suppe jetzt essen, die sie uns eingebrockt haben". Damit war die sogenannte Dolchstoßlegende geboren. Nicht die Politik der kaiserlichen Regierung und militärischen Führung war demzufolge für die Niederlage verantwortlich, sondern Demokraten und Sozialisten trugen die Schuld, sie hatten angeblich „dem Heer den Dolch in den Rücken gestoßen". Die Dolchstoßlegende wurde von den Gegnern der Republik als willkommene Begründung genutzt, um ihre häufig gewaltsame Ablehnung der neuen demokratischen Staatsform zu rechtfertigen.

## Eine neue Regierung

Anfang Oktober 1918 wurde eine neue Regierung unter dem Reichskanzler Prinz Max von Baden gebildet. Ihr gehörten Vertreter der SPD, des Zentrums und der liberalen Fortschrittspartei an. In der Stunde der Niederlage übernahmen demokratische Parteien Verantwortung für eine Situation, die sie nicht zu verantworten hatten. Am 3. Oktober richteten sie ein Waffenstillstandsgesuch an den amerikanischen Präsidenten Wilson. Ende Oktober wurde eine Verfassungsreform durchgeführt. Erstmalig in der deutschen Geschichte benötigte der Reichskanzler das Vertrauen der Volksvertretung, also des Reichstags, und nicht das des Kaisers. Dieser verlor seine unumschränkte Kommandogewalt, es war eine parlamentarische Monarchie entstanden.

## Die Revolution beginnt

Diese Monarchie erhielt jedoch keine Chance der Bewährung mehr. Im November 1918 überstürzten sich die Ereignisse. In Wilhelmshaven meuterten die

Revolutionäre Soldaten und Matrosen am 9.11.1918 vor dem Brandenburger Tor

Matrosen der Kriegsmarine, als sie den Befehl zum letzten Gefecht erhielten, um die „Ehre der Waffengattung" zu retten. Ihre Anführer wurden verhaftet. Daraufhin brach am 3. November in Kiel der Aufstand aus. Er wurde der Ausgangspunkt der Revolution. Soldatenräte wurden gebildet, denen sich Arbeiter anschlossen. Betriebe wurden bestreikt. Arbeiterräte übernahmen die Betriebsleitung. Arbeiter- und Soldatenräte übten in vielen Städten die politische Gewalt aus.

### Das Ende der Monarchie

Angesichts der zunehmenden Forderungen nach Abdankung floh der Kaiser ins Hauptquartier nach Spa. Damit war er faktisch entmachtet. Prinz Max von Baden verkündete eigenmächtig den Rücktritt des Kaisers und des Kronprinzen. Er ernannte den Vorsitzenden der SPD, Friedrich Ebert, zum Reichskanzler. Der Kaiser ging ins Exil in die Niederlande. Zwei Stunden nach der Bekanntgabe der Abdankung wurde am 9. November die Republik ausgerufen: Von einem Balkon des Reichstages verkündete Philipp Scheidemann, ein Parteifreund Eberts, um 14.00 Uhr die Deutsche Republik. Er kam um zwei Stunden Karl Liebknecht zuvor, der um 16.00 Uhr vom Balkon des Stadtschlosses die „freie sozialistische Republik Deutschland" ausrief.

# Der 9. November 1918: Die Republik wird zweimal ausgerufen

Auf dieser Doppelseite schauen wir genauer auf den 9. November, denn dieser Tag markiert eine Zeitenwende in der deutschen Geschichte. Zwei Politiker, Philipp Scheidemann und Karl Liebknecht, wollen beide zum ersten Mal in Deutschland eine Republik verwirklichen.

■ Interpretiert anhand der in der Methodenbox aufgeführten Arbeitsschritte die Auszüge aus den beiden Schlüsselreden der Politiker, die an diesem Tag gehalten wurden. Vergleicht und diskutiert eure Interpretationen im Klassengespräch.

Philipp Scheidemann (1865–1939), gelernter Buchdrucker und Mitglied der Sozialdemokratischen Partei, gehörte seit 1903 dem Reichstag an. Im Februar 1919 wurde er für kurze Zeit der erste Reichskanzler. 1933 flüchtete er aus Deutschland.

**M 1** **14.00 Uhr: Philipp Scheidemann auf dem Balkon des Reichstags**

Q Arbeiter und Soldaten!

Furchtbar waren die vier Kriegsjahre. Grauenhaft waren die Opfer, die das Volk an Gut und Blut hat bringen müssen. Der unglückselige Krieg ist zu Ende. Das
5 Morden ist vorbei.
Die Folgen des Krieges, Not und Elend, werden noch viele Jahre auf uns lasten. Die Niederlage, die wir unter allen Umständen verhüten wollten, ist uns nicht
10 erspart geblieben, weil unsere Verständigungsvorschläge sabotiert wurden, wir selbst wurden verhöhnt und verleumdet. Die Feinde des werktätigen Volkes, die wirklichen „inneren Feinde", die Deutsch-
15 lands Zusammenbruch verschuldet haben, sind still und unsichtbar geworden. Das waren die Daheimkrieger, die ihre Eroberungsforderungen bis zum gestrigen Tage ebenso aufrechterhielten, wie sie den
20 verbissensten Kampf gegen jede Reform der Verfassung und besonders des schändlichen preußischen Wahlsystems geführt haben. Diese Volksfeinde sind hoffentlich für immer erledigt. Der Kaiser hat abge-
25 dankt. Er und seine Freunde sind verschwunden. Über sie alle hat das Volk auf der ganzen Linie gesiegt! Der Prinz Max von Baden hat sein Reichskanzleramt dem Abgeordneten Ebert übergeben. Un-
30 ser Freund wird eine Arbeiterregierung bilden, der alle sozialistischen Parteien angehören werden. Die neue Regierung darf nicht gestört werden in ihrer Arbeit für den Frieden, in der Sorge um Arbeit
35 und Brot. Arbeiter und Soldaten! Seid euch der geschichtlichen Bedeutung dieses Tages bewusst. Unerhörtes ist geschehen. Große und unübersehbare Arbeit steht uns bevor.
40 Alles für das Volk, alles durch das Volk! Nichts darf geschehen, was der Arbeiterbewegung zur Unehre gereicht! Seid einig, treu und pflichtbewusst! Das Alte und Morsche, die Monarchie ist zusam-
45 mengebrochen. Es lebe das Neue! Es lebe die Deutsche Republik!

(Zit. nach: Philipp Scheidemann, Memoiren eines Sozialdemokraten, Bd. 2, Dresden 1928, S. 311ff.)

Karl Liebknecht (1871–1919) war der Sohn eines sozialistischen Arbeiterführers und wurde auch Sozialist und Kommunist. 1917 gründete er zusammen mit Rosa Luxemburg den kommunistischen Spartakusbund, aus dem 1919 die KPD hervorging. Er wurde 1919 ermordet.

**M 2** **16.00 Uhr: Karl Liebknecht auf dem Balkon des Stadtschlosses**

Q Der Tag der Revolution ist gekommen. Wir haben den Frieden erzwungen. Der Friede ist in diesem Augenblick geschlossen. Das Alte ist nicht mehr. Die Herrschaft der Hohenzollern, die in diesem Schloss jahrhundertelang gewohnt haben,
5 ist vorüber. [...]
Parteigenossen, ich proklamiere die freie sozialistische Republik Deutschland, die alle Stämme umfassen soll, in der es keine Knechte mehr geben wird, in der jeder
10 ehrliche Arbeiter den ehrlichen Lohn seiner Arbeit finden wird. Die Herrschaft des Kapitalismus, der Europa in ein Leichenfeld verwandelt hat, ist gebrochen. Wenn auch das Alte niedergerissen ist,
15 dürfen wir nicht glauben, dass unsere Aufgabe getan sei. Wir müssen alle Kräfte anspannen, um die Regierung der Arbeiter und Soldaten aufzubauen und eine neue staatliche Ordnung des Proletariats
20 zu schaffen, eine Ordnung des Friedens, des Glücks und der Freiheit unserer deutschen Brüder und unserer Brüder in der ganzen Welt. Wir reichen ihnen die Hände und rufen sie zur Vollendung der
25 Weltrevolution auf. Wer von euch die freie sozialistische Republik Deutschland und die Weltrevolution erfüllt sehen will, erhebe die Hand zum Schwur. (Alle Hände erhoben sich zum Schwur und Rufe
30 ertönten: Hoch lebe die Republik!)

(Zit. nach: Geschichte in Quellen, 1914–1945, München 1975, S. 115)

# Methodenbox

## Sprachliche historische Quellen interpretieren

Niemandem von euch dürfte entgangen sein, dass eure Geschichtsbücher voll sind von vielfältigen Quellen und Fragen. Warum eigentlich? Quellen und Fragen sind zwei entscheidende Grundbestandteile geschichtlicher Erkenntnis. Geschichte besteht sozusagen aus einer bestimmten Weise des Fragens und Denkens, mit dem Ziel, uns der historischen Wirklichkeit so weit wie möglich anzunähern. Um auf diesem Weg vergangene Wirklichkeit zu rekonstruieren (d.h. „wiederherzustellen"), benötigen wir ein verlässliches Verfahren. Wir **interpretieren** die Quellen. Historische Interpretation ist eine Vorgehensweise, mit der aus historischem Quellenmaterial Sinn – d.h. Informationen und Schlussfolgerungen – entnommen wird, bezogen auf die Fragen, die wir an das Material gestellt haben. Interpretieren bedeutet, dass wir das in den Quellen Be- bzw. Geschriebene nicht einfach als Aussagen übernehmen, sondern es kritisch überprüfen und befragen. Ihr erinnert euch? Eine bewährte Strategie, um Quellen in dieser Form „zum Sprechen zu bringen", sind die **W-Fragen**, die ihr schrittweise kennengelernt und benutzt habt: Wer sagt wann, wo, zu wem, was, wie, mit welcher Absicht/Wirkung und welchen Folgen? Dieses W-Fragen-Raster lässt schon erkennen, dass eine systematische Quelleninterpretation immer aus zwei Hauptschritten besteht, einem Analyseteil und einem darauf aufbauenden Interpretationsteil.

### Wie geht das?

Wenn ihr sprachliche historische Quellen sach- und fachgerecht bearbeiten wollt, ist eine **Drei-Schritte-Methode** hilfreich und empfehlenswert.

Aufgelistet sind zu den drei Arbeitsschritten als Hilfestellung Fragen, die als Leitlinien dienen können. Dabei müsst ihr beachten, dass je nach Erkenntnisinteresse nicht immer alle Fragen von gleicher Bedeutung und Wichtigkeit sind und dass die Reihenfolge der Fragen keine zwingende Festlegung darstellt.

---

| | |
|---|---|
| **1. Schritt:**<br>**Eingrenzung bzw. Festlegung der Erkenntnisinteressen** | Quellen können, je nachdem, welche Fragen wir an sie stellen, unterschiedliche Aussagewerte haben. Also:<br>• Was sind unsere erkenntnisleitenden Fragestellungen, um die es geht? |
| **2. Schritt:**<br>**Analysieren**<br>**→ Klärung der formalen äußeren Merkmale der Quelle** | • Um welche Quellensorte handelt es sich?<br>• Wer ist die Verfasserin bzw. der Verfasser und welche Informationen besitzen wir über sie/ihn?<br>• An wen ist der Text gerichtet?<br>• Wann und wo ist die Quelle verfasst worden?<br>• In welchen Ereigniszusammenhang ist die Quelle einzuordnen? |
| **→ Zusammenfassende Wiedergabe des Inhalts in eigenen Worten** | • Was genau ist das Thema bzw. worum geht es in der Quelle?<br>• Was wird im Einzelnen ausgeführt? |
| **3. Schritt:**<br>**Interpretieren**<br>**→ Quellenaussagen prüfen und sich kritisch mit ihnen auseinandersetzen** | • Welche Absichten verfolgt die Verfasserin/der Verfasser?<br>• Welche Perspektive wird eingenommen?<br>• Sind die Ausführungen glaubwürdig, in der Sache nachvollziehbar, überzeugend oder in sich widersprüchlich, einseitig oder parteiisch, Tatbestände nachweislich verzerrend? (Ein Vergleich mit anderen Quellen und Darstellungen ist hier lohnend!) |
| **→ Schlussfolgerungen mit Bezug auf die gestellte(n) Untersuchungsfrage(n)** | • Welche Schlüsse und gesicherten Aussagen lässt die Quelle zu?<br>• Was bleibt eher ungeklärt/offen?<br>• Gibt es neue, weiterführende Fragestellungen? |

# Die demokratische Republik setzt sich durch – ein wirklicher Neuanfang?

Das Vierteljahr vom November 1918 bis zum Januar 1919 war eine Phase konfliktgeladener politischer Auseinandersetzungen. Es wurde um die Gestaltung der zukünftigen Republik gerungen. Die Wahl zur Nationalversammlung, die die neue Verfassung ausarbeiten sollte, markiert einen ersten Endpunkt dieser heftigen Kontroversen.

In der Seitenüberschrift heißt es, dass sich die Vorstellungen einer demokratischen Republik durchgesetzt haben. Mit dieser Feststellung sind zwei wesentliche Fragestellungen verknüpft:

● **Wie ist es zu erklären, dass sich die demokratische gegen die geplante Räterepublik behauptet?**
● **Bedeutete diese demokratische Republik einen wirklichen Neuanfang gegenüber der Monarchie?**

Eine Überblicksdarstellung, ein Expertenurteil (M 3) und zwei Wahlplakate (M 1, M 2) dienen als Materialgrundlage zur Beantwortung dieser Fragen.

**So gelangt ihr zu tragfähigen Antworten:**

1. Wertet zunächst den Darstellungstext, das Expertenurteil und die beiden Wahlplakate sorgfältig aus.
   **Tipp!** Wie ihr Wahlplakate fachgerecht erschließen könnt, erfahrt ihr in der Methodenbox auf Seite 26.
2. Notiert stichwortartig, welche Aussagen und Schlussfolgerungen das jeweilige Material bezogen auf die beiden Fragen ermöglicht.
3. Formuliert dann auf dieser Grundlage zusammenfassende Antworten auf die beiden Leitfragen.

M 1

Plakat zur Wahl der Nationalversammlung am 19. Januar 1919, dem ersten frei gewählten Parlament in Deutschland

## Drei entscheidende Monate im Überblick

☞ Friedrich Ebert und ein großer Teil der Mehrheitssozialdemokraten (MSPD) suchten für die politische Umgestaltung zum einen den Rückhalt des Volkes. Es sollte eine Nationalversammlung wählen, die für den Staat eine neue Verfassung beschließen sollte.

☞ Bereits am 10. November sicherte sich Ebert zum anderen die Unterstützung der Obersten Heeresleitung. Das Heer stellte sich, so das Angebot von General Groener, der neuen Regierung zur „Bekämpfung des Bolschewismus zur Verfügung". Es erwartete als Gegenleistung, einen radikalen Umsturz zu verhindern und die Ordnung aufrechtzuerhalten.

☞ Ebenfalls am 10. November bildete Ebert die neue Regierung der Volksbeauftragten. Ihr gehörten je drei Politiker der SPD und der USPD an. Diese Unabhängigen Sozialdemokraten hatten sich 1917 von der SPD abgespalten, da sie diese für zu regierungsfreundlich hielten.

☞ Der linke Flügel der Unabhängigen Sozialdemokraten (USPD) befürwortete einen anderen Weg. Er meinte, dass die Arbeiterschaft erst gerade begonnen habe, die Gesellschaft in ihrem Sinne zu reformieren. Nach wie vor waren gesellschaftliche Vorrechte, Privilegien, vor allem des Adels und der Fabrikanten, unangetastet geblieben. Auch die alten kaiserlichen Offiziere, Beamte und Richter waren nach wie vor im Amt.

☞ Schließlich trat eine radikale Gruppe auf, die sich Spartakusbund nannte. Ihre Anführer: Karl Liebknecht und Rosa Luxemburg. Ihr Ziel: eine Revolution nach russischem Vorbild. Der neue Staat sollte eine Räterepublik sein. Arbeiter in den Betrieben und Soldaten aller Militäreinheiten sollten Arbeiter- und Soldatenräte wählen.

**M 2**

Wahlplakat der SPD 1919

## M 3  Ein Expertenurteil zur Revolution

Die Revolution von 1918/19, aus der Weimar hervorgegangen ist, gehört zu den umstrittensten Ereignissen der deutschen Geschichte. Manche Historiker meinen,
5 dass die erste deutsche Demokratie vielleicht nicht untergegangen und dann auch Hitler nicht an die Macht gekommen wäre, hätte es damals einen gründlichen Bruch mit der obrigkeitsstaatlichen
10 Vergangenheit gegeben. Tatsächlich war der Handlungsspielraum der regierenden Mehrheitssozialdemokraten […] in den entscheidenden Wochen zwischen dem Sturz der Monarchie am 9. November
15 1918 und der Wahl der Verfassunggebenden Deutschen Nationalversammlung am 19. Januar 1919 größer, als die Akteure mit Friedrich Ebert, dem Vorsitzenden des Rates der Volksbeauftragten,
20 an der Spitze selbst meinten. Sie hätten weniger bewahren müssen und mehr verändern können. Es wäre, mit anderen Worten, möglich gewesen, in der revolutionären Übergangszeit erste Schritte zu
25 tun auf dem Weg zu einer Demokratisierung der Verwaltung, der Schaffung eines republikloyalen Militärwesens, der öffentlichen Kontrolle der Macht – unter Umständen bis hin zu einer Vergesell-
30 schaftung des Bergbaus, einer Forderung, die nach der Jahreswende 1918/19 zu einer zündenden Streikparole wurde. […] Gegen eine Mehrheit Politik zu machen, war für die Sozialdemokraten unvorstell-
35 bar. Es hätte auch dem bisherigen Gang der deutschen Verfassungsgeschichte widersprochen. […] Deutschland war um 1918 bereits zu demokratisch, um sich eine revolutionäre Erziehungsdiktatur (sei
40 es nach dem Vorbild der französischen Jakobiner von 1793 oder, was aktueller war, nach dem der russischen Bolschewiki von 1917) aufzwingen zu lassen. Deutschland war auch zu industrialisiert
45 für einen völligen Umsturz der gesellschaftlichen Verhältnisse. […] Für hochindustrialisierte Gesellschaften aber ist ein starker Bedarf an der Aufrechterhaltung der Dienstleistungen von Staat und Kom-
50 munen, das heißt: an administrativer Kontinuität, kennzeichnend. Beide Faktoren, der Grad der Demokratisierung und der Grad der Industrialisierung, wirkten objektiv revolutionshemmend. […]

(Heinrich August Winkler, Weimar – Ein deutsches Menetekel, in: Ders./Alexander Cammann (Hg.), Weimar – Ein Lesebuch zur deutschen Geschichte 1918–1933, München 1997, S. 15ff.)

☞ Vom 16. bis 21. Dezember 1918 tagte der Reichskongress der Arbeiter- und Soldatenräte in Berlin. Es gab eine große Mehrheit für die Vorstellungen der MSPD. Mit 400 zu 40 Stimmen wurde am 19. Januar die Wahl zur Nationalversammlung beschlossen. Die neue Ordnung sollte also mit der Wahl eines Parlamentes beginnen, an der alle deutschen Bürger/innen mit Vollendung des 20. Lebensjahres beteiligt waren.

☞ Das Rätesystem nach russischem Vorbild wurde damit abgelehnt.

☞ Die Vertreter der USPD zogen sich aus dem Rat der Volksbeauftragten zurück. Die vorläufige Regierungsgewalt lag jetzt allein bei der MSPD.

☞ Der Spartakusbund, aus dem am 1. Januar 1919 die Kommunistische Partei Deutschlands hervorging, wollte die Wahlen verhindern. Er organisierte einen Aufstand. Ebert stand vor der Entscheidung: Entweder er ließ den Aufstand zu und ermöglichte so einen sozialistischen Staat oder er ließ den Aufstand niederschlagen.

☞ Eberts Entscheidung: Er ließ den Aufstand mithilfe von freiwilligen militärischen Einheiten der alten kaiserlichen Armee blutig bekämpfen. Rosa Luxemburg und Karl Liebknecht wurden ermordet. Ebert und die MSPD galten jetzt als Arbeiterverräter und Arbeiterschlächter.

☞ Die Wahlen zur Nationalversammlung (Januar 1919) endeten mit einer Dreiviertelmehrheit der Parteien, die eine demokratische Republik anstrebten (SPD, Liberale (DDP), Zentrum = Weimarer Koalition).

☞ Im August 1919 wurde die Weimarer Reichsverfassung verabschiedet.

Um diesen Auszug aus der historischen Sekundärliteratur zu bearbeiten, sind **zwei Arbeitsschritte** hilfreich:

**1.** Wiedergabe des Inhalts und des gedanklichen Aufbaus in seinen zentralen Aussagen mit eigenen Worten.
**Mögliche Leitfragen:**
– Was ist das Thema des Textauszugs?
– Welche Aussagen werden im Einzelnen getroffen?
– Was ist das Gesamtergebnis, zu dem Winkler gelangt?
– Wie baut der Autor seine Argumentation auf?

**2.** Kritische Auseinandersetzung mit den Textaussagen und Argumenten.
**Mögliche Leitfragen:**
– Ist die Argumentation stimmig?
– Urteilt der Autor einseitig, von einer bestimmten weltanschaulichen Position aus?

# Die Weimarer Verfassung – Geht alle Macht vom Volke aus?

Am 6. Februar 1919 trat in Weimar die Nationalversammlung zusammen. Sie hatte vor allem die Aufgabe, eine neue Verfassung auszuarbeiten. Die Abgeordneten nahmen das fertige Verfassungswerk nach fünfmonatigen Beratungen am 31. Juli 1919 an.

- **Was sind die neuen Rechte und Freiheiten des Volkes?**

Das Schema und die folgenden Textauszüge der Verfassung geben Auskunft über zentrale Regelungen der Weimarer Verfassung. Um die Leitfrage beantworten zu können, ist es sinnvoll, die Verfassung mithilfe der folgenden Einzelfragen zu bearbeiten:

1. Wer erlässt die Gesetze und setzt sie durch?
2. Welche Positionen werden durch Wahl besetzt und welche nicht?
3. Wer darf wählen?
4. Wie ist somit die Macht verteilt?
5. Wie wird die Macht kontrolliert? Gibt es Missbrauchsmöglichkeiten?
6. Welche Rechte hat der Einzelne?

Tragt eure Ergebnisse vor der Klasse vor. Geht alle Macht vom Volke aus? Gebt eine Antwort.

**Anregung:** Ihr könnt einen Vergleich zu wesentlichen Rechten und Freiheiten unserer heutigen Demokratie herstellen. Unter der Internetadresse www.bundesregierung.de habt ihr einen schnellen Zugriff auf die Bestimmungen des Grundgesetzes.

## M 1
### Die Weimarer Verfassung

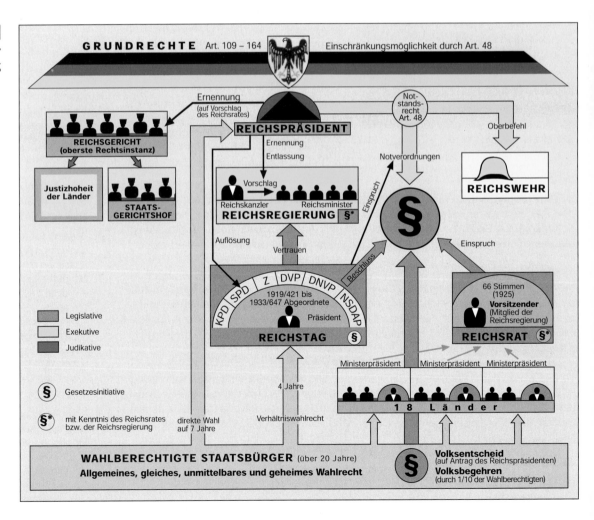

Q Das Deutsche Volk, einig in seinen Stämmen und von dem Willen beseelt, sein Reich in Freiheit und Gerechtigkeit zu erneuern und zu festigen, dem inneren und äußeren Frieden zu dienen und den gesellschaftlichen Fortschritt zu fördern, hat sich diese Verfassung gegeben.

Art. 1 Das Deutsche Reich ist eine **Republik**. Die **Staatsgewalt** geht vom Volke aus. […]

Art. 20 Der **Reichstag** besteht aus den Abgeordneten des deutschen Volkes.

Art. 21 Die **Abgeordneten** sind Vertreter des ganzen Volkes. Sie sind nur ihrem Gewissen unterworfen und an Aufträge nicht gebunden.

Art. 22 Die Abgeordneten werden in allgemeiner, gleicher, unmittelbarer und geheimer **Wahl** von den über zwanzig Jahre alten Männern und Frauen nach den Grundsätzen der Verhältniswahl gewählt. […]

Art. 25 Der **Reichspräsident** kann den Reichstag auflösen, jedoch nur einmal aus dem gleichen Anlass.

Art. 41 Der **Reichspräsident** wird vom ganzen deutschen Volke gewählt. […]

Art. 48 […] Der Reichspräsident kann, wenn im Deutschen Reich die **öffentliche Sicherheit und Ordnung** erheblich gestört oder gefährdet wird, die zur Wiederherstellung der öffentlichen Ordnung nötigen Maßnahmen treffen, erforderlichenfalls mithilfe der bewaffneten Macht einschreiten. Zu diesem Zweck darf er vorübergehend die in den Art. 114, 115, 117, 118, 123, 124 und 153 festgesetzten Grundrechte ganz oder zum Teil außer Kraft setzen.
Von […] diesen Maßnahmen hat der Reichspräsident unverzüglich dem Reichstag Kenntnis zu geben. Die Maßnahmen sind auf Verlangen des Reichstags außer Kraft zu setzen.

Art. 53 Der **Reichskanzler** und auf seinen Vorschlag […] die Reichsminister werden vom Reichspräsidenten ernannt und entlassen.

Art. 54 Der **Reichskanzler** und die **Reichsminister** bedürfen zu ihrer Amtsführung des Vertrauens des Reichstags. Jeder von ihnen muss zurücktreten, wenn ihm der Reichstag durch ausdrücklichen Beschluss sein Vertrauen entzieht. […]

Art. 68 […] Die **Reichsgesetze** werden vom Reichstag beschlossen.

Art. 73 Ein vom Reichstag beschlossenes Gesetz ist vor seiner Verkündigung zum **Volksentscheid** zu bringen, wenn der Reichspräsident binnen eines Monats es bestimmt. […]
Ein Volksentscheid ist ferner herbeizuführen, wenn ein Zehntel der Stimmberechtigten das **Begehren** nach Vorlegung eines Gesetzentwurfes stellt.

Art. 76 Die **Verfassung** kann im Wege der Gesetzgebung geändert werden. Jedoch kommen Beschlüsse des Reichstags auf **Abänderung** nur zustande, wenn zwei Drittel der gesetzlichen Mitgliederzahl anwesend sind und wenigstens zwei Drittel der Anwesenden zustimmen. […]

Art. 109 Alle Deutschen sind **vor dem Gesetze gleich**. Männer und Frauen haben grundsätzlich dieselben staatsbürgerlichen Rechte und Pflichten. Öffentlich-rechtliche Vorrechte oder Nachteile der Geburt oder des Standes sind aufzuheben. […]

Art. 114 **Die Freiheit der Person** ist unverletzlich. Eine Beeinträchtigung oder Entziehung der persönlichen Freiheit durch die öffentliche Gewalt ist nur aufgrund von Gesetzen zulässig.

Art. 151 Die **Ordnung des Wirtschaftslebens** muss den Grundsätzen der Gerechtigkeit mit dem Ziele der Gewährleistung eines menschenwürdigen Daseins für alle entsprechen. In diesen Grenzen ist die wirtschaftliche Freiheit des Einzelnen zu sichern.

(Zit. nach: E. R. Huber [Hg.], Dokumente der Novemberrevolution und der Weimarer Republik 1918–1932, Stuttgart ²1966, S. 129ff.)

# Probleme der Verfassungswirklichkeit

Die Weimarer Verfassung galt als höchst demokratische, fortschrittliche Verfassung. Die Verfassungswirklichkeit eines politischen Systems wird aber nicht nur durch seine geschriebene Verfassung bestimmt. In der Praxis der Weimarer Republik zeigte sich dann, dass auf dem Hintergrund der antidemokratischen Einstellung bzw. der Tradition der politischen Kultur große politische Probleme auftauchten.

> ● **Was waren wesentliche Schwachstellen des Parteien- und Verfassungssystems, die die Weimarer Republik belasteten?**
>
> Folgende Stichworte können euch bei der Bearbeitung und anschließenden Erörterung dieser Leitfrage helfen: Einstellung der Parteien zur Demokratie, Stärkeverhältnis der demokratischen und antidemokratischen Parteien im Laufe der Weimarer Republik, Ursachen und Wirkungen der häufigen Regierungswechsel, Möglichkeiten des Missbrauchs von Verfassungsartikeln (z.B. Art. 48).
> Tragt eure Ergebnisse mithilfe eines Stichwortzettels in der Klasse vor.

## Die Parteienlandschaft

Nach Art. 21 GG der Bundesrepublik Deutschland wirken Parteien bei der politischen Willensbildung des Volkes mit. Ihre innere Ordnung muss demokratischen Grundsätzen entsprechen. Sie sind also ein verfassungsrechtlich notwendiger Bestandteil der Demokratie, weil sie die Wähler zu aktionsfähigen Gruppen zusammenschließen. In der Weimarer Verfassung dagegen wurden Parteien nicht erwähnt. Diese Geringschätzung hat zu tun mit der Rolle der Parteien im Kaiserreich. Sie waren bis 1918 von der Regierungsverantwortung ausgeschlossen. Die Übernahme von Verantwortung für die gesamte Nation waren sie nicht gewohnt. Auch die soziale Zusammensetzung trug dazu bei, dass sich die Parteien als Vertreter von sozialen Gruppen und Weltanschauungen sahen, auf die sie sich stützten, nicht als Repräsentanten der Nation. Folglich war die Bereitschaft zum Kompromiss sehr gering ausgebildet.
Bis in die zweite Hälfte der 1920er-Jahre standen sich **vier politische Weltanschauungen** gegenüber:

### Der Sozialismus

In diese Tradition gehörten die **Sozialdemokratische Partei Deutschlands (SPD)**, die **Unabhängige Sozialdemokratische Partei (USPD)** und die **Kommunistische Partei Deutschlands (KPD)**. Trotz der gemeinsamen Herkunft vertraten diese Parteien jedoch höchst unterschiedliche Ziele.
Die **SPD** setzte sich vorbehaltlos für die Verwirklichung der parlamentarischen Demokratie ein. Sie trat für friedliche Lösungen internationaler Konflikte ein. Im Inneren förderte sie den Ausbau der Arbeitnehmerrechte. Die bekanntesten Vertreter waren Friedrich Ebert, der erste Reichspräsident, und Philipp Scheidemann.
Die **USPD**, eine Abspaltung der SPD, und die **KPD**, die wiederum aus dem linken Flügel der USPD hervorgegangen war, befürworteten im Gegensatz zur SPD eine möglichst umgehende Umgestaltung der kapitalistischen Staats- und Gesellschaftsordnung. Sie traten für eine sozialistische Räterepublik ein. Die wichtigsten Politiker der KPD waren Rosa Luxemburg und Karl Liebknecht.

### Der Katholizismus

Der politische Vertreter war das **Zentrum**, das bereits 1879 gegründet wurde. (Die katholische Fraktion im preußischen Abgeordnetenhaus benutzte den Namen schon seit 1859.) Seine Wähler kamen vornehmlich aus katholischen Kreisen. Das Zentrum trat für eine parlamentarische Demokratie ein. Es befürwortete Privatbesitz und Privatwirtschaft. Seine bekanntesten Politiker waren Matthias Erzberger und Heinrich Brüning.

### Der Konservatismus

Das konservative Milieu wurde vertreten durch die **Deutsch-Nationale Volkspartei (DNVP)** und Teile der **Deutschen Volkspartei (DVP)**.
Die Anhänger der **DNVP** entstammten dem Adel, den Großgrund besitzenden Schichten sowie dem nationalkonservativen und höheren Bürgertum. Sie befürworteten die Monarchie und lehnten die Republik ab. Sie waren gegen den Versailler Vertrag. Sie waren antisemitisch eingestellt.
Die **DVP** befürwortete eine konstitutionelle Monarchie. Sie vertrat vor allem die Interessen der Großindustrie und des Mittelstandes. Ihr bekanntester Politiker: Gustav Stresemann.

### Der Liberalismus

Die wichtigste liberale Partei war die **Deutsche Demokratische Partei (DDP)**. Wählerpotenzial fand sie vor allem im Mittelstand (Handwerker, kleine Händler, Kaufleute, Ärzte, Anwälte und höhere Beamte). Sie trat für die demokratische Verfassung ein. Sie war gegen Verstaatlichung.

### Die neue politische Kraft: Der Nationalsozialismus

Neben diese ins Kaiserreich zurückreichenden politischen Gruppierungen trat Ende der 1920er-Jahre der Nationalsozialismus als dominierende politische Kraft (s. S. 32ff., S. 48ff.). Der Nationalsozialismus war antidemokratisch, befürwortete stattdessen einen Führerstaat, betonte die Ungleichheit der Rassen und ging von einer verbindlichen Weltanschauung aus. Er lehnte damit Grundprinzipien der Weimarer Demokratie ab.

# Verfassungsprobleme

Neben diesen Strukturschwächen des Parteiensystems belasteten zwei weitere Schwächen der Verfassung die junge Demokratie:

> Die Weimarer Verfassung kannte keine 5 %-Klausel. Die Folge war, dass eine große Anzahl von Parteien in die jeweiligen Reichstage einzog. Gewählt wurde nach dem reinen Verhältniswahlrecht, sodass sich die Zahl der erhaltenen Stimmen genau in der Zahl der Mandate niederschlug.
> Problematisch war die starke Position des Reichspräsidenten, den man deswegen als eine Art „Ersatzkaiser" ansah. Der Notstandsartikel 48 gab ihm das Recht, die gewählte Volksvertretung, den Reichstag, zu umgehen. Notverordnungen erlangten Gesetzeskraft. Besonders in der Schlussphase der Weimarer Republik machte der Reichspräsident von dieser Möglichkeit Gebrauch.
Zudem gab ihm Artikel 25 die Möglichkeit, den Reichstag aufzulösen.

## M 2 Artikel 48 der Weimarer Verfassung

Q Wenn ein Land die ihm […] obliegenden Pflichten nicht erfüllt, kann der Reichspräsident es dazu mithilfe der bewaffneten Macht anhalten.

Der Reichspräsident kann, wenn im deutschen Reiche die öffent-
5 liche Sicherheit und Ordnung erheblich gestört oder gefährdet wird, die zur Wiederherstellung der öffentlichen Sicherheit und Ordnung nötigen Maßnahmen treffen, erforderlichenfalls mithilfe der bewaffneten Macht einschreiten. Zu diesem Zweck darf er vorübergehend die […] Grundrechte ganz oder teilweise au-
10 ßer Kraft setzen. Von allen gemäß Abs. 1 und Abs. 2 dieses Artikels getroffenen Maßnahmen hat der Reichspräsident unverzüglich dem Reichstag Kenntnis zu geben. Die Maßnahmen sind auf Verlangen des Reichstags außer Kraft zu setzen.

## M 3 Reichsregierungen 1919–1933
(1918: Regierung der Volksbeauftragten, s. S. 18)

| Beginn | Koalition | Reichskanzler |
|---|---|---|
| 10.11.1918 | SPD-USPD | Ebert (SPD) |
| 13.02.1919 | SPD-Zentrum-DDP | Scheidemann (SPD) |
| 21.06.1919 | SPD-Zentrum-DDP | Bauer (SPD) |
| 27.03 1920 | SPD-Zentrum-DDP | Müller (SPD) |
| 21.06.1920 | Zentrum-DDP-DVP | Fehrenbach (Z) |
| 10.05.1921 | SPD-Zentrum-DDP | Wirth (Z) |
| 22.11.1922 | Zentrum-DDP-DVP | Cuno (parteilos) |
| 13.08.1923 | SPD-Z-DDP-DVP | Stresemann (DVP) |
| 30.11.1923 | Z-DDP-DVP-BVP | Marx (Z) |
| 03.06.1924 | Zentrum-DDP-DVP | Marx (Z) |
| 15.01.1925 | Z-DDP-DVP-DNVP | Luther (parteilos) |
| 20.01.1926 | Z-DDP-DVP-BVP | Luther (parteilos) |
| 17.05.1926 | Zentrum-DDP-DVP | Marx (Z) |
| 29.01.1927 | Z-DVP-BVP-DNVP | Marx (Z) |
| 29.06.1928 | SPD-Z-DDP-DVP-BVP | Müller (SPD) |
| 30.03.1930 | Präsidialkabinett | Brüning (Z) |
| 01.06.1932 | Präsidialkabinett | Papen (parteilos) |
| 03.12.1932 | Präsidialkabinett | Schleicher (parteilos) |
| 30.01.1933 | Präsidialkabinett | Hitler (NSDAP) |

## M 1 Parteien im Reichstag 1919–1933

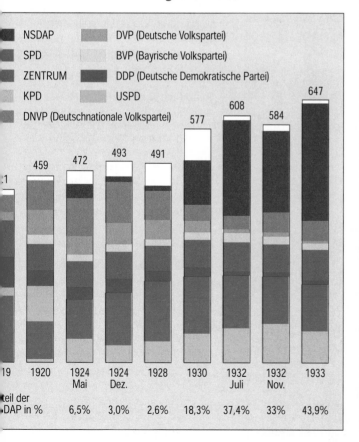

NSDAP
SPD
ZENTRUM
KPD
DNVP (Deutschnationale Volkspartei)
DVP (Deutsche Volkspartei)
BVP (Bayrische Volkspartei)
DDP (Deutsche Demokratische Partei)
USPD

Anteil der NSDAP in %: 6,5% | 3,0% | 2,6% | 18,3% | 37,4% | 33% | 43,9%

# Kampf um die Republik (1919–1923)

## Belastungen und Gefährdungen, Gegner von rechts und links – Ein Überblick

Nach dem Zusammenbruch des Kaiserreiches war erstmals auf deutschem Boden eine freiheitliche Demokratie entstanden. Das Volk erhielt umfassende Freiheits- und Beteiligungsrechte. Grundrechte boten Schutz vor Übergriffen des Staates. Dennoch war die neue Republik von Anfang an gefährdet.

Für den zeitgenössischen Beobachter sowie den Betrachter aus der historischen Rückschau stellen sich zwei Fragen:

● **Warum war die neue Republik so umkämpft und bedroht?**

● **Welche Bedeutung hatten die Krisen der Anfangsjahre für das Scheitern der Republik?**

**M 1** Thomas Theodor Heine: „Sie tragen die Buchstaben der Firma – wer aber trägt ihren Geist?"

❶ Auf der ersten Doppelseite erhaltet ihr einen Überblick über Gegner der Republik und über Skeptiker gegenüber dieser neuen Staatsform sowie über verschiedene Formen der Belastung.
**Fasst die wichtigen Informationen in einer Mindmap zusammen.**

Belastungen

❷ Auf den folgenden vier Doppelseiten werden beispielhaft Belastungen und Gefährdungen vorgestellt. Diese Beispiele – antidemokratisches Denken gespiegelt in Karikaturen und Plakaten, Vertrag von Versailles, Hitler-Putsch, Inflation – könnt ihr arbeitsteilig bearbeiten.
**Wählt für die Vorstellung eurer Arbeitsergebnisse eine Präsentationsform aus, die eurer Meinung nach für das gewählte Beispiel gut geeignet ist.**

❸ In einem abschließenden **Klassengespräch** könnt ihr zusammenfassende Antworten auf die beiden Leitfragen diskutieren und auf einer Folie aufschreiben.

Betrachtet die Karikaturen M 1 und M 2 und interpretiert sie unter den Leitfragen.

**Tipp!** Versucht im Besonderen die Figuren zu identifizieren, die ganz offensichtlich unterschiedliche Gruppierungen der Weimarer Republik symbolisieren. Die Darstellung auf den Seiten 22 und 25 stellt Hintergrundwissen für die Interpretation zur Verfügung.

Karikatur aus dem Jahre 1927, veröffentlicht in der satirischen Zeitschrift „Simplicissimus"

24

## Antidemokratisches Denken

Nach dem Ende der Monarchie hatten viele Menschen Schwierigkeiten, sich auf die neuen Verhältnisse einzustellen. Nach dem Abdanken des Kaisers musste eine neue Staatsform eingeführt werden. Das wirtschaftliche und gesellschaftliche Leben musste auf Friedensverhältnisse umgestellt werden. Es musste ein Friedensvertrag geschlossen werden. Während in Weimar die Nationalversammlung die neue Verfassung beriet, tagte zwischen Januar und Mai 1919 in Versailles die Internationale Konferenz der Siegermächte. Deutschland war nicht vertreten. Als die Friedensbedingungen bekannt wurden, herrschten in allen Bevölkerungsschichten Wut und Enttäuschung; sie wurden von allen Parteien abgelehnt, mussten aber letztlich hingenommen werden.

Angesichts dieser Unsicherheiten und des schwierigen Anfangs der neuen Republik erinnerten sich viele an die vermeintlich glorreiche Kaiserzeit. Angehörige der alten Führungsschichten, Adelige, Offiziere, Professoren, Richter, Unternehmer, Landwirte wandten sich gegen die Demokratie. Radikale Parteien und Gruppen von rechts bedrohten die Republik. Sie hetzten gegen das „Schanddiktat von Versailles", beschimpften Parlamentarier als „Volksverräter", „Erfüllungspolitiker" und „Novemberverbrecher". Besonders verheerend für die Akzeptanz der Republik wirkte sich die Dolchstoß-Legende aus. Gestützt durch General von Hindenburg besagte sie, dass die deutsche Armee im Felde unbesiegt geblieben und stattdessen die Heimat an der Niederlage schuld sei, da sie der kämpfenden Truppe in den Rücken gefallen sei. Diese Legende verschleierte das politische und militärische Versagen der Führungsschicht des kaiserlichen Deutschlands und stempelte die neue Regierung und die demokratische Republik, die die Last des Waffenstillstandes und des Friedensvertrages auf sich genommen hatte, zu Sündenböcken für die aktuelle Misere. Zu den Mitteln der radikalen Rechten zählte auch der politische Mord. So wurde 1921 Matthias Erzberger (Zentrum), der Unterzeichner des Waffenstillstandes von 1918, von Rechtsradikalen ermordet. Gleichermaßen bekämpften KPD und USPD die Republik. Ihnen war die Revolution nicht weit genug gegangen. Sie verunglimpften die SPD als „Handlanger des Kapitalismus".

### Umsturzversuche von rechts und links

Die Gegner der Republik beschränkten sich nicht auf die Vergiftung des politischen Klimas mit Worten. Höhepunkte der links- und rechtsradikalen Umtriebe waren Versuche, die Regierung zu stürzen. Im März 1920 versuchten Freikorpsführer, kaisertreue Offiziere und Politiker, unter Führung des hohen Verwaltungsbeamten Kapp die neue Ordnung mit Waffengewalt umzustürzen. Die Regierung wurde als abgesetzt erklärt. Kapp wurde zum Reichskanzler ausgerufen. Als die Gewerkschaften zum Generalstreik aufriefen, musste er wegen mangelnder Unterstützung aufgeben. Etwa zur gleichen Zeit begannen in einer Reihe von Ländern linksradikale Umsturzversuche, so im Ruhrgebiet, in Sachsen und Thüringen. Diese Aufstände wurden durch Reichswehreinheiten und Freikorps niedergeschlagen. Gegen die Aufständischen unter Kapp hatte sich dagegen die Reichswehr geweigert, Truppen einzusetzen. Verfassungs- und Republiktreue der Reichswehr waren somit unsicher.

Auf diese Angriffe gegen die Demokratie reagierte die Rechtsprechung höchst einseitig. Verbrechen von Rechtsstehenden wurden viel nachsichtiger behandelt als von Linksstehenden. So blieben zwischen 1918 und 1922 von 354 Morden von Rechtsradikalen 326 ungesühnt. Keiner der Täter wurde hingerichtet.

### Das Krisenjahr 1923

Die Gefährdungen der jungen Republik spitzten sich im Jahr 1923 zu:

> In diesem Jahr besetzten französische und belgische Truppen das Ruhrgebiet, weil Deutschland angeblich mit seinen Reparationsleistungen im Rückstand geblieben war. Es gab einen Sturm der nationalen Entrüstung. Die Bevölkerung trat in den passiven Widerstand. Im September musste der Ruhrkampf abgebrochen werden.

> Es gab den Aufstandsversuch der KPD in Hamburg und den Hitler-Ludendorff-Putsch in München, ferner von Frankreich unterstützte separatistische Bewegungen in der Pfalz und im Rheinland.

> Das einschneidendste Ereignis war die Wirtschaftskrise als Folge der Inflation mit Hungerrevolten in vielen Regionen. Die Währungsreform vom November 1923 stabilisierte zwar die Wirtschaft, die Menschen aber fühlten sich betrogen und lasteten die Inflation der Republik an.

**M 2 Nationalistische Lüge und die Wahrheit**   Karikatur von Oskar Theuer in der satirischen Zeitschrift „Ulk", 1921

Ein Dolchstoß, der eine Legende ist

Ein Dolchstoß, der keine Legende ist

# Antidemokratisches Denken – Was erzählen Wahlplakate?

Die politische Stabilität eines Staates hängt wesentlich davon ab, ob das Volk diesen Staat in seiner großen Mehrheit befürwortet und unterstützt. Einzelne Gegner von links und rechts bleiben erfolglos, wenn sie isoliert sind. Der Historiker fragt deshalb nach dem Denken, der Einstellung des Volkes. Eine Quelle, um etwas über dieses Denken über die neue Demokratie zu erfahren, sind Wahlplakate.

In der Weimarer Republik erlebte das politische Plakat eine nie zuvor und auch danach nie wieder erreichte Konjunktur. Das Fernsehen gab es noch nicht, also bediente man sich des Plakats, um werbende Botschaften möglichst einprägsam zu verbreiten. Massenhaft aufgehängt an Litfaßsäulen, an Hauswänden, Laternenmasten oder Bäumen lenken Plakate die Blicke der Menschen auf solche Botschaften. Plakate versuchen, mit ihren Botschaften bewusste oder unbewusste Wünsche der Menschen anzusprechen. Politische Plakate dienen dabei besonders der Mobilisierung der Massen. Sie leben vom Angriff auf die politischen Gegner und deren Positionen. Häufig bedienen sie sich dabei der Hass- und Feindbilderzeugung. Eine Partei, die von möglichst vielen Menschen gewählt werden möchte, wird Wünsche, Hoffnungen, Ängste der Menschen aufgreifen, soziale, politische und wirtschaftliche Probleme ansprechen, die die Menschen beschäftigen. Wenn wir also Plakate aufmerksam betrachten, erfahren wir mehr als den Namen der Partei, der Kandidaten oder den Slogan. Wir erfahren etwas über die Einstellung, die Mentalität der Menschen.

# Methodenbox
## Umgang mit Plakaten

Jede Untersuchung beginnt mit einer Frage. Mittels der Wahlplakate wollen wir ermitteln, welche Haltung die Parteien und die Bevölkerung gegenüber der neuen Demokratie einnahmen.

Schaut euch zunächst die Plakate in Ruhe an und lasst sie auf euch wirken. Ihr könnt auch erste Eindrücke und Vermutungen notieren.

Um die Plakate detailliert zu erschließen, ist ein systematisches Vorgehen sinnvoll.

### 1. Schritt: Analysieren

→ **Stellt zunächst das jeweilige Plakat mit seinen äußeren Merkmalen vor.**
- Wer ist der politische Urheber?
- Wann entstand das Plakat?
- An wen richtet es sich?
- In welchem historischen Zusammenhang entstand es?
**Tipp!** Ihr solltet die Informationen zu den Parteien auf S. 22 mit einbeziehen.

→ **Beschreibt, was auf dem Plakat dargestellt ist.**
- Was ist das Thema des Plakats?
- Welche Personen und Gegenstände werden dargestellt?
- Welche Schriftzüge werden verwandt?
- Welche Symbole werden benutzt?

→ **Beschreibt, wie das Plakat gestaltet ist.**
- Wie sind die Personen dargestellt? (Gestik, Gesichtszüge, Größenverhältnisse … ?)
- Welche Perspektive wird gewählt?
- Welche Farben werden verwendet?

### 2. Schritt: Interpretieren

- Welche politischen und gesellschaftlichen Einstellungen spiegelt das Plakat?
- Welche Feindbilder werden deutlich?
- Welche Ängste und Hoffnungen der Bevölkerung sollen angesprochen werden?
- In welcher Weise tragen Bildaufbau und Gestaltung dazu bei, sich als Partei attraktiv zu machen und die Bevölkerung anzusprechen?

### 3. Schritt: Zusammenfassende Beantwortung der Leitfrage

- Was sagen die Plakate über demokratisches bzw. antidemokratisches Denken in der Weimarer Republik aus?

Plakat der DNVP, 1924

Plakat zur Wahl der Nationalversammlung 1919

„Wacht auf und wählt den Völkischen Block" (1924). Die extrem rechten Gruppen schließen sich nach dem Verbot der NSDAP (November 1923) zum Völkischen Block zusammen. Sie gewinnen zwei Millionen Stimmen.

Plakat von KPD/Spartakus zur Reichstagswahl 1920

# Der Vertrag von Versailles – ein tragbarer Friedensschluss?

## Die schwierige Ausgangslage

Nach dem Ersten Weltkrieg musste mit allen am Krieg beteiligten Staaten ein Friedensvertrag geschlossen werden. Der Vertrag sollte vor allem zweierlei leisten:

> Er sollte dauerhaft Frieden und Verständigung zwischen den Staaten schaffen.

> Er sollte so gestaltet werden, dass alle Seiten damit leben konnten.

Ob diese hohen Ansprüche umgesetzt wurden, erwies sich vor allem an der Behandlung des Kriegsverlierers Deutschland.

- Was waren die wesentlichen Bestimmungen des Versailler Vertrages?
- Stellte der Vertrag eine unzumutbare Belastung dar?

## Der Weg zum Vertrag

Über die Bestimmungen des Vertrages verhandelten die Siegermächte Frankreich, England und die USA vom 18. Januar bis zum 7. Mai 1919 in Versailles. Eine deutsche Delegation war nicht beteiligt. Die Alliierten verfolgten dabei unterschiedliche Ziele. Vor allem Frankreich verlangte eine Wiedergutmachung von Kriegsschäden und eine langfristige Schwächung des Reiches. Nachdem die Bedingungen ausgehandelt worden waren, wurde der deutschen Delegation der Vertragstext vorgelegt. Obwohl die deutsche Regierung und alle Parteien der Nationalversammlung gegen den Vertrag protestierten, blieb der Nationalver-

sammlung nichts anderes übrig, als den Vertrag anzunehmen, da die Alliierten mit erneuten Kriegshandlungen drohten.

## Die Vertragsbestimmungen

### Souveränitätseinschränkungen:

– Verbot der allgemeinen Wehrpflicht, Beschränkung des Heeres auf 100 000 Mann und der Marine auf 15 000 Mann;
– Verbot aller schweren Waffen (Kanonen, Panzer, Kampfflugzeuge, U-Boote, Großkampfschiffe);
– Besetzung des linken Rheinufers und rechtsrheinischer Brückenköpfe auf 15 Jahre, 50 km breite entmilitarisierte Zone rechts des Rheins.

### Reparationen:

Als völkerrechtliche Grundlage aller Forderungen diente der Artikel 231 („Kriegsschuldparagraf").
Dieser bezeichnete Deutschland und seine Verbündeten als Urheber für alle Schäden und Verluste, die die Alliierten aufgrund des deutschen Angriffs erlitten hatten. Von Deutschland wurde Wiedergutmachung verlangt:
– umfangreiche Sachlieferungen,
– Ablieferung aller Handelsschiffe über 1 600 Tonnen,
– Zahlungen in Goldmark in erst noch zu berechnender Höhe.

## Innenpolitische Folgen

Quer durch alle Schichten und Parteien war man sich einig in der Ablehnung des Vetrages. Am vehementesten war die Ablehnung im national eingestellten Bür-

gertum. Es lastete die „Schmach von Versailles" der neuen Republik an. Ihre politischen Repräsentanten, die den Vertrag unterschreiben mussten, wurden als „Erfüllungspolitiker" verhetzt. Einige, wie der Zentrumspolitiker Matthias Erzberger und Außenminister Walter Rathenau fielen politischen Attentaten zum Opfer. Die Mörder, ehemalige Offiziere, hatten viele Sympathisanten.

Walther Rathenau

Matthias Erzberger

**1.** Stellt die Bestimmungen des Vertrages in einer Mindmap übersichtlich zusammen. Im nächsten Schritt könnt ihr erläutern, worin die Belastungen bestanden.

**2.** Vergleicht die beiden Urteile zum Vertrag (M2, M3). Wie argumentiert die demokratische Zentrumspartei aus der Sicht ihrer Zeit? Welche Meinung vertritt der moderne Historiker? Fasst den jeweiligen Gedankengang zusammen, vergleicht und setzt euch kritisch mit den Positionen auseinander.

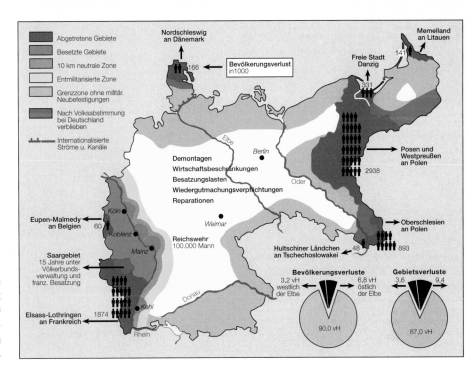

**M 1** Gebietsabtretungen nach dem Vertrag von Versailles

Legende:
- Abgetretene Gebiete
- Besetzte Gebiete
- 10 km neutrale Zone
- Entmilitarisierte Zone
- Grenzzone ohne militär. Neubefestigungen
- Nach Volksabstimmung bei Deutschland verblieben

 Internationalisierte Ströme u. Kanäle

Nordschleswig an Dänemark 166
Memelland an Litauen 141
Freie Stadt Danzig 331
Bevölkerungsverlust in 1000
Berlin
Elbe
Oder
2938
Posen und Westpreußen an Polen
Eupen-Malmedy an Belgien 60
Köln
Koblenz
Weimar
Mainz
Saargebiet 15 Jahre unter Völkerbunds-verwaltung und franz. Besatzung
Reichswehr 100.000 Mann
Demontagen
Wirtschaftsbeschränkungen
Besatzungslasten
Wiedergutmachungsverpflichtungen
Reparationen
Oberschlesien an Polen
Hultschiner Ländchen an Tschechoslowakei 48 893
Elsass-Lothringen an Frankreich 1874
Kehl
Donau
Rhein

Bevölkerungsverluste: 3,2 vH westlich der Elbe | 6,8 vH östlich der Elbe | 90,0 vH
Gebietsverluste: 3,6 | 9,4 | 87,0 vH

## Ein Vertrag – zwei Urteile

Der Versailler Vertrag war und ist bis heute umstritten. Im Folgenden findet ihr eine Erklärung aus dem Jahr 1919 und den Text eines modernen Histori-kers. Beide Texte nehmen Stellung zu der Frage, ob der Vertrag dem Deut-schen Reich zu viel zumutete.

**M 2** Erklärung der an der Weimarer Regierung beteiligten Zentrumspartei vom 9.7.1919

**Q** Der uns zur Ratifikation [Unterzeich-nung] vorgelegte Friedensvertrag […] mutet dem deutschen Volk ein wahrheits-widriges Schuldbekenntnis zu, er fordert
5 eine Auslieferung deutscher Männer, die mit Ehrgefühl und deutschen Rechten unvereinbar ist. Er nimmt uns Land in West und Ost […]. Die Zentrumsfraktion gibt trotzdem diesem Friedensvertrag
10 […] ihre Zustimmung. Es geschieht nicht aus freiem Willen und innerer Zustim-mung, es geschieht lediglich unter dem harten Zwang der Tatsache, dass es kei-nen anderen Weg gibt, […] Volk und Va-
15 terland vor dem sicheren Untergang zu bewahren. Das Reich wird nach besten Kräften suchen, den Vertrag zu erfüllen; aber binnen kurzem wird sich zeigen, dass er in vielen und wesentlichen Teilen
20 unerfüllbar ist.

(Zit. nach: Die Deutsche Nationalversammlung im Jahre 1919, hg. v. E. Heilfron, Bd. 5, S. 3438f.)

**M 3** Stellungnahme des Historikers Michael Salewski 1997

Das Reich und damit die deutsche Ein-heit blieben bestehen, das war tatsächlich fast ein Wunder. Die territorialen Abtre-tungen waren schmerzlich, sie gingen
5 aber nicht an die Substanz des Deutschen Reiches. Bei der Gestaltung ihrer inneren Angelegenheiten blieben die Deutschen […] souverän. […] Es blieben die Repara-tionen. Dass die Siegermächte hier zu kei-
10 nem Ergebnis kamen, die Endsumme of-fenließen und dann später mit untaug-lichen Mitteln versuchten, Deutschland wie eine Zitrone auszupressen, hat das Verhältnis zwischen Siegern und Be-
15 siegten von Anfang an vergiftet. […] Der Vertrag war also objektiv betrachtet bes-ser als sein Ruf. Er […] [war] kein unge-wöhnlich harter Vertrag […]. Deutsch-land war zwar momentan geschlagen
20 und geschwächt, potenziell aber immer noch mächtiger […] als Frankreich.
Es waren keine ökonomischen, materiel-len Fragen, die den Vertrag für Deutsch-land zu einem unerträglichen Diktat

25 stempelten, es waren wieder einmal Mo-tive der Ehre, des nationalen Selbstbe-wusstseins, die den Ausschlag gaben. Über die Frage, ob das Reich den Vertrag unterzeichnen solle oder nicht, zerbrach
30 die Regierung Scheidemann, die Regie-rung der Dreiviertelmehrheit. Eindrucks-voller konnte die Sprengkraft des Ver-sailler Vertrages für das Weimarer System kaum unter Beweis gestellt werden. Und
35 alle nachfolgenden Regierungen waren parlamentarisch schwächer. Indem aber die DDP die Verantwortung für die doch unvermeidliche Unterzeichnung ablehn-te, die erforderliche Mehrheit dann nur
40 mit den Stimmen der USPD zustande kam, war es den bürgerlich-konserva-tiven Kräften fortan ein Leichtes, die So-zialdemokratie als Hauptverantwortliche für die Unterzeichnung des „Schanddik-
45 tats" dingfest zu machen. Das war empö-rend ungerecht – aber was fragt Politik nach Gerechtigkeit?

(Michael Salewski, Das Trauma von Versailles; in: Weimar. Ein Lesebuch zur deutschen Geschichte 1918-1933, hg. v. H. A. Winkler/A. Cammann, München (Beck) 1998, S. 88ff.)

# Forschungs-station

## Die Inflation von 1923 – die Republik in der Krise

Es sind zwei Wirtschaftskrisen, die in vielen deutschen Familien über Generationen hinweg in leidvoller Erinnerung blieben: die Inflation von 1923 und die Weltwirtschaftskrise von 1929. Ein Guthaben, das im Jahre 1914 100000 Reichsmark ausmachte, hatte im Juli 1923 noch einen Wert von 1,19 Mark. Ein Kilogramm Roggenbrot kostete im November 20 Milliarden Reichsmark. Eine solche rapide Geldentwertung hatte massive Auswirkungen auf das Leben der Menschen, beeinflusste ihr Denken und ihre Einstellung gegenüber der neuen Republik.

**Forschungsauftrag:** Was waren die Ursachen der Inflation und wie wirkte sie sich auf die Lebensumstände und das Lebensgefühl der Menschen aus?

Ihr findet auf dieser Doppelseite unterschiedliche Materialien. Zunächst werden die Inflation und ihre Ursachen erläutert. Dann veranschaulichen Berichte aus dem hessischen Biebrich die Auswirkungen der Inflation auf den Lebensalltag der Menschen.

**Folgende Fragen helfen euch bei der Erschließung:**
1. Wie trug der Staat zur Inflation bei?
2. Gab es Alternativen zum Handeln des Staates?
3. Welche Auswirkungen hatte die Inflation auf das Leben der Menschen in Biebrich?
4. Wie reagierten die Arbeiter auf ihre Lebenssituation?
5. Warum verloren in Biebrich und im Reich die republiktreuen Parteien an Vertrauen?

Die Antworten könnt ihr in Mindmaps übersichtlich zusammenfassen und anschließend diskutieren.

### Stichwort: Inflation

(von lat. Aufblähung). Bezeichnung für eine Geldentwertung, die auf dem Missverhältnis zwischen der umlaufenden übergroßen Geldmenge (Papiergeld) und dem geringen Angebot an Gütern beruht. Der Staat lässt Geld drucken, ohne dass sich das Warenangebot erhöht. Das Missverhältnis von Warenmenge und Nachfrage infolge der Geldflut führt zu steigenden Preisen. Betroffen sind vor allem Bezieher fester Einkünfte, Sparer und Gläubiger, Sachwertbesitzer und Schuldner profitieren.

### Ursachen der Inflation von 1923 in Deutschland

1. Um die enormen Kriegskosten finanzieren zu können, ließ die kaiserliche Regierung nicht die Steuern erhöhen, sondern nur einfach mehr Geld drucken.

2. Nach Kriegsende verschlang die Unterstützung der Kriegsopfer Milliarden. Wieder setzte der Staat zur Kostendeckung die Notenpresse ein.

3. Ebenso mussten an Banken und Privatpersonen die Kriegsanleihen zurückgezahlt werden. Erneut erhöhte man deshalb die Geldmenge.

4. Zusätzliche Kosten brachten die Reparationszahlungen an die Alliierten, die in Goldmark bzw. Devisen zu leisten waren. Auch diese Ausgaben kompensierte der Staat mit neuen Banknoten.

5. Schließlich belastete die Unterstützung der streikenden Arbeiter im Ruhrgebiet die Kasse des Staates. Die Gelddruckmaschinen liefen rund um die Uhr.

**Geldflut**

**hohe Nachfrage**

A. Wahrend des Krieges wurden in den Fabriken vor allem Rüstungsgüter produziert. Das Warenangebot für den zivilen Bedarf wurde daher immer knapper.

B. Nach dem Waffenstillstand kamen nicht sofort Verbrauchsgüter auf den Markt. Die Umstellung der Kriegs- auf die Friedenswirtschaft brauchte Zeit.

C. Durch die Gebietsabtretungen gingen wichtige Rohstoff- und Nahrungsmittelquellen verloren. Auch das hatte negative Auswirkungen auf das Gütervolumen.

D. Darüber hinaus wurden dem deutschen Markt durch die Reparationen in Form von Sachleistungen – Kohle, Maschinen, Lebensmittel – Güter entzogen.

E. Infolge des passiven Widerstandes im Ruhrgebiet flossen von dort keine Waren mehr in das übrige Reich. Die Versorgungslage spitzte sich zu.

**Versorgungskrise**

**geringes Angebot**

### M 1   Dollarpreise (1914 – 1923)

| Ein US-Dollar kostete am/im: | |
|---|---|
| 1. Juli 1914 | 4,20 Reichsmark |
| Dezember 1918 | 8,00 Reichsmark |
| Mai 1921 | 62,75 Reichsmark |
| Sommer 1921 | 100,00 Reichsmark |
| Sommer 1922 | 500,00 Reichsmark |
| November 1922 | 6 000,00 Reichsmark |
| Januar 1923 | 10 500,00 Reichsmark |
| Februar 1923 | 40 000,00 Reichsmark |
| Juni 1923 | 150 000,00 Reichsmark |
| 15. November 1923 | 1 260 Milliarden Reichsmark |
| 20. November 1923 | 4 200 Milliarden Reichsmark |
| danach | 4,20 Rentenmark |

(Nach: Ludger Grevelhörster, Kleine Geschichte der Weimarer Republik, Münster 2000, S. 83)

# Wie verändert die Inflation den Alltag?

Rückkehr zum Naturalientausch: Da die Preise schneller stiegen, als die Reichsbank Geldnoten drucken konnte, gingen Geschäfte und Theater dazu über, ihre Preise in Naturalien zu berechnen. Hier der Aushang eines Berliner Theaters im Sommer 1923.

## Das Beispiel Biebrich

Biebrich, südlich von Wiesbaden am Rhein gelegen, war im November 1923 Schauplatz dramatischer Ereignisse. Der Ort hatte damals etwa 20 000 Einwohner. Die Nachkriegskrise fand in diesem Jahr ihren Höhepunkt bei einem Sturm auf das Rathaus, von dem der 11-jährige Otto Fink berichtet. Vorausgegangen waren Demonstrationen gegen die hohen Lebensmittelpreise, die Kartoffel- und Wohnungsnot, zahlreiche Streiks gegen die geringe Entlohnung. Auch in anderen Industrieregionen machten größere Arbeitergruppen durch Lebensmittelunruhen, Rathausbesetzungen und Revolten auf ihre Lage aufmerksam. Die öffentliche Verwaltung, in Biebrich ein sozialdemokratisch geprägter Magistrat, zeigte sich hilflos. Die Stimmenzahl der SPD sank von fast 4 000 nach Kriegsende auf 1 500 nach dem Krisenjahr. Die radikale Unabhängige Sozialdemokratische Partei überflügelte die SPD deutlich. Auch die republiktreue Deutsche Demokratische Partei verlor erheblich an Stimmen.

## M 3 Der „Schwarze Freitag" (30.11.1923)

Otto Fink (damals 11) erinnert sich:

Als stiller Herbsttag brach der 30. November 1923 in der kleinen [...] Stadt Biebrich am Rhein an. Einem leichten Ostwind war das schöne Wetter zu ver-
5 danken, doch brachte er auch, wie stets, den penetranten Chemiegeruch der Großindustrie bis in die Straßen der Rheinstadt. Seitdem die Fabriken nach der Mitte des 19. Jahrhunderts errichtet worden
10 waren, hatten sie sich Jahr um Jahr vergrößert. Arbeiter aus allen Ecken des Reiches waren, durch sie angezogen, hierher gekommen und hatten lohnenden Verdienst gefunden. Doch jetzt, auf der
15 Höhe der Inflation – die Mark sauste in den Abgrund und der US-Dollar war eine Billion Papiermark wert – stockte die Produktion und die Großindustrie spie Tausende als Arbeitslose auf die Straßen!
20 An jenem Tag, der so friedlich begonnen hatte, rotteten sich auf einmal viele hundert Erwerbslose in den Straßen zusammen. Auch zahllose Frauen und Kinder aller Altersstufen waren dabei. Unschwer
25 war zu erkennen, dass dies alles nicht einem Zufall zu danken, sondern organisiert war! Kein Wunder, denn was den ohne eigenes Verschulden arbeitslos Gewordenen als Unterstützung geboten
30 wurde, war miserabel. Viele vegetierten am Rande des Verhungerns dahin!
Als Elfjähriger war ich den ganzen Tag unterwegs auf den Straßen, um ja nichts zu versäumen. Irgendetwas lag heute in
35 der Luft! Vielleicht kam es wieder, wie am Samstag, den 26. Juni 1920, zu Hungerdemonstrationen vor den Lebensmittelläden. [...] An anderen Stellen hatten die Gewerkschaften den Ladenbesitzern
40 Schleuderpreise für ihre Lebensmittel festgesetzt und die Geschäfte waren bis zum Abend leergekauft worden. [...]
[Es waren] linke Sozialdemokraten, Gewerkschaftler und Kommunisten, die die
45 Leitung der Massenaktion allen sichtbar in der Hand hatten: ein aktiver Gewerkschaftler, der Bauarbeiter und spätere Stadtverordnete Franz Belz, der im KZ Dachau sein Leben ließ, Ludwig Christ-
50 mann und der nach dem Sturz der bayerischen Räterepublik nach Biebrich gekommene Ludwig Hochstetter. [...]
Etwa 16.31 Uhr war es, als sich die Volksmenge in der Schulstraße [...] laut schrei-
55 end staute. Es waren keine Sprechchöre, sondern jeder brüllte, was ihm gerade passend erschien: ‚Dißmol henge mer Euch uff!', ‚Kaiser, Du Stromer', ‚Awweidermerder'. Ich sagte zu einem Mann,
60 der ruhig neben mir stand: ‚Es gibt doch gakaan Kaiser mehr!' – ‚Naa', sagte der, ‚die mahne de Armen-Kaiser'. Das war der äußerst unbeliebte städtische Beamte, der alle Fürsorgefragen zu regeln hatte,
65 daher sein Spitzname ‚Armen-Kaiser'.
Später erfuhr ich, dass am Vortage eine Abordnung von fünfzehn Ortsansässigen, unter der Führung der Vorgenannten (Belz, Christmann und Hochstetter)
70 dem Magistrat im Rathaus die schriftliche Forderung nach Übergabe der Stadtverwaltung an sie gestellt habe. Das sollte [...] natürlich die Diktatur des Proletariats auf städtischer Ebene einleiten. [...]
75 Die laut schreiende Volksmenge hatte nun den Rathauseingang erreicht. Seit Tagen erwartete man einen Sturm auf dieses Gebäude [...] Diesmal richtete sich der Zorn der aufgebrachten Menschenmas-
80 sen nicht gegen die Lebensmittelpreise, sondern gegen die Stadtverwaltung! Die Polizeibeamten in ihren blauen Uniformen und langen Säbeln, die vergeblich aufgefordert hatten, auseinanderzugehen
85 und das Schreien einzustellen, mussten sich, als die Lage bedrohlich wurde, gegen den Eingang des Rathauses zurückziehen. Da erhielt der Polizeibeamte Stein einen Schlag gegen den Kopf. Andere Be-
90 amte versuchte man in die Menge zu ziehen. Daraufhin eröffnete die Polizei mit ihren Pistolen das Feuer. Ob gezielt oder wahllos in die Menschenmenge gefeuert wurde, konnte auch später nie geklärt
95 werden. Vier Menschen fielen sofort tot um, fünf Verwundete wurden ins Krankenhaus transportiert. Von diesen starben noch zwei.

(Zit. nach: Hartmut Wunderer, Der Schwarze Freitag in Biebrich, in: Geschichte Lernen, H. 77/2000, S. 30)

# Forschungs-station

## Das Beispiel des Hitler-Putsches – Und wie verteidigt sich die Republik?

Ihr habt bereits erfahren, dass politisch motivierte Morde, Putschversuche und Aufstände sowohl von links- als auch von rechtsextremen Gruppen als legitimes Mittel des Kampfes gegen die Weimarer Republik angesehen wurden. Die Gewalt von rechts spielte dabei eine größere Rolle.

Exemplarisch für diesen Versuch der Gegner, die Republik zu stürzen, steht der Hitler-Putsch vom 9. November 1923.

Euer **Forschungsauftrag** lautet: Welche Gefährdungen der Demokratie veranschaulicht der Hitler-Putsch?

Die folgenden **Forschungsfragen** helfen bei der Untersuchung:

1. Welcher Methoden bedienten sich die Aufständischen?
2. Welches politische Denken herrschte in den verschiedenen Kreisen?
3. Wie verhielten sich die Repräsentanten des Staates (Reichswehr, Justiz …)?
4. Hat sich die Republik angemessen verteidigt, war sie wehrhaft?

Die Ergebnisse könnt ihr stichwortartig festhalten und in der Klasse vortragen. Abschließend lässt sich die Ausgangsfrage zusammenfassend diskutieren.

### Der Hitler-Putsch: Eine Chronologie

**8. November 1923:**

- In München stürmen Kampfverbände der Nationalsozialistischen Arbeiterpartei eine Versammlung der Landesregierung. Adolf Hitler, Führer der NSDAP, erklärt die Reichsregierung für abgesetzt und kündigt die Bildung einer „provisorischen deutschen Nationalregierung" an.
- Reichspräsident Ebert fordert die Reichswehr auf einzugreifen.
- Die Reichswehr weigert sich.
- Der Putsch bricht zusammen, als Hitler von seinen Verbündeten in der bayerischen Landesregierung im Stich gelassen wird.

**9. November:**

- Die Landespolizei stellt sich einem Marsch der Putschisten entgegen. Bei einem Schusswechsel werden vier Polizisten und 13 Teilnehmer des Marsches getötet.
- Die Anführer werden verhaftet, die NSDAP verboten. Hitler wartet als Schutzhäftling auf seinen Prozess. Dieser beginnt am 26. Februar 1924. (Foto März 1924)

**M 1**

# Proklamation
## an das deutsche Volk!

Die Regierung der Novemberverbrecher in Berlin ist heute für **abgesetzt erklärt worden.** Eine **provisorische deutsche Nationalregierung** ist gebildet worden, diese besteht aus

**Gen. Ludendorff**
**Ad. Hitler, Gen. v. Lossow**
**Obst. v. Seisser**

Plakatanschlag in München vom 9.11.1923

**M 2** **Hitlers Überfall auf den Münchener Bürgerbräukeller am Abend des 8. November**

Aus der Anklageschrift vom 8. Januar 1924:

**Q** Hitler rief gleich nach dem Betreten des Nebenzimmers: ‚Niemand verlässt lebend das Zimmer ohne meine Erlaubnis!' Sodann wandte er sich an Herrn von
5 Kahr mit etwa folgenden Worten: ‚Die Reichsregierung ist gebildet, die bayerische Regierung ist abgesetzt, Bayern ist das Sprungbrett für die Reichsregierung, in Bayern muss ein Landesverweser sein.
10 Pöhner wird Ministerpräsident mit diktatorischen Vollmachten. Sie werden Landesverweser. Reichsregierung: Hitler, Nationalarmee: Ludendorff, Seißer: Polizeiminister.'
15 Hitler fuhr sodann mit der Pistole fuchtelnd fort: ‚Ich weiß, dass den Herren das schwerfällt. Der Schritt muss aber gemacht werden; man muss es den Herren erleichtern, den Absprung zu finden. Je-
20 der hat den Platz einzunehmen, auf den er gestellt wird; tut er das nicht, so hat er keine Daseinsberechtigung. Sie müssen mit mir kämpfen, mit mir siegen oder mit mir sterben. Wenn die Sache schiefgeht:
25 Vier Schuss habe ich in meiner Pistole, drei für meine Mitarbeiter, wenn sie mich verlassen, die letzte Kugel für mich.' Dabei machte er eine Bewegung mit der Pistole gegen seinen Kopf. […]
30 Die ganze Szene mag so etwa zehn Minuten gedauert haben.
Während dieser Zeit ließen Hitler und seine Begleiter durch ihr Verhalten deutlich erkennen, dass sie entschlossen wa-
35 ren, ihren Willen auch mit Waffengewalt durchzusetzen. Die Herren Kahr, Lossow und Seißer wurden verhindert, miteinander zu sprechen; irgendeine zustimmende Erklärung erhielt Hitler in dieser Zeit von
40 keinem der Herren.

(Zit. nach: Otto Gritschneder, Bewährungsstrafe für den Terroristen Adolf H. – Der Hitler-Putsch und die bayerische Justiz, München 1990, S. 16f.)

Erläuterung: Ernst Pöhner war 1919 Polizeipräsident von München, ab 1921 Rat am Bayerischen Obersten Landesgericht.

## M 3 Aus Hitlers Schlussrede vor dem Münchener Volksgericht am 27. März 1924

Q Man wundert sich über unsere Geschlossenheit trotz verschiedener formaler Anschauungen. Von mir sagt man, ich sei letzten Endes Republikaner, von Pöh-
5 ner, er sei ein Monarchist, Ludendorff sei dem Hohenzollernhaus treu ergeben. Es ist ein Beweis für die Kraft einer Idee, so verschiedene Menschen zusammenzuschließen. Deutschlands Schicksal liegt
10 nicht in der Republik oder in der Monarchie. Was ich bekämpfe, ist nicht die Staatsform als solche, sondern der schmähliche Inhalt. Wir wollen in Deutschland die Voraussetzungen dafür
15 schaffen […], dass die eiserne Faust unserer Feinde von uns genommen wird. Wir wollen Ordnung schaffen im Staatshaushalt, die Drohnen ausweisen, den Kampf gegen die internationale Börsen-
20 versklavung aufnehmen, gegen die Vertrustung unserer ganzen Wirtschaft, den Kampf gegen die Politisierung der Gewerkschaften, und vor allem sollte wieder eingeführt werden die höchste Ehren-
25 pflicht, die wir als Deutsche kannten, die Pflicht zur Waffe, die Wehrpflicht. Und da frage ich Sie: Ist das, was wir gewollt haben, Hochverrat? Endlich: Wir wollten, dass unser Volk zum Aufbäumen ge-
30 bracht werde gegen die drohende Versklavung, wollten, dass endlich die Zeit kommt, da wir nicht in ewiger Schafsgeduld Ohrfeigen auf Ohrfeigen hinnehmen.
35 Das ist das sichtbare Zeichen des Gelingens vom 8. November, dass in seiner Folge die Jugend sich wie eine Sturmflut erhebt und sich zusammenschließt. Das ist der größte Gewinn des 8. Novembers,
40 dass er […] dazu beitrug, das Volk aufs Höchste zu begeistern. Ich glaube, dass die Stunde kommen wird, da die Massen, die heute mit unserer Kreuzfahne auf der Straße stehen, sich vereinen werden mit
45 denen, die am 8. November auf uns geschossen haben.

(Zit. nach: Ernst Boepple (Hrsg.), Adolf Hitlers Reden, München 1933, S. 122ff.)

## Das Urteil gegen die Putschisten

Am 1. April 1924 werden Hitler und drei seiner Mitstreiter zur Mindeststrafe von fünf Jahren Festungshaft und zur Zahlung einer Geldstrafe von 200 Goldmark verurteilt. Fünf Angeklagte werden auf Bewährung sofort freigelassen. Ludendorff wird freigesprochen. Im Urteilsspruch findet sich kein Hinweis auf den Tod von vier Polizisten beim Schusswechsel vor der Feldherrnhalle. Während der Verhandlung haben die Angeklagten die Möglichkeit, Reden zu halten. Dabei beschimpfen sie die Regierung und die Republik. Der tosende Beifall der Zuschauer im Gerichtssaal wird vom Vorsitzenden nicht unterbunden. Journalisten berichten von dem Prozess und machen Hitler über die Grenzen Bayerns hinaus bekannt.

Bei den Landtagswahlen im April 1924 erreicht ein neu gebildeter Völkischer Block – die NSDAP war verboten – auf Anhieb 17,1 % der Stimmen, so viele wie die SPD.

Von seiner Strafe sitzt Hitler nur neun Monate ab. Am 20. Dezember 1924 wird er wegen „guter Führung" entlassen.

Während seiner Haft schreibt Hitler sein Buch „Mein Kampf", in dem er zentrale Ziele seiner Partei darlegt. 1925 gründet Hitler die NSDAP neu und modernisiert die Parteiorganisation. Der Novemberputsch wird in der Folgezeit von den Nationalsozialisten propagandistisch genutzt. Es entsteht ein Kult um die „Märtyrer der Bewegung", die „Blutzeugen", wie Hitler sie in „Mein Kampf" nennt. Die angeblich beim Marsch mitgetragene „Blutfahne" wird zum Parteiheiligtum.

## M 4 Auszug aus der Urteilsbegründung des Gerichts vom 1. April 1924

Q Das Gericht ist zu der Überzeugung gelangt, dass die Angeklagten bei ihrem Tun von rein vaterländischem Geiste und dem edelsten selbstlosen Willen geleitet
5 waren. Alle Angeklagten […] glaubten nach bestem Wissen und Gewissen, dass sie zur Rettung des Vaterlandes handeln müssten und dass sie dasselbe täten, was kurz zuvor noch die Absicht der leitenden
10 bayerischen Männer gewesen war. Das rechtfertigt ihr Vorhaben nicht, aber es gibt den Schlüssel zum Verständnis ihres Tuns.

(Zit. nach: O. Gritschneder, a.a.O., S. 92)

## M 5

Schon einen Tag nach der Urteilsverkündung fasste die „Neue Zürcher Zeitung" die Reaktionen in der deutschen Presse auf den Prozess und das Urteil für ihre Leser zusammen:

Q Während die Blätter des **Zentrums**, der **Demokratie** und der **Sozialdemokratie** das Urteil im Hitlerprozess **bedauern** und die **Staatsautorität** und das
5 Rechtsempfinden des Volkes für schwer **erschüttert** halten, äußert die **Rechtspresse** ihre **Genugtuung**, insbesondere über die **Freisprechung Ludendorffs**, die, wie der ‚Lokalanzeiger' schreibt, ‚die
10 nationale Ehre und Würde gefordert habe'. Auch das Organ von Stinnes, die ‚Deutsche Allgemeine Zeitung', empfindet es als eine ‚Befreiung', dass Ludendorff freigesprochen wurde, und meint,
15 mit dem Urteil gegen Hitler und die anderen Angeklagten sei in glücklicher Weise sowohl der formalen Gerechtigkeit wie dem Empfinden großer Volksteile Genüge getan. Nach der ‚Germania' bedeutet
20 das Urteil praktisch einen Freispruch und einen **Freibrief** für die **Hochverräter**. Der ‚Börsenkurier' schreibt: ‚Nicht die Angeklagten bedürfen einer Bewährungsfrist. Die politischen und die Rechtszustände,
25 aus denen heraus die Tat und das Urteil erst möglich wurden, bedürfen ihrer.' […] Das ‚Berliner Tageblatt' schreibt, das Urteil bedeute die **Bankrotterklärung** der bayrischen Gerichtsbarkeit. Nicht nach
30 Recht und Gesetz, sondern nach Stimmung und Verlangen der Straße habe das Volksgericht geurteilt.

(„Neue Zürcher Zeitung", 2. April 1924; Hervorhebungen laut Original)

■ Verfasst einen Zeitungskommentar zum Urteil gegen die Putschisten.

# Zwischenhoch:
# Die Weimarer Republik im Aufwind

Im Rückblick wird die Weimarer Republik häufig nur unter dem Gesichtspunkt des Scheiterns betrachtet. Auch wenn sie nur 14 Jahre dauerte, brachte sie dennoch in vielen Bereichen des politischen und gesellschaftlichen Lebens wichtige Neuerungen hervor. Ihr kennt bereits die fortschrittliche Verfassung, die das Wahlalter auf 20 Jahre senkte und Frauen erstmals das Wahl-recht garantierte. Daneben gab es wichtige sozialpolitische Errungenschaften. Die Wirtschaft wurde modernisiert. Kunst und Architektur entwickelten neue Stilrichtungen. Und es wurden außenpolitische Erfolge erzielt.

Um diese Neuerungen und Leistungen der Republik geht es auf den folgenden Seiten.

## Ein Kreisgespräch

Ihr könnt in einer Gesprächsrunde über diese Problemfrage diskutieren.

**Thema:** Sind die Verträge eine außen-politische Leistung oder stellen sie eine Preisgabe deutscher Rechte dar?

**So könnt ihr euch auf das Gespräch vorbereiten:**

1. Stellt die außenpolitischen Aktivitäten im Zeitraum 1920–1930 chronologisch geordnet in einer Tabelle zusammen.

2. Erarbeitet die zentralen Bestimmungen der Locarno-Verträge aus dem Darstellungstext.

3. Überlegt, welche Zugeständnisse in den Locarno-Verträgen gemacht wurden und welche Gewinne erzielt wurden.

4. Interpretiert das Plakat (M1) anhand der erlernten Arbeitsschritte (s. Methodenbox S. 26).

5. Beschreibt die Karte M2 und arbeitet heraus, welche politischen Aussagen sie macht und welche Botschaft sie vermitteln will.

## Die Verträge von Locarno – eine außenpolitische Leistung der Republik?

### Deutsche Außenpolitik im Schatten von Versailles

Die zeitgenössische Übersichtskarte (M2) über die Folgen des Versailler Vertrages, die in vielen Lehrwerken der Weimarer Republik abgedruckt wurde, verdeutlicht noch einmal die Empörung über den Vertrag. Trotz der innenpolitischen Anfeindung stimmten die demokratischen Parteien für die Annahme des Vertrages von Versailles, sie bewiesen Sinn für Realität und ersparten dem deutschen Volk eine Fortführung des Krieges. Aber auch sie waren der Meinung, dass die Bedingungen von Versailles langfristig abgemildert, revidiert werden mussten.

So dachte auch Gustav Stresemann, mit dessen Namen das Vertragswerk von Locarno verbunden ist. Er war überzeugt, dass die Revision von Versailles nur auf dem Weg von Frieden und Verständigung möglich sei. Dabei stand die Verständigung mit Frankreich an erster Stelle, denn vor allem Frankreich war für die harten Bedingungen von Versailles eingetreten. Auf französischer Seite fand Stresemann mit Aristide Briand einen ähnlich denkenden Politiker. Am 16. Oktober 1925 kam es zur Unterzeichnung des Vertrages von Locarno.

### Das Vertragswerk

Deutschland erkannte in diesem Vertrag die Westgrenzen des Reiches an. Gemeinsam mit Frankreich und Belgien verwarf es damit eine gewaltsame Revision der gegenseitigen Grenzen. Damit verzichtete das Deutsche Reich auf Elsass-Lothringen, Frankreich im Gegenzug auf eine Eingliederung des Rheinlandes. Die Revision der Ostgrenzen behielt sich das Reich vor, schloss aber mit der Tschechoslowakei und Polen Schiedsverträge, die besagten, dass künftige Konflikte friedlich gelöst werden sollten.

Deutschland wurde der **Eintritt in den Völkerbund** mit einem ständigen Sitz im Rat zugestanden (**1926**). Für ihre Verständigungspolitik wurden Briand und Stresemann im Dezember 1926 mit dem Friedensnobelpreis ausgezeichnet.

### Weitere außenpolitische Erfolge

Deutschland konnte noch weitere Erfolge in der Außenpolitik erzielen:

Bereits **1922** wurde der **Vertrag von Rapallo** mit der Sowjetunion geschlossen. Damit durchbrachen beide Länder ihre außenpolitische Isolierung.

Im **Dawes-Plan** von **1924** wurde bestimmt, dass Deutschland die Zahlung der Reparationen von seinen wirtschaftlichen Möglichkeiten abhängig machen könne. Außerdem erhielt es amerikanische Kredite zum Aufbau seiner Wirtschaft.

**1926** wurde der **Berliner Vertrag** mit der Sowjetunion geschlossen. Beide Länder versicherten sich, neutral zu bleiben und wirtschaftlich zusammenzuarbeiten.

**1930** erhielt Deutschland im **Young-Plan** seine wirtschaftliche und finanzielle Selbstständigkeit. Die Alliierten räumten frühzeitig das Rheinland.

Die Locarno-Verträge und der Völkerbund zeigten eine neue außenpolitische Perspektive auf: Europäische Mächte, die versucht hatten, sich in einem Krieg wirtschaftlich, politisch und militärisch zu zerstören, verständigten sich auf gemeinsame Interessen und Traditionen. Sie regelten Konflikte in Abwesenheit der neuen Weltmacht USA.

**M 1** Wahlplakat der DNVP aus dem Jahr 1928

**M 2** „Deutschlands Verstümmelung"

Es handelt sich um eine Karte, die im Auftrag der Reichsregierung hergestellt worden ist. Die Karte, die im Jahr 1928 im Namen der Reichsregierung veröffentlicht wurde, war in erster Linie für Unterrichtszwecke bestimmt.

Die Zahlen, die in ihr verzeichnet sind, sind korrekt. Zwei Dinge sind jedoch bemerkenswert und bei der Auswertung der Karte zu beachten:

> Unter der Rubrik Verluste des Deutschen Reiches werden auch die ehemaligen Kolonialgebiete mit eingerechnet.

> Aufgeführt werden auch die territorialen Verluste Österreichs. Dies ist insofern ungewöhnlich, weil die alliierten Siegermächte im Jahr 1919 den Anschluss Österreichs an Deutschland verboten und die Bezeichnung „Deutsch-Österreich" strikt untersagt hatten.

# Lernstationen zum Thema: Die „Goldenen Zwanziger"

## Aufbruch in die moderne demokratische Gesellschaft? – Nur Fortschritt?

Bereits vor dem Ersten Weltkrieg hatte sich für die Zeitgenossen das Ende der „alten Zeit" angekündigt. Die Kriegsbegeisterung verdeckte jedoch noch die Reaktionen auf die tiefgreifenden sozialen und wirtschaftlichen Veränderungen. In der Weimarer Republik war dem Neuen nicht mehr auszuweichen.

In der Wissenschaft wird ein solcher Prozess der beschleunigten Veränderungen einer Gesellschaft in Richtung auf einen entwickelten Zustand hin als Modernisierung bezeichnet. Kennzeichen dieser Modernisierung sind z.B. Verwissenschaftlichung, Bildungsverbreiterung, Technisierung, Ausbau der Infrastruktur, soziale Sicherung, Demokratisierung der Politik, neue Rolle der Frau, Massenkultur und Verstädterung.

Zeitlich zeigten sich die Veränderungen vor allem in den sog. „Goldenen Zwanzigern", der Phase der Stabilität in der Weimarer Republik von 1925 bis 1929.

Ein solcher Prozess der Modernisierung ruft nicht nur begeisterte Zustimmung hervor, sondern auch Ängste und irrationale Reaktionen. Für viele Menschen hat Modernisierung somit ein doppeltes Gesicht.

> Auf den folgenden Doppelseiten werden wir auf vier Lebensbereiche der Weimarer Republik schauen, in denen sich dieser Prozess der Modernisierung abspielte. Es geht dabei um
>
> - neue Wirtschaftsstrukturen und neue Beschäftigungsverhältnisse (S. 38/39),
> - das Bild der neuen Frau (S. 40/41),
> - die Lebensrealität der Frau (S. 42/43),
> - die neue Massenkultur (S. 44/45).

Die Materialien könnt ihr auf verschiedene Art und Weise bearbeiten. Besonders geeignet ist Gruppenarbeit. Dazu müsst ihr euch für jeweils eine Station entscheiden.

**Die Bearbeitung umfasst jeweils drei Ebenen:**

**1.** Ihr erschließt die unterschiedlichen Materialien nach den euch bekannten Verfahren (zu schriftlichen Quellen, Bildern, Statistiken ...).
Dazu erhaltet ihr auf der jeweiligen Seite Hilfestellungen.

**2.** Eure Ergebnisse bezieht ihr auf drei Leitfragen, ihr deutet also die Ergebnisse:
  – Welche Modernisierungsveränderungen haben in der Weimarer Republik stattgefunden?
  – Wie haben die Betroffenen diese Veränderungen erlebt?
  – Sind diese Veränderungen als „Fortschritt" zu bezeichnen?

**3.** Die Antworten auf diese Leitfragen präsentiert ihr in einer ansprechenden Form vor der Klasse. Auf dieser ersten Doppelseite findet ihr Anregungen für solche Produkte.

**Station 1:**

Neue Wirtschaftsstrukturen, neue Beschäftigungsverhältnisse – Wohlstand für alle?

FERTIGKLEIDUN
DER WEG ZUM ERFO

Das Plakat eines Textilunternehmens (um 1929) preist:
„Fertigkleidung als Weg zum Erfolg". Eine neue Schicht von Angestellten träumt vom gesellschaftlichen Aufstieg.

**Kurzvorträge:**

→ Entwicklung des Lebensstandards

→ Auswirkungen der Technisierung auf den Arbeitsalltag und die Wahrnehmung durch Arbeitnehmer

## Station 2:

**Das Bild der neuen Frau**

**Vortrag mit Folien** (Bilder, Karikaturen):

→ Kennzeichen der sog. neuen Frau

→ Zeitgenössische Kontroversen

**Gegenwartsbezug: Kurzvortrag mit Bildern der Werbung:**

→ Heutige Mode von Mädchen und Frauen

**Diskussion:**

→ Mode als Mittel der Emanzipation?

„Die Journalistin Sylvia von Harden"
(Gemälde von Otto Dix, 1926)

Werbung für den AEG-Stielstaubsauger
„Vampyr" (Foto um 1925)

**Kurzvorträge:**

→ Rolle der Frau in Schule, Beruf, Politik und Recht

→ Haltung der Männer gegenüber Frauen

**Klassengespräch:**

→ Gab es in der Weimarer Republik eine neue Frauenrolle?

**Anregung:** Stellt statistische und rechtliche Daten zur Stellung von Mädchen und Frauen in der Bundesrepublik zusammen. Vergleicht.

**Vorträge mit Bildern:**

→ Lebensgefühl der „Goldenen Zwanziger"

→ Kritik an den Gefährdungen der neuen Kultur

**Klassendiskussion:**

→ Waren die „Goldenen Zwanziger" modern und fortschrittlich?

→ Haben sie etwas gemeinsam mit heutigem Lebensstil und -gefühl?

## Station 3:

**Die Lebensrealität der Frau**

Fabrikarbeiterinnen montieren am „Wandertisch" den „Vampyr" (1926).

## Station 4:

**Massenkultur – nur Unterhaltung und Vergnügen?**

Stiglmaierplatz in München (Gemälde von Wilhelm Heise, 1929)

## Station 1:

# Neue Wirtschaftsstrukturen, neue Beschäftigungsverhältnisse – Wohlstand für alle?

### Konzernbildung und Rationalisierung

Der Krieg hinterließ den europäischen Volkswirtschaften große Probleme: die Umstellung von Kriegs- auf Friedenswirtschaft sowie die Notwendigkeit, Millionen Soldaten in die Produktion einzugliedern, Hinterbliebene zu versorgen, die materiellen Verluste zu beheben und riesige Schulden abzutragen. In Deutschland führten diese Probleme zu einer dramatischen Entwertung der Mark sowie zu einer daraus resultierenden Vernichtung von Ersparnissen bzw. zur einseitigen Gewinnmitnahme von Sachwertbesitzern und somit zu schweren sozialen Erschütterungen. Außenwirtschaftlich trat mit den USA ein überlegener Konkurrent auf.

Auf diese Herausforderungen reagierte die Wirtschaft mit dem Zusammenschluss zu kapitalkräftigen Konzernen, um den Markt zu beherrschen (z.B. Siemens, AEG, IG Farben) und mit Anstrengungen zur Rationalisierung. Die Konzerne wurden zu den größten Arbeitgebern. Sie verfügten über wirtschaftlichen und politischen Einfluss. Der Inbegriff der Rationalisierung wurde das Fließband. Die Produktion wurde gesteigert, trotzdem wurden Arbeitskräfte eingespart. Im Produktionsbereich musste sich die Arbeiterschaft auf das „laufende Band" umstellen.

### Eine neue Beschäftigtenstruktur

Mit der Vergrößerung und Rationalisierung der Betriebe wuchs der sog. „Dienstleistungsbereich" und damit auch die Schicht der Angestellten (1930: 3,5 Mio). Sie unterschieden sich in Verhalten und Einstellung von Arbeiterinnen und Arbeitern. Sie waren keine „Proleten", „machten sich nicht die Hände schmutzig".

### Neue soziale Rechte

Bereits 1918 wurde als Normalarbeitstag der Achtstundentag bei vollem Lohnausgleich eingeführt. Die Gewerkschaften wurden 1919 als rechtmäßige Vertreter der Arbeitnehmer und Sozialpartner der Unternehmer anerkannt. In größeren Betrieben besaßen Arbeitnehmervertreter seit 1920 ein Mitspracherecht. 1927 wurde die Arbeitslosenversicherung eingeführt.

**1.** Beschreibung und Auswertung der Statistiken (Was ist dargestellt? Welche Zahlen werden verwendet? Welche Gesamtentwicklung? Erklärung? Zusammenfassung).

**2.** Analyse und Deutung der Arbeiterberichte (formale Textmerkmale (Autor!), Thema, Gesamtaussage, Sichtweise des Autors, Argumentation, Glaubwürdigkeit …).

**M 1** Bruttoverdienste der Arbeiter (1928 = 100) und Arbeitszeit (Stunden)

| Jahr | Nominallöhne[a] | | Reallöhne[b] | Arbeitszeit durchschnittl. |
|------|-----------|-----------|-----------|----------------------|
| | je Stunde | je Woche | je Woche | wöchentlich |
| 1913/14 | 53 | 61 | 93 | ca. 50–60 |
| 1925 | 77 | 75 | 81 | 49,5 |
| 1926 | 82 | 78 | 84 | – |
| 1927 | 90 | 88 | 89 | 46,0 |
| 1928 | 100 | 100 | 100 | 46,0 |
| 1929 | 106 | 103 | 102 | – |
| 1930 | 103 | 95 | 97 | – |
| 1931 | 95 | 84 | 94 | – |
| 1932 | 80 | 69 | 86 | 41,5 |
| 1933 | 77 | 71 | 91 | 42,9 |

[a] Effektivlöhne, d.h. vom Tarif abweichende Löhne sind enthalten.
[b] Umgerechnet mithilfe der Indexziffern für die Lebenshaltung
(zusammengestellt nach verschiedenen Quellen)

**M 2** Preisindex für die Lebenshaltung[a] (1928 = 100)

| Jahres- durch- schnitt | Ernäh- rung | Woh- nung | Heizung und Beleuchtung | Beklei- dung | Insge- samt |
|------|------|------|------|------|------|
| 1913/14 | 65 | 79 | 73 | 59 | 66 |
| 1924 | 90 | 43 | 100 | 102 | 86 |
| 1925 | 97 | 65 | 95 | 102 | 93 |
| 1926 | 95 | 79 | 96 | 96 | 93 |
| 1927 | 100 | 91 | 98 | 94 | 97 |
| 1928 | 100 | 100 | 100 | 100 | 100 |
| 1929 | 102 | 100 | 103 | 101 | 101 |
| 1930 | 95 | 102 | 104 | 96 | 97 |
| 1931 | 86 | 105 | 101 | 81 | 89 |
| 1932 | 76 | 96 | 93 | 66 | 80 |
| 1933 | 74 | 96 | 93 | 63 | 78 |

[a] Verbrauchsverhältnisse (1934) einer 5-köpfigen Arbeiterfamilie
(Quelle: Stat. Bundesamt (Hg.), Bevölkerung und Wirtschaft 1871–1957, Stuttgart 1958, S. 84)

**M 3** Privateinkommen der Selbstständigen und Abhängigen (in M/RM, Preise von 1938)

| Jahr | je Selbst- ständigen | je abhängige Erwerbsperson | Einkommen der Abhängigen in % der Selbstständigen |
|------|------|------|------|
| 1913 | 4 700 | 1 870 | 40 |
| 1925 | 3 540 | 1 710 | 48 |
| 1933 | 2 500 | 1 520 | 61 |
| 1939 | 5 750 | 2 260 | 40 |

Das Einkommen 1913 wurde auf die Erwerbsstruktur von 1907 bezogen, sodass das Einkommen der Abhängigen für 1913 etwas überhöht ist.

(Quelle: Stat. Jb. f. d. Dt. Reich 1921/22, 1934 und 1941/42)

Frauen am Fließband in der Fabrik (1925)

## Der neue Arbeitsalltag

### M 5 Ein Betriebsrat der AEG berichtet 1926 über die Arbeit im AEG-Werk in Berlin

Q In unserem Betriebe, in dem Fließarbeit ist, sind neun Zehntel der Belegschaft Frauen und Mädchen. Die Arbeit ist aber auch so leicht, dass sie bequem von Frau-
5 en und Mädchen gemacht werden kann. […] Ein unbefangener Beobachter hat den Eindruck, als ob es sich gar nicht um eine Arbeit handelte, als ob die Sache spielend gemacht würde. […] Der Ein-
10 druck, den ein unbefangener Beobachter hat, wenn er die bei der AEG beschäftigten Frauen und Mädchen bei der Arbeit sieht, erweist sich indes als trügerisch. Die Arbeit ist, obwohl sie wie ein
15 Spiel aussieht, so, dass sie die ganze Aufmerksamkeit und äußerste Anspannung der Nerven erfordert. Die Arbeitsleistung wird berechnet, indem man zum Durchschnitt die Fähigkeit dreier Arbeiterinnen
20 nimmt, und zwar einer Arbeiterin, die längere Zeit, z.B. fünf Jahre, im Betrieb arbeitet, dann die Fähigkeit einer Arbeiterin, die ungefähr ein Jahr im Betrieb arbeitet, und die einer Anfängerin. Man
25 stellt das Band zuerst nach diesem Durchschnitt ein, sodass alle mitkommen können, dann lässt man jeden Tag das Band ein wenig schneller laufen, sodass es der einzelnen Arbeiterin gar nicht zum
30 Bewusstsein kommt, aber mittlerweile müssen diese ihre ganze Kraft darauf konzentrieren, mitzukommen. Auf eine Zehntelsekunde werden die Arbeiten berechnet. In drei bis vier Wochen wird die
35 Höchstleistung erreicht. Mit einer Stoppuhr, die auf eine Hundertstelsekunde anzeigt, wird genau die Schnelligkeit kontrolliert und die Höchstleistung herausgeholt. Zeigt es sich, dass eine ge-
40 wünschte Leistung herausgeholt ist, so wird diese ungefähr acht Tage beibehalten, um die Arbeiter daran zu gewöhnen, und dann wird doch mit allen Kräften versucht, ein neues Arbeitstempo her-
45 auszuholen, das jetzige noch zu beschleunigen.

(Zit. nach: Isa Strasser, Frauenarbeit und Rationalisierung, Berlin 1927, S. 35)

### M 6 Ein Arbeiter der Ford-Werke berichtet 1926 über seine Arbeit

Q Für die Arbeiter ist die Hauptsache das Mitkommen. Das Arbeitsstück fließt weiter, schneckengleich langsam zwar, aber es fließt. Die Verzögerung des einen
5 bringt den ganzen Betrieb in Unordnung, lenkt sofort die Aufmerksamkeit aller Kollegen und Vorgesetzten auf den ‚Bummler'. Kommt ein Arbeiter an einer Stelle nicht recht mit, wird er stillschwei-
10 gend an eine andere versetzt. Versagt er dort auch, fliegt er ohne jede Förmlichkeit. Das weiß auch jeder und setzt daher den letzten Handschlag daran, dem Tempo […] zu folgen. Da gibt's keinen Raum
15 für nebensächliche Gedanken, keine Zeit etwa, eine Zigarette anzuzünden, ein Wort mit dem Nachbarn zu reden oder gar auszutreten […].

(Zit. nach: Fähnders/Karrenbrock/Rector, Sammlung proletarisch-revolutionärer Erzählungen, Darmstadt/Neuwied 1977, S. 101)

Die Weimarer Republik brachte nicht nur die formale staatsbürgerliche Gleichstellung der Frau und das Frauenwahlrecht. Es änderte sich auch die öffentliche Wahrnehmung der Rolle der Frau. Es entstand das Bild eines neuen Frauentyps, der in den Zwanzigerjahren durch Werbung, Romane, Filme und Zeitschriften verbreitet wurde: die neue Frau.

**Hinweis zum Vorgehen:**

Beschreibt und deutet die Bilder zur neuen Frau. Was ist das Neue? Bedenkt, welche Lebensbereiche angesprochen werden.

**M 1**

Die Motorradfahrerin

**M 2**

Kurze Badeanzüge
dürfen getragen werden.

**M 3**

**M 4**

DIE DAME

**M 5**

Der Bubikopf

„Die Dame", das Mitte der 1920er-Jahre
führende Modejournal, zeigte im Mai 1927
auf dem Titelfoto erstmals ein kniefreies
Rockmodell.

Lina Radke-Bratschauer (Mitte) gewann als erste Frau in der
Leichtathletik eine Goldmedaille (1928 in Amsterdam).

Die neue Frau war umstritten. Gegenstand des Streits war häufig die neue Mode. In der Mode spiegelte sich mehr als nur eine äußerliche Kleidungsfrage. Mode hat immer auch eine politische Funktion, sie spiegelt das Verhältnis der Geschlechter. Sie drückt eine Veränderung der Rolle der Frau aus.

Analysiert und deutet die kontroversen Stellungnahmen auf dieser Seite. Berücksichtigt die Autoren, deren Adressaten, die jeweilige Sichtweise, die Art der Argumentation, die Stichhaltigkeit …

## M 6 „Gegen die Vermännlichung der Frau"

In der „Berliner Illustrierten Zeitung" (1925) äußert sich ein männlicher Autor kritisch zur aktuellen Mode:

**Q** Was zuerst ein launisches Spiel der Frauenmode war, wird allmählich zu einer peinlichen Verirrung. Zuerst wirkte es wie ein anmutiger Scherz: dass zarte,
5 zierliche Frauen sich das lange Frauenhaar abschnitten und mit der Pagenfrisur erschienen; dass sie Kleider anlegten, die den Linienschwung des weiblichen Körpers, die Ausladung der Hüften verleugnend,
10 beinahe glatt herabfielen; dass sie die Röcke kürzten und schlanke Beine bis zur stärksten Rundung der Waden sehen ließen. Selbst altväterische Männer brauchten daran kein Ärgernis zu nehmen.
15 Solch ein Wesen hätte man ja gern mit dem verschollenen Liebeswort „mein Engel" grüßen mögen – denn die Engel sind geschlechtslos […].
Die Bewegung ging jedoch noch weiter:
20 Nicht mehr geschlechtslos wie die Engel wollte die Frau aussehen, sondern immer bestimmter legte die Mode es darauf an, das weibliche Äußere zu vermännlichen. Immer weiter verbreitete sich die Frauen-
25 sitte, das männliche Schlafgewand anzulegen, ja es womöglich noch als Morgentoilette zu tragen. Und immer häufiger sehen wir die Pagenfrisur mit ihren Locken verschwinden und die moderne
30 männliche Frisur mit den glatt nach rückwärts gebürsteten Haaren an ihre Stelle treten. Ausgesprochen männlich ist auch die neueste Mode des Damenmantels; man wird es in diesem Frühjahr kaum
35 noch bemerken, wenn etwa zerstreute Frauen die Mäntel ihrer Gatten anziehen. Man könnte von einer Pendelbewegung der Mode sprechen: Mit der Krinoline hatte sie es zur extremsten Betonung
40 weiblicher Körperformen gebracht, jetzt schlägt sie nach entgegengesetzter Richtung ebenso weit aus. Es ist hohe Zeit, dass der gesunde männliche Geschmack sich gegen solche üblen Moden wendet,
45 deren Ausschreitungen von Amerika aus zu uns verpflanzt werden. Wir mögen ja im Theater gern mal eine Schauspielerin, die danach gewachsen ist, in einer Hosenrolle sehen, aber weder auf der Bühne
50 noch beim Sport dürfte jede Frau es wagen, sich in Hosen zu zeigen. Und die Vermännlichung des Frauenantlitzes gibt ihm für den echten Reiz, den sie ihm nimmt, bestenfalls einen unnatürlichen:
55 wie ein süßlicher Knabe auszusehen, was ein Abscheu für jeden richtigen Knaben oder Mann ist.

(Berliner Illustrierte Zeitung, 34. Jg., Nr. 13, 24.3.1925, S. 389)

## M 7 „Es gibt keine Vermännlichung der Frau"

Eine Sportwissenschaftlerin kommt in ihrer Analyse des veränderten Erscheinungsbildes der Frau 1927 zu folgendem Ergebnis:

**Q** Sport und Wettkampf stürzen Traditionen. Sie schaffen ein kraftvolles, lebensfrohes Frauengeschlecht, das von Abhängigkeit nichts mehr wissen will. Sport
5 schafft einen neuen Begriff von Weiblichkeit. […] Er schafft den Frauentyp, dem die Arbeit im Haus nicht mehr genügt, der sich freimacht von der Bevormundung durch den Mann […].
10 Alle äußeren Umstände deuten darauf hin, dass unsere Zeit im Anfangsstadium der Gleichberechtigung steht, aber noch mit den Folgen der eingeschlechtlichen Vorherrschaft zu kämpfen hat. In dieser
15 männlichen Herrschaftsphase sind künstliche Gegensätze und Merkmale konstruiert, die, da die Vorherrschaft ja sehr lange dauerte, schon als Natur der Frau galten. […] Man hatte Geschlechtsmerkmale
20 dritten und vierten Grades, auf deren Bestehen und Entwicklung schon in der Erziehung Wert gelegt wurde.
Sport und Wettkampf sind große Entwicklungsreize für den Körper und fol-
25 gern Muskelwachstum. Die Fettschicht und die üppige, runde Körperform gehen verloren, und damit ist für die Verfechter des alten Begriffs von Weiblichkeit ein Geschlechtsmerkmal verlorengegangen.
30 […] Die Kleidung, insbesondere die beim Sport, gleicht sich der des Mannes an, die langen Röcke und langen Haare verschwinden. […] Die durch die Vorherrschaft des Mannes verwischten Ähnlich-
35 keiten kommen wieder, nur mit dem Unterschied, dass man jede ehemalige Ähnlichkeit der Geschlechter bezweifelt und in diesem Falle einfach als Vermännlichung bezeichnet. Die Bezeichnung Ver-
40 männlichung ist also in dieser Hinsicht unmöglich. Es gibt keine Vermännlichung der Frau […]

(Annemarie Kopp, Frau und Sport, Diplomarbeit an der Deutschen Hochschule für Leibesübungen, Berlin 1927, S. 23–55; zit. nach: Gertrud Pfister (Hg.), Frau und Sport, Frankfurt/M. 1980, S. 129–134, Auszüge)

## M 8 Lotte am Scheideweg

Karikatur von Karl Arnold aus der Satirezeitschrift „Simplicissimus", 1925

# Die Lebensrealität der Frau

In der Weimarer Republik änderte sich die Lebenslage der Frau. Während des Krieges hatten Frauen in Familie, Geschäft, Fabrik und Behörde die abwesenden Männer ersetzt. Nach dem Krieg waren viele nicht bereit, einfach an den Herd zurückzukehren. Der Wandel der Wirtschaftsstruktur bot jungen Frauen und Mädchen neue Arbeitsplätze, vor allem im Dienstleistungsbereich, sodass sie finanziell unabhängiger wurden. Gegen starke Widerstände wurden durch Mutterschutz- und andere Arbeitsschutzgesetze zumindest die Arbeitsbedingungen der verheirateten berufstätigen Frauen verbessert. Zweifellos gab es entsprechend des Bildes der neuen Frau eine veränderte Mode; Frauen konnten sich freier in der Öffentlichkeit bewegen; sie konnten sich Rechte herausnehmen, die bisher dem Mann vorbehalten waren. Dieser Eindruck einer veränderten Stellung der Frau ist jedoch zu differenzieren, wenn Ausbildungs- und Beschäftigungsverhältnisse, berufliche, soziale, rechtliche und politische Positionen im Vergleich zu Männern betrachtet werden.

**Hinweise zum Vorgehen:**

Auf dieser Seite findet ihr sehr unterschiedliche Materialien zu unterschiedlichen Teilbereichen des Lebens von Frauen. Geht schrittweise vor.

1. Beschreibt und deutet jeweils Bilder und statistische Angaben. Bedenkt die Intention der Bilder, z.B. des Plakats zum Muttertag.

2. Die Texte sind höchst unterschiedlicher Art. Berücksichtigt die formalen Merkmale; formuliert genau Aussage und Argumentation; erläutert, welche Haltung gegenüber der Frau zum Ausdruck kommt.

## Frauen in Schule und Beruf

**Schule:** 1926 besuchten in Preußen 8 % von 176 575 Mädchen einer höheren Schule die Klassen 11 bis 13, bei den Jungen 25 %.

**Ausbildung:** In allen Bevölkerungsschichten erhielten meist die Söhne eine Ausbildung; oft finanzierten die Mädchen die Lehre oder das Studium ihrer Brüder mit.

**Studium:** Erst 1908 durften Frauen als „ordentliche Studierende" an die Universität. 1931/32 studierten 17 191 Frauen, ca. 18,5 % der Gesamtstudentenschaft (92 512).

**Beruf:** 1925 waren 7 000 Hochschulabsolventinnen unter 11,5 Millionen erwerbstätigen Frauen. Frauen erhielten laut Tarifvertrag 10–25 % weniger Lohn als Männer, mit der Begründung, ihre Lebenshaltungskosten seien niedriger. Die Frauen arbeiteten als:

| | | |
|---|---|---|
| Mithelfende | 36,0 % | 4,1 Mio. |
| Arbeiterinnen | 30,5 % | 3,5 Mio. |
| Angestellte und Beamtinnen | 12,5 % | 1,4 Mio. |
| Hausangestellte | 11,4 % | 1,3 Mio. |
| Selbstständige | 9,6 % | 1,1 Mio. |

(Nach: Rosa Kempf, Die deutsche Frau nach Volks-, Berufs- und Betriebszählung von 1925, Mannheim 1931, S. 44f.)

1929 hätte eine ledige Angestellte durchschnittlich 175 Reichsmark im Monat benötigt, um den Ansprüchen an modischem Outfit gerecht werden zu können. Der Durchschnittsverdienst betrug 143 Reichsmark, die Hälfte der Frauen verdiente jedoch unter 100 Reichsmark. Eine Dauerwelle kostete bereits 20 RM. Oft erhielten weibliche Angestellte im kaufmännischen Bereich nicht nur die zuvor erwähnten 10–20 % Lohnminderung, sondern bis zu 40 %.
Damit das Monatsgehalt überhaupt ausreichte, wohnten viele junge Frauen bei den Eltern und hofften auf eine baldige

Heirat, denn der Beruf war für die meisten nur eine Übergangsphase bis zur Ehe. Die Arbeiterinnen in der Industrie hingegen mussten auch in der Ehe weiter dazuverdienen, weil der Lohn des Mannes nicht zur Versorgung ausreichte.

**M 1**

Berlin, 13 Uhr
(Gemälde von Hans Baluschek, 1931)

**M 2  Schüler und Studenten im Deutschen Reich 1926/27 (in Mio.)**

| | männl. | weibl. | insges. |
|---|---|---|---|
| Volksschulen | 3,36 | 3,33 | 6,70 |
| Mittelschulen | 0,12 | 0,14 | 0,26 |
| Höhere Schulen | 0,55 | 0,27 | 0,82 |
| Berufsschulen | 1,27 | 0,50 | 1,77 |
| Wissenschaftliche Hochschulen | 0,62 | 0,07 | 0,69 |

(Nach: Statistisches Jahrbuch für das Deutsche Reich 1928, S. 509 und 1931, S. 427–429)

## Frauen in der Politik

### M 3 Frauen im Parlament

| Parlament | Jahr | Abgeordnete insgesamt | davon Parlamentarierinnen | |
|---|---|---|---|---|
| | | | (Anzahl) | in % |
| Nationalversammlung | 1919[1] | 423 | 37 | 8,7 |
| | 1919[2] | | 41 | 9,6 |
| Reichstag | 1920[1] | 463 | 37 | 8,0 |
| | 1924[1] | 472 | 27 | 5,7 |
| | 1924[2] | 493 | 33 | 6,6 |
| | 1928[1] | 490 | 33 | 6,7 |
| | 1930[1] | 577 | 39 | 6,7 |
| | 1932[1] | 608 | 34 | 5,6 |
| | 1932[2] | 582 | 35 | 6,1 |
| | 1933[1] | 558 | 21 | 3,8 |
| | 1933[2] | 661 | 0 | 0,0 |

[1] zu Beginn der Legislaturperiode; [2] am Ende der Legislaturperiode

(Antje Huber (Hg.), Verdient die Nachtigall Lob, wenn sie singt? Die Sozialdemokratinnen, Stuttgart/Herford (Seewald Verlag) 1984, S. 257)

### M 4

Die Parlamentarierinnen des Jahres 1919

## Frauen in der Ehe

### M 5 Kampagne zur Begehung des Muttertages, 1929

Q Im Gedanken des Muttertages liegt in einer suchenden und irrenden Zeit wie der jetzigen eine starke aufbauende Kraft. […] Unter den mannigfachen Verfallserscheinungen der Gegenwart ist das Schwinden der Ehrfurcht vor den […] Frauen und Müttern ein trauriges Zeichen. Eine der Hauptursachen hierfür ist die gelockerte häusliche Erziehung. Die Familienerziehung liegt vor allem in der Hand der Mutter. Sie ist die Seele des Hauses, und nach ihrer Grundeinstellung richtet sich bewusst und unbewusst die Hausgemeinschaft. Diese früher so selbstverständliche Stellung der Frau und Mutter ist ins Wanken geraten. Es gilt, sie wiederzugewinnen. […] Unsere Mütter müssen wieder richtunggebend in unseren Familien sein. Es werden wieder starke Charaktere in dienstwilliger Hilfsbereitschaft und Ehrfurcht vor den Eltern aus solcher Erziehung erwachsen. […]

(Zit. nach: P. Lomprich [Hg.], Die Erste Republik, München 1992, S. 226f.)

### M 6

„Muttertag" (Plakat von Julius Gipkens, um 1925): „Zum Muttertag am 2. Sonntag im Mai schenkt Blumen!"

## Frauen und Recht

### M 7 Ehe- und Familienrecht im Bürgerlichen Gesetzbuch, 1900

Q § 1354. Dem Manne steht die Entscheidung in allen das gemeinschaftliche eheliche Leben betreffenden Angelegenheiten zu; er bestimmt insbesondere Wohnort und Wohnung.

Die Frau ist nicht verpflichtet, der Entscheidung des Mannes Folge zu leisten, wenn sich die Entscheidung als Missbrauch seines Rechtes darstellt.

§ 1355. Die Frau erhält den Familiennamen des Mannes.

§ 1356. Die Frau ist, unbeschadet der Vorschriften des § 1354, berechtigt und verpflichtet, das gemeinschaftliche Hauswesen zu leiten. Zu Arbeiten im Hauswesen und im Geschäfte des Mannes ist die Frau verpflichtet, soweit eine solche Tätigkeit nach den Verhältnissen, in denen die Ehegatten leben, üblich ist.

§ 1357. Die Frau ist berechtigt, innerhalb ihres häuslichen Wirkungskreises die Geschäfte des Mannes für ihn zu besorgen und ihn zu vertreten. Rechtsgeschäfte, die sie innerhalb dieses Wirkungskreises vornimmt, gelten als im Namen des Mannes vorgenommen, wenn nicht aus den Umständen sich ein anderes ergibt.

Der Mann kann das Recht der Frau beschränken oder ausschließen. […]

§ 1363. Das Vermögen der Frau wird durch die Eheschließung der Verwaltung und Nutznießung des Mannes unterworfen (eingebrachtes Gut).

(Zit. nach: Anne Conrad/Kerstin Michalik [Hg.], Quellen zur Geschichte der Frauen, Bd. 3, Stuttgart 1999, S. 136ff.)

# Massenkultur – nur Unterhaltung und Vergnügen?

Modernisierung bedeutet neben der Umwälzung von Wirtschaft und Staat vor allem auch Verstädterung und die Ausbildung städtischer Lebensweisen.

In der Stadt gab es eine neue Konsum- und Warenwelt. Bisher hatte sich der Massengütermarkt auf Nahrungsmittel und Kleidung und damit auf Güter zur Befriedigung des Grundbedarfs beschränkt. Jetzt wurden immer mehr zusätzliche Güter angeboten, der Gasherd und das Bügeleisen, der Staubsauger, das Fahrrad und die Banane. Zum Symbol der schönen neuen Waren- und Konsumwelt wurde das Warenhaus.

Zur Moderne gehörte die Massenkultur. 1923 nahm der Rundfunk seinen regelmäßigen Sendebetrieb auf. 1926 registrierte man eine Million Rundfunkhörer, Anfang 1932 vier Millionen.

Das Kino wurde der Ort neuer Erlebniswelten. Neben den Vorstadtkinos entstanden die Kinopaläste, die in Prunk und Anziehungskraft die „Oper des kleinen Mannes" wurden. Jeden Tag gingen rund zwei Millionen Menschen ins Kino. Es dominierten die herstellungstechnisch führenden Hollywoodfilme. Besonders beliebt waren Musik- und Revuefilme.

Es änderten sich die Lesegewohnheiten. „Dreigroschenromane" in Millionenauflage überschwemmten den Büchermarkt. Das Neue dieser neuen Medien war, dass sie Menschen unabhängig von ihrer Schicht ansprachen, dass sie dabei eine neue Sprache verwandten, indem sie das Sichtbare und Hörbare unmittelbar mitteilten.

Diese Massenkultur setzte voraus, dass Menschen Zeit hatten. Ein zentrales Merkmal der neuen Epoche war, dass Arbeit und Freizeit getrennt wurden. Nichtarbeit bot die Chance, Freizeitvergnügungen nachzugehen oder sie aktiv auszuüben, wie z.B. den Sport.

Die neue Massenkultur war scheinbar demokratisch. Auf der Zuschauertribüne des Fußballspiels oder des Boxkampfes saßen Arbeiter, Intellektuelle und Handwerker nebeneinander. Büroangestellte und Chef pfiffen die gleichen Schlager.

So wie die Modernisierung nur einen schmalen Sektor der gesamten Volkswirtschaft erfasste, so war Massenkultur eine Erscheinung der Großstädte, nicht des Landes. Dorf und Kleinstadt waren in der Weimarer Zeit die Lebenswelt der meisten Menschen in Deutschland. Hier herrschten traditionelle Vorstellungen; das großstädtische Tempo, die großstädtischen Vergnügungen wurden als Bedrohung ihrer Wertvorstellungen und Lebensformen gesehen.

**Hinweise zum Vorgehen:**

1. Anhand des Darstellungstextes und nach einer genauen Beschreibung der Bilder M1–M3 könnt ihr die Kennzeichen von Massenkultur erläutern.

2. Die Kritik an dieser Massenkultur kommt in den Materialien M4–M7 zum Ausdruck. Was ist die zentrale Aussage der zeitgenössischen Autoren, wie argumentieren sie? Beschreibt auch die Bilder genau. Welche Auffassung vom Leben der Menschen in der Stadt drücken sie aus?

M3 „Kabarett-Café" (Gemälde von Adolf Uzarski, 1923)

„Der Blaue Engel" (Filmplakat von 1930)

„Deutschland – Euer Reiseziel!" (Plakat von 1927)

# … das Ende aller Dinge, eine große Krise?

**M 4** Der Pädagoge und Geistliche Günter Dehn 1929 über die Jugendlichen seiner Zeit

Wollte man sie nach dem Sinn des Lebens fragen, so könnten sie nur antworten: „Was es eigentlich soll, das wissen wir nicht und es interessiert uns auch
5 nicht, es zu erfahren. Da wir aber nun einmal leben, so wollen wir auch vom Leben so viel haben wie nur irgend möglich". Verdienen und Vergnügen, das sind die beiden Angelpunkte des Daseins, wobei
10 unter Vergnügen beides, das Edle und das Unedle, von primitiver Sexualität und Jazzmusik bis zu neuproletarischer, künstlerisch einwandfreier Wohnkultur und rational durchgeführter Körperpflege, zu
15 verstehen ist. Eins steht jedenfalls fest: Diese Jugend hat durchaus die Absicht, ‚mit festen, markigen Knochen auf der wohlgegründeten, dauernden Erde zu stehen'. Aus dieser Welt und aus ihr allein
20 sucht man für sich herauszuholen, was man nur herausholen kann. Dieses Volk ist wirklich amerikanisiert bis in die Wurzeln seines Denkens, bewusst und selbstverständlich oberflächenhaft. Immer wie-
25 der muss man, wenn man mit ihm in Berührung kommt, denken: Nicht etwa der Sozialismus, sondern der Amerikanismus wird das Ende der Dinge sein.

(Zit. nach: Detlev J. K. Peukert, Die Weimarer Republik – Krisenjahre der klassischen Moderne, Frankfurt a. M. 1987, S. 178f.)

**M 5** Die Großstadt – Symbol des Untergangs!

Die Jugendbewegung der „Bündischen Jugend" versuchte mit Fahrt- und Lagerleben, ungezwungener Kleidung und einem freieren Verhältnis der Geschlechter alternative Lebensformen zu finden. In einer ihrer Zeitschriften („Adler und Falken") wird die Situation in der Gegenwart wie folgt gekennzeichnet:

Die Großstadt ist kein organisches Gebilde, sie ist eine vollkommen unnatürliche Zusammenballung von Menschen, die nur möglich wurde durch die Technik
5 und das Wirtschaftsdenken. […] Die unorganische Struktur der Großstadt zeigt sich am deutlichsten in ihrer Lebensunfähigkeit. Kein Krieg frisst so viel Menschen wie die Großstädte. Sie kann sich nur
10 durch ungeheuern Verbrauch von Menschen erhalten. Dieser Menschenverschleiß ist aber nicht nur ein körperlicher, sondern in viel größerem Maße ein geistiger und seelischer. Wen die Großstadt in
15 ihren Bann gezwungen, der wird ihr Sklave. Sie zwingt ihn in ihre Hörigkeit und macht ihn in der Regel unfähig, noch außerhalb ihrer Mauern zu leben. Sie entfremdet den Menschen der Scholle, macht
20 ihn wurzel- und heimatlos und schwächt durch die unnatürliche Lebensweise seine Lebensenergie.

(H. Mohr, Fronterlebnis und Großstadterlebnis, in: Der Falke, 1929, Heft 8, S. 6f.)

**M 6**

„Die Stadt"
(Holzschnitt von
Frans Masereel
zu einem Verkehrsunfall in der
Großstadt, 1925)

**M 7**

„Langweilige
Puppen"
(Gemälde von
Jeanne Mammen,
um 1927–30)

# Die Republik wird zerstört

## Wie wirkt sich die Weltwirtschaftskrise auf den Alltag der Menschen aus?

Trotz der Belastungen des Ersten Weltkriegs erlebte Deutschland das Zwischenhoch der „Goldenen Zwanziger". Die Währungsreform Ende 1923, die Übernahme neuer Produktionsweisen und schließlich hohe Kredite aus den USA hatten die Grundlage für diesen wirtschaftlichen Aufschwung geschaffen. Von der wachsenden Produktivität und der Hebung des Lebensstandards profitierten weite Bevölkerungskreise. Auch zahlreiche sozialpolitische Forderungen, insbesondere zur Verbesserung der Lage der Frauen und der sozial schwächeren Bevölkerungsgruppen, wurden verwirklicht. Die politische Lage begann sich zu normalisieren. Aber 1928 endete der wirtschaftliche Aufschwung. 1929 geriet die Wirtschaft in jene große Krise, die von den USA ausging. Der große Unterschied: Die weltweite Wirtschaftskrise hatte in Deutschland noch tiefgreifendere andere Auswirkungen als in den übrigen Staaten Europas. In Deutschland wurde aus der Wirtschaftskrise eine Staatskrise. In dieser wirtschaftlichen und politischen Dauerkrise der Weimarer Republik seit 1928/29 gewann die nationalsozialistische Bewegung unter Adolf Hitler immer mehr Zuspruch. Die NSDAP hatte ab 1930 einen erheblichen Zugewinn an Wählerstimmen und wurde zum dominanten Faktor in der Politik.

### Weltwirtschaftskrise: Der „Schwarze Freitag" und seine Folgen

#### Kennzeichen der Krise

Der Ausbruch der Krise wird häufig auf den 25. Oktober 1929 („Schwarzer Donnerstag" in den USA, in Europa wegen der Zeitverschiebung „Schwarzer Freitag") datiert. Zwischen dem 23. und 29. Oktober erlebte die Börse in New York einen historischen Kurseinbruch, der bei den Aktien bis zu 90 % ausmachte. Eine Aktie, die man für 100 Dollar gekauft hatte, war jetzt nur noch 10 Dollar wert. Da die USA die stärkste Wirtschaftsmacht der Welt war, durch Handel, Kredite und Kapital mit vielen nationalen Volkswirtschaften verflochten, schlug ihre Krise auf die Weltwirtschaft durch. Besonders stark betroffen war auch Deutschland.

> Das Bruttosozialprodukt, d.h. der Wert aller erzeugten Güter und Dienstleistungen einer Volkswirtschaft bzw. eines Staates, erreichte 1932 in Deutschland nur noch 65 % des Ergebnisses von 1928.
> Die Industrieproduktion ging zwischen 1928 und 1932 um etwa 1/3 zurück.

> Die Arbeitslosigkeit stieg von etwa 1 Million (1928) auf über 6 Millionen (1932), von 6,3 % auf 25,9 %.
> Die Reallöhne sanken in dieser Zeit um mehr als 10 %.

#### Ursachen der Krise

> Deutschland war hochgradig in den internationalen Finanzkreislauf eingebunden.
> Der Wirtschaftsaufschwung war in Deutschland wesentlich durch ausländische Kredite (an Unternehmen und den Staat) finanziert worden (etwa 10 Milliarden Reichsmark).
> Deutsche Banken vergaben ihr Geld, das sie selbst nur kurzfristig ausgeliehen hatten, langfristig an ihre Kunden.
> Deutschland war damit stark abhängig von der wirtschaftlichen Entwicklung in den Kreditgeberländern, vor allem in den USA. Als die Krise begann, kündigten die amerikanischen Banken die von ihnen vergebenen Kredite.

## Zwei unbekannte Arbeitslose ...

1. Versetze dich in ihre Lage und erzähle über deine Lebenssituation: Welche Sachverhalte sind für dich wichtig? Welche Eindrücke und Gefühle bestimmen deinen Alltag?

2. Die Materialien auf S. 47 geben Einblick darein, was Zeitgenossen damals tagtäglich erlebten und was sie bewegte. Beschreibe und erläutere.

**M 1**

Ich suche Arbeit jeder Art!

Foto von 1932

**M 2**

Hallo! Ich suche Arbeit! Ich kann Stenographie und Schreibmaschine und habe französische u. englische Sprachkenntnisse. Ich nehme jede im Haushalt vorkommende Arbeit, kann alles, was einen aufmerksamen Geist erfor...

Foto von 1931

46

**M 3** Der amerikanische Publizist Hubert Renfro Knickerbocker (1898–1949) schilderte die Not der Arbeiter in Berlin im Jahre 1931:

**Q** Nach den Angaben des Arbeitsamtes in Neukölln beträgt der Reichsdurchschnitt der Unterstützung, die ein beschäftigungsloser Arbeiter mit Frau und
5 Kind bezieht, 51 Mark im Monat. Gemäß den Berechnungen dieser offiziellen Stelle kommen Miete, Beleuchtung, Beheizung und unvermeidliche Nebenausgaben auf ein unerbittliches Minimum von
10 32 Mark und 50 im Monat. Für die Ernährung dreier Menschen bleiben also 18 Mark 50 im Monat übrig. [...] Nach einer Statistik des Arbeitsamtes kann der Berliner Unterstützungsempfänger 45 Pfund
15 Brot für 6 Mark kaufen; einen Zentner Kartoffeln für 2 Mark 50; 9 Pfund Margarine für 3 Mark; 15 Liter Milch für 4 Mark 50; 20 Pfund Kohl für 2 Mark; 10 Heringe, Salz und Zucker für 1 Mark – und damit
20 wären seine 18 Mark 50 aufgebraucht. Das bedeutet täglich ein halbes Brot, ein Pfund Kartoffeln, hundert Gramm Kohl, fünfzig Gramm Margarine und dreimal im Monat einen Hering pro Kopf.
25 Aufgrund dieser Berechnung habe ich in meiner eigenen Küche die Tagesverpflegung einer Person ausgewogen. Das Rohmaterial für die drei Mahlzeiten [besteht aus einer mitteldicken] Scheibe Brot,
30 einem Stückchen Kohl, das ungefähr faustgroß ist, und einem Stückchen Margarine von etwa 16 Kubikzentimetern. Das ist die Wochentagsration, und an drei Sonntagen im Monat kann jeder Erwach-
35 sene außerdem noch einen Hering essen, während das Kind jeden Sonntag einen Hering essen und wohl täglich einen halben Liter Milch bekommen kann.

(Hubert Renfro Knickerbocker, Deutschland so oder so?, Berlin 1932, S. 14f.)

## Alltägliches Leben in der Krise

- In Berlin mussten 104 Kinos mangels Besuchern schließen.
- Viele Gemeinden mussten die Wohlfahrtshilfe wegen Geldmangels einstellen; arbeitslose Wohlfahrtsempfänger wurden Bettler.
- Unter den Arbeitslosen in Deutschland befanden sich etwa eine Million Jugendliche ohne Anspruch auf Unterstützung.
- Der Bierkonsum, der vor dem Ersten Weltkrieg 102 Liter pro Kopf der Bevölkerung betragen hatte, ging 1931 auf 74 Liter zurück.
- Inschrift auf einem Pfefferkuchenherz zu Weihnachten 1932: „Dieser Kuchen ist nicht groß, denn auch ich bin arbeitslos".

**M 5** Erich Kästner:
**Das Riesenspielzeug**

Eins habt ihr leider nicht bedacht:
dass Kinderhaben auch verpflichtet.
Ihr wart auf uns nicht eingerichtet,
ihr habt uns nur zur Welt gebracht.

5 Ihr habt uns in die Welt gesetzt.
Wer hatte euch dazu ermächtigt?
Wir sind nicht existenzberechtigt
und fragen euch: Und was wird jetzt?

Schon sind wir eine Million!
10 Wir waren fleißig und gelehrig.
Und ihr? Ihr schickt uns, minderjährig,
fürs ganze Leben in Pension.

Sind wir denn da, um nichts zu tun?
Wir, die gebornen Arbeitslosen,
15 verlangen Arbeit statt Almosen,
fragen euch – Und was wird nun?

Die Zeit ist blind und blickt uns an.
Die Sterne ziehn uns an den Haaren.
Das ganze Leben ist verfahren,
20 noch ehe es begann.
Vernehmt den Spruch des Weltgerichts:
Ihr habt uns seinerzeit das Leben,
jetzt sollt ihr ihm den Inhalt geben!
Dass ihr uns liebt, das nützt uns nichts.

(Erich Kästner, Gesammelte Schriften für Erwachsene, Zürich (Atrium Verlag) 1969)

**Weitergedacht ...**

**Alltägliches Leben in der Krise**

TIPP!
**Diskussion**

**Hunger**

**Arbeitslosigkeit**

### Was denkt ihr?

**1.** Welche Auswirkungen können solche Existenzprobleme auf politische Einstellungen haben?

**2.** Welches Verhältnis zu anderen entwickelten Menschen in einer solchen Situation (M4, M5)?

**M 4**

Eine Suppenküche der SA (um 1931). Für hunderttausende arbeitsloser Männer wurde die SA, die Parteiarmee der Nationalsozialisten, der letzte Anlaufpunkt. Sie bot nicht nur täglich warmes Essen und Kameradschaft mit Leidensgenossen, sondern auch einen „Sinn" im Leben, „etwas, wofür wir leben und kämpfen konnten".

# Von der Wirtschaftskrise zur Staatskrise – Wer wählte die NSDAP?

Von 1928 bis 1933 vollzog sich eine dramatische Veränderung des Wählerverhaltens in Deutschland: Die NSDAP wurde zur stärksten Partei.

- **Wie lässt sich erklären, dass immer mehr Menschen die NSDAP wählten?**

**1.** Hier findet ihr Diagramme und Statistiken. Wenn ihr diese nach dem euch bekannten Verfahren zunächst genau analysiert, werden die wesentlichen Entwicklungen des Wählerverhaltens und damit der Stärke der Parteien erkennbar.

**2.** Im zweiten Schritt sind die Entwicklungen zu erklären. Dazu müsst ihr euch den historischen Kontext vergegenwärtigen, die wirtschaftliche Entwicklung, die politische Gesinnung der Menschen. Die Plakate auf S. 49 bieten weitere Anstöße.
**Tipp!** Ihr könnt die Statistiken mittels des Computers in Grafiken umsetzen und vor der Klasse einen Kurzvortrag über das Wählerverhalten halten.

**3.** Auf S. 49 findet ihr zusätzlich eine Wahlanalyse des Journalisten von Gerlach. Fasst dessen Argumente zusammen. Vergleicht mit eurer eigenen Einschätzung und diskutiert abschließend in der Klasse die Antwort auf unsere Leitfrage.

## M 1 Reichstagswahlen 1928–1932

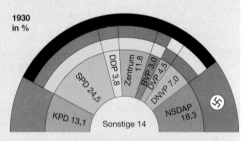

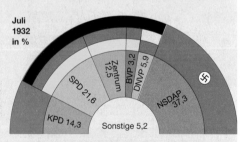

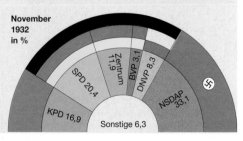

## M 2 Arbeitslosigkeit als Erklärung der Wahlerfolge der NSDAP?

Die Wahlerfolge von NSDAP und KPD in Gebieten mit extrem hoher und extrem niedriger Arbeitslosigkeit (J = Juli, N = November):

| Kreis/<br>Bezirksamt | Arbeitslose | NSDAP<br>1930 | NSDAP<br>1932J | NSDAP<br>1933 | KPD<br>1932N |
|---|---|---|---|---|---|
| Neustadt b. Coburg | 30 | 37 | 45 | 48 | 13 |
| Berlin-Mitte | 27 | 11 | 22 | 30 | 27 |
| Berlin-Wedding | 26 | 8 | 16 | 23 | 29 |
| Berlin Friedrichshain | 26 | 9 | 18 | 25 | 35 |
| Bochum (Stadt) | 25 | 16 | 26 | 33 | 20 |
| Nördlingen (Land) | 2 | 10 | 43 | 55 | 1 |
| Königshofen/Grabfeld | 2 | 18 | 37 | 52 | 1 |
| Gerabronn | 2 | 12 | 46 | 64 | 2 |
| Rothenburg/T. (Land) | 2 | 29 | 76 | 79 | 0 |
| Marktoberdorf | 2 | 10 | 31 | 50 | 1 |

Angaben jeweils in Prozent der Wahlberechtigten auf- und abgerundet.

(Nach: Jürgen Falter, Hitlers Wähler, München (C. H. Beck'sche Verlagsbuchhandlung) 1991, S. 297)

## M 3 Das Wahlverhalten von Männern und Frauen

In einigen Gebieten wurden amtliche Sonderauszählungen der Wahlergebnisse nach Geschlecht vorgenommen. Dabei entschieden sich bei den Reichstagswahlen 1930 bis März 1933 Männer und Frauen zu folgenden Anteilen für die verschiedenen Parteien:

| Partei | 1930 | | 1932/Juli | | 1932/Nov. | | 1933/März | |
|---|---|---|---|---|---|---|---|---|
| | m | w | m | w | m | w | m | w |
| KPD | 12,5 | 7,3 | 15,2 | 9,1 | 17,2 | 9,8 | 12,2 | 7,1 |
| SPD | 29,0 | 23,8 | 26,0 | 22,1 | 24,5 | 20,6 | 23,9 | 19,2 |
| DDP | 3,8 | 3,4 | 0,8 | 0,7 | 0,9 | 0,7 | 0,8 | 0,7 |
| BVP/Zent. | 21,8 | 35,8 | 22,6 | 35,7 | 22,1 | 35,3 | 20,5 | 32,1 |
| DVP | 2,7 | 2,9 | 0,9 | 1,1 | 1,3 | 1,4 | 0,7 | 0,7 |
| DNVP | 2,4 | 3,0 | 3,0 | 3,2 | 4,7 | 4,9 | 4,7 | 4,5 |
| NSDAP | 18,9 | 14,2 | 29,2 | 25,6 | 27,4 | 24,7 | 36,2 | 34,4 |

(Nach: Jürgen Falter/Thomas Schuhmann, Wahlen und Abstimmungen in der Weimarer Republik, München (C. H. Beck'sche Verlagsbuchhandlung) 1986, S. 85)

**M 4** Der liberale Journalist Hellmut von Gerlach in einem Zeitungskommentar vom 6.10.1930 zur Reichstagswahl im September 1930:

**Q** Die Hitlerwähler setzen sich aus zwei Kategorien zusammen: einer kleinen Minderheit von Nationalsozialisten, die auf das Hakenkreuz eingeschworen sind,
5 und einer riesigen Mehrheit von Mitläufern. Keine andere deutsche Partei ist so labil wie die nationalsozialistische, das heißt bei keiner anderen ist das Missverhältnis zwischen Stammkunden und
10 Laufkunden ebenso groß. […]
Idealisten mit verwirrtem Kopf und Landsknechte ohne Kopf, insgesamt ein paar hunderttausend Mann, das ist Hitlers Kerntruppe.
15 Die Millionen der Wähler, die er diesmal mustern konnte, dank der Gunst der Umstände, das heißt dank der Ungunst der Wirtschaftslage, rekrutieren sich aus den verschiedensten Schichten.
20 Da sind Arbeiter, relativ genommen nicht sehr viele, aber eine Million wird es doch wohl gewesen sein. Es sind Landarbeiter, die sich immer noch vom „gnädigen Herrn" abhängig wähnen und von ost-
25 elbischen Granden [gemeint sind hier Großgrundbesitzer] für Hitler kommandiert wurden. Es sind jene labilen Elemente, die erst bei den Kommunisten hospitiert haben und sich nun den Natio-
30 nalsozialisten zuwenden, weil diese sich noch radikaler gebärden. Es sind junge Leute, Friseurgehilfen, Chauffeure usw., die sich etwas Besseres dünken als die Masse der gewerkschaftlich organisierten
35 Fabrikarbeiter […]
Da sind Massen von Angestellten, […] die berühmten oder berüchtigten Stehkragenproletarier. Ihr Interesse müsste sie in eine Einheitsfront mit den Arbeitern
40 führen. Aber ihr „Standesgefühl" ist stärker als ihre soziale Einsicht.
Da ist das Gros der Studenten und sonstigen jungen Akademiker. Bei ihnen fällt die antisemitische Hetzphrase auf beson-
45 ders dankbaren Boden. Der Jude wird eben als unbequemer Konkurrent empfunden. Sie sind fanatisch nationalistisch. Den Krieg kennen sie nicht. […]

Da sind bedauerlich viele Beamte. Ihre
50 politische Freiheit verdanken sie ausschließlich der Republik. Aber leider hat ihnen die Republik mit der politischen Freiheit nicht auch zugleich das politische Denken geben können, […]
55 Da ist vor allem der große Block des sogenannten selbstständigen Mittelstandes. Diese Millionen von Handwerkern, Gewerbetreibenden und Kleinkaufleuten führen seit der nach 1871 einsetzenden

großindustriellen Entwicklung einen ver-
60 zweifelten Kampf um ihre Existenz. Es fehlt ihnen an wirtschaftlicher Einsicht. Darum fallen sie auf jeden Schwätzer herein, der ihnen die Wiederherstellung des
65 „goldenen Bodens" durch Kampf gegen Juden und Warenhäuser, gegen Börse und Gewerbefreiheit verspricht. […]

(Zit. nach: H. Bennecke, Wirtschaftliche Depression und politischer Radikalismus 1918–1938, München 1970, S. 345ff.)

**M 5**
**Parteilager 1919–1933**

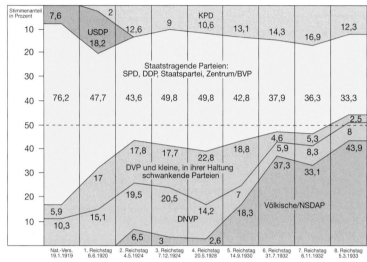

Stimmenanteil in Prozent

KPD / USDP: 7,6 | 2 | USDP 18,2 | 12,6 | 9 | KPD 10,6 | 13,1 | 14,3 | 16,9 | 12,3

Staatstragende Parteien: SPD, DDP, Staatspartei, Zentrum/BVP: 76,2 | 47,7 | 43,6 | 49,8 | 49,8 | 42,8 | 37,9 | 36,3 | 33,3

DVP und kleine, in ihrer Haltung schwankende Parteien: 17 | 17,8 | 17,7 | 22,8 | 18,8 | 5,9 | 8,3 | — ; 4,6 | 5,3 | 2,5 | 8

DNVP: 10,3 | 15,1 | 19,5 | 20,5 | 14,2 | 18,3 | 7 | 6,5 | 3 | 2,6 | 5,9

Völkische/NSDAP: 37,3 | 33,1 | 43,9

Nat.-Vers. 19.1.1919 | 1. Reichstag 6.6.1920 | 2. Reichstag 4.5.1924 | 3. Reichstag 7.12.1924 | 4. Reichstag 20.5.1928 | 5. Reichstag 14.9.1930 | 6. Reichstag 31.7.1932 | 7. Reichstag 6.11.1932 | 8. Reichstag 5.3.1933

**M 6** Wir Arbeiter sind erwacht. Neu wählen Nationalsozialisten Liste 2

**M 7** Unsere letzte Hoffnung: HITLER

Wahlplakate der NSDAP aus dem Jahre 1932

# Die NSDAP – Aufstieg und Erscheinungsbild einer Partei „neuen Typs"

Bereite mithilfe des Darstellungstextes und unter Nutzung der Fotos einen foliengestützten Kurzvortrag zum Thema vor.

**Stelle zwei Leitgedanken in den Mittelpunkt deiner Ausführungen:**

**1.** Beschreibe den Neuaufbau und die neue Organisationsstruktur der NSDAP.

**2.** Erläutere, warum die gewählte Parteistruktur und das nach außen propagierte Erscheinungsbild zum Motor für Massenmobilisierung und Attraktivität der Bewegung wird.

### Reichstagswahlen 1930: Deutschland wählt neu

Die Reichstagswahlen von 1930 markieren eine historische Zäsur. Die NSDAP konnte mit 6,4 Millionen Wählern das Achtfache der Wählerzahl von 1928 vorweisen. Die Mandatszahl stieg von 12 auf 107. Der NSDAP war es damit gelungen, den Durchbruch zur Macht im Reichstag zu erzielen. Und das nur sieben Jahre nach dem unrühmlich gescheiterten Putsch von München.

Hitler und die NSDAP gewannen Anhänger aufgrund von sozialen und politischen Bedingungen oder Motiven. Hitler fand Zustimmung unter der vorwiegend protestantischen Bevölkerung Nord- und Ostdeutschlands, stärker auf dem Land als in industriellen Großstädten. Im Vergleich zur Gesamtbevölkerung waren die wirtschaftlich bedrohten unteren Mittelschichten und die Oberschicht überrepräsentiert.

Um aus Zustimmung aktive Unterstützung und eine Wahlentscheidung werden zu lassen, um die Partei und Adolf Hitler für die Wähler attraktiv zu machen, bediente sich die NSDAP besonderer organisatorischer und propagandistischer Maßnahmen.

Aufmarsch in Nürnberg, September 1923

**Wer war Adolf Hitler?**

| | |
|---|---|
| 20.4.1889 | – geboren in Braunau am Inn als Sohn eines österreichischen Zollbeamten |
| | – Besuch der Realschule (ohne Abschluss) |
| 1908–1913 | – Hitler lebt in Wien von Gelegenheitsarbeiten; |
| | – vergebliche Versuche, an der Wiener Kunstakademie aufgenommen zu werden. |
| | – Entwicklung antisemitischer und antimarxistischer Grundgedanken |
| 1914–1918 | – Soldat im Ersten Weltkrieg |
| 1919 | – Hitler wird Mitglied der Deutschen Arbeiterpartei (DAP, damals etwa 20–30 Mitglieder). |
| 1920 | – Hitler wird Vorsitzender der DAP, später NSDAP. |
| 9.11.1923 | – Hitler-Putsch in München |
| 1925 | – Hitler gründet die NSDAP neu. |
| 30.1.1933 | – Hitler wird Reichskanzler. |

## Hitler organisiert die Partei neu

Als 1923 der Versuch scheiterte, gewaltsam an die Macht zu kommen, und die NSDAP verboten wurde, änderte Hitler seine politische Taktik: Er beschloss, von nun an die Macht auf legalem Wege zu erringen. Dazu gründete er 1925 die Nationalsozialistische Arbeiterpartei Deutschlands neu und gab ihr eine neue Organisationsstruktur, um bei den Wählern anzukommen. Zunächst hatte die Partei bei Wahlen noch nicht die erwünschten Erfolge. Dass sie sich seit 1930 zu einer Massenpartei entwickelte, wäre ohne diese Neuorganisation nicht möglich gewesen.

Versammlung der NSDAP 1925 in München

Vorbeimarsch der SA vor dem „Führer" 1926 in Weimar

Nach der Neugründung der NSDAP 1925 war die Zentrale der Partei, die alle Parteiangelegenheiten verwaltete, in München zu finden. Die Partei wurde nun allein auf ihren Führer ausgerichtet. Auf den Parteitagen wurden keine Beschlüsse mehr gefasst, sondern Hitler gab nur noch seine Entscheidungen für die Partei und die Politik bekannt. Das Programm der NSDAP war wesentlich durch Hitlers Buch „Mein Kampf" beeinflusst. Für einen Außenstehenden wirkte das Programm jedoch verwirrend, denn es war eine Anhäufung widersprüchlicher Aussagen, die niemandem etwas Konkretes versprachen.

Gleichzeitig schuf Hitler mehrere Parteiorganisationen: Bereits 1921 war die „Sturmabteilung" (SA) gegründet worden. Die SA war eine Saalordnertruppe, die anfangs fast zur Hälfte aus Arbeitslosen bestand. Aus ihr wurde schnell eine militärische Organisation. Sie machte in braunen Uniformen ihrem „Führer" den Weg „frei", indem sie politische Gegner überfiel oder Wahlversammlungen störte. 1925 kam die „Schutzstaffel" (SS) als Leibgarde für Hitler hinzu. Für Jugendliche wurde die Hitler-Jugend (HJ) gegründet.

Hitler gab der Partei außerdem ein neues äußeres Erscheinungsbild: Der Parteigruß, die Hakenkreuzfahne als „Parteifahne" und das Braunhemd als „Parteiuniform" wurden eingeführt. Die NSDAP war unermüdlich aktiv: Zahlreiche Aufmärsche, Versammlungen und Wahlkampfveranstaltungen wurden abgehalten.

Die Partei benutzte dabei die damals noch neuen technischen Medien wie Lautsprecher, Film oder Schallplatte, um möglichst viele Menschen zu erreichen.

Hitler beim Verlassen seines Flugzeugs nach der Landung in Nürnberg, Reichsparteitag 1934 (rechts hinter ihm: Joseph Goebbels)

51

# Adolf Hitler – Ein Agitator redet und verführt

Eingeschworen auf den Führer versuchte die Partei, das Bild von Hitler als dem Führer und Retter in die Wählerschaft zu tragen und eine wachsende Zustimmung zu organisieren. Dieses geschah durch eine mit modernsten Mitteln betriebene Selbstinszenierung. Keine andere Partei hielt so häufig Aufmärsche und Versammlungen ab. Die an eine Mischung aus sakraler Messe und Militärparade erinnernden Veranstaltungen der NSDAP wurden in ihrer Wirkung von keiner anderen Partei erreicht. Das Inszenierungsmuster der Auftritte Hitlers, deren Höhepunkt immer die Rede des Führers Adolf Hitler war, lässt sich beispielhaft am Wahlkampf im Jahre 1932 aufzeigen.

> Die immer wieder bei den verschiedensten Gelegenheiten zu beobachtende Massenwirksamkeit Hitlers ist Thema zahlreicher Untersuchungen moderner Geschichtswissenschaftlerinnen und Geschichtswissenschaftler. Der namhafte Historiker Hans Ulrich Thamer vertritt dazu folgende These: „Ihm [gemeint ist Hitler] und seiner Werbemaschinerie gelang es, die Ängste und Erwartungen der vielen glaubhaft mit den eigenen Empfindungen zu verbinden und scheinbar einfache Lösungen zu versprechen. Hitler wurde […] zum Vereinigungspunkt vieler Sehnsüchte, Ängste und Ressentiments."
>
> ● **Überprüft diese These Hans Ulrich Thamers.**
>
> Dazu findet ihr auf dieser Doppelseite einige allgemeine Hintergrundinformationen zum Wahljahr 1932 sowie spezielle Informationen zum Ablauf einer Wahlveranstaltung der NSDAP in der Stadt Eberswalde. Hier hielt Hitler am 27. Juli 1932 eine für ihn typische Rede, deren Wortlaut ihr in Auszügen auf der nächsten Seite abgedruckt findet.

**Vorschlag zur Vorgehensweise:**

1. Erarbeitet mithilfe des Darstellungstextes das äußere Ablaufmuster der Veranstaltung.

2. Interpretiert den Redeauszug mithilfe der erlernten Arbeitsschritte (s. Methodenbox „Sprachliche historische Quellen interpretieren", S. 17). Achtet auch auf Auffälligkeiten in der Wortwahl.

   **TIPP!** In vielen Bildstellen/Medienzentren kann man einen Film von Hitlers Rede in Eberswalde ausleihen. So könnt ihr euch einen authentischen Eindruck von den gestischen und mimischen Mitteln verschaffen, die der Redner Hitler verwendete.

3. Erörtert anhand der Ergebnisse die These Thamers.

## Wahljahr 1932 – die Hintergründe

1932 fanden verschiedene Wahlen statt: die Wahl zum Reichspräsidenten (1. Wahlgang am 13. März, 2. Wahlgang am 10. April), Landtagswahlen in Preußen, Bayern, Württemberg, Anhalt, Hamburg (am 24. April) und in Oldenburg (am 29. Mai) sowie Reichstagswahlen (am 31. Juli und 6. November). In diesem Wahljahr hielt Hitler zahlreiche Wahlkampfreden, vor allem in den letzten sieben bis vierzehn Tagen vor den Wahlen. Er benutzte dabei ein Flugzeug, was für die damalige Zeit noch ganz ungewöhnlich war und womit er sich von anderen Parteiführern unterschied. So war es ihm möglich, noch unmittelbar vor den Wahlen eine große Zahl von Städten zu besuchen. Vom 15. Juli bis 30. Juli 1932 hielt er so in 53 Städten Reden. Auch die neuen technischen Medien verstand Hitler zu nutzen: Lautsprecher übertrugen seine Reden. Einige seiner Reden ließ Hitler auf Film oder Schallplatte aufzeichnen, sodass diese auch in Orten, wo Hitler nicht gesprochen hatte, zu Werbezwecken genutzt werden konnten.

## Eine Wahlveranstaltung der NSDAP – das Beispiel Eberswalde, 27. Juli 1932

Hitler ließ die etwa 40 000 Menschen, die gekommen waren, zunächst etwas warten: Der Beginn der Veranstaltung sollte um 16 Uhr sein. Aber erst kurz nach vier sah man das Flugzeug am Horizont. Das Flugzeug landete in der Nähe des Stadions. Mit einem Kfz-Konvoi wurde Hitler bis zum Stadion gefahren. Die Brandenburger SA marschierte unter den Klängen des Fridericus-Rex-Marsches und mit wehenden Fahnen in das Stadion ein. Ein NSDAP-Reichstagsabgeordneter hielt eine kurze Rede. Wenig später begab sich Hitler unter Marschmusik in das Stadion und begann nach einigen „Heil"-Rufen der SA zu sprechen. Nach der Rede bewegte Hitler sich zu einem geschlossenen Auto, das ihn zurück zum Flugzeug bringen sollte. Er fuhr durch eine Spalier stehende Menge, begleitet von einer Kolonne offener Wagen. Nach der Abfahrt Hitlers ertönte die Deutschlandhymne, gespielt von einer SA-Kapelle.

**M**    **Hitler spricht in Eberswalde**

Die folgenden Sätze zeigen in Ausschnitten die wesentlichen Ausführungen Hitlers. Die in diesem Text kursiv gedruckten Passagen betonte Hitler besonders, sprach sie sehr laut, teilweise schrie er sie sogar heraus und unterstützte sie durch eine starke Gestik, wie sie etwa auf den Fotos erkennbar ist.

**Q**   Wohin soll es in Deutschland noch kommen? Es ist überall dasselbe Bild einer Erhebung unseres Volkes. Einer Erhebung, die zeigt, dass sich heute Millionen
5 von Menschen dessen bewusst geworden sind, dass hier in der kommenden Wahl mehr auf dem Spiel steht als sonst. Dass nicht entschieden wird über irgendeine neue Koalition, ja, nicht einmal über eine
10 neue Regierung, sondern dass entschieden wird über Sieg und Niederlage zweier Richtungen in Deutschland, von denen die eine nun […] 13 Jahre regierte und bewiesen hat, was sie kann und was sie
15 nicht kann […], während die andere sich bewusst konzentriert auf die in unserem

Volk selbst vorhandenen Kräfte, auf das nationale Deutschland im besten Sinne des Wortes, ohne Klassen, ohne Stände, ohne Konfessionen! […] Wenn das Schicksal einem System *dreizehn* Jahre zur Verfügung stellt, um seine Fähigkeit zu beweisen, dann müssen Taten und Leistungen sprechen. […]

Dreizehn Jahre lang haben sie wirtschaftlich, politisch bewiesen, was zu leisten sie fähig sind: eine Nation wirtschaftlich zerstört, den Bauernstand ruiniert, den Mittelstand verelendet, die Finanzen im Reich, in den Ländern, in den Kommunen zerrüttet, alles bankrott und *sieben Millionen* Arbeitslose! Sie können sich winden, wie sie sich winden wollen! *Dafür sind sie verantwortlich.* [Bravorufe, Händeklatschen] Und so *musste* es ja kommen! Glaubt man wirklich, dass eine Nation überhaupt irgendwelche Leistungen vollbringen kann, wenn ihr wirtschaftliches Leben so zerfetzt und zerrissen ist wie unser deutsches? Ich habe vor ein paar Stunden erst die Wahlvorschläge gelesen, z.B. in Hessen-Nassau: *vierunddreißig Parteien!* […] Und das in einer Zeit, in der die größten Aufgaben dastehen, die nur gelöst werden können, *wenn die ganze Kraft der Nation zusammengerissen wird!*

Die Gegner werfen uns Nationalsozialisten vor, und mir insbesondere, dass wir intolerante, unverträgliche Menschen seien. […] Ein Politiker verschärft das noch, indem er sagt: ‚Die Nationalsozialisten sind überhaupt nicht deutsch, denn sie lehnen die Arbeit mit den anderen Parteien ab.‘ *Also ist es typisch deutsch, dreißig Parteien zu besitzen!* Ich habe hier einiges zu erklären: Die Herren haben ganz Recht! *Wir sind intolerant! Ich habe mir ein Ziel gestellt: nämlich, die dreißig Parteien aus Deutschland hinauszufegen!* [Bravo, Händeklatschen]. Sie verwechseln mich immer mit einem bürgerlichen oder marxistischen Politiker, der heute SPD, so morgen USPD und übermorgen KPD und dann Syndikalist, oder heute Demokrat und morgen Deutsche Volkspartei […]. Sie verwechseln uns mit ihresgleichen selbst. *Wir haben uns ein Ziel gesetzt und verfechten es fanatisch, rücksichtslos bis ins Grab hinein!* [Bravo, Händeklatschen] […]

Vor diesen dreißig Parteien gab es ein deutsches Volk, und die Parteien werden vergehen und nach ihnen wird bleiben wieder unser Volk. Und wir wollen nicht sein eine Vertretung eines Berufes, einer Klasse, eines Standes, einer Konfession oder eines Landes, sondern wir wollen den Deutschen so weit erziehen, dass es vor allem alle begreifen müssen, *dass es kein Leben gibt ohne Recht und dass es kein Recht gibt ohne Macht und keine Macht ohne Kraft und dass jede Kraft im eigenen Volke sitzen muss.*

(Begleitveröffentlichung zum Filmdokument des Instituts für den wissenschaftlichen Film, Göttingen)

53

# Das Ende der Demokratie –
# die Machtübertragung auf Hitler

Als 1929/30 die Weltwirtschaftskrise auf Deutschland übergriff, wurde aus den einzelnen politischen und wirtschaftlichen Krisen eine umfassende Krise, die das gesamte demokratische System bedrohte und schließlich dazu führte, dass die Demokratie außer Funktion gesetzt wurde. Den Beginn dieser Systemkrise datieren die meisten Historiker auf den März 1930, als die große Koalition unter Reichskanzler Müller zurücktrat. Das Ende der Weimarer Republik markiert der 30. Januar 1933, der Tag, an dem Hitler Reichskanzler wurde.

Diese Doppelseite bietet einen Abriss des historischen Ablaufs. Die Bearbeitung lässt sich in zwei Schritten vornehmen:

**1.** Mittels einer Mindmap könnt ihr die Informationen strukturieren. Im Mittelpunkt steht die Frage:

**Wie wird die Verfassungsordnung ausgehöhlt?**

**2.** Im Anschluss könnt ihr euch mit diesem Vorgang kritisch auseinandersetzen. Die Nationalsozialisten sprachen von Machtergreifung, heutige Historiker benutzen den Begriff der Machtübertragung. Welcher Begriff scheint euch angemessen?

Heinrich Brüning

Franz von Papen

### Der Anfang vom Ende – der Bruch der Großen Koalition (1928–1930)

1928 fand eine reguläre Wahl zum Reichstag statt, deren Ergebnis eine Große Koalition aus Zentrum, BVP (Bayerische Volkspartei), DVP, SPD und DDP war. Reichskanzler wurde Hermann Müller. Im März 1930 zerbrach diese Koalition im Streit um die Beiträge und Leistungen der Arbeitslosenversicherung: Aufgrund der steigenden Arbeitslosenzahl konnte der Staat seinen Verpflichtungen nur noch dadurch nachkommen, dass er Schulden machte. Um die Finanzen zu sanieren, sprach sich die SPD für eine Erhöhung der Beiträge zur Arbeitslosenversicherung, die Arbeitnehmer und Arbeitgeber zu gleichen Teilen trugen, um ein halbes Prozent aus. Die DVP lehnte dies ab und forderte stattdessen, die Sozialleistungen zu kürzen. Den Vermittlungsvorschlag des Zentrums, die Beiträge um ein Viertelprozent zu erhöhen, lehnten SPD und DVP ab. Die Koalition konnte sich nicht auf einen gemeinsamen Regierungsvorschlag einigen, sodass Müller und sein Kabinett am 27. März 1930 zurücktreten mussten. Der Bruch einer Regierungsmehrheit war keine Seltenheit in der Weimarer Demokratie. Häufig waren die beteiligten Parteien nicht bereit, gegenüber den Interessen ihrer Wähler Kompromisse einzugehen. In 14 Jahren amtierten so 21 Regierungen.

### Es wurde nicht mehr demokratisch regiert

Nach Rücktritt der Regierung Müller ernannte Reichspräsident Hindenburg mit Zustimmung seiner Berater aus der Reichswehrführung Heinrich Brüning (Zentrum) zum Reichskanzler. Dem Kabinett Brünings gehörten keine SPD-Minister mehr an, stattdessen Vertrauensleute Hindenburgs aus der DNVP. Die Regierung Brüning hatte keine parlamentarische Mehrheit mehr. Sie ließ den Reichspräsidenten mithilfe des Artikels 48 der Reichsverfassung Gesetze und Notverordnungen in Kraft setzen. Die demokratischen Parteien wie die SPD hatten versucht, die erste Notverordnung vom Sommer 1930 aufheben zu lassen. Dies führte dazu, dass der Reichspräsident den Reichstag auflöste und Neuwahlen ausschrieb, die einen enormen Stimmengewinn für die extremen Parteien KPD und NSDAP brachten. Deshalb tolerierte die SPD von nun an Notverordnungen, da sie von einer erneuten Parlamentsauflösung weitere Stimmengewinne für die extremen Parteien befürchtete.

Brüning musste die Staatsfinanzen sanieren. Er fuhr eine kompromisslose Sparpolitik. Er senkte die staatlichen Ausgaben für die Arbeitslosenversicherung und für Investitionen und erhöhte zugleich Steuern und Abgaben. Damit verschärfte er nicht nur das Massenelend in Deutschland, sondern stieß auch auf immer mehr Ablehnung bei den einflussreichen Kreisen um Hindenburg (Reichswehrführung, ostelbische Großgrundbesitzer, DNVP). Ende Mai 1932 wurde Brüning daher entlassen, als mit Franz von Papen ein Nachfolger gefunden war. Auch dieser und sein Nachfolger, der General Kurt von Schleicher, regierten bis zum Ende der Weimarer Republik mit solchen sogenannten „Notverordnungen".

## Misslungene Zähmung

Wer war der neue Reichskanzler Franz von Papen? Diese Frage stellte sich so mancher, nachdem die Zeitungen am Abend des 30. Mai 1932 die Bildung eines Kabinetts der „nationalen Konzen-tration" verkündet hatten. Papen, ein westfälischer Gutsbesitzer, war bis dahin ein unauffälliger Hinterbänkler der Zen-trumspartei gewesen. Er hatte nur weni-ge Anhänger, die in den Reihen der Wirt-schaft, des Großgrundbesitzes und des Militärs zu suchen waren. Die Arbeiter-parteien spotteten über das „Kabinett der Barone", dessen soziale Zielsetzung so einseitig und rückständig war, als gel-te es, eine agrarische Adelsrepublik statt eines modernen Industriestaates zu re-gieren. Auch die Nationalsozialisten lehn-ten von Papen ab.

Bekannter war da schon ein anderer Na-me auf Papens Kabinettsliste, der des Reichswehrministers von Schleicher: Er war ein entschiedener Verfechter einer autoritären Präsidialdiktatur schon zu Zeiten der Großen Koalition, er war Draht-zieher bei Brünings Ernennung und Re-gisseur bei seinem Sturz. Auch Papen, ein ehemaliger Generalstabsoffizier, hat-te seine überraschende politische Karrie-re dem Kalkül Schleichers zu verdanken,

dessen Regimentskamerad er gewesen war.

Noch vor Brünings Sturz hatte Schleicher Gespräche mit Hitler geführt. Dieser sagte zu, eine nationale Präsidialregierung zu tolerieren, wenn das zuvor aufgrund ge-walttätiger Ausschreitungen erlassene SA-Verbot aufgehoben werde und Neu-wahlen ausgeschrieben würden. Die Re-gierung Papen kam beiden Forderungen nach. Der Reichstag wurde aufgelöst, am 16. Juni fiel das SA-Verbot, am 31. Juli fanden Neuwahlen statt. Als Folge er-oberte die SA die Straßen. Vor allem in den größeren Städten glich der Wahl-kampf einem Bürgerkrieg. Binnen fünf Wochen nach Aufhebung des SA-Verbots waren allein in Preußen als Folge der poli-tisch motivierten Auseinandersetzungen 99 Tote und 1125 Verletzte zu beklagen. Bei der Reichstagswahl legte die NSDAP gewaltig zu. Gemeinsam mit der KPD gab es eine negative Mehrheit im Reichstag.

Das Kabinett Papen überlebte nur weni-ge Monate. Die NSDAP stützte es nicht weiter. Hitler wollte sich nicht mit dem Vorhof der Macht begnügen. Er wollte selbst Reichskanzler werden. Papen hat-te sich verrechnet: Es gelang nicht, die NSDAP und ihre Bewegung für die eige-nen Zwecke einzuspannen.

Nachdem Papen den Rückhalt im Parla-ment verloren hatte, setzte Hindenburg Schleicher als neuen Reichskanzler ein. Schleicher wollte die Krise bekämpfen, indem er Arbeitsbeschaffungsmaßnah-men für die Arbeiterschaft vorsah; er ver-suchte, eine Verbindung zwischen Ge-werkschaften und dem linken Flügel der NSDAP herzustellen und die Hitler-Partei zu spalten. Dadurch geriet Schleicher bei einigen Vertretern von Industrie und Großgrundbesitz, vor allem des Kreises um Hindenburg, in Verdacht. Sie wurden zum Fürsprecher von Hitler.

In der Folgezeit vollzog sich ein poli-tisches Intrigen- und Machtstück, in des-sen Mittelpunkt wieder Papen stand. Er setzte sich für eine Regierung Hitler/Pa-pen ein. Die Idee: In einer neuen Regie-rung sollte Hitler von konservativen Mi-nistern, die das Vertrauen von Industrie

„Notverordnung: Nach den Erfahrungen der letzten Wochen ist verfügt worden, dass jeder Demonstrationszug seinen eigenen Leichenwagen mitzuführen hat."
(E. Schilling, Simplicissimus vom 16. 2. 1931)

und Landwirtschaft besaßen, „einge-rahmt" und „gezähmt" werden. Diese neuen Minister sollten das Heer, die Bü-rokratie und die Justiz kontrollieren. Die NSDAP würde die notwendige politische Mehrheit schaffen. Von diesem Konzept überzeugte er den greisen Reichspräsi-denten von Hindenburg. Papen jubelte: „Wir haben ihn (gemeint war Hitler) uns engagiert". Und weiter: „In zwei Monaten haben wir Hitler in die Ecke gedrückt, dass er quietscht".

Am 30. Januar 1933 war Hitler da, wohin es ihn immer getrieben hatte: an der Macht, an der Spitze eines auf Notver-ordnungen gestützten Präsidialkabinetts. Die NSDAP feierte den Tag als Macht-ergreifung. Innerhalb der nächsten zwölf Monate wurde der Rechtsstaat aufgeho-ben. Die Monarchisten, die Hitler die Macht antrugen, hatten sich gründlich verschätzt.

# War der 30. Januar 1933 ein „Betriebsunfall" der deutschen Geschichte?

## Historiker setzen unterschiedliche Akzente

Der Historiker Guido Knopp bezeichnet den 30. Januar als „deutschen Schicksalstag" des 20. Jahrhunderts.
Eine solche Einschätzung macht es verständlich, dass Zeitgenossen und Historiker immer wieder die Frage gestellt haben, warum die Weimarer Republik nach nur 14 Jahren scheiterte und Hitler ermöglichte, an die Macht zu gelangen.

- **Gab es tieferliegende Ursachen?**
- **War es ein unglücklicher Zufall? Menschliches Versagen?**

Unter diesen Fragestellungen sollt ihr die beiden Auszüge aus der Sekundärliteratur bearbeiten.
Dabei könnt ihr Kleingruppen bilden, die ihre Ergebnisse zu jeweils einem der Texte auf Folie der Klasse präsentieren.
Die Methodenbox auf der nächsten Seite leitet dazu an, die beiden modernen Historikertexte systematisch zu erschließen.

Der Historiker Heinrich August Winkler

### M 1 Der Historiker H. A. Winkler

[...] Hitlers Ernennung zum Reichskanzler war nicht der unausweichliche Ausgang der deutschen Staatskrise, die mit dem Bruch der Großen Koalition am 27.
5 März 1930 begonnen [...] hatte. Hindenburg musste sich von Schleicher so wenig trennen, wie er genötigt war, Brüning durch Papen auszuwechseln. Er hätte Schleicher [...] im Amt halten oder durch
10 einen nicht polarisierenden „überparteilichen Kanzler" ersetzen können. Die neuerliche Auflösung des Reichstags innerhalb der verfassungsmäßigen Frist von sechzig Tagen war ihm nicht verwehrt [...]
15 Nichts zwang den Reichspräsidenten dazu, Hitler zum Reichskanzler zu machen. Hitler war immer noch [...] der Führer der stärksten Partei, aber eine Mehrheit im Reichstag gab es für ihn nicht.
20 Bis in den Januar 1933 hinein hatte sich der Reichspräsident, um eine Parteidiktatur der Nationalsozialisten zu verhindern, der Kanzlerschaft Hitlers widersetzt. Hindenburg änderte seine Haltung, weil ihn
25 nun auch seine engsten Berater dazu drängten und weil er das Risiko der Diktatur durch das Übergewicht konservativer Minister im Kabinett Hitler verringert, wenn nicht beseitigt sah. Der Druck auf
30 Hindenburg kam unmittelbar aus der ostelbischen Großlandwirtschaft und mittelbar [...] vom rechten Flügel der Schwerindustrie; er kam darüber hinaus von fast allen Personen, die Zugang zu ihm hat-
35 ten. Diesem Druck zu widerstehen, war der Greis nicht mehr stark genug. Das Machtzentrum um Hindenburg hatte sich im Januar 1933 für das Wagnis mit Hitler entschieden, und Hindenburg als Person
40 war nur ein Teil des Machtzentrums.
Der 30. Januar 1933 war also weder ein zwangsläufiges Ergebnis der vorangegangenen politischen Entwicklung noch ein Zufall. Hitlers Massenrückhalt mach-
45 te seine Ernennung möglich, aber erst durch den Willen Hindenburgs und des Milieus, das er verkörperte, wurde er Kanzler. Die politische Stärke jener „alten Eliten", die auf eine „Regierung der nati-
50 onalen Konzentration" unter Hitler drängten, war ebenso wie der Zulauf zu seiner Partei eine soziale Tatsache mit langer Vorgeschichte. Zu dieser Vorgeschichte gehörte die Erosion des Vertrau-
55 ens in den demokratischen Staat. [...]
In der Absicht, die Weimarer Demokratie zu vernichten, schöpfte Hitler die Möglichkeiten, die ihm die Verfassung bot, bis zum Letzten aus. Die Legalitätstaktik, die
60 er seiner Partei verordnete, war ungleich erfolgreicher als das Bekenntnis zur revolutionären Gewalt, dem er sich zehn Jahre zuvor verschrieben hatte und dem die andere totalitäre Partei, die KPD, nach
65 wie vor huldigte. Da die Kommunisten den Bürgerkrieg propagierten, gaben sie den Nationalsozialisten, die selbst die größte Bürgerkriegsarmee unterhielten, die Möglichkeit, sich als Hüter der Ver-
70 fassung darzustellen – als Ordnungsfaktor, der bereitstand, einen gewaltsamen Umsturzversuch von links zusammen mit der Polizei und, wenn nötig, der Reichswehr niederzuschlagen. [...]
75 Hitlers bedingtes Legalitätsversprechen [...] erfüllte seinen Zweck. Die Furcht der etablierten Rechten vor dem revolutionären Charakter des Nationalsozialismus wich schließlich dem Glauben, der Füh-
80 rer der „nationalen" Massen werde einer autoritären Politik die dringend benötigte populäre Basis verschaffen. [...]

(Heinrich August Winkler, Der lange Weg nach Westen. Deutsche Geschichte vom Ende des Alten Reiches bis zum Untergang der Weimarer Republik, Beck/München 2000, S. 549ff.)

### M 2 Der Historiker und Fernsehjournalist Guido Knopp

[...] Es war ein weiter Weg gewesen bis zur Reichskanzlei – geprägt von Demagogie, Agitation, Brutalität, Intrigen gegen Demokratie und Republik. Fortan galt der 30. Januar als Tag der „Machtergreifung" – nicht nur bei NS-Parteigenossen. Doch Hitler hat die Macht an diesem Tag nicht „ergriffen". Sie wurde ihm auf einem goldenen Tablett serviert – nach einem selbstherrlichen Ränkespiel von eingefleischten Antidemokraten. Eine britische Zeitung formulierte es treffend: Hitler habe sich „durch den Dienstboteneingang der Wilhelmstraße an die Macht geschlichen". Die Auslieferung der Macht an Hitler war vor allem Folge des persönlichen Versagens nationalkonservativer Traumtänzer, die sich von Hitler täuschen ließen. Denn sie hielten ihn so lange für den „Trommler", den sie vor den Karren ihrer Herrschaft spannen konnten, bis er sie entmachtete. Hätte er verhindert werden können? Alle Aufpeitschung der Massen, aller rednerischer Aufruhr hätten Hitler nicht zur Macht verhelfen können. Die erhielt er erst durch das Intrigenspiel um einen altersmüden Präsidenten und durch das Versagen jener Kräfte, die die kranke Republik beschützen sollten. Denn trotz ihrer inneren Verzagtheit wären Weimars Machteliten prinzipiell noch stark genug gewesen, um die Diktatur zu stoppen: die geschrumpften, aber noch vitalen demokratischen Parteien durch ein „Nein" zum späteren Ermächtigungsgesetz; die Gewerkschaften durch eine Neuauflage jenes triumphalen Generalstreiks, der den Kapp-Putsch 1920 rasch im Keim erstickte; die Industrie durch finanzielle Renitenz; die Reichswehr durch die Drohung, ihre Macht auch anzuwenden. Doch kaum einer wollte mehr so richtig. Man nahm Hitler untätig hin wie ein Verhängnis.

Der 30. Januar 1933 war wohl der deutsche Schicksalstag des 20. Jahrhunderts. Es war ein Tag, der nicht zwangsläufig war. Ganz sicher war er mehr als bloß ein „Betriebsunfall". Doch war er auch nicht jene gleichsam logische Vollendung eines „deutschen Sonderwegs", der sich seit dem 19. Jahrhundert zwangsläufig entwickelt habe.

(Guido Knopp, Die Bilder des Jahrhunderts, Verlagshaus Goethestraße, München 1999, S. 115)

# Methodenbox
## Umgang mit historischer Sekundärliteratur

Wer sich mit Geschichte beschäftigt, kann nicht alles selbst aus Quellen erforschen. Man zieht stattdessen ergänzend sog. Sekundärliteratur als Informationsquelle heran. Dabei stützen sich Historikerinnen und Historiker sowohl auf Quellen als auch auf die Erkenntnisse und Forschungsergebnisse, d.h. Deutungen und Interpretationen anderer Fachkollegen. Solche Darstellungen, in denen Geschichtsforscher und -forscherinnen unter Beachtung genauer wissenschaftlicher Standards ihre Forschungsergebnisse, Schlussfolgerungen und Urteile darlegen, werden als Sekundärliteratur bezeichnet. Sekundärliteratur bietet also eine perspektivisch gebundene Deutung von Geschichte.

Eine abwägende Auseinandersetzung mit Texten historischer Sekundärliteratur erfordert gleichermaßen eine Tätigkeit auf zwei Ebenen: auf der Ebene der Analyse und der darauf aufbauenden Urteilsbildung. Wenn ihr historische Sekundärliteratur sach- und fachgerecht bearbeiten wollt, ist eine **Zwei-Schritt-Methode** hilfreich:

### 1. Schritt: Analysieren

→ **Feststellung der äußeren formalen Merkmale des Textes**
Fragen, die als Leitlinien dienen können, ohne feste Reihenfolge:
- Wer ist der Autor/die Autorin des Textes?
- Wer ist (vermutlich) in erster Linie der Adressat?
- Wo wurde der Text(auszug) entnommen?
- Wann und wo wurde der Text ursprünglich veröffentlicht?

→ **Erarbeitung einer strukturierten Textwiedergabe**
D.h.: Der Inhalt des Textes und der gedankliche Aufbau werden in ihren zentralen Aussagen kurz und in eigenen Worten zusammengefasst.
- Was genau ist das Thema?
- Welche Aussagen werden im Einzelnen getroffen?
- Welche Thesen werden aufgestellt?
- Was ist die Gesamtaussage des Autors?
- Wie baut der Autor seine Argumentation auf?

### 2. Schritt: Kritische Auseinandersetzung

D.h., sich prüfend und kritisch abwägend mit den Textaussagen und Argumenten auseinanderzusetzen und begründet zu eigenen Einschätzungen zu gelangen.
- Ist die Argumentation in ihren Gedankengängen stimmig und überzeugend?
- Urteilt der Autor einseitig (nur eine Begründung, Perspektive) oder differenziert (mehrschichtige Begründungen)?
- Lässt sich auf eine bestimmte weltanschauliche Betrachtungsweise schließen?
- Welche Wertungen sind überzeugend, welche nicht?

# Stopp
## Ein Blick zurück

**Diese Begriffe und Vorgänge kann ich erläutern:**

* Parlamentarische Demokratie
* Frauenemanzipation
* Parteienstaat
* Weltwirtschaftskrise
* Demokratie ohne Demokraten
* Aufstieg der NSDAP
* Machtübertragung

## Gemälde, die ihr jetzt verstehen und interpretieren könnt

### Kunst in der Weimarer Republik

Der wirtschaftliche Aufstieg nach dem Krisenjahr 1923 ließ in den Augen vieler Zeitgenossen die „Goldenen Zwanziger" entstehen. Nicht alle Menschen teilten jedoch diese positive Sicht. Eine ganze Reihe von Künstlern beurteilte die neue Zeit viel kritischer: Die Nachwirkungen des Ersten Weltkriegs sowie die politischen und sozialen Spannungen der Gegenwart wurden intensiv wahrgenommen.

Die Kunstrichtung, die die Wirklichkeit realistisch darzustellen versuchte, wurde als „Neue Sachlichkeit" bezeichnet. Maler dieser Stilrichtung zeigten das moderne Leben entweder körperlich-plastisch und möglichst objektiv oder die sozialen und politischen Probleme wurden krass und grell präsentiert.

Vor dem Hintergrund eures inhaltlichen und methodischen Wissens könnt ihr diese Gemälde deuten. Am Anfang steht wiederum die Leitfrage:

● **Welche Sicht der Menschen und der Gesellschaft der Zwanzigerjahre vertreten die Maler?**

**M 1**

„Die Journalistin Sylvia von Harden"
(Gemälde von Otto Dix, 1926)

**M 2**

„Großstadt" (Gemälde von Otto Dix, 1927/28
Dieses Bild ist zum Inbegriff der Zwanzigerja
geworden. Es handelt sich um ein Triptychor
d.h. ein dreiteiliges Bild, das aus einem Mitte
teil und zwei Seitenflügeln besteht.

1. **Beschreibt** ausgehend von einer Benennung des Themas, was dargestellt ist und wie die Bilder gestaltet sind. Berücksichtigt dabei
   – die dargestellten Personen (Raumposition, Größe, Gesichtszüge, Tätigkeiten, Farbgebung …),
   – die beigefügten Gegenstände.

   **Tipp!** Diese Beschreibung könnt ihr tabellenförmig anlegen: Personen, Raumposition, Größe …

2. **Erläutert**, welches Bild der Menschen und der Gesellschaft der Maler vermittelt.

3. **Setzt euch kritisch** mit dieser Sicht des Malers **auseinander**. Ist diese einseitig, politisch voreingenommen?

Dieses Gemälde von George Grosz trägt den Titel „Stützen der Gesellschaft" (1926). Das Bild misst im Original 108 x 220 cm. Der Maler selbst bezeichnete sein Bild als „modernes Historienbild". Allerdings steht nicht ein historisches Geschehen im Mittelpunkt, sondern der Maler zeigt Einzelfiguren mit besonderen Merkmalen, die gesellschaftliche Gruppen und damit die Lage der Gesellschaft darstellen sollen.

# Vergangenheit, die nicht vergeht – Das national- sozialistische Deutschland

M 1

Erntedankfest
auf dem
Bückeberg (1937)

Köln 1945

Holocaust-Mahnmal in Berlin (2005)

## Die NS-Zeit – ein ganz normales Unterrichtsthema?

Ihr als heutige Generation habt den Nationalsozialismus und die Weltkriegszeit nicht miterlebt. Ihr müsst schon zu den Großeltern oder gar den Urgroßeltern gehen, wenn ihr etwas über diese Zeit aus persönlichen Erinnerungen hören und erfahren wollt. Und doch sind die Ereignisse und Folgen auch in eurer Gegenwart noch so nah und bedeutsam, dass wir alle, die wir im 21. Jahrhundert leben, immer wieder mit ihnen konfrontiert werden.

### Nachdenken und Diskutieren über den Umgang mit der eigenen Geschichte

Setzt euch zu zweit zusammen. Abwechselnd sollt ihr nun aufschreiben, was euch zum Thema „Nationalsozialismus" durch den Kopf geht. Nach zwei bis drei Sätzen wechselt der Schreiber, damit das Blatt oft hin- und herwandert. Natürlich müsst ihr euch auf das beziehen, was euer Partner aufgeschrieben hat. Sprecht dabei bitte nicht miteinander. Es bietet sich an, von einer der Abbildungen auf dieser Doppelseite auszugehen. Mögliche Anfänge:

– Wenn ich die Abbildung … betrachte, fällt mir auf, …
– Die Abbildung erinnert mich an …
– Ich frage mich, …
– Ich verstehe nicht richtig, …

Natürlich könnt ihr darüber hinaus zusätzlich auch eigene Fragen und Gedanken ansprechen.

### Interwriting

Dieses Verfahren hat zwei Ziele: Zum einen hilft es, sich über die eigene Position klarzuwerden, zum anderen regt es dazu an, sich mit einer fremden Sichtweise auseinanderzusetzen und die eigene Position zu überdenken.

Gemeinsam als Klasse könntet ihr daran anknüpfend eure Vorstellungen, Wünsche und Bedürfnisse zur anstehenden Thematik einbringen und auf diese Weise den Untersuchungsgang zum Unterrichtsgegenstand Nationalsozialismus inhaltlich und methodisch mitgestalten.

# Nach dem „Tag der Machtergreifung" – Wie wird Hitler regieren?

## Die Ideologie des Nationalsozialismus

Seit Mitte der 20er-Jahre konnte sich jeder über Inhalte und Ziele der nationalsozialistischen Weltanschauung informieren. Auskunft über die NS-Ideologie gab das Buch „Mein Kampf", das Adolf Hitler selbst als sein „politisches Glaubensbekenntnis und Programm" bezeichnete. Er hatte es geschrieben, als er nach seinem missglückten Putsch im November 1923 in der Festung Landsberg am Lech inhaftiert war (vgl. S. 32f.). Anhänger und Gegner Hitlers zitierten immer wieder aus diesem Werk. Nach der „Machtergreifung" wurden viele Millionen Exemplare verkauft oder verschenkt. Jedes Hochzeitspaar erhielt „Mein Kampf" kostenlos von der Heimatgemeinde. Auch in den Jahren vor 1933 war das Buch frei verkäuflich.

Ein Zeichner der satirischen Zeitschrift „Simplicissimus" setzte nach der Lektüre von „Mein Kampf" seine Eindrücke in eine Karikatur um.

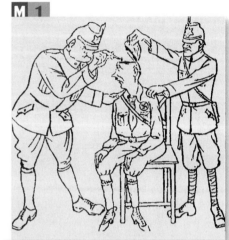

M 1

**1.** Interpretiert beide Karikaturen.

**2.** Versucht abschließend, die Darstellungsabsichten beider Zeichner zu vergleichen.

Ergebnislose Haussuchung bei Hitler (Karikatur aus dem Simplicissimus, 1930)

Auch der Karikaturist A. P. Weber hatte Hitlers „Mein Kampf" bereits lange vor der „Machtergreifung" gelesen und kannte deshalb die Grundzüge der nationalsozialistischen Ideologie. Nach der Lektüre setzte er seine Eindrücke ebenfalls in eine Karikatur um.

Titelbild der Erstausgabe

M 2

Das Verhängnis (A. Paul Weber, 1932)

Auf dieser Seite findest du Aussagen, die Hitler in „Mein Kampf" zu vier zentralen Punkten seiner Ideologie formuliert hat.

**1.** Lies diese Aussagen genau und versuche die Tabelle zu vervollständigen.

**2.** Prüfe, ob die Karikaturisten die Ideologie gut getroffen haben.

### Die Ideologie des Nationalsozialismus

| Zentrales Element der Ideologie | Was meint Hitler mit diesem Stichwort? | Welche Folgen waren zu erwarten, wenn die Idee in konkrete Politik umgesetzt wurde? (Stelle Vermutungen an!) |
| --- | --- | --- |
|  |  |  |

## M 3 Führerprinzip

Q Die Bewegung vertritt im Kleinsten wie im Größten den Grundsatz der unbedingten Führerautorität, gepaart mit höchster Verantwortung. […] Es ist eine der obersten Aufgaben der Bewegung, dieses Prinzip zum bestimmenden nicht nur innerhalb ihrer eigenen Reihen, sondern auch für den gesamten Staat zu machen. […] Der Fortschritt und die Kultur der Menschheit sind nicht ein Produkt der Majorität, sondern beruhen ausschließlich auf der Genialität und der Tatkraft der Persönlichkeit. Diese heranzuzüchten und in ihre Rechte einzusetzen, ist eine der Vorbedingungen zur Wiedergewinnung der Größe und Macht unseres Volkstums. Damit ist die Bewegung aber antiparlamentarisch und selbst ihre Beteiligung in einer parlamentarischen Institution kann nur den Sinn einer Tätigkeit zu deren Zertrümmerung besitzen.
(Mein Kampf, S. 378f.)

*„Wenn diese Grundsätze in Fleisch und Blut unserer Anhänger übergehen, wird die Bewegung unerschütterlich und unbesiegbar werden."*
(Mein Kampf, S. 387; Foto 1934)

## M 4 Lebensraum

Q So wie unsere Vorfahren den Boden, auf dem wir heute leben, nicht vom Himmel geschenkt erhielten, sondern durch Lebenseinsatz erkämpfen mussten, so wird auch uns in Zukunft den Boden und damit das Leben für unser Volk keine göttliche Gnade zuweisen, sondern nur die Gewalt eines siegreichen Schwertes. […] Das Recht auf Grund und Boden kann zur Pflicht werden, wenn ohne Bodenerweiterung ein großes Volk dem Untergang geweiht erscheint. […] Wenn wir aber heute in Europa von neuem Grund und Boden reden, können wir in erster Linie nur an Russland und die ihm untertanen Randstaaten denken.
(Mein Kampf, S. 741f.)

## M 5 Rassismus

Q Im Blute allein liegt sowohl die Kraft als auch die Schwäche des Menschen begründet. Völker, welche nicht die Bedeutung ihrer rassischen Grundlage erkennen und beachten, gleichen Menschen, die Möpsen die Eigenschaften von Windhunden anlernen möchten. […] Demgegenüber erkennt die völkische Weltanschauung die Bedeutung der Menschheit in deren rassischen Urelementen.[…] Sie glaubt somit keineswegs an eine Gleichheit der Rassen, sondern erkennt mit ihrer Verschiedenheit auch ihren höheren oder minderen Wert und fühlt sich durch diese Erkenntnis verpflichtet, […] den Sieg des Besseren, Stärkeren zu fördern, die Unterordnung des Schlechteren und Schwächeren zu verlangen. […] Menschliche Kultur und Zivilisation sind auf diesem Erdteil unzertrennlich gebunden an das Vorhandensein des Ariers.
(Mein Kampf, S. 372, 420f.)

## M 6 Antisemitismus

Q Die Nationalisierung der breiten Masse kann niemals erfolgen durch Halbheiten, durch schwaches Betonen eines sogenannten Objektivitätsstandpunktes, sondern durch rücksichtslose und fanatisch einseitige Einstellung auf das nun einmal zu erstrebende Ziel. […] Gift wird nur durch Gegengift gebrochen. […] Die Nationalisierung unserer Masse wird nur gelingen, wenn bei allem positiven Kampf um die Seele unseres Volkes ihre internationalen Vergifter ausgerottet werden. […] Den gewaltigsten Gegensatz zum Arier bildet der Jude […]. Er ist und bleibt der ewige Parasit, ein Schmarotzer, der wie ein schädlicher Bazillus sich immer mehr ausbreitet […], wo er auftritt, stirbt das Wirtsvolk nach kürzerer oder längerer Zeit ab. […] So ist der Jude heute der große Hetzer zur restlosen Zerstörung Deutschlands.
(Mein Kampf, S. 329, 334, 370ff., 702)

# Nach dem „Tag der Machtergreifung": Was geschieht in Wirklichkeit?

Am „Tag der Machtergreifung" waren die Nationalsozialisten an die Regierung gekommen. Die folgenden Wochen und Monate waren voller Dramatik. Am Ende stand die Errichtung der NS-Diktatur.

> Man muss diese Vorgänge kennen, wenn man sich zum Nationalsozialismus äußert. Die Darstellung auf den nächsten Seiten fasst die wichtigsten Ereignisse und Maßnahmen zusammen. Sie geht auch auf kontroverse Positionen in der Geschichtswissenschaft ein.

Erstellt parallel zur Lektüre eine Datenliste und kommentiert knapp.

**Die Errichtung der Diktatur**

| Datum | Ereignis | Kommentar |
|---|---|---|
| 30.1.33 | Hitler wird Kanzler. | Er hat die Exekutive. Wird er fanatisch regieren? |

Unbeugfamer Glaube u. fanatifcher Siegeswille führten zum 30. Januar 1933.

NSDAP-Gedenkpostkarte an den „Tag der Machtergreifung", 1933

### Erste Reaktionen

Am 30. Januar 1933 war Hitler als Reichskanzler eingesetzt worden – würde er seine Ideen aus „Mein Kampf" radikal umsetzen? Oder hatte es nur einen der zahlreichen Regierungswechsel gegeben, wie man sie in den zurückliegenden Jahren der Weimarer Republik so häufig erlebt hatte?

Die zeitgenössischen Beobachter waren sich nicht einig. Die meisten Konservativen und viele Liberale sahen keine Gefahr. Schließlich gehörten nur zwei nationalsozialistische Minister der neuen Regierung an und die NSDAP besaß nur ein Drittel der Stimmen im Reichstag. Da war es nur schwer vorstellbar, dass dieser „böhmische Gefreite", wie Reichspräsident Hindenburg den neuen Reichskanzler einmal abschätzig genannt hatte, wirklich so radikal vorgehen würde, wie seine Gegner behaupteten. Die politische Linke reagierte anders. Die Kommunisten sprachen von einer „Kriegserklärung an die deutsche Arbeiterklasse", die sozialdemokratischen Politiker befürchteten einen Angriff der „reaktionären Kräfte" auf die Republik, und auch im Zentrum stellte man die Frage, ob die künftigen Maßnahmen den Rahmen der Verfassung beachten würden. Im Ausland hoffte man, die konservativen Regierungsmitglieder und der Reichspräsident Hindenburg würden mäßigenden Einfluss ausüben.

### Erste Maßnahmen

Hitler selbst ließ keinen Zweifel, dass er die Macht nicht mehr abgeben wollte. „Am 30. Januar 1933", so verkündete er öffentlich, „sind in Deutschland die Würfel gefallen." In „Mein Kampf" hatte er geschrieben: „Jede weltbewegende Idee hat nicht nur das Recht, sondern die Pflicht, sich derjenigen Mittel zu versichern, die die Durchführung ihrer Gedankengänge ermöglichen". Die kommenden Wochen sollten zeigen, an welche „Mittel" Hitler gedacht hatte. Rückblickend erscheint es atemberaubend, in welchem Tempo und mit welchem taktischen Geschick die demokratische Struktur Weimars zerstört wurde und in welch geringem Maße Widerstand geleistet wurde.

Die erste Amtshandlung vom 1. Februar 1933 zeigt dies exemplarisch. Als Hitler im Kabinett vorschlug, für den 5. März Neuwahlen anzusetzen, stimmten die konservativen Minister und ihre Parteien sofort zu – in der Hoffnung, die eigene Machtbasis würde sich verbreitern und in den fünf Wochen bis zur Wahl werde man Hitler disziplinieren. Sie verkannten die Situation, denn die Ansetzung von Neuwahlen und die gleichzeitige Auflösung des Reichstages gaben der Regierung alle Spielräume. Auf der Basis von Notverordnungen konnte sie ungehindert schalten und walten – denn es gab ja kein Parlament, das Widerspruch hätte einlegen können. Dass Hitler diese Spielräume ausnutzen wollte, zeigte sich bereits wenige Tage später: Am 4. Februar unterschrieb Reichspräsident Hindenburg die ihm vorgelegte „Verordnung zum Schutze des deutschen Volkes", mit der die Pressefreiheit aufgehoben wurde. Oppositionelle Journalisten konnten so „ganz legal", wie Hitler betonte, mundtot gemacht werden. Nur in wenigen Zeitungen fand sich noch eine kritische Berichterstattung gegen die Regierung Hitler oder deren Wahlkampf. Viele Historiker sehen in diesem Vorgehen ein erstes Beispiel für die Mischung aus „legalem" Vorgehen und Unterdrückung.

## Der Wahlkampf

Die neue Regierung setzte alles daran, die Wahl als eine Entscheidung von existenzieller Bedeutung darzustellen. Wer sich gegen die neue Regierung des nationalen Zusammenschlusses ausspreche, so hieß es, entscheide sich für den weiteren „Zerfall" oder gar den „Untergang" Deutschlands. Hitler selbst hastete von einem Treffen zum nächsten. Gezielt nutzte er das Flugzeug, um überall in Deutschland Veranstaltungen abzuhalten; geschickt nutzte er auch die neuen Medien Rundfunk und Film zur Berichterstattung.

Er verstand es, in relativ kurzer Zeit zwei Gruppierungen für seine Politik zu gewinnen, die dem Nationalsozialismus bislang zwar nicht feindlich, aber mehrheitlich abwartend gegenübergestanden hatten:

Zum einen war dies die Generalität der Reichswehr. In einem geheimen Treffen, das am 3. Februar in der Privatwohnung des Chefs der Heeresleitung stattfand, versicherte er den anwesenden Offizieren, dass in einem wieder erstarkten Deutschland das Militär eine herausragende Rolle spielen werde. Zum anderen gewann er die führenden Industriellen, die er in einem Gespräch am 20. Februar davon überzeugte, wie vorteilhaft und profitabel die Zusammenarbeit von Industrie und Nationalsozialismus für beide Seiten sein würde.

## Der Reichstagsbrand

Ein weiteres wichtiges Datum bei der Stabilisierung der Macht war der 28. Februar. In den zurückliegenden Wochen hatte die politische Linke wie gelähmt gewirkt. Abgesehen von einigen Schlägereien zwischen Nationalsozialisten und Anhängern der „linken" Parteien war es zu keinen Widerstandshandlungen gekommen. Ein Aufruf zum Generalstreik war nur halbherzig ergangen und nicht ernsthaft verfolgt worden. Die Kommu-

nisten und die Sozialdemokratie hatten sich nicht auf eine gemeinsame Strategie einigen können, sondern bekämpften sich nach wie vor untereinander. Führende NS-Politiker wie Hitler, Goebbels und Göring (Innenminister in Preußen) hielten es jedoch für undenkbar, dass sich die „Marxisten", wie sie verächtlich sagten, kampflos ergeben würden. Göring rechnete fast täglich mit einem kommunistischen Aufstand. Da er der Polizei und ihrer Führung nicht traute, ernannte er 50 000 Männer der SA und der SS kurzerhand zu Hilfspolizisten, stattete sie mit Schusswaffen aus und gab ihnen den Auftrag, die Polizei bei der „Förderung der nationalen Bewegung zu unterstützen" und die Umtriebe „staatsgefährdender Organisationen" wirksamer zu bekämpfen; von der Waffe sei rücksichtslos Gebrauch zu machen. Im Gegenzug entließ er zwei Drittel der zumeist von SPD-Bürgermeistern eingesetzten Obersten der Schutzpolizei. Goebbels notierte anerkennend in seinem Tagebuch: „Göring räumt in Preußen auf mit einer herzerfrischenden Forschheit".

In dieser Atmosphäre brach am Abend des 27. Februar im Gebäude des Berliner Reichstages ein Feuer aus. Am Tatort wurde der Niederländer Marinus van der Lubbe festgenommen, der sich als Kommunist bezeichnete und gestand, den Brand gelegt zu haben. Die näheren Umstände sind bis heute ungeklärt (hartnäckig hält sich die Theorie, dass van der Lubbe ein Werkzeug der Nazis gewesen sei). Aber als Vorwand für ein verschärftes Vorgehen gegen die politische Opposition kam der Reichstagsbrand wie gerufen. Hitler, Goebbels und Göring trafen sich vor dem brennenden Gebäude und redeten sich nach den Beobachtungen von Augenzeugen in eine „Blutrauschstimmung". Hitler soll, begleitet von dem Heulen der Feuerwehrsirenen und dem Prasseln der Flammen, mit flammendrotem Kopf geschrien haben: „Es gibt jetzt kein Erbarmen; wer sich uns in den Weg stellt, wird niedergemacht". Noch in der Nacht wurden etwa 4000 Oppositionelle „in Schutzhaft" genommen und in Kon-

Am 10. Februar 1933 wird erstmals im deutschen Rundfunk eine Parteiveranstaltung übertragen. Mit einem Großaufgebot von Kameraleuten und Reportern wird das Ereignis auch für den Vorspann im Kino festgehalten. „Unzuverlässige" Angestellte des Berliner Rundfunks waren kurzfristig entlassen worden. Hitlers Rede gipfelt in dem Aufruf: „Deutsches Volk, gib uns vier Jahre Zeit!"

Aufruf kommunistischer Extremisten
(vermutlich Anfang Februar 1933, Moselkai in Koblenz)

Das Foto zeigt Mitglieder der Hitler-Jugend beim Spiel auf einer Straße in München (Februar 1933). Das Schild an der Mülltonne bezieht sich auf Karl Liebknecht, den ehemaligen Führer der KPD.

zentrationslager gebracht; die Zeitungen der KPD und der SPD wurden verboten. Am Morgen nach dem Brand unterzeichnete Reichspräsident von Hindenburg die „Notverordnung zum Schutz von Volk und Staat". Zur „Abwehr kommunistischer staatsgefährdender Gewaltakte" wurden mit sofortiger Wirkung die Grundrechte der Weimarer Verfassung außer Kraft gesetzt. Die klassischen individuellen Freiheitsrechte (Meinungs-, Presse-, Vereins- und Versammlungsfreiheit), das Brief-, Post und Fernmeldegeheimnis, die Rechte auf Eigentum und Unverletzlichkeit der Wohnung wurden ausgelöscht. Beliebig lange konnten von nun an Menschen inhaftiert werden – ohne jeden Gerichtsbeschluss. Eine Brandstiftung hatte genügt, um im Handstreichverfahren die rechtsstaatlichen Prinzipien der bürgerlichen Demokratie beiseitezuschieben. Bis zum

Im Gespräch vor dem brennenden Reichstagsgebäude (Fotografie, 27. 2. 1933):
1 = Joseph Goebbels, 2 = Adolf Hitler, 3 = Hermann Göring

Plakat, Anfang März 1933

66

Kriegsende 1945 blieb diese, formal „legale", Verordnung in Kraft und ein Freibrief für staatlichen Terror.

### Die Wahl

In den Tagen vor der Wahl am 5. März bemühte sich die NSDAP, die Angst vor der „roten Gefahr" zu schüren und die Vorzüge der „nationalen Revolution" herauszustellen. Außenstehenden Beobachtern, etwa dem amerikanischen Botschafter, erschien diese Wahl als „Farce". Führende Politiker der KPD waren in Haft, führende Politiker der SPD emigriert. Die „linke" Presse durfte gar nicht mehr erscheinen, die bürgerlichen Zeitungen hatten täglich mit Einmischungen und Druckverboten zu rechnen. Von den pompösen Kundgebungen und Fackelzügen der NSDAP dagegen wurde ausführlich in den Zeitungen und im Radio berichtet. Dennoch erzielte die NSDAP nicht die erwartete absolute Mehrheit, sondern verbesserte sich „nur" auf 43,9%. Nimmt man jedoch die 8 % der Wahlberechtigten hinzu, die für den deutschnationalen Koalitionspartner stimmten, ist das Fazit eindeutig: Eine Mehrheit hatte sich gegen die Republik und für die „nationale Revolution" ausgesprochen. Der liberale Jude und Universitätsprofessor Victor Klem-

Reichspräsident Hindenburg verlässt das Wahllokal (Fotografie 5.3.1933).

perer hielt in seinem Tagebuch fest, wie das Wahlergebnis in seinem Freundeskreis aufgenommen wurde: „Vollkommene Revolution und Parteidiktatur. Und alle Gegenkräfte wie vom Erdboden verschwunden. [...] Niemand wagt mehr, etwas zu sagen, alles ist in – Angst". Fassungslos notiert er wenig später, dass sein langjähriger Nachbar Thieme von den Nazis „schwärmte" und „mit freudiger Anerkennung von einer ‚Strafexpedition' der SA-Leute im Sachsenwerk gegen ‚zu freche Kommunisten' (erzählte)".

### Der Tag von Potsdam

Während der ersten Wochen war deutlich geworden, dass Verfolgung und Gewalt nur die eine Seite der Machtsicherung bildeten. Verführung und Faszination traten hinzu. Schon in „Mein Kampf" hatte Hitler formuliert: Wer die „breite Masse gewinnen will, muss den Schlüssel kennen, der das Tor zu ihrem Herzen öffnet". Zielsicher wurden deshalb die Gefühle der „breiten Masse" bedient.
Ein Musterbeispiel sind die Vorgänge am 21. März 1933. Aus Anlass der Reichstagseröffnung fand ein Staatsakt statt: in der Potsdamer Garnisonkirche, über den Gräbern der preußischen Könige, also an der Stätte einer ruhmreichen deutschen Vergangenheit. Festgehalten von Fotografen und Kameraleuten gaben sich Hindenburg und Hitler die Hand. Diese Szene traf den Zeitgeist besonders. Millionenfach reproduziert hing „Der Händedruck" von nun an in zahlreichen Wohnzimmern.

### Das „Ermächtigungsgesetz"

Wie wirksam die Kombination von Gewalt und Verführung geworden war, zeigte sich zwei Tage später. Der neu gewählte Reichstag hatte am 23. März darüber zu entscheiden, ob das von der Regierung vorgelegte „Gesetz zur Behebung der Not von Volk und Reich" verabschiedet werden sollte. Dieses „Ermächtigungsgesetz" gab der Regierung das Recht, auch ohne Mitwirkung des Parlamentes Gesetze zu erlassen. Nur die Abgeordneten der SPD widersetzten sich. Neben den

Nationalsozialisten und den Konservativen stimmten auch die Liberalen und das Zentrum zu. Mit 441 zu 94 Stimmen hatte der Reichstag seiner eigenen Entmachtung zugestimmt. In den folgenden Jahren wurden nur noch sieben Gesetze vom Reichstag verabschiedet, dagegen hunderte durch die Regierung. Der Reichstag war nur noch Fassade, die Volksvertretung entmachtet.

### Die Diktatur wird komplettiert

Bereits im März 1933 erklärte der führende NS-Politiker Joseph Goebbels den Sieg über Demokratie und Republik und notierte in seinem Tagebuch: „Das Jahr 1789 wird aus der deutschen Geschichte gestrichen".
In der Folgezeit wurden die letzten Reste demokratischer Elemente zerstört. Das „Gesetz zur Wiederherstellung des Berufsbeamtentums" (7. April) erlaubte die willkürliche Entlassung missliebiger Beamter (z.B. Lehrer, Polizisten). Da auch Richter nicht geschützt waren, sondern durch treue NS-Anhänger ersetzt wurden, zeigte sich der Zugriff des neues Systems auf die Rechtsprechung (Judikative). Hitler fühlte sich als oberster Gerichtsherr. Am gleichen Tag wurde auch der „Einheitsstaat" Wirklichkeit: Die früheren Länder (wie Bayern, Preußen usw.) waren keine selbstständigen politischen Körperschaften mehr, sondern nur noch reine Verwaltungsbezirke. Am 2. Mai wurden die Freien Gewerkschaften verboten, am 22. Juni erfolgte das Verbot der SPD, bis zum 5. Juli hatten sich die anderen Parteien selbst aufgelöst. Dem Einheitsstaat entsprach der Einparteienstaat. Am 6. Juli erklärte Hitler die NS-Revolution für beendet. Innerhalb weniger Monate waren die Nationalsozialisten die einzige politische Kraft in Deutschland geworden. Nur ein kleiner Mosaikstein fehlte noch im System der Diktatur: Nach dem Tod Hindenburgs am 2. August 1934 übernahm Hitler auch das Amt des Reichspräsidenten und ließ sofort die Armee (= Reichswehr) auf sich vereidigen.

# Die Macht wird gesichert – Drei Falluntersuchungen

## Das Ermächtigungsgesetz – Wie kam es dazu, dass so wenige Abgeordnete gegen das Gesetz stimmten?

Drei Ereignisse aus der Anfangsphase des Dritten Reiches lohnen eine genauere Betrachtung. Wir können sie als historische Fälle ansehen, die am konkreten Beispiel grundsätzliche Erkenntnisse erlauben. Wie unter der Lupe kann man Vorgehensweisen und Techniken der Herrschaftssicherung und des Machterhalts erkennen.

Die Urteile der Historikerinnen und Historiker fallen sehr unterschiedlich aus. Einige sprechen von unterwürfigem oder feigem Verhalten, von vorauseilendem Gehorsam, von Anbiederung oder von einer Flucht in unbegründete Hoffnungen; andere zeigen Verständnis für die schwierige Entscheidungslage und die äußeren Zwänge.

Urteile selbst!

## Um welches Gesetz ging es?

### M 1 „Ermächtigungsgesetz" (23.3.ww1933)

Q Der Reichstag hat das folgende Gesetz beschlossen […]

**Art. 1** Reichsgesetze können außer in dem in der Reichsverfassung vorgesehenen Verfahren auch durch die Reichsregierung beschlossen werden. […]

5**Art. 2** Die von der Reichsregierung beschlossenen Reichsgesetze können von der Reichsverfassung abweichen, soweit sie nicht die Einrichtung des Reichstags und des Reichsrats als solche zum Gegenstand haben. Die Rechte des Reichspräsidenten bleiben unberührt.

10**Art. 3** Die von der Reichsregierung beschlossenen Reichsgesetze werden vom Reichskanzler ausgefertigt. […]

(Zit. nach: Ursachen und Folgen, Bd. IX, S. 156f.)

## Wie sah die konkrete Entscheidungssituation aus?

Wegen des Reichstagsbrandes waren die Sitzungen in das Gebäude der Krolloper verlegt worden. Auf dem Weg zum Plenarsaal mussten die Abgeordneten durch ein Spalier von johlenden SA- und SS-Männern gehen und sich Rufe wie „Marxistensau" oder „Zentrumsschwein" anhören.

## Parteien in der Reichstagssitzung

**Zentrum**: In zwei Gesprächen am 20. und 22. März hatte Hitler dem Vorsitzenden der Zentrums-Fraktion, Ludwig Kaas, mündliche Zusagen gemacht: Die Verfassung werde eingehalten, die dem Zentrum angehörenden Beamten würden nicht entlassen, ein kleines Gremium mit Mitgliedern aus mehreren Parteien werde an der Gesetzgebung beteiligt sein. Hitler versprach, in einem Brief diese Garantien schriftlich zu fixieren. Der Brief kam niemals an.

**KPD**: Die Abgeordneten der KPD sind nicht anwesend, da sie nach dem Reichstagsbrand inhaftiert wurden. Auf Anfrage nach ihrem Verbleib teilt der NS-Innenminister Dr. Frick mit, „die Kommunisten" hätten „im KZ Gelegenheit, sich an fruchtbringende Arbeit zu gewöhnen".

**SPD:** Von den 120 SPD-Abgeordneten befinden sich 25 in „Schutzhaft" oder sind emigriert; der Abgeordnete Julius Leber wird unmittelbar vor der Sitzung verhaftet.

Vor der Abstimmung über das Ermächtigungsgesetz besetzen zum „Ordnungsdienst" abkommandierte SA-Männer die Krolloper.

Blick in die erste Sitzung des neu gewählten Reichstages: Reichstagspräsident Hermann Göring begrüßt die Mitglieder der NSDAP-Fraktion.

**Stellungnahmen zum Ermächtigungsgesetz: Wer sagte was?**

**Tipp!** Worauf habe ich bei einer politischen Rede zu achten? Schau auf Seite 17.

### M 4 Regierungserklärung Hitlers vor dem Reichstag

**Q** Es würde dem Sinn der nationalen Erhebung widersprechen und dem beabsichtigten Zweck nicht genügen, wollte die Regierung sich für ihre Maßnahmen
5 von Fall zu Fall die Genehmigung des Reichstags erhandeln und erbitten. Die Regierung wird dabei nicht von der Absicht getrieben, den Reichstag als solchen aufzuheben; im Gegenteil, sie behält sich
10 auch für die Zukunft vor, ihn von Zeit zu Zeit über ihre Maßnahmen zu unterrichten oder aus bestimmten Gründen, wenn zweckmäßig, auch seine Zustimmung einzuholen. Die Autorität und damit die
15 Erfüllung der Aufgaben der Regierung würden aber leiden, wenn im Volke Zweifel an der Stabilität des neuen Regiments entstehen könnten. Sie hält vor allem eine weitere Tagung des Reichstags im heu-
20 tigen Zustand der tief gehenden Erregung der Nation für unmöglich. Es ist kaum eine Revolution von so großem Ausmaß so diszipliniert und unblutig verlaufen wie diese Erhebung des deut-
25 schen Volkes in diesen Wochen. Es ist mein Wille und meine feste Absicht, für diese ruhige Entwicklung auch in Zukunft zu sorgen. Allein umso nötiger ist es, dass der nationalen Regierung jene

30 souveräne Stellung gegeben wird, die in einer solchen Zeit allein geeignet ist, eine andere Entwicklung zu verhindern. Die Regierung beabsichtigt dabei, von diesem Gesetz nur insoweit Gebrauch zu
35 machen, als es zur Durchführung der lebensnotwendigen Maßnahmen erforderlich ist. Weder die Existenz des Reichstags noch des Reichsrats soll dadurch bedroht sein. Die Stellung und die Rechte des
40 Herrn Reichspräsidenten bleiben unberührt; die innere Übereinstimmung mit seinem Willen herbeizuführen, wird stets die oberste Aufgabe der Regierung sein. Der Bestand der Länder wird nicht besei-
45 tigt, die Rechte der Kirchen werden nicht geschmälert, ihre Stellung zum Staate nicht geändert.
Da die Regierung an sich über eine klare Mehrheit verfügt, ist die Zahl der Fälle, in
50 denen eine innere Notwendigkeit vorliegt, zu einem solchen Gesetz die Zuflucht zu nehmen, an sich eine begrenzte. Umso mehr aber besteht die Regierung der nationalen Erhebung auf der Verab-
55 schiedung dieses Gesetzes. Sie zieht in jedem Falle eine klare Entscheidung vor. Sie bietet den Parteien des Reichstags die Möglichkeit einer ruhigen deutschen Entwicklung und einer sich daraus in der
60 Zukunft anbahnenden Verständigung; sie ist aber ebenso entschlossen und bereit, die Bekundung der Ablehnung und damit die Ansage des Widerstandes entgegenzunehmen.
65 Mögen Sie, meine Herren, nunmehr selbst die Entscheidung treffen über Frieden oder Krieg.

(Zit. nach: Ursachen und Folgen, Bd. IX, S. 145)

### M 5 Rede des Vorsitzenden des Zentrums Ludwig Kaas

**Q** Im Angesicht der brennenden Not, in der Volk und Staat gegenwärtig stehen, im Angesicht der riesenhaften Aufgaben, die der deutsche Wiederaufbau an uns
5 stellt, im Angesicht vor allem der Sturmwolken, die in Deutschland und um Deutschland aufzusteigen beginnen, reichen wir von der Deutschen Zentrumspartei in dieser Stunde allen, auch

10 früheren Gegnern, die Hand, um die Fortführung des nationalen Aufstiegswerkes zu sichern. Die Wiederherstellung eines geordneten Staats- und Rechtslebens zu beschleunigen, chaotischen Entwicklun-
15 gen einen festen Damm entgegenzusetzen, zusammen mit allen denen – ganz gleich, aus welchen Lagern und Gruppen der deutschen Volksgenossen sie kommen mögen –, die ehrlichen, auf Aufbau und
20 Ordnung gerichteten Willens sind […]. Manche der von Ihnen, Herr Reichskanzler, abgegebenen sachlichen Erklärungen geben […] bezüglich einzelner wesentlicher Punkte des deutschen Staats-,
25 Rechts- und Kulturlebens […] die Möglichkeit, eine Reihe wesentlicher Bedenken, welche die zeitliche und sachliche Ausdehnung des Ermächtigungsbegehrens bei uns ausgelöst hatte und auslösen
30 musste, anders zu beurteilen.
In der Voraussetzung, dass diese von Ihnen abgegebenen Erklärungen die grundsätzliche und praktische Richtlinie für die Durchführung der zu erwartenden Ge-
35 setzgebungsarbeit sein werden, gibt die Deutsche Zentrumspartei ihre Zustimmung.

(Zit. nach: Ursachen und Folgen, Bd. IX, S. 148f.)

### M 6 Es ging auch anders … Rede des SPD-Vorsitzenden Otto Wels

**Q** Nach den Verfolgungen, die die Sozialdemokratische Partei in der letzten Zeit erfahren hat, wird billigerweise niemand von ihr verlangen oder erwarten können,
5 dass sie für das hier eingebrachte Ermächtigungsgesetz stimmt. […] Die Verfassung von Weimar ist keine sozialistische Verfassung. Aber wir stehen zu den Grundsätzen des Rechtsstaates, der
10 Gleichberechtigung, des sozialen Rechts, die in ihr festgelegt sind. Wir deutschen Sozialdemokraten bekennen uns in dieser geschichtlichen Stunde feierlich zu den Grundsätzen der Menschlichkeit und
15 der Gerechtigkeit, der Freiheit und des Sozialismus. Kein Ermächtigungsgesetz gibt Ihnen die Macht, Ideen, die ewig und unzerstörbar sind, zu vernichten.

(Zit. nach: Ursachen und Folgen, Bd. IX, S. 146 u. 148)

## Der Tag von Potsdam –
## Wir versetzen uns in eine historische Situation

Stelle dir vor, du wärest um 1900 geboren und hättest die Ereignisse seit dem 30. Januar 1933 aufmerksam verfolgt.
Im Februar 1933 siehst du das Plakat für die Reichstagswahl (M 1); wenige Tage später erhältst du von deiner Schwester eine Postkarte, über die im Familienkreis heftig diskutiert wird (M 2); am 21. März hörst du die Rundfunkübertragung vom Festakt in der Kirche (M 3) und versuchst dir die Situation vorzustellen (M 4); am nächsten Morgen siehst du in der Zeitung die Fotografie vom „Händedruck" (M 5), mit dem Angebot, gegen den Selbstkostenpreis einen Sonderdruck des Fotos bestellen zu können.

(Idee nach: Geschichte lernen, Heft 57, S. 36ff.)

**Zwei Aufgaben zur Auswahl:**

– Stelle zusammenfassend dar, was einen Zeitgenossen am Tag von Potsdam so fasziniert haben könnte.

– Entwirf einen Dialog am Frühstückstisch: A. ist begeistert und will das Foto sofort als Wandschmuck für das Wohnzimmer bestellen, B. ist strikt dagegen.

**Du siehst das Plakat.**

**Du erhältst die Karte von deiner Schwester.**

**Du hörst den Reporter im Radio ...**

**M 3 Ausschnitte aus der Rundfunkübertragung des „Tages von Potsdam" (21.3.1933)**

a) Der Reporter Eberhard Freiherr von Medem:

**Q** (Glockenläuten) Potsdamer Garnisonkirche, das ist ein Begriff, ein Begriff, der die vielen Millionen deutscher Volksgenossen über die Ätherwellen zu innerer
5 Haltung zwingt. […]
(Orgelspiel) Wir treten ein in die Kirche. Millionen deutscher Menschen, kommen Sie mit mir, lassen Sie sich fassen von dem Ernste dieser großen Stunde. Faltet, ihr
10 Millionen deutscher Menschen, die ihr hier mit mir kraft der Sehnsucht eurer Herzen vereint seid, die stärker ist als die Kraft der kosmischen Wellen des Weltäthers, die die Stimmen aus der Garnisonkirche zu euch
15 tragen, faltet die Hände wie Hindenburg, wie der Kanzler des Reiches, wie die Männer der Reichsregierung, wie die deutschen Abgeordneten. Hört, was das neue Deutschland in Ehrfurcht und Selbstbesin-
20 nung am Grabe Friedrichs des Großen der Welt zu sagen hat.

(Zit. nach: Geschichte lernen, a.a.O.)

**... und die Worte Hindenburgs ...**

b) Reichspräsident Generalfeldmarschall von Hindenburg:

**Q** […] Der Ort, an dem wir uns heute versammelt haben, mahnt uns zum Rückblick auf das alte Preußen, das in Gottesfurcht durch pflichttreue Arbeit, nie ver-
5 zagenden Mut und hingebende Vaterlandsliebe groß geworden ist und auf dieser Grundlage die deutschen Stämme geeint hat. Möge der alte Geist dieser Ruhmesstätte auch das heutige Ge-
10 schlecht beseelen, möge er uns frei machen von Eigensucht und Parteizank und uns in nationaler Selbstbesinnung und seelischer Erneuerung zusammenführen zum Segen eines in sich geeinten, freien,
15 stolzen Deutschlands! […]

(Zit. nach: Ursachen und Folgen, Bd. IX, S. 134)

## ... und die Ansprache Hitlers.

c) Reichskanzler Adolf Hitler:

**Q** Die Regierung der nationalen Erhebung ist entschlossen, ihre von dem deutschen Volke übernommene Aufgabe zu erfüllen. Sie tritt daher heute hin vor den Deutschen Reichstag mit dem heißen Wunsch, in ihm eine Stütze zu finden für die Durchführung ihrer Mission. Mögen Sie als gewählte Vertreter des Volkes den Sinn der Zeit erkennen, um mitzuhelfen am großen Werk der nationalen Wiedererhebung.

In unserer Mitte befindet sich heute ein greises Haupt. Wir erheben uns vor Ihnen, Herr Generalfeldmarschall. Dreimal kämpften Sie auf dem Felde der Ehre für das Dasein und die Zukunft unseres Volkes. Als Leutnant in den Armeen des Königs für die deutsche Einheit, in den Heeren des alten deutschen Kaisers für des Reiches glanzvolle Aufrichtung, im größten Kriege aller Zeiten aber als unser Generalfeldmarschall für den Bestand des Reiches und für die Freiheit unseres Volkes. Sie erlebten einst des Reiches Werden, sahen vor sich noch des großen Kanzlers Werk, den wunderbaren Aufstieg unseres Volkes und haben [uns] endlich geführt in der großen Zeit, die das Schicksal uns selbst miterleben und mit durchkämpfen ließ.

Heute, Herr Generalfeldmarschall, lässt Sie die Vorsehung Schirmherr sein über die neue Erhebung unseres Volkes. Dieses Ihr wundersames Leben ist für uns alle ein Symbol der unzerstörbaren Lebenskraft der deutschen Nation. So dankt Ihnen heute des deutschen Volkes Jugend, und wir alle mit, die wir Ihre Zustimmung zum Werk der deutschen Erhebung als Segnung empfinden. Möge sich diese Kraft auch mitteilen der nunmehr eröffneten neuen Vertretung unseres Volkes. Möge uns dann aber auch die Vorsehung verleihen jenen Mut und jene Beharrlichkeit, die wir in diesem für jeden Deutschen geheiligten Raume um uns spüren, als für unseres Volkes Freiheit und Größe ringende Menschen zu Füßen der Bahre seines größten Königs.

(Zit. nach: Ursachen und Folgen, Bd. IX, S. 135)

## Du stellst dir die Situation vor.

**M 4**

Feierlicher Staatsakt in der Garnisonkirche: Reichskanzler Adolf Hitler bei seiner Ansprache an den Reichspräsidenten und den Deutschen Reichstag

## Du betrachtest den „Händedruck".

**M 5**

## Die ersten Monate 1933 in der Stadt Reutlingen – Wie gingen die neuen Machthaber mit politischen Gegnern um?

Die Ereignisse in der Hauptstadt Berlin sind ausführlich dargestellt worden. Wie aber verliefen die ersten Monate der NS-Zeit in anderen Orten, wie war es in unserer Heimatgemeinde?

Für die Stadt Reutlingen sind die Ereignisse der ersten Monate im Jahre 1933 sehr ausführlich dokumentiert. Der Geschichtsprofessor H.D. Schmid hat wichtige Materialien zusammengestellt und sie in einem Buch veröffentlicht. Die hier ausgewählten Quellen stammen aus diesem Buch (Die nationalsozialistische Machtergreifung in einer Kreisstadt, Frankfurt/Main 1981). Schmid hat sich in erster Linie auf die Berichterstattung in den örtlichen Zeitungen gestützt. Ihn interessierte vor allem die Frage, was mit den Menschen geschehen ist, die sich in Reutlingen gegen das neue Regime gestellt haben.

1. Nutze die vorliegenden Materialien, um die Leitfrage zu beantworten.

2. Diskutiert, ob die Ereignisse in Berlin und Reutlingen deutliche Parallelen aufweisen oder ob Unterschiede dominieren.

3. Vorschlag für eine interessierte Gruppe: Auch in eurer Heimatgemeinde gibt es sicherlich ein Archiv, in dem die Zeitungen aus dem Jahre 1933 eingesehen werden können. Geht in das Archiv, lasst euch die Zeitungen herausgeben und sucht nach Artikeln, in denen die Übernahme der politischen Herrschaft und der Umgang mit politischen Gegnern dargestellt wird. Tragt eure Ergebnisse in der Klasse vor. (Vgl. Methodenbox S.108.)

**M 1** Bericht in der Schwarzwälder Kreiszeitung vom 11. März 1933

### Flaggenhissung auf dem Rathaus

Kurz vor 6 Uhr abends marschierten, begleitet von einem Spielmannszug, die uniformierten Kolonnen unter klingendem Spiel auf den Marktplatz; Reutlinger und Tübinger SA und SS nahmen im Viereck Aufstellung. Bald begab sich eine Abordnung unter Führung von Sturmbannführer S. [...] aufs Rathaus. Oberbürgermeister Dr. H. [...] war über den Nachmittag dienstlich abwesend; als Stellvertreter empfing Stadtrat R. (DDP), der kurz vorher aufs Rathaus gekommen war, die Abordnung, welche ihm von der Absicht der Hissung der Hakenkreuzfahne Mitteilung machte. Stadtrat R. erhob dagegen feierlich Einspruch. Das Hausrecht im Rathaus stehe dem Stadtvorstand bzw. seinem Stellvertreter zu; da aber die Machtmittel, dieses Hausrecht zu wahren, nicht zur Verfügung stehen, weiche er der Gewalt. Sturmbannführer S. bemerkte dazu, dass er lediglich dem Befehl seines Führers gehorche, dass die Hakenkreuzfahne 24 Stunden auf dem Rathaus bleibe und dass er die Verantwortung für den Schutz des Rathauses über diese Zeit übernehme. Darauf wurde von den Mittelfenstern des Rathauses, da, wo am 9. November 1918 die Roten Fahnen hingen, die Hakenkreuzfahne gehisst.

**M 2**

Reutlinger Rathausplatz zur Stunde der Hissung der Hakenkreuzfahne am Rathaus

## M 3 Bericht in der Schwarzwälder Kreiszeitung vom 18. April 1933

**Rechtsrat R. [...] auf dem Heuberg**

Die Vernehmungen von R. [...] und die Sichtung des Materials ergaben, dass Rechtsrat R. der Verbindungsmann der Sozialdemokratischen Partei war; seine Mitgliedschaft bei dieser Partei konnte allerdings nicht festgestellt werden. Die Untersuchungen [...] ließen zu der Überzeugung gelangen, dass ein großer Teil
10 der Zwistigkeiten innerhalb der Stadtverwaltung [...] der Haltung von [...] R. zuzuschreiben ist. [...] In nationalen Kreisen ist die Erregung gegen R. so groß, dass man es für zweckmäßig fand, ihn [...] in
15 Schutzhaft auf den Heuberg zu verbringen. [...] Er musste damit teilen das heutige Schicksal so vieler, die ihr Emporstreben stützen auf eine Partei, die sich ihrem ganzen Wesen nach noch immer als
20 gesellschaftsfeindlich und antinational erwiesen hat und über die nun das Gericht der Nationalen Revolution hereingebrochen ist.

## M 4 Bericht in der Schwarzwälder Kreiszeitung vom 4. April 1933

Ein Journalist besucht das KZ Heuberg (bei Stetten a. k. M.) und fasst seine Eindrücke zusammen:

Großzügig angelegtes Militärlager – Das größte Konzentrationslager in Deutschland – Wundervolle Hochlage – Zurzeit 1750 Internierte und 450 Mann
5 Bewachung – Gute Verpflegung und Behandlung – Hinter Stacheldraht – Nichts arbeiten den ganzen Tag [...]
Absonderung der „Allerärgsten". Die Rädelsführer, die ganz Schlimmen, sind in
10 einem besonderen Hause untergebracht. Gerade waren ein paar von ihnen am Brunnen und machten Toilette. [...] Unsere Soldaten haben es ja auch nicht besser. [...]
15 Von den vielen Kommunisten, darunter auch Lehrer, Professoren, Rechtsanwälte und Richter, sieht man eigentlich nur recht wenige. [...] Nichts tun die Herren den ganzen Tag, [...] sie bekommen die
20 Mahlzeiten – Eintopfgerichte –, wie sie dem Militär üblicherweise zugemessen werden. [...] Sie vertreiben sich die Zeit mit Kartenspielen, Schach und dergleichen. Besuche dürfen sie nicht empfan-
25 gen; es gäbe das ja auch eine schöne Wirtschaft. [...] Auf der Rückfahrt hatte der Berichterstatter ein Gespräch mit einem entlassenen Häftling: Er war drei Wochen ,oben'. Ihm hat es an sich auf dem Heu-
30 berg gar nicht so übel gefallen.

## M 5 Rückblick

Der Häftling und ehemalige Stadtrat K. (inhaftiert im April 1933) berichtet rückblickend 1971 über seine Erfahrungen im KZ Heuberg:

5.00 Uhr mussten wir zum Marsch auf die Toilette antreten. Unter dem Kommando von SA-Leuten erhielten wir fünf Minuten Zeit für die Notdurft. Das Essen
5 war miserabel, Kraut mit Wasser und ein wenig Brot. Ich beklagte mich darüber. Darauf: Antreten! Kommando Halbkreis! Ankündigung: Noch weniger zu essen, damit uns das Klagen vergehe! Doch das
10 Essen wurde von da an etwas besser. Als Strafe, weil ich mich beschwert hatte, sollte ich in den Strafbau verlegt werden. Dort wurden die Häftlinge auf besondere Weise schikaniert. Man stellte die „Bon-
15 zen" an die Wand – Nase und Fußspitzen mussten die Wand berühren, bis die Leute rückwärts auf die scharfkantigen Steinbrocken fielen, die hinter ihnen aufgeschichtet waren. Das traurige Spiel wurde
20 so lange fortgesetzt, bis der Häftling liegen blieb. Darauf wurde er unter Knüppelschlägen weggeschleift.
Mein Freund, H. Z., Geschäftsführer des Metallarbeiterverbandes, wurde geschla-
25 gen, weil er die Treppe, die er putzen sollte, nicht sauber brachte. Man hatte ihm befohlen, die Steinstufen von unten nach oben zu reinigen. Dabei schüttete man immer Wasser nach, sodass er nicht fertig
30 wurde. Am Ende bekam er Prügel, weil er ein faules Schwein sei. Als er völlig erschöpft war, wurde er ins Revier gebracht. Der SA-Sturmführer aber, ein Reutlinger, riss das Fieberblatt weg und schrie den
35 Kranken an: „Heraus aus dem Bett, du Lügner!" Am nächsten Morgen in der Toilette weinte Z. und sagte zu mir: „Ich kann nicht mehr, ich nehme mir das Leben!" Bald nach seiner Entlassung starb
40 er in Reutlingen. Er war in den wenigen Wochen seiner KZ-Haft körperlich und seelisch ruiniert worden. Als ich entlassen wurde, musste ich mich verpflichten, draußen kein Wort über meine Internie-
45 rung zu sprechen, andernfalls hätte ich mit verschärfter Haft zu rechnen.

Verhaftete in einem KZ 1933

# Gleichschaltung – die Umsetzung einer Idee

## Das Volk wird erfasst, die Gegner werden verfolgt

Die politischen Maßnahmen der ersten Monate sicherten die Macht im Staatsapparat, aber die Diktatur konnte erst als gefestigt gelten, wenn kein Widerstand mehr zu erwarten war oder die Bevölkerung sogar mit dem neuen System übereinstimmte. Dieses Ziel bezeichnete Joseph Goebbels, der spätere Leiter des „Ministeriums für Volksaufklärung und Propaganda", als „Gleichschaltung". Damit wählte er ein anschauliches Bild, um den „Normalzustand" zu bezeichnen, „dass es in Deutschland nur eine Meinung, eine Partei, eine Überzeugung gibt". Und er fuhr fort: „Wir wollen die Menschen so lange bearbeiten, bis sie uns verfallen sind!"

● Wie sah dieses „Bearbeiten" im Alltag aus?

Die historische Forschung hat zahlreiche Methoden und Maßnahmen der „Gleichschaltung" untersucht. Die beiden wichtigsten werden auf dieser Doppelseite vorgestellt.

## Gleichschaltung durch Organisation

Seit dem Sommer 1933 waren alle gesellschaftlichen Organisationen Teile der NSDAP – bis hin zum Kaninchenzuchtverein. Oppositionelle Gruppierungen wurden direkt verboten oder zur Auflösung gezwungen. Der Zwangscharakter wird an den zahlreichen Berufsverbänden besonders deutlich: So war etwa für Rechtsanwälte die Mitgliedschaft in einer NS-Organisation Voraussetzung zur Berufsausübung, alle Kraftfahrer waren im NS-Kraftfahrerkorps erfasst (= NSKK). Eine Sonderstellung nahmen wegen ihrer militärähnlichen Struktur die SA (= Sturmabteilung) und SS (= Schutzstaffel) ein (vgl. S. 51).

**M 1**

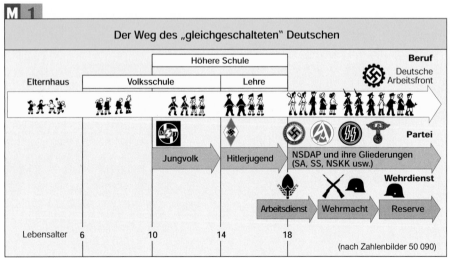

Der Weg des „gleichgeschalteten" Deutschen

Höhere Schule · Beruf · Deutsche Arbeitsfront · Elternhaus · Volksschule · Lehre · Jungvolk · Hitlerjugend · NSDAP und ihre Gliederungen (SA, SS, NSKK usw.) · Partei · Wehrdienst · Arbeitsdienst · Wehrmacht · Reserve · Lebensalter 6 10 14 18

(nach Zahlenbilder 50 090)

**1.** Versetze dich in die Rolle eines 16-jährigen Schülers/einer 16-jährigen Schülerin im Jahre 1938: Wie hat der NS-Staat in dein Leben eingegriffen, welche Zukunftserwartung hast du? Nutze Schaubild und Hitler-Rede für eine erste Antwort.

**2.** Versuche eine Stellungnahme aus heutiger Sicht.

**M 2 Aus einer Rede Adolf Hitlers in Reichenberg (1938)**

Q Diese Jugend, die lernt ja nichts anderes als deutsch denken, deutsch handeln. Und wenn nun dieser Knabe und dieses Mädchen mit ihren zehn Jahren in unsere
5 Organisation hineinkommen […], dann kommen sie vier Jahre später vom Jungvolk in die Hitlerjugend, und dort behalten wir sie wieder vier Jahre, und dann geben wir sie erst recht nicht zurück in
10 die Hände unserer alten Klassen und Standeserzeuger, sondern dann nehmen wir sie sofort in die Partei oder die Arbeitsfront, in die SA oder die SS, in das NSKK usw. Und wenn sie dort zwei Jahre
15 sind und noch nicht ganz Nationalsozialisten geworden sein sollten, dann kommen sie in den Arbeitsdienst und werden dort wieder sechs oder sieben Monate geschliffen, alle mit einem Symbol, dem
20 deutschen Spaten. Und was dann noch an Klassenbewusstsein oder Standesdünkel da sein sollte, das übernimmt dann die Wehrmacht zur weiteren Behandlung auf zwei Jahre. Und wenn sie dann zu-
25 rückkehren, dann nehmen wir sie, damit sie auf keinen Fall rückfällig werden, sofort wieder in SA, SS und so weiter. Und sie werden nicht mehr frei, ihr ganzes Leben.

(Zit. nach: Ursachen und Folgen, Bd. XI, S. 139; sprachlich vereinfacht)

# Gleichschaltung durch Verfolgung der Unangepassten

Wenn sich jemand nicht in das vorgegebene System einfügen wollte, war dies sehr gefährlich. Fast immer war ein solches Verhalten mit Nachteilen verknüpft, denn man setzte sich dem Verdacht aus, sich gegen die Volksgemeinschaft zu stellen. Es entstand ein abgestuftes System der Unterdrückung: beginnend mit der fast lückenlosen Kontrolle und Überwachung durch ein Spitzelsystem über die (verbale) Diskriminierung der Gegner als Volksschädlinge bis hin zu der Drohung und Anwendung von Gewalt. Diese Gewalt wurde durchaus nicht verheimlicht. Verhaftungen wurden öffentlich gemacht und auch die Existenz von Konzentrationslagern war allgemein bekannt.

## Das Beispiel Carl von Ossietzky

Ein bekanntes Opfer war Carl von Ossietzky. Er wurde im Februar 1933 verhaftet und am 6. April in das KZ Sonnenburg gebracht, von wo aus er 1934 in das KZ Esterwegen (Emsland) verlegt wurde. Der Historiker H. Vinke schildert, dass sich die blutjungen SA-Leute ein Vergnügen daraus machten, hinter dem prominenten Schutzhäftling herzulaufen und ihm Tritte und Schläge zu versetzen. Oft blieb er stumm und erschöpft am Boden liegen. Mehrfach wurde er gezwungen, sein eigenes Grab zu schaufeln. Die Hände zitterten nahezu ununterbrochen. Aus Scham versteckte er sie in den Ärmeln der Häftlingsjacke. Letztlich führten die dauernden Erniedrigungen und Demütigungen zum körperlichen Verfall. 1936 wurde von Ossietzky krank entlassen, zwei Jahre später starb er an den Folgen der Haft.

Carl v. Ossietzky, Häftling 562 in Esterwegen

Informiert euch über Carl von Ossietzky (Lexikon, Internet). Warum wurde er verhaftet und von den Nationalsozialisten verfolgt?

**M 3** Auszug aus der Disziplinar- und Strafverordnung für das Gefangenenlager des Konzentrationslagers Esterwegen (1.8.1934):

§ 4 mit 8 Tagen strengem Arrest wird bestraft:

wer zum Zwecke der Beschwerde Unterschriften sammelt, [...]

5 wer sich in einer fremden Barackenstube, auch innerhalb der eigenen Gefangenen-Kompanie, aufhält [...]

§ 8 mit 14 Tagen strengem Arrest und mit je 25 Stockhieben zu Beginn und am Ende 10 der Strafe werden bestraft: [...]

wer in Briefen oder sonstigen Mitteilungen abfällige Bemerkungen über nationalsozialistische Führer, über Staat und Regierung, Behörden und Einrichtungen 15 zum Ausdruck bringt, marxistische oder liberalistische Führer oder Novemberparteien verherrlicht, Vorgänge im Konzentrationslager mitteilt. [...]

§ 11 Wer im Lager, an der Arbeitsstelle, in 20 den Unterkünften, in Küchen und Werkstätten, Aborten und Ruheplätzen zum Zwecke der Aufwiegelung politisiert, aufreizende Reden hält, sich mit anderen zu diesem Zwecke zusammenfindet, Cli- 25 quen bildet, oder umhertreibt, wahre oder unwahre Nachrichten zum Zwecke der gegnerischen Gräuelpropaganda über das Konzentrationslager sammelt, empfängt, vergräbt, weitererzählt, [...], 30 wird kraft revolutionären Rechts als Aufwiegler gehängt!

(Zit. nach: Ursachen und Folgen, Bd. IX, S. 373)

**M 4** Dem Schweizer Carl J. Burckhardt wurde 1935 erlaubt, als Vertreter des Internationalen Roten Kreuzes mit Carl von Ossietzky zu sprechen. Burckhardt berichtete im Anschluss:

Ein zitterndes, totenblasses Etwas. Ein Wesen, das gefühllos zu sein schien, ein Auge verschwollen, die Zähne anscheinend eingeschlagen, er schleppte ein ge- 5 brochenes, schlecht verheiltes Bein. [...] „Herr von Ossietzky", sprach ich ihn an, „ich bringe Ihnen die Grüße Ihrer Freunde, ich bin Vertreter des Internationalen Komitees vom Roten Kreuz, ich bin 10 hier, um Ihnen, soweit uns dies möglich ist, zu helfen." Nichts. Vor mir, gerade noch lebend, stand ein Mensch, der an der äußersten Grenze des Tragbaren angelangt war. Kein Wort der Erwiderung. 15 Ich trat näher. Jetzt füllte sich das noch sehende Auge mit Tränen, lispelnd unter Schluchzen sagte er: „Danke, sagen Sie den Freunden, ich sei am Ende, es ist bald vorüber [...]".

(Zit. nach: Ursachen und Folgen, Bd. IX, S. 376)

Wachtturm in Esterwegen (Zeichnung eines Häftlings)

# Unterdrückung – aber auch Verführung!

Die Hinweise auf Unterdrückung und totale Erfassung der Menschen können den Eindruck entstehen lassen, als sei der Alltag im Dritten Reich durch den andauernden Ausnahmezustand geprägt worden. Trotzdem glaubten die meisten Menschen, ein ganz „normales" Leben führen zu können. Wie kam das? Zu dieser „Ein-Bildung" der Normalität hat nach neueren Erkenntnissen vor allem eine geschickte NS-Propaganda beigetragen, die die Gefühle weiter Bevölkerungskreise ansprach. Die Forschungsergebnisse belegen eindeutig, dass sich die nationalsozialistische Herrschaftstechnik eben nicht nur durch Gewalt auszeichnete, sondern durch eine Kombination von Unterdrückungsmaßnahmen und verführerischen Angeboten.

Dieses Zusammenwirken, das man auch als eine „Politik von Zuckerbrot und Peitsche" bezeichnen kann, ist nicht immer einfach zu verstehen. Deshalb werden die Forschungsergebnisse für einen Bereich, nämlich die NS-Kulturpolitik, hier beispielhaft zusammengefasst.

**Forschungsauftrag**:

Für die **drei Bevölkerungsgruppen** Jugendliche, Frauen und Arbeiter solltet ihr das **Modell von „Unterdrückung und Verführung"**, von „Zuckerbrot und Peitsche" eigenständig erarbeiten (**Forschungsstation S. 78–83**). Eine Aufteilung der Arbeit auf drei Gruppen ist sehr zu empfehlen. Legt frühzeitig fest, wie ihr die Ergebnisse der Klasse vortragen wollt (Tabelle, Mindmap, Merksätze … ).

## Unterdrückung und Verführung: Das Beispiel Kulturpolitik

| Unterdrückung | und | Verführung |
|---|---|---|

NS-Kulturpolitik bedeutete auf der einen Seite brutale Unterdrückung aller oppositionellen Auffassungen. Die öffentlichen Medien, ob Zeitung, Radio oder Film, unterlagen der Zensur. Das Ministerium gab täglich „Sprachregelungen" heraus, die genau befolgt werden mussten. Berufsverbot war noch die geringste Gefahr, die Journalisten drohte, wenn sie von der vorgegebenen „Information" abwichen. In ihrer überregionalen Berichterstattung unterschieden sich die Zeitungen so gut wie nicht mehr. Eine „Reichskulturkammer" wachte im Bereich von Literatur, Musik und Kunst darüber, dass die Bevölkerung im nationalsozialistischen Sinne beeinflusst wurde. Alle liberalen, sozialistischen oder irgendwie fremdartigen Künstler wurden verfolgt, zur Auswanderung gezwungen oder inhaftiert. Ihre Werke wurden als „undeutsch" und „entartet" eingestuft, die Bücher wurden öffentlich verbrannt. Die Schullesebücher wurden entsprechend überarbeitet: Seiten mit „zersetzenden" Texten wurden herausgetrennt, bei anerkannten Texten jüdischer Schriftsteller hieß es jetzt: „Dichter unbekannt". In den öffentlichen Gebäuden, z. B. Schulen, ersetzten Bilder von Hitler oder von pflügenden Bauern das bisherige Goethe-Gemälde; statt Thomas Mann lasen die Schüler jetzt „Der Hitlerjunge Quex".

Die kulturellen Freiheitsspielräume der Menschen waren stark eingeschränkt, da sich alle den gleichen Zielen der NS-Ideologie zu unterwerfen hatten. Vertraten sie andere Ziele, wurden sie verfolgt, weil sie sich außerhalb der Volksgemeinschaft stellten. Die Unterdrückungsmaßnahmen führten zur Entmündigung und stuften die Menschen zu reinen Befehlsempfängern herab.

Die NS-Kulturpolitik befriedigte die Gefühle vieler Menschen. Die Propaganda übersetzte komplizierte Sachverhalte oder Ideen in leicht verständliche Symbole und inszenierte politische Ereignisse wie ergreifende Schauspiele. So dienten perfekt organisierte Massenaufmärsche dazu, die Stärke und Geschlossenheit der „Bewegung" vor Augen zu stellen, in der sich jeder Teilnehmer als ein wichtiges Mitglied der Volksgemeinschaft fühlen sollte. Die Volksgemeinschaft schien greifbar nahe, wenn der Großbauer neben dem Knecht beim jährlich stattfindenden Erntedankfest auf dem Bückeberg bei Hameln stand und beide gemeinsam als „Sachwalter deutschen Bodens" geehrt wurden, wenn beim Fahnenappell auf dem Schulhof die Tochter des reichen Fabrikanten und die Tochter des Hilfsarbeiters nebeneinanderstanden und die gleichen Blusen und Röcke trugen. Fahnenweihen und Fackelzüge wurden zu gottesdienstähnlichen Veranstaltungen und gaben den Teilnehmern das Gefühl, an einer religiösen Veranstaltung von allergrößter Bedeutung teilgenommen zu haben. Besonderes Augenmerk galt dem Führer Adolf Hitler, der als übermenschlicher Politiker dargestellt wurde, dem die Menschen vertrauen konnten wie ein Kind dem Vater. Um diese Gefühle zu vermitteln, wurde der Kinobesuch – für viele das wichtigste Freizeitvergnügen! – billig und die Produktion der „Volksempfänger" staatlich gefördert. Die Kultur sollte positiv sein und Aufbruchstimmung verbreiten.

Die Verführung bestand in erster Linie darin, dass die Gefühle angesprochen wurden. Viele Menschen fühlten sich persönlich aufgewertet und wohl in der Gemeinschaft der Gleichgesinnten. Sie hörten, wie wichtig ihr persönlicher Beitrag für das Wohlergehen der gesamten Volksgemeinschaft sei. Einige materielle Vergünstigungen traten hinzu.

# Wir interpretieren Propagandapostkarten

Wähle eine der Propagandapostkarten aus, beschreibe Aufbau und Inhalt, frage nach der Darstellungsabsicht und erläutere den Zusammenhang von „Zuckerbrot und Peitsche"/„Gewalt und Verführung".

**M 1**

„Der Führer spricht" (Gemälde von P. M. Padua, 1939)

**M 2**

Plakat zu der Ausstellung „Entartete Musik", die 1938 in Düsseldorf stattfand

**M 3**

Postkarte 1933

# Forschungs-station

## Unterdrückung und Verführung im Alltag der Jugendlichen

### Die Jugend wird aufgewertet?

Am Tage vor Hitlers Geburtstag, dem 20. April, traten 10-jährige Jungen in das Jungvolk und 10-jährige Mädchen in den Jungmädelbund ein und gelobten, allzeit ihre Pflicht in „Liebe und Treue zum Führer und unserer Fahne" zu erfüllen. Vom 14. bis zum 18. Lebensjahr dienten die Jungen in der Hitlerjugend und die Mädchen im Bund deutscher Mädel. Die Jungen marschierten im Gleichschritt, uniformiert mit schwarzen Hosen und braunen Hemden. Im Griff des Fahrtenmessers war das Hakenkreuz eingraviert, auf dem Messerblatt stand: „Meine Ehre ist die Treue". Die Mädchen trugen alle einen dunkelblauen Rock, eine weiße Bluse und ein Halstuch. Auch sie marschierten in Gruppen. Die Uniform galt als „Ehrenkleid". Trug ein Jugendlicher die Uniform in der Schule, durfte kein Lehrer den Jungen oder das Mädchen körperlich züchtigen (was sonst häufig vorkam). Mindestens zweimal in der Woche trafen sich die Mitglieder (deshalb gab es auch hausaufgabenfreie Nachmittage!) für ganz unterschiedliche, oft spontan festgelegte „Dienste". Die Einübung soldatischer Disziplin spielte eine herausragende Rolle; aber es gab auch Geländespiele, Gesang, Schulungen, Ernteeinsätze und Wanderfahrten. Innerhalb der einzelnen Gruppen galt das Führerprinzip mit der Besonderheit, dass die Führerinnen und Führer kaum älter waren als die Geführten. Das Motto lautete: „Jugend wird von Jugend geführt". 1939 zählte die Staatsjugend über neun Millionen Mitglieder, und fast jedes zehnte Mitglied war „Führer" und konnte in seiner Gruppe die Befehle erteilen. Mindestens 95% aller Jugendlichen waren Mitglieder in den Organisationen.

Plakat, 30er-Jahre

Plakat, 30er-Jahre

**M 3   Hitlers Erziehungsziele**

**Q** Meine Pädagogik ist hart. Das Schwache muss weggehämmert werden. […] Eine gewalttätige, herrische, unerschrockene, grausame Jugend will ich.
5 […] Schmerzen muss sie ertragen. Es darf nichts Schwaches und Zärtliches an ihr sein. Das freie und herrliche Raubtier muss erst wieder aus ihren Augen blitzen. Stark und schön will ich meine Ju-
10 gend. Ich werde sie in allen Leibesübungen ausbilden lassen.[…] Mit Wissen verderbe ich mir die Jugend.

(Zit. nach: H. Rauschning, Gespräche mit Hitler, Zürich/ New York 1990, S. 237f.)

**M 4**   Melitta Maschmann, geb. 1918, erinnert sich später an ihre Zeit im BDM:

**Q** In diesem Alter findet man sein Leben, das aus Schularbeiten, Familienspaziergängen und Geburtstagseinladungen besteht, kümmerlich und beschämend arm
5 an Bedeutung. Niemand traut einem zu, dass man sich für mehr interessiert als für diese Lächerlichkeiten. Niemand sagt: Du wirst für Wesentlicheres gebraucht, komm! Man zählt noch nicht mit, wo es um ernste
10 Dinge geht. Aber die Jungen und Mädchen in den Marschkolonnen zählten mit. […] Ich wollte aus meinem kindlichen engen Leben heraus und wollte mich an etwas binden, das groß und wesentlich war.
15 Dieses Verlangen teilte ich mit unzähligen Altersgenossen. […] Unsere Lagergemeinschaft war ein verkleinertes Modell dessen, was ich mir unter Volksgemeinschaft vorstellte. Niemals vorher oder nachher habe
20 ich eine so gute Gemeinschaft erlebt. […] Unter uns gab es Bauernmädchen, Studentinnen, Arbeiterinnen, Verkäuferinnen, Friseusen, Büroangestellte usw. Geführt wurde das Lager von einer ostpreußischen
25 Bauerntochter. […] Gestützt auf diese Erfahrung, glaubte ich, dass der Musterfall unseres Lagers sich eines Tages ins Unendliche würde vergrößern lassen.

(M. Maschmann, Fazit, Stuttgart 1963, S. 17ff.)

**M 5** Herbert K., geboren 1926, erinnert sich an seinen Alltag, als er etwa 10 bis 12 Jahre alt war und in Berlin-Zehlendorf zur Schule ging:

**Q** Es sind nicht alle Jungs aus meiner Klasse in die HJ gegangen. Ich kann mich entsinnen, dass zwei nicht mitgemacht haben. Der Vater von dem einen war ein
5 SPD-Mann – das habe ich aber erst später erfahren. Den Vater haben sie fürchterlich maßgenommen 1933, und da hat er gesagt: „Eher geht ein Kamel durchs Nadelöhr, als dass mein Sohn zur HJ geht".
10 Der ist also sehr lange nicht hingegangen. In der Schule wurde das vollständig ignoriert, auch unter den Klassenkameraden. Wir haben ihn nur öfter in den Hintern getreten oder fürchterlich ge-
15 zwickt, wenn er bei der Fahnenweihe oder einer Feier nicht den Arm heben wollte. Da haben wir gesagt: „Heb den Arm hoch, du dämlicher Hund. Dein Vater ist doch nicht da, nun mach doch
20 mal". Dann hat ihm einer den Arm hochgerissen, damit er mit dem deutschen Gruß dastand. […]
Mittwochs war immer der geistige Nachmittag, und am Samstag
25 gab es dann Geländespiele. Man lernte Flaggenwinken, man lernte Morsen, man lernte Nahkampf. Sogenannte Mutproben wurden gemacht. Man musste ein Fahrtenmesser mit der Spitze nach
30 unten aus einer bestimmten Höhe auf den Oberschenkel fallen lassen. Dann lernte man mit dem Kompass im Gelände rumlatschen. Es hat einerseits Spaß gemacht, es war aber andererseits ein
35 großer Druck, jeden Mittwoch und jeden Sonnabend antreten zu müssen. Die Geländespiele konnten aber auch sehr roh werden. Bei der Försterei in Dachsberge haben wir uns einmal ganz fürch-
40 terlich gedroschen. Wir haben so aufeinander eingeschlagen, dass Zivilisten die Polizei holten. Die guckten sich das an, sagten dann nur ganz trocken: „Das ist doch HJ, was wollt ihr denn?" – und fuh-
45 ren wieder ab.

(Zit. nach: Arbeitsgruppe Pädagogisches Museum (Hg.), Heil Hitler, Herr Lehrer!, Rowohlt 1983, S. 87 f.)

**M 6**

Eine Veranstaltung der HJ Berlin-Karlshorst (17.12.1939): Gegen eine Spende für das Winterhilfswerk durfte man Nägel in eine hölzerne Karte Englands schlagen und so an der „Bombardierung Englands" teilnehmen.

**M 7**

Spielzeugfiguren: Hitler, BDM-Mädchen und SA-Mann

**M 8** Kurt A., geboren 1922, erinnert sich an seine Schulzeit in einer Berliner Volksschule:

**Q** In der Schule wurden uns Rasse und nationale Einstellung bewusst gemacht. Da erfuhren wir, wie vorteilhaft es doch ist, Deutscher zu sein und in dem nor-
5 dischen Raum zu wohnen. […] Wir sind auch darauf hingewiesen worden, dass diese oder jene Dinge sich nicht gehören für einen Deutschen. Zum Beispiel war es verpönt, bei kalter Witterung mit langen
10 Strümpfen oder langen Hosen in die Schule zu kommen. Einige Eltern haben durchgesetzt, dass die Kinder doch lange Strümpfe tragen. Die Kinder haben sich dann gesträubt und haben gesagt: „Nee,
15 ich will in Kniestrümpfen gehen". Auch wenn die Knie blau waren, man kam eben in kurzen Hosen. […] In der Schule haben wir auch Nagelbilder hergestellt. Die Nägel waren Soldatennägel. Die Soldaten
20 trugen sie unter den Schaftstiefeln, um die Sohle zu schonen. Diese Nägel durften wir in Holzplatten nageln, auf denen nationalsozialistische Embleme vorgezeichnet waren. Ein Nagel kostete wohl
25 einen Groschen. Das fanden wir toll, und da haben wir uns von zu Hause öfters mal Geld mitgeben lassen. Die Klasse, die zuerst so ein Schild fertig hatte, wurde dann besonders gelobt oder ausgezeich-
30 net.
Als Spielzeug hatten meine Eltern für meinen Bruder und mich Linyol-Soldaten gekauft. Die hießen so, weil das Material, aus dem sie gemacht waren, Linyol
35 hieß. Mein Bruder, der jünger war als ich, hatte tolle Sachen in Linyol, zum Beispiel den Generalfeldmarschall Mackensen, Hindenburg und Hitler. Hitler konnte sogar den Arm heben. Mussolini hatte er
40 nachher auch. Die Eltern fanden das prima. Diese Figuren wurden sehr geschont, denn sie waren teuer. Da durfte nichts kaputtgehen. […] Ich kann es nachvollziehen, wenn man von Euphorie und Wahn-
45 sinn spricht, es war so. Ich kann mich an Geburtstage des Führers erinnern, wo er auf dem Balkon in der Wilhelmstraße erschien, und die Menge war wie verzückt. Und in dieser Masse waren wir drin und
50 waren eben einfach begeistert. Es fällt mir ein, dass Auseinandersetzungen im Elternhaus, die wir unangenehm empfunden haben, verblassten, wenn wir so etwas erlebt haben.

(Zit. nach: Heil Hitler, Herr Lehrer!, a.a.O., S. 76 ff.)

## Unterdrückung und Verführung im Alltag der Frauen

### Aufwertung! Aufwertung?

Die Leistungen der Frauen als Hausfrauen und Mütter wurden in einer bis dahin nicht gekannten Weise gewürdigt. Vor allem die Mütter wurden demonstrativ geehrt. Der Muttertag, Anfang des Jahrhunderts von den Blumenläden zur Geschäftsbelebung eingeführt, wurde am zweiten Maisonntag als Ehrentag feierlich begangen. Im Jahre 1939 wurde an diesem Tag zum ersten Mal das Mutterkreuz an kinderreiche Mütter verliehen – in Bronze für vier, in Silber für sechs und in Gold für acht Kinder. Das Mutterkreuz war ein Orden, der die Frauen mit anderen „Helden" in eine Reihe stellte. Auf der anderen Seite wurden die jungen oder kinderlosen Frauen unmissverständlich darauf hingewiesen, dass sie für erbgesunden Nachwuchs zu sorgen hatten, damit die Zukunft des deutschen Volkes gesichert war. Für Frauen, die heirateten, gab es ein zinsloses Darlehen in Höhe von 1000 Reichsmark (das entsprach etwa dem halben Jahreseinkommen eines Facharbeiters). Pro Kind wurde ein Viertel des Darlehens erlassen. Unmittelbaren politischen Einfluss hatte kein „Weib" (wie Hitler allgemein die Frauen in „Mein Kampf" bezeichnete). Berufliche Leistungen waren dem Ansehen eher abträglich. Mit dem kritisch gemeinten Vorwurf gegen „Doppelverdiener" wurden verheiratete Frauen aus dem Erwerbsleben gedrängt. Sie sollten keine Arbeitsplätze für Männer blockieren. Viele Frauen, die im Staatsdienst standen, wurden aus diesem Grund entlassen; die Frauenquote an Universitäten sollte 10 % nicht übersteigen. Als gegen Ende der 30er-Jahre qualifizierte Stellen nicht mehr besetzt werden konnten, wurde das Idealbild der Frau als Hausfrau und Mutter zu einem Lippenbekenntnis. Vor allem in der Rüstungsindustrie wurden immer mehr Frauen eingestellt. In den Kriegsjahren wurde die Berufstätigkeit der Frauen zur Regel.

**M 1** Zum Muttertag 1936

**M 2** Mutterkreuz

Trug eine Frau das Mutterkreuz in der Öffentlichkeit, mussten die HJ-Angehörigen grüßen.

**M 3** Werbeanzeige (30er-Jahre)

Bügelwettbewerb beim Reichsberufswettkampf. Ermittelt werden die besten „Mitarbeiterinnen am Werk des Führers". (Foto um 1938)

## Sonderfall Lebensborn

1936 gründete Heinrich Himmler, der die SS leitete, einen Verein mit dem unscheinbaren Namen „Lebensborn e.V.". Er hatte die Aufgabe, den „rassisch und erbbiologisch wertvollen Mädchen und Frauen" eine sorglose Schwangerschaft und Geburt der Kinder zu ermöglichen und somit die Geburtenzahlen „rassereinen Nachwuchses" zu erhöhen. Die Wochen vor der Geburt konnten die Frauen unter vergleichsweise komfortablen Bedingungen verbringen – oft in idyllisch gelegenen Sanatorien oder Hotels. Die medizinische Versorgung war vorzüglich – kein Mädchen, keine Frau sollte sich zu einer Abtreibung gezwungen sehen.

Unklar ist, welches Ausmaß eine andere Lebensborn-Aufgabe annahm. Himmler formulierte sie recht verklausuliert: „Über die Grenzen vielleicht sonst notwendiger bürgerlicher Gesetze und Gewohnheiten hinaus wird es auch außerhalb der Ehe für deutsche Frauen und Mädel guten Blutes eine hohe Aufgabe sein können, nicht aus Leichtsinn, sondern in tiefstem sittlichen Ernst Mütter der Kinder ins Feld ziehender Soldaten zu werden, von denen das Schicksal allein weiß, ob sie heimkehren oder für Deutschland fallen". Im Klartext meinte er: Junge Frauen sollten vorübergehend in Lebensborn-Heime einziehen, um dort mit SS-Soldaten auf Heimaturlaub Kinder zu zeugen. Amtliche Unterlagen wurden vernichtet.

BDM-Mädchen und SS-Männer bei einer „Lebensborn"-Veranstaltung (1939)

# Forschungs-station

## Unterdrückung und Verführung im Alltag der Arbeiter

### Die Aufwertung der Arbeit

Im Kaiserreich und auch in der Weimarer Republik hatte die überwiegende Zahl der Angestellten, Beamten und Selbstständigen sich den Arbeitern überlegen gefühlt. Arbeiter zu sein bedeutete in ihren Augen, eine geringe Bildung zu besitzen, vergleichsweise wenig Geld zu verdienen und – überhaupt – es im Leben nicht weit gebracht zu haben. Die Sprache des Dritten Reiches dagegen drückte eine bis dahin völlig unbekannte Hochschätzung aus: „Arbeit adelt" wurde zu einem geläufigen Schlagwort. Die Nationalsozialisten nutzten jede Möglichkeit, um den Arbeitern zu signalisieren: Innerhalb der Volksgemeinschaft seid ihr genauso wichtig wie die anderen Berufsgruppen! Hitler gab die Parole aus: „Ehret die Arbeit und achtet den Arbeiter!"

M 1    Propagandapostkarte 1933

1. Mai Tag der Arbeit

### Zerschlagung der Gewerkschaften

In der Planung der Nationalsozialisten sollten die Feiern zum 1. Mai sichtbarer Ausdruck der Aufwertung werden. Seit Jahrzehnten hatten die Arbeiterparteien versucht, diesen „Tag der Arbeit" als Feiertag mit bezahlter allgemeiner Arbeitsruhe durchzusetzen – und waren stets gescheitert. Jetzt wurde der 1. Mai 1933 zum „Tag der nationalen Arbeit" erklärt. Inhalt und Ablauf der Feierlichkeiten waren in fast allen größeren Gemeinden und Städten gleich, die Durchführung lag in den Händen der NSBO-Ortsgruppen (NSBO = Nationalsozialistische Betriebszellen-Organisation). Inwieweit die Arbeiter durch den „Tag der nationalen Arbeit" für das NS-Gedankengut gewonnen werden konnten, ist in der Geschichtswissenschaft bis heute umstritten. Immer wieder gibt es Hinweise, dass viele Arbeiter, vor allem diejenigen, die aktive Gewerkschaftler oder Mitglied der SPD bzw. KPD gewesen waren, nur eher widerwillig teilnahmen. Andererseits empfand es zweifellos die Mehrheit der Arbeiter als eine spektakuläre Angelegenheit, jetzt gemeinsam mit dem Chef oder dem Handwerksmeister durch die Straßen der Heimatstadt zu marschieren – und dafür, wie an einem normalen Arbeitstag, entlohnt zu werden. Schon einen Tag später, am 2. Mai 1933, zeigte sich die Kehrseite dieser „Aufwertung". Die Gewerkschaftshäuser wurden besetzt, das Gewerkschaftsvermögen beschlagnahmt und zahlreiche Gewerkschaftsführer in „Schutzhaft" genommen.

**M 2** Reutlinger Generalanzeiger (Dienstag, 2. Mai 1933)

## Der Tag der nationalen Arbeit

Noch nie erlebter Riesenaufmarsch – Die Stadt unter Fahnen, Wimpeln und Marschmusik – Alle Herzen erfüllt von nationalem Jubel – 14000 Menschen in stundenlangem Festzug – Alle, alle kamen, die Hand- und Kopfarbeiter, „hoch und nieder, reich und arm" – Es gab nur ein Reutlingen und nur eine Gesinnung: Heran zum nationalen Volksstaat, zum deutschen Vaterland

**M 3** Festprogramm vom 1.5.1933 in Reutlingen

6.45: Wecken durch Kapellen und Kirchenglocken, Flaggenhissung in den Reutlinger Betrieben durch drei SA-Kolonnen unter Begleitung von Musikkapellen.

8.30: Festgottesdienst; die SA und andere Formationen nehmen in Uniform an den Gottesdiensten teil.

10.15: Marsch der uniformierten Verbände durch die Stadt zum Marktplatz.

11.00: Übertragung der Reichssendung vom Lustgarten in Berlin.

13.15: Sammeln der Betriebsangehörigen in ihren Betrieben.

15.00: Großer Festzug unter Beteiligung aller nationalsozialistischen Formationen, des Stahlhelms, der Arbeiterschaft in den Industriebetrieben, der Handwerkerinnungen, Behörden usw.

17.00: Riesenkundgebung auf dem Marktplatz.

19.00: Abendkundgebung auf dem Marktplatz mit großer Festbeleuchtung.

20.00: Marktplatz: Übertragung der Feier auf dem Tempelhofer Feld in Berlin; Manifest Hitlers: Verkündung des 1. Jahresplans der deutschen Aufbauarbeit.

**M 4**

Modellanlage »KdF-Seebad Prora«

Auf der Insel Rügen war eine gigantische Erholungsanlage für 20000 Menschen geplant. 1935 wurde der Grundstein gelegt, der Rohbau (Bettenhäuser, Restaurants, Theater, Bahnhof, Kai) war 1939 fertig. Dieses größte Bauwerk Deutschlands ruft bis heute unterschiedliche Reaktionen hervor (Postkarte).

## DAF und KdF

An die Stelle der Gewerkschaften trat die Deutsche Arbeitsfront (= DAF), die 1942 ca. 25 Millionen Mitglieder besaß. Eine Mitgliedspflicht gab es nicht, aber der Zwang zur Anpassung war sehr stark. Wenn man kein DAF-Mitglied war oder werden wollte, konnte dies ein Kündigungsgrund sein. Auf betriebliche Entscheidungen (etwa die Lohnhöhe) hatte die DAF keinen nennenswerten Einfluss. Hitler wies ihr das „hohe Ziel" zu, die „Erziehung […] zum nationalsozialistischen Staat und zur nationalsozialistischen Gesinnung" zu fördern; dies sollte vor allem im Freizeitbereich geschehen. Schulungen oder Morgenappelle waren nicht beliebt, recht populär jedoch wurde die Organisation „Kraft durch Freude" (KdF). Zu ihrem Programm gehörten Wanderungen, Konzerte und vor allem Urlaubsreisen. Viele Arbeiter konnten es sich jetzt erstmals leisten, „mit KdF" auf große Fahrt zu gehen, denn die Reisen waren sehr billig. Eine ganz neue Erfahrung – in den Jahren zuvor hatten nur „die Reichen" sich einen Urlaub leisten können. 1935 verbrachten etwa drei Millionen „Volksgenossen" einen Urlaub innerhalb Deutschlands, etwa 150 000 nahmen an einer Hochseereise mit den besonders beliebten KdF-Kreuzfahrtschiffen teil. Letztlich waren diese Fahrten von den Arbeitern selbst finanziert worden, denn die DAF verfügte über beträchtliche Einnahmen, weil jedes Mitglied ca. drei Stundenlöhne als Monatsbeitrag entrichten musste.

# „Erfolge" des Nationalsozialismus auf dem Prüfstand

## Warum haben 1939 noch mehr Menschen der NSDAP zugestimmt als 1933?

Die Historikerinnen und Historiker sind sich heute weitgehend einig, dass spätestens Ende der 30er-Jahre zwischen dem deutschen Volk und seiner Führung ein großes Maß an Einverständnis herrschte. Unzählige Dokumente belegen sogar, dass eine sehr leidenschaftliche, ehrliche Begeisterung für den Führer und die von ihm vertretene Politik vorgeherrscht haben dürfte: eine Zustimmung aus vollem Herzen. Gerade Materialien aus unabhängigen und systemkritischen Quellen, etwa Reiseberichte ausländischer Journalisten, private Tagebuchnotizen von Systemgegnern oder auch geheime Berichte der wenigen oppositionellen Gruppen, liefern deutliche Indizien dafür. Die Zahl der Männer und Frauen, die sich dem Regime gegenüber noch abwartend oder reserviert verhielten, war immer mehr zurückgegangen. Zweifellos lag die Zustimmung Ende der 30er-Jahre weit höher als bei 43,9 %, dem Stimmenanteil der NSDAP im März 1933. Victor Klemperer, der als jüdischer Professor an der Technischen Hochschule in Dresden zwangspensioniert worden war, notierte bereits im Frühjahr 1935 völlig verzweifelt in seinem Tagebuch: „Im Reich wollen 90 Prozent den Führer und die Knechtschaft und den Tod der Wissenschaft, des Denkens, des Geistes". Mit prozentualen Schätzungen ist die heutige Geschichtswissenschaft sehr vorsichtig. Aber der Gießener Historiker Bergmann spricht für die überwiegende Mehrheit seiner Kolleginnen und Kollegen, wenn er urteilt: „Es kann als sicher angenommen werden, dass die nationalsozialistische Diktatur eine ‚Diktatur mit dem Volk' gewesen ist, eine Diktatur, die sich bis weit in den Krieg hinein der Zustimmung einer großen, wenn nicht überwältigenden Mehrheit des deutschen Volkes sicher sein konnte".

### • Wie war eine „Diktatur mit dem Volk" möglich?

Die Mechanismen von Unterdrückung und Verführung, wie sie auf S. 76 ff. erläutert worden sind, reichen nicht aus, um diesen Zuwachs an Zustimmung zu erklären. Nicht zuletzt die zahlreichen Interviews mit Zeitzeugen haben zu der Erkenntnis geführt, dass das Regime vor allem wegen seiner „Erfolge" überzeugte. Die Zeitzeugen nannten eine Unzahl von Details und Beispielen, die von der Geschichtswissenschaft zu drei „Erfolgsbereichen" gebündelt wurden: Wirtschaft, Außenpolitik und innere Stabilität. Außerdem, so wird gesagt, hat Hitler als Person eine große Faszination ausgeübt und von daher Zustimmung bewirkt. Wer über die Zeit des Nationalsozialismus urteilen will, darf diese Bereiche nicht ausklammern. Gemessen an den Ergebnissen der vorherigen Regierungen wurden tatsächlich Ziele erreicht, an denen die Politiker der Weimarer Republik gescheitert waren. Zu einem umfassenden Urteil gehört aber auch die Kenntnis der Hintergründe und Schattenseiten einer „erfolgreichen" Politik. Die folgenden Seiten stellen Materialien bereit, die in diesem Sinne eine kritische Prüfung und Würdigung ermöglichen sollen.

Jubel bei der Ankunft Hitlers (1938)

**Wir überprüfen den „Erfolgsgehalt der NS-Politik" – ein Vorschlag zum Verfahren:**

**Phase 1:** Entscheidung, welchen der vier „Erfolgsbereiche" man untersuchen will: Wirtschaft, Außenpolitik, Innere Stabilität oder „Faszination Hitler".
Zielvorgabe: Für jeden Bereich wird eine Wandzeitung o. Ä. erstellt.

**Phase 2:** Ausgangs- und Orientierungspunkt bildet immer eine populär formulierte „Erfolgsthese"; diese ist den Geheimberichten entnommen, die die Exil-SPD gesammelt hat. Die These wird auf der Wandzeitung plakatiert.

**Phase 3:** Bei der Erarbeitung der Materialien kann folgender Aufgabenapparat helfen:
1. Worin besteht der „Erfolg"
   – aus der Sicht der Zeitgenossen?
   – aus heutiger Sicht?
2. Gibt es eine Kehrseite des „Erfolges" (Probleme, die mit dem „Erfolg" eng verknüpft sind)?

**Phase 4:** Die Ergebnisse der Arbeit werden auf der Wandzeitung festgehalten und der „Erfolgsthese" direkt zugeordnet.

**Phase 5:** Nach dem Zufallsprinzip müssten sich nun Diskussionsgruppen vor den jeweiligen Wandzeitungsbereichen bilden; einzelne Schülerinnen und Schüler wiederholen die provozierende These, die „Experten" erläutern die Ergebnisse ihrer Untersuchung.

# „Erfolgsbereich" Wirtschaft

> ## Populäre These:
> *„Der Mann mag seine Fehler haben, aber er hat uns wieder Arbeit und Brot gegeben."*

Unsere Antwort auf diese Aussage …

## M 1  Die Überwindung der Wirtschaftskrise: ein Bericht

Eva Sternheim-Peters, geb. 1925, schrieb im Alter von etwa 60 Jahren ein Buch über ihre Kindheit und Jugend. Sie stellte rückblickend dar, wie sich ihr Weltbild als Kind und junges Mädchen ausbildete. Von sich selbst spricht die Verfasserin stets in der 3. Person und nennt sich „E.".

Einmal in jenen Jahren (1931/32) klingelte Frau Steinhauer, die Mutter ihrer Vorschulfreundin Anneliese. Ihr Mann war arbeitslos, solange E. zurückdenken
5 konnte. Frau Steinhauer und die Mutter sprachen zuweilen am Gartentor miteinander, und Steinhauers Kinder durften im Garten von E.s Elternhaus spielen, weil sie aus einer ,ordentlichen, anständi-
10 gen Familie' kamen, aber gegenseitige Hausbesuche waren nicht üblich. Frau Steinhauer brachte ihren Wunsch – ,Ich möchte deine Mutter sprechen' – sehr bestimmt vor, und so führte E. sie wie
15 ,richtigen Besuch' ins ungeheizte Esszimmer. Schon nach etwa zehn Minuten geleitete E.s Mutter die Nachbarin zur Tür, und als sie ihr die Hand gab und mehrmals versicherte, dass es ihr sehr leid tue,
20 lächelte keine der beiden Frauen. Frau Steinhauer hatte sich für Näh- und Flickarbeiten angeboten, die damals in jedem Haushalt anfielen, da es allgemein üblich war, zerrissene Bettbezüge zu fli-
25 cken, dünn gewordene Laken in der Mitte durchzutrennen und die noch strapazierfähigen Seiten wieder zusammenzunähen sowie durchgescheuerte Kragen und Manschetten von Herrenober-
30 hemden durch neue zu ersetzen. […] Solche und andere Näharbeiten erledigte aber schon seit vielen Jahren Frau Michels, die einmal im Monat aus einem weit entfernten Stadtviertel kam, um sie
35 sich abzuholen. Frau Michels, so erklärte die Mutter, war auch eine arme Frau, ,die es nötig hatte' und ,damit rechnete'. Sie fühle sich daher nicht berechtigt, ihr diese Arbeit wegzunehmen und anderweitig
40 zu vergeben. […] Und wenn E. heute an die ,Zeit der schweren Not' zurückdenkt, so sieht sie nicht die zahlreichen Vertreter des ,Bettelunwesens' vor sich, sondern Frau Steinhauer, wie sie an jenem Nach-
45 mittag langsam und schwerfällig die Treppen wieder hinunterging: die unförmige Gestalt mit der alten Jacke über der Kittelschürze, die glanzlos-fettigen Haare, das breitflächige Gesicht mit dem
50 grauen, hoffnungslosen Ausdruck. […]

Irgendwann in jenen Aufbruchsjahren [1935/36] trafen E. und ihre Mutter auf dem Wochenmarkt Frau Steinhauer […] Sie hatte frische Dauerwellen, trug einen
55 Pelzkragen auf dem Wintermantel und glich in nichts mehr jenem Urbild bedrückender, hoffnungsloser Verzweiflung, als welche sie E. einige Jahre zuvor so deutlich wahrgenommen hatte. Erst als
60 sie laut und aufgeräumt grüßte, ,Guten Tag, Frau Peters!', erkannte Mutter, wen sie vor sich hatte, und sagte erstaunt: ,Mein Gott, Frau Steinhauer, ich hab Sie gar nicht wiedererkannt. Wie geht es Ih-
65 nen denn?', obwohl diese Frage überflüssig war, weil jeder sehen konnte, dass es ihr gut ging. Das sagte sie dann auch: ,Danke! Mir geht es gut! Mein Mann hat wieder Arbeit!', und in diesen Worten lag
70 mehr als ein vom Herzen fallender Stein, lag ein ganzes Gebirge von Erleichterung und neu erwachtem Lebensmut. […] Einige Monate nach dieser Begegnung sah E. die Steinhauer-Jungen mit neuen
75 Fahrrädern durch die Gegend flitzen und irgendwann auch den ältesten in der braunen Uniform der SA. […] Ihre kindliche Liebe zum „Führer" hatte nicht unwesentlich mit der wundersamen
80 Verwandlung von Frau Steinhauer zu tun […]

(Eva Sternheim-Peters, Habe ich denn allein gejubelt?, Köln 2000, S. 48 f. u. S. 66 f.)

## M 2  Wachstum des realen Sozialprodukts je Einwohner

| Index | | jährl. Wachstumsrate % |
|---|---|---|
| 1928 | = 100 | 1,0 |
| 1929 | = 95 | − 5,0 |
| 1930 | = 91 | − 4,2 |
| 1931 | = 80 | − 12,1 |
| 1932 | = 76 | − 5,0 |
| 1933 | = 86 | 13,2 |
| 1934 | = 93 | 8,1 |
| 1935 | = 105 | 12,9 |
| 1936 | = 118 | 12,4 |
| 1937 | = 129 | 9,3 |
| 1938 | = 141 | 9,3 |
| 1939 | = 158 | 12,1 |

## M 3  Arbeitslose 1932–1938

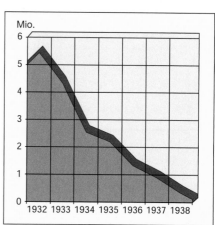

# Das „Wirtschaftswunder" lässt sich erklären

**M 4**

Propagandapostkarte 1936

## M 5 Öffentliche Investitionen in Deutschland 1928–1938

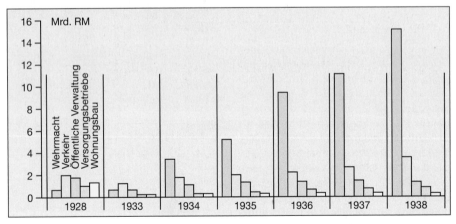

## M 6 Die NS-Wirtschaftspolitik: Die aktive Rolle des Staates

Als die Nationalsozialisten die Macht ergriffen, lag die deutsche Wirtschaft im Koma. Der nun einsetzende wirtschaftliche Aufschwung wurde schneller und
5 gründlicher erreicht, als es sich die Zeitgenossen selbst in ihren optimistischen Vorstellungen ausgerechnet hatten. Hinter dieser Entwicklung schien eine umwälzende wirtschaftspolitische Leistung
10 zu stehen, die bald von ausländischen Beobachtern als „deutsches Wirtschaftswunder" mystifiziert wurde. Bei nüchterner Betrachtung lässt sich diese Entwicklung jedoch recht einfach erklären

15 – und man erkennt auch sofort die Schattenseiten dieses „Wunders".
Die Nationalsozialisten pumpten bis Ende 1934 zum Zwecke der Arbeitsbeschaffung nicht weniger als fünf Mrd. Reichs-
20 mark zusätzlich in den Wirtschaftskreislauf – d.h. mehr als das Dreifache der gesamten industriellen Investitionen in diesem Zeitraum. Dahinter verbargen sich vor allem Aufwendungen für den
25 Ausbau der öffentlichen Infrastruktur, wozu auch der Autobahnbau zu zählen ist, und zur Förderung des privaten Wohnungsbaus. Dazu kamen erhebliche Ausgaben für die Reichswehr.
30 Bereits am 8. Februar 1933 forderte Hitler anlässlich einer Ministerbesprechung in der Reichskanzlei, man müsse die Arbeitsbeschaffung und die Aufrüstung unmittelbar miteinander verknüpfen. Jede öffent-
35 lich geförderte Arbeitsbeschaffungsmaßnahme müsse unter dem Gesichtspunkt beurteilt werden, ob sie notwendig sei vom Gesichtspunkt der Wiederwehrhaftmachung des deutschen Volkes.
40 Woher nahm das NS-Regime die riesigen Geldbeträge, die diese zusätzlichen Investitionen kosteten? Vereinfacht ausgedrückt: Das NS-Regime lieh sich diese Gelder gegen das Versprechen, den Be-
45 trag, erhöht um einen gewissen Zinssatz, nach 5 oder mehr Jahren zurückzuzahlen. Entsprechende Anleihen platzierte das Reich aber nicht etwa bei den Banken oder direkt bei den Sparern, sondern bei
50 eigens eingerichteten „Geld- und Kapitalsammelstellen", die ihrerseits die Gelder der Sparer und der Versicherungszahler erhielten. Bei einer seriösen Finanzierung sind solche Anleihen durch
55 Sachwerte gedeckt (z.B. durch Gebäude, Rohstoffe, Gold o.Ä.). Diese Absicherung war bei den Anleihen des NS-Staates aber nicht gegeben, denn solide Gegenwerte gab es nicht. Für das NS-Regime war von
60 Anfang an klar, dass nur die Beute in einem siegreichen Krieg dafür sorgen konnte, die geliehenen Gelder zurückbezahlen zu können.

(W. Abelshauser/A. Faust, Wirtschafts- und Sozialpolitik – Eine nationalsozialistische Sozialrevolution?, Tübingen 1983, S. 20ff. und S. 31ff.)

## M 7 Entwicklung der Reichsschuld (in Mrd. RM) 1926–1945

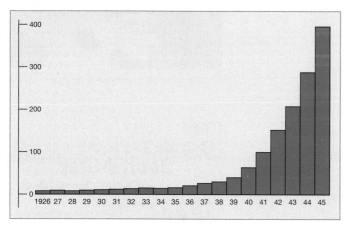

(Nach: Hans-Ulrich Thamer, Verführung und Gewalt, Berlin (Siedler) 1986, S. 471 u. 477)

## M 8

„Dein KdF-Wagen" (Werbebroschüre 1938)

## Politische Vorgaben statt Freiheit der Wirtschaft

Im Bereich der Wirtschaft gab es weder für die Unternehmer noch für die Arbeitskräfte Entscheidungsspielräume, wie sie für ein liberales Wirtschaftssystem typisch sind. Die Gleichschaltung hatte nicht nur die Deutsche Arbeitsfront geschaffen; auch die Ministerien und der Parteiapparat achteten darauf, dass sich die „deutsche Wirtschaft" an den Zielen der NS-Politik ausrichtete. Manches wirkt heute kurios: etwa die Verpflichtung von Mitarbeitern, an NS-Jubelfeiern teilzunehmen (häufig auch während der Arbeitszeit); oder die Auszeichnung vorbildlich geführter Betriebe mit der „Goldenen Fahne", die weithin sichtbar aufgezogen wurde (oft am Fabrikschornstein); oder auch die Sprachregelungen, wenn etwa der Begriff „Erzeugungsschlacht" die herkömmliche „Ernte" ersetzte. Einschneidend dagegen waren die staatliche Reglementierung der Lohnhöhe und auch die Pflicht zur Arbeit (gegen geringen Lohn). Einschneidend waren auch die „Wirtschaftspläne", die klare Zielvorgaben für die Produktion enthielten und sichtbarer Ausdruck einer umfassenden Lenkung waren. Seit 1937 wurden mehr als die Hälfte aller industriellen Investitionen vom Vierjahresplan gelenkt. Auch die Verteilung einzelner Pro-

dukte wurde gesteuert: indem Einfuhren verteuert wurden (vor allem im Bereich der Konsumgüter und der Genussmittel) und die Herstellung sogenannter „Ersatzstoffe" (etwa synthetisches Benzin oder Gummi) gefördert wurde. Das Streben nach wirtschaftlicher Autarkie, d.h. nach völliger Unabhängigkeit von Außenhandel und Einfuhren, war ein besonderes Charakteristikum der NS-Politik. Diese Strategie folgte der Idee von einem großen, einheitlichen deutschen Wirtschaftsraum und diente gleichzeitig dem Ziel, kriegsfähig zu werden.

### Das Beispiel Volkswagen

Die enge Verknüpfung von staatlicher Investition, Aufrüstung und Irreführung der Bevölkerung zeigt sich am Beispiel des VW-Käfers: Als die Führungskräfte der deutschen Autoindustrie bezweifelten, dass sich ein preiswertes Auto für die breite Masse bauen ließe, ordnete Hitler persönlich an, ein neues Automobilwerk zu errichten, in dem ein „Volkswagen" für unter 1000 Mark gebaut werden sollte. Innerhalb weniger Monate entstand bei Fallersleben in Niedersachsen die neue Produktionsstätte und die „Stadt des KdF-Wagens" (heute: Wolfsburg). Rohstoffe, Arbeitskräfte und Ausrüstungsgüter wurden gezielt in dieses Vorzeigeobjekt um-

## M 9

Plakat, 30er-Jahre

gelenkt. Geringe Raten von fünf Mark pro Woche sollten dafür sorgen, dass alle sich diesen Wagen leisten konnten. Mit großem Aufwand wurde für diese „soziale Leistung" geworben. Im Jahre 1940 waren es bereits 300 000 Personen, die auf dieses Auto sparten. Vergeblich! Von wenigen Modellen abgesehen wurden nur Militärfahrzeuge gebaut. Anfang der 60er-Jahre zahlte der VW-Konzern den „Sparern" eine geringe Entschädigung.

# „Erfolgsbereich" Außenpolitik

> **Populäre These:**
> *„Versailles gehört der Vergangenheit an.*
> *Deutschland zählt wieder in der Welt."*

Unsere Antwort auf diese Aussage …

**M 1** Die Darstellung der NS-Außenpolitik in einem NS-Geschichtsbuch

**Q** Überall regt sich, aufgerufen durch den Führer, wurzelnd in seinen Worten und Weisungen sowie in den Lehren seines unübertrefflichen Buches „Mein
5 Kampf", ein neues Leben. Der Reichskanzler aber sorgt dafür, dass dieses Leben sich auswirken kann in der Segnung des Friedens. […] Als man Deutschland in der Frage der Entwaffnung demütigen
10 wollte, hat er schon im Jahre 1933 den Völkerbund verlassen und damit die volle Handlungsfreiheit erlangt. Wie in der letzten Kampfzeit seiner Bewegung eine Zone von Gefahren mit behutsamster Ent-
15 schlossenheit durchschreitend, gab er dem deutschen Volke am 16. März 1935 die so bitter entbehrte Wehrhoheit zurück. Mit eiserner Energie erfolgte die notwendige Aufrüstung zu Lande, zu Wasser, in
20 der Luft, sodass heute das Reich so leicht nicht mehr überfallen werden kann. Das stolze Werk nationalsozialistischer Landesbefreiung vollendete der Führer, indem er am 7. März 1936 die deutsche Mili-
25 tärhoheit im Rheinland, die das Friedensdiktat zerstört hatte, wiederhergestellt hat. Damit ist die Grenze lückenlos gesichert, da auch das Saargebiet zu Beginn 1935 durch eine überwältigende Abstim-
30 mung ins Reich zurückkehrte. […] Während das Dritte Reich im Innern von Tag zu Tag neuer Kräfte mächtig wurde, während in der Außenpolitik die Wege sichtbar nach aufwärts und schließlich immer
35 steiler emporführten, mussten die Deutschen in Österreich und in der Tschechoslowakei viel Schweres erleiden. […] Jedoch die Massen des Volkes standen auf und der Führer war entschlossen, das
40 deutsche Leid in seinem Heimatlande

nicht mehr zu dulden. Vor dieser Wendung der Dinge brach das Unterdrückungssystem zusammen: Schuschnigg[1] trat in den Abendstunden des 11. März [1938]
45 zurück. Es bildete sich eine nationalsozialistische Regierung, deren Haupt den Führer bat, zum Schutze Österreichs deutsche Truppen einmarschieren zu lassen. Die Wende ist da! Adolf Hitler versagt
50 sich der Bitte der Heimat nicht. An der Spitze der gewaltigen deutschen Wehrmacht betritt er Österreich als Befreier, Schicksalsvollender, Friedensbringer. In Linz beschließt die österreichische Regie-
55 rung die Wiedervereinigung Österreichs mit dem Deutschen Reiche. So ist am 13. März 1938 Großdeutschland wiedererstanden und die Zeit deutscher Schwäche in der Welt dahin. Der mit unsagbar in-
60 nigem Jubel in der alten Ostmark[2] begrüßte Führer hat dann am 10. April in einer Volksabstimmung des ganzen geeinigten Reiches die Zustimmung der Nation zu dem großen Werk der Befrei-
65 ung eingeholt. Eine einmalige, triumphale Massenbewegung in unzähligen Kundgebungen von den Karawanken bis Schleswig! Insgesamt über 99 v. H. der abgegebenen Stimmen bekennen sich zum Füh-
70 rer, in dem von Bedrückung und Hunger erlösten Österreich allein 99, 73 v. H. […]. Welch ein Aufstieg in noch nicht sechs Jahren, welch eine Befreiung der deutschen Nation!

(Richard Suchenwirth, „Deutsche Geschichte", Leipzig 1939 [421.–440. Tausend], S. 606 ff.)

---

[1] Schuschnigg: seit 1934 Kanzler in Österreich

[2] Ostmark: NS-Bezeichnung für Österreich

Ein österreichisches Wahlplakat

NS-Propagandapostkarte (Frühjahr 1938)

## Zum Charakter der Außenpolitik: Versailles-Revision mit friedlichen Mitteln oder Vorbereitung eines Angriffskrieges?

**M 4**

Westdeutsche Kleinstadt (Foto um 1935)

**M 5**

Amerikanische Karikatur zur „Friedensrede" Hitlers vom 17.5.1933 (s. M 6)

**M 6** Hitler, Rede im Reichstag am 17.5.1933

Q Wir haben aber keinen sehnlicheren Wunsch als den beizutragen, dass die Wunden des Krieges und des Versailler Vertrages endgültig geheilt werden, und 5 Deutschland will dabei keinen anderen Weg gehen als den, der durch die Verträge selbst als berechtigt anerkannt wird. Die deutsche Regierung wünscht, sich über alle schwierigen Fragen […] mit den 10 Nationen friedlich und vertraglich auseinanderzusetzen.

(Zit. nach: Geschichte in Quellen, 1914–1945, S. 350)

**M 7** Hitler, Rede im Reichstag am 21.5.1935

Q Das Blut, das auf dem europäischen Kontinent seit 300 Jahren vergossen wurde, steht außer jedem Verhältnis zu dem volklichen Resultat der Ereignisse. Frank-5 reich ist am Ende Frankreich geblieben, Deutschland Deutschland, Polen Polen, Italien Italien. […] Hätten diese Staaten nur einen Bruchteil ihrer Opfer für klügere Zwecke angesetzt, so wäre der Er-10 folg sicher größer und dauerhafter gewesen. […] Wir wollen von unserer Seite aus alles tun, um mit dem französischen Volk zu einem wahren Frieden und zu einer wirklichen Freundschaft zu kommen. 15 Wir anerkennen den polnischen Staat als die Heimstätte eines großen, national fühlenden Volkes, mit dem Verständnis und der herzlichen Freundschaft aufrichtiger Nationalisten […]. Deutschland hat 20 weder die Absicht noch den Willen, sich in die inneren österreichischen Verhältnisse einzumengen, Österreich etwa zu annektieren oder anzuschließen. […] Das nationalsozialistische Deutschland will 25 den Frieden aus tiefinnersten weltanschaulichen Überzeugungen.

(Zit. nach: Dokumente der deutschen Politik, Bd. 3, Berlin 1939, S. 74 ff.)

**M 8** Hitler, Rede vor führenden Vertretern deutscher Zeitungen am 10.11.1938

Q Die Umstände haben mich gezwungen, jahrzehntelang fast nur vom Frieden zu reden. Nur unter der fortgesetzten Betonung des deutschen Friedenswillens 5 und der Friedensabsichten war es mir möglich, dem deutschen Volk Stück für Stück die Freiheit zu erringen und ihm die Rüstung zu geben, die immer wieder für den nächsten Schritt als Voraussetzung nö-10 tig war. Es ist selbstverständlich, dass eine solche jahrzehntelang betriebene Friedenspropaganda auch ihre bedenklichen Seiten hat; denn es kann nur zu leicht dahin führen, dass sich in den Gehirnen vie-15 ler Menschen die Auffassung festsetzt, dass das heutige Regime an sich identisch sei mit dem Entschluss und dem Willen, den Frieden unter allen Umständen zu bewahren. […] Es war nunmehr notwendig, 20 das deutsche Volk psychologisch allmählich umzustellen und ihm langsam klarzumachen, dass es Dinge gibt, die, wenn sie nicht mit friedlichen Mitteln durchgesetzt werden können, mit den Mitteln der Ge-25 walt durchgesetzt werden müssen.

(Zit. nach: Geschichte in Quellen, 1914–1945, S. 407f.)

# „Erfolgsbereich" Innere Stabilität

> *Populäre These:*
> *„Es herrscht wieder Ruhe und Ordnung."*

## Der Umgang mit „Unruhestiftern"

Viele Deutsche hatten im Dritten Reich das Gefühl, ruhiger und sicherer zu leben als in den Jahren der Weimarer Republik. Tatsächlich ging die Zahl vieler Straftaten zurück (insbesondere bei Raub und Diebstahl). Sprichwörtlich wurde das Fahrrad, das man nachts unverschlossen auf der Straße abstellen konnte, um es am nächsten Tag unversehrt an Ort und Stelle wiederzufinden. Reichsinnenminister Dr. Frick erklärte den Erfolg durch das Zusammengehörigkeitsgefühl der Volksgemeinschaft. Die „gesunde Volksanschauung" sei der leitende Gesichtspunkt im Verhalten.

Was „gesunde Volksanschauung" war, stand nicht im Strafgesetzbuch, sondern wurde oft willkürlich von den selbst ernannten „guten Deutschen" festgelegt. Alles, was von der vorgegebenen Norm abwich, was auffällig oder „fremd" wirkte, stand im Verdacht, sich „gegen die geistige und rassische Substanz des Deutschen Volkes" zu vergehen. Neben der „normalen" Polizei und Justiz entstand unter der Vorherrschaft der SS ein eigenes System der Kontrolle und der inneren Sicherheit. Die Geheime Staatspolizei (Gestapo) hatte bald den Ruf, allwissend und erbarmungslos zu sein. Fast in jeder Stadt gab es sogenannte Gestapo-Keller, wo Regimegegner „verhört" und dann in „Schutzhaft" genommen wurden; oft endeten diese Verfahren mit der Einweisung in eines der Konzentrationslager, die zu Hunderten eingerichtet wurden. Eines der bekanntesten war Dachau (bei München), an dessen Eingangstor die Häftlinge den zynisch wirkenden Spruch lesen konnten: „Arbeit macht frei". Die Häftlinge wurden als „Volksschädlinge" behandelt, die „umerzogen" werden mussten. „Es gibt einen Weg zur Freiheit. Seine Meilensteine heißen: Gehorsam, Fleiß, Ehrlichkeit, Ordnung, Sauberkeit, Nüchternheit, Wahrheit, Opfersinn und Liebe zum Vaterland" – unter dieser Perspektive begannen die Häftlinge ihre Arbeitseinsätze, die oft von brutalen Schikanen der Aufseher, von willkürlichen Strafmaßnahmen und Hunger begleitet waren. Allein in Dachau hat das KZ-Personal 31 951 „Todesfälle" beurkundet und die Todesursachen festgehalten: über „Lungenentzündung" bis „auf der Flucht erschossen". Entlassene KZ-Häftlinge waren fast immer körperlich und seelisch am Ende und schwiegen aus Angst, wieder inhaftiert zu werden. So wusste kaum jemand in der Bevölkerung Genaues über den Alltag in einem KZ, aber dass es in diesen Lagern grausam zuging, war allgemein bekannt. Die Lager wirkten als ständige, unheimliche Bedrohung für potenzielle Kritiker. In erster Linie gehörten die alten politischen Gegner zu den „Volksschädlingen". „Wer sich heute noch für den Marxismus irgendwie einsetzt, seine Bestrebungen in irgendeiner Form begünstigt oder unterstützt, wird als Verbrecher verfemt und entsprechend behandelt", hieß es im August 1933 im „Völkischen Beobachter". Zu den inhaftierten „Volksschädlingen" zählten neben den politischen Gegnern auch Kriminelle, Sinti und Roma („Zigeuner"), Bibelforscher (die den Wehrdienst aus religiösen Gründen ablehnten), Homosexuelle sowie Personen, die sich kritisch über Hitler oder sein Regime geäußert hatten.

**M 1**

Plakat, 30er-Jahre

**M 2**

**Q**

Ein bunter Transport durch Tempelhof

### Ende der Zigeunerherrlichkeit

#### Die Behörde greift energisch durch – Beschränkte Freizügigkeit

Schmutzig, von Ungeziefer starrend, schamlos ihre Familienintimitäten vor den Augen aller Welt ausbreitend, unverschämt, aufdringlich, lästig, wurden sie
5 trotzdem von den Behörden geduldet und genossen eine unbeschränkte Freizügigkeit, die ihnen gestattete, bei Nacht und Nebel zu verschwinden und irgendwo anders unterzutauchen. Wir sehen mit Freu-
10 den, dass dieser Freiheit jetzt ein Ende gemacht worden ist.

(8.8.1936, Tempelhofer Zeitung)

# Ruhe und Ordnung in der Volksgemeinschaft?
# Der Umgang mit Behinderten

Die Nationalsozialisten sahen die Stabilität des Reiches auch gefährdet durch Kranke und Schwache. Der Rassegedanke verlangte nicht nur die „positive Auslese durch Zucht" – ein Gedanke, den vor allem der Reichsführer SS Heinrich Himmler vertrat –, sondern auch eine „negative Auslese". Alle Menschen, die „dem Volkskörper als Ganzem zur Last fallen", sollten „ausgemerzt" werden.
Zwei Maßnahmen werden hier vorgestellt:

## Zwangssterilisierungen

Das „Gesetz zur Verhütung erbkranken Nachwuchses" (14. Juli 1933) regelte in § 1: „Wer erbkrank ist, kann unfruchtbar (sterilisiert) werden." Als Erbkrankheiten galten u.a. angeborener Schwachsinn, Epilepsie, erbliche Blind- oder Taubheit und Depressionen. Verweigerten die Betroffenen ihre Zustimmung, was oft vorkam, entschieden sog. Erbgesundheitsgerichte über den Fall – fast immer wurde eine Zwangssterilisation angeordnet. Bis zum Jahr 1937 wurden 197419 Menschen sterilisiert, 437 starben während der Operation oder unmittelbar danach. Die Zahlen für die Folgejahre sind nicht genau rekonstruierbar.

## Vernichtung „lebensunwerten Lebens" – Euthanasie

Grundlage der Tötungen war ein formloses Ermächtigungsschreiben Hitlers vom 1.9.1939: „Reichsleiter Bouhler und Dr. med. Brandt sind unter Verantwortung beauftragt, die Befugnisse namentlich zu bestimmender Ärzte so zu erweitern, dass nach menschlichem Ermessen unheilbar Kranken bei kritischster Beurteilung ihres Krankheitszustandes der Gnadentod gewährt werden kann." Das Thema galt als heikel. Man vereinbarte einen Decknamen (Aktion T 4; Tiergartenstr. 4 = Adresse der zuständigen Behörde) und gründete drei Tarngesellschaften: zur Auswahl der Opfer in den Anstalten für geistig und körperlich Behinderte, zum Transport der Kranken in eine der sechs Tötungsanstalten und zur Durchführung der Euthanasie. Die Tötung der Kranken erfolgte durch Giftspritzen oder durch Kohlenmonoxydgas, das man in Busse leitete, sodass die Insassen qualvoll erstickten. Eigene „Trostbriefabteilungen" und „Sonderstandesämter" sollten den Angehörigen einen natürlichen Tod der Kranken vortäuschen, aber die hohe Zahl der Opfer sowie die Begleitumstände (Verbrennung der Leichen in Krematorien, Transporte in grauen Omnibussen mit verhängten Fenstern) sorgten für Unruhe und heftigen Protest in der Bevölkerung. Die wildesten Gerüchte gingen um: Man werde in eine solche Tötungsanstalt gebracht, wenn man alt, krank oder arbeitsunfähig sei. Der Bischof von Münster, v. Galen, erstattete sogar Anzeige wegen Mord. Am 23.8.1941 ordnete Hitler das Ende des Euthanasie-Programmes an. Ärzte, die sich bei der Aktion T 4 „bewährt" hatten, übernahm Himmler für die „Sonderbehandlung" in den neuen KZs im Osten.

**M 3** Aus zwei Briefen von Kranken der Anstalt Stetten/Kr. Waiblingen (Nov. 1940):

**Q** Liebe Schwester! – Da ja bei uns die Angst und die Not immer größer wird, so will ich dir auch mein Anliegen mitteilen. Gestern sind wieder die Autos dagewesen und vor acht Tagen auch, sie haben
5 wieder viele geholt, wo man es nicht gedacht hätte. Es wurde uns so schwer, dass wir alle weinten, und vollends war es mir schwer, als ich M.S. nicht mehr sah [...].

**Q** In diesem jammervollen Gefühl völ-
10 liger Wehrlosigkeit klagte immer wieder R.W., der mit seinen lahmen Beinen im Selbstfahrerstuhl saß: „Wohin soll ich fliehen, und wer will mich verstecken, wer kann für mich Einsprache einlegen? Bei
15 mir sieht man ja schon von weitem, dass ich ein unnützer Brotesser bin und zu nichts tauge".

(Zit. nach: Praxis Geschichte, 5/1990, S. 44)

**M 4**

Dieser Pfleger, ein gesunder kraftvoller Mensch, ist nur dazu da, um diesen einen gemeingefährlichen Irren zu betreuen. Müssen wir uns dieses Bildes nicht schämen?!

(„Neues Volk" – Blätter des Aufklärungsamtes für Bevölkerungspolitik und Rassenpflege, 2. Jg./1934, H. 1, S. 16; nach: Praxis Geschichte, 5/1990, S. 43)

**M 5**

Marianne rannte den aus Grafeneck angereisten Männern mit offenen Armen entgegen. Diese baten die Anstaltsleitung, das muntere Mädchen gegen ein
5 anderes auszutauschen. Dies lehnte die Anstaltsleitung ab, denn sie hätte über einen anderen Men-
10 schen das Todesurteil gesprochen. So nahmen die Männer Marianne
15 mit. Sie kam nie wieder zurück nach Stetten.

(K. Morlok, Wo bringt ihr uns hin? „Geheime Reichssache" Grafeneck, Stuttgart 1985)

Marianne litt an dem Down-Syndrom.

## Ruhe und Ordnung?
## Der Umgang mit den Juden

**M 6** Der Historiker H. Schulze über die Judenverfolgung bis 1938

[Der Nationalsozialismus] benötigte als Gegenbild des heils- und lichtbringenden Ariertums eine Gruppe, die lediglich kraft objektiver Zugehörigkeit zu
5 einer bestimmten Rasse alles Böse, Schlechte und Abartige verkörperte, und diese satanische Außenseiterposition zu besetzen, fiel angesichts einschlägiger tausendjähriger Traditionen Europas
10 nicht schwer: Es waren die Juden. [...] Eine konsequente, von langer Hand vorbereitete Planung der Judenverfolgung hat es allerdings nicht gegeben; sie hing von außen- und innenpolitischen Gege-
15 benheiten ab, gehörte aber stets zu den letzten, den ideologischen Zwecken des Regimes. Terror- und Propagandaakte der Partei „von unten", von dem von Goebbels inszenierten Judenboykott
20 vom 1. April 1933 bis zur „Reichskristallnacht" vom 9. November 1938, wechselten ab mit staatlich-gesetzlichen Maßnahmen „von oben". Da war bereits das „Gesetz zur Wiederherstellung des Be-
25 rufsbeamtentums" [1933], mit dessen Hilfe jüdische Beamte entlassen werden konnten, gefolgt vom „Wehrgesetz" vom 21. Mai 1935, das Juden vom „Ehrendienst am deutschen Volke" ausschloss.
30 Endgültig zu Bürgern minderen Rechts wurden die deutschen Juden durch die „Nürnberger Gesetze" vom 15. September 1935, mit denen die Verleihung politischer Rechte und Ämter von „Arier-
35 nachweisen" abhängig gemacht wurde, den Juden das Reichsbürgerrecht vorenthalten und die Eheschließung zwischen Juden und Nichtjuden verboten wurde. Mit diesen Gesetzen, durch die
40 der Rechtsstaat pervertiert und verbogen wurde, hatte die Verfolgung und ständige Diskriminierung der deutschen Juden ihre juristische Grundlage erhalten.

(Hagen Schulze, Kleine deutsche Geschichte, München 1996, S. 203f.)

**M 7**

Foto aus Hamburg, 1935

**M 8**

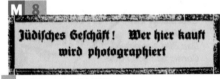

Aufkleber, April 1933

**M 9**

**M 10**

Juden schrubben Bürgersteige in Wien (Foto März/April 1938).

**M 11** Bericht der Polizei in Bad Reichenhall

**Q** Am 13.12.1938 vergiftete sich die in Bayerisch Gmain wohnhaft gewesene 67-jährige verwitwete Jüdin und Schauspielersgattin Klara Dapper mit Veronal, weil
5 man ihr in der Nacht vom 12./13.12. vor ihre Haustür in Bayerisch Gmain von bis jetzt unbekannten Tätern einen Zettel mit der Aufschrift gehängt hatte: „Alle Juden endlich einmal heraus!" Die Dapper hatte
10 in Bayerisch Gmain ein Wohnhaus, das ihr Eigentum war. Die Ortschaft [...] ist somit judenfrei.

(Zit. nach: Bayern in der NS-Zeit, München 1977, S. 479)

Seit 1935 wurden die Personalausweise jüdischer Bürger mit einem „J" gekennzeichnet. Frauen mussten ihrem Vornamen ein „Sara", Männer ein „Israel" hinzufügen.

# Offene Aggression: Die Ausschreitungen vom 9. November 1938

**Vorgeschichte**: Am 28. 10. 1938 schob die NS-Regierung etwa 15 000 Juden, die aus Polen stammten, gewaltsam an die polnische Grenze ab, da man sie im Reich „nicht länger dulden" wollte. (Zahlreiche der in Deutschland lebenden polnischen Juden waren vor der antisemitischen Politik Polens unter Marschall Pilsudski geflohen.) Unter diesen Deportierten befanden sich auch Verwandte eines jungen Juden, Herschel Grünspan, der aus Rache am 7.11.1938 in Paris einen deutschen Diplomaten erschoss. Dieses Attentat lieferte den Vorwand für ein Pogrom gegen das Judentum. Fanatisierte Gruppen steckten in zahlreichen Städten Synagogen in Brand und zerstörten jüdische Geschäfte und Wohnhäuser. Das Zerschlagen vieler Glasscheiben führte zur Bezeichnung „Reichskristallnacht" – ein verharmlosender Begriff, denn unzählige Juden wurden verhöhnt, verletzt, verhaftet und auch ermordet; der Sachschaden betrug mehrere hundert Millionen Mark. Unmittelbar nach dem Pogrom wurden die Freiheitsräume der Juden aufs Äußerste eingeschränkt. Sie mussten Geschäfte aufgeben und weit unter Preis an arische Konkurrenten verkaufen. Bis Ende 1939 flüchteten etwa 260 000 Juden.

## M 12 Der 9. November 1938

Die damals 12-jährige Hannele Zürndorfer[1] aus Düsseldorf erinnert sich:

**Q** Es muss drei oder vier Uhr morgens gewesen sein, als ich durch das Geräusch von zerschellendem Porzellan und Glas aus dem Schlaf gerissen wurde. […] Jetzt
5 klang es so, als ob der ganze Geschirrschrank umgeworfen und alles in ihm zerschlagen würde. Der Krach kam aus der Küche. Ich weiß nicht, was ich dachte: Einbrecher – ein Erdbeben?
10 „Lotte!" Auch sie war aufgewacht, und wir beide flogen aus unseren Betten […] ins Elternschlafzimmer. […] Mein Vater stand wortlos im Nachthemd neben dem Bett – er hatte uns gerade holen wollen –
15 meine Mutter saß aufrecht in ihrem Bett […] und ihre Augen waren starr vor Angst. Sie holte uns in ihr Bett und sprach beruhigend auf uns ein. Sekunden später stürmte eine Horde gewalttätiger Unge-
20 heuer ins Zimmer. Ihre Gesichter waren hassverzerrte Fratzen, rot oder bleich, sie brüllten und johlten, stampften mit ihren Schaftstiefeln durchs Zimmer, schauten sich wütend und zähnebleckend um und
25 schwangen ihre Äxte, Vorschlaghämmer, Steine und Messer. Sie rasten durchs Zim-

mer und zertrümmerten, zerschmetterten, zertrampelten alles. Es schien mir, als ob
30 hunderte von ihnen durch die Türe gestürmt wären, obwohl es in Wirklichkeit wohl nur ein Dutzend waren. Ein Stuhl landete im Frisierspiegel, und die Scherben flogen durchs Zimmer. Ich duckte mich, als ich sah, wie eines der Ungeheuer
35 brüllend auf ein Gemälde zustürzte, das auf Papis Seite über dem Bett hing, und sein hell aufblitzendes Messer schwang. […] Mein ganzes Sein konzentrierte sich auf meines Vaters ergreifende Gestalt im
40 Nachthemd, dem Gemälde zugewandt, als ob er es schützen wolle. „Das nicht, das nicht!", hörte ich ihn bitten. Und dann, genauso wie in einem Alptraum, in dem alles im Zeitlupentempo geschieht und in
45 dem man im entscheidenden Augenblick hilflos und gelähmt ist, sah ich, wie ein anderer Nazi einen großen Marmorbrocken der zertrümmerten Frisierkommode hoch über seinen Kopf stemmte. In dem
50 Bruchteil der Sekunde, als er das mächtige Marmorstück mit aller Macht quer durch das Zimmer nach meinem gestikulierenden Vater warf, sah ich ihn schon zerschmettert. Aber mein Vater hatte sich
55 instinktiv geduckt, war neben das Bett gesprungen und beobachtete nun tonlos, wie der Messerschwinger seine Klinge tief in die Leinwand stieß, sie aufschlitzte und zerhackte […].
60 Dann kam ein kleiner Mann an unser Bett. Vom Aussehen her glich er den an-

deren: braunes Hemd, Lederkoppel, Schaftstiefel. Aber er hatte ein Gesicht und keine verzerrte Fratze, er hatte
65 menschlich blickende Augen, die unsere Furcht sahen. Er beugte sich nieder und flüsterte: „Kinder, guckt nicht hin, guckt nicht hin, Kinder. Macht eure Augen zu. Es tut mir leid. Ich musste mitmachen".
70 Am deutlichsten, weil am erschütterndsten, ist mir das Bild meines Vaters haften geblieben, wie er, zusammengesunken auf einem Küchenstuhl neben dem Herd, hemmungslos weinte. Mein Herz krampf-
75 te sich zusammen und schien dann stehen zu bleiben. Niemals in meinem ganzen Leben hatte ich meinen Vater weinen sehen. […]
Ganz plötzlich war das Zimmer leer – und
80 wir alle waren noch am Leben. […] Wir erwarteten, dass sie zurückkämen, um uns zu töten. Aber sie kamen nicht zurück.

(Hannele Zürndorfer, Verlorene Welt, (Centaurus) Pfaffenweiler 1988)

---

[1] Hannele Z. konnte sich 1939 noch mit einem Kindertransport nach England retten, die Eltern fanden den Tod nach der Deportation in den Osten.

Am Morgen nach der „Reichskristallnacht": zerbrochene Scheiben in hunderten von Städten, 10. November 1938

**M 13**

# „Faszination Hitler"

##  1a Begegnung mit „dem Führer" (1938)

**1b** Doris K., die Tochter eines hohen Polizeibeamten, erinnert sich an eine Begegnung mit Hitler:

**Q** [...] da war ich ein kleines Mädchen, ich glaube, es war 34. Bin mir nicht sicher. Da war der Erntedanktag auf dem Bückeberg bei Hameln. Hitler erschien. Ich hat-
5 te einen Blumenstrauß in der Faust und meine Jungmädeluniform an. Ich stand mit meiner Mutter an der Straße, der Wagen mit dem Führer kam angefahren, meine Mutter gab mir einen kleinen
10 Schubs, das Auto hielt, ich gab dem Führer die Hand. Ich habe nur noch die Erinnerung an die Augen, die dieser Mann gehabt hat, Augen, in denen man also fast versank. [...] Der gab mir also die Hand,
15 und ich habe mir drei Tage danach die Hand nicht gewaschen. Ein unerhörtes Erlebnis. Ganz faszinierend. [...] Er war schon ein Ausnahmemensch, dieser Adolf Hitler.

(Zit. nach: L. Steinbach, Ein Volk – Ein Reich – Ein Glaube?, Berlin 1984, S. 85)

---

## Populäre These: „Er wird von vielen geliebt."

## **2** „Glaubensbekenntnis"

**Q** Adolf Hitler! Dir sind wir allein verbunden! Wir wollen in dieser Stunde das Gelöbnis erneuern:

Wir glauben auf dieser Erde allein an Adolf Hitler.

Wir glauben, dass der Nationalsozialismus der allein selig machende Glaube für unser Volk ist.

Wir glauben, dass es einen Herrgott im Himmel gibt, der uns geschaffen hat, der uns führt, der uns lenkt und der uns sichtbarlich segnet.

Und wir glauben, dass dieser Herrgott uns Adolf Hitler gesandt hat, damit Deutschland für alle Ewigkeit ein Fundament werde.

Reichsleiter Dr. Robert Ley am 10. Februar 1937

(Aus dem „Schulungsbrief" der NSDAP, IV. Jahrgang, 4. Folge, 1937)

## **3** Der Historiker R. Schörken über die Persönlichkeit Hitlers

Wie kam es, dass das deutsche Volk einem Diktator derart zu Füßen lag? Die Antwort darauf lautet, dass Hitler von den meisten Deutschen nicht als Diktator ver-
5 standen wurde, sondern eben als der „Führer". Das war etwas anderes, scheinbar Moderneres und irgendwie Zukunftverheißendes. Der Gegenbegriff zu Führer war Volk, und der Führer wurde in
10 der nationalsozialistischen Ideologie als Verkörperung des Volkes verstanden, nicht also als ein vom Volk getrenntes Regierungsoberhaupt, das erst durch so umständliche Verfahren wie Wahlen be-
15 stimmt werden musste, sondern als etwas, das wesensgleich war. Der Führer „war" das zusammengefasste Volk, aus

---

Unsere Antwort auf diese Aussage ...

dessen Mitte er stammte. Dies war ein fast religiöser Gedanke, und fast religiös
20 war auch das Auftreten des Führers. Immer war Hitler darauf bedacht, sich als ein einfacher Mensch aus dem Volk darzustellen, ohne persönliche Bedürfnisse, schlicht in Kleidung und Essen, ohne Or-
25 densschmuck, aber in Uniform mit dem EK 1 geschmückt, das er sich als der „unbekannte Gefreite des Ersten Weltkriegs" erworben hatte.

„Ich bin vielleicht der einzige Staatsmann
30 der Welt, der kein Bankkonto besitzt. Ich habe keine Aktie, habe keinen Anteil an irgendeinem Unternehmen. Ich besitze keine Dividende", sagte Hitler in einer Ansprache vor Krupp-Arbeitern und
35 machte damit vermutlich mehr Eindruck auf die Zuhörer, als wenn er Wirtschaftsprogramme vorgetragen hätte.

Er achtete darauf, als ein Mensch zu erscheinen, der Tag und Nacht für Deutsch-
40 land arbeitet, ohne an sich selbst zu denken, der sogar auf Liebe und Ehe verzichtet, weil ihn das von seiner großen Aufgabe abhalten könnte. (Dass er mit Eva Braun liiert war, erfuhr die Öffent-
45 lichkeit buchstäblich erst am Tage seines Selbstmords.) In seinen Reden stellte er sich so dar, als habe er stets den „Herrgott" oder „den Allmächtigen" auf seiner Seite. Er pries das Gesunde, hob die deut-
50 sche Frau als Mutter in den Himmel, wetterte gegen verweichlichte Bürgersöhne und gegen kriegslüsterne Intellektuelle, rief zu körperlicher Ertüchtigung auf und gab zu allen möglichen Themen hausvä-
55 terliche Ratschläge. Das gefiel vielen Menschen, denn das waren sie von Politikern nicht gewöhnt. Auch die vielen Fotos mit dem Thema „Hitler und die Jugend" oder „Hitler und die Natur" trugen, obwohl
60 doch so leicht als Propagandakitsch zu

durchschauen, viel zu seiner Volkstümlichkeit bei.

Dies war aber nur die eine Seite seiner Selbstdarstellung. Gleichzeitig stellte er sich als eine Art Messias dar, als Retter, der dem deutschen Volk von der Vorsehung geschenkt war, um es vor dem Untergang zu bewahren. Sein politisches Auftreten pflegte er mit einer Gloriole zu umgeben, wie man es in Deutschland noch nie erlebt hatte. Hitler glaubte etwa seit 1935 selbst daran, diese einst von ihm selbst entworfene Figur des wahren Führers zu sein, für die er in den 20er-Jahren nur der Trommler und Verkünder sein

wollte. Man kann sagen, er wurde zum Opfer seiner eigenen Suggestion.

Insbesondere die Reichsparteitage, die die Macht und Geschlossenheit des Nationalsozialismus der ganzen Welt vor Augen führen sollten, wurden zu Musterbeispielen gewaltiger Massenveranstaltungen. Zum Ritual gehörten der Aufmarsch unübersehbarer Kolonnen von SA-Männern und HJ-Jungen und -Mädchen, ein Meer von Fahnen, Marschmusik, als Höhepunkt die Rede des Führers von einem über die gegliederten Massen hinausragenden Ort, und schließlich in der Nacht der „Lichtdom" der Flak-

scheinwerfer, der die Anwesenden zu einer riesigen Gemeinschaft zusammenzuschließen schien. Das war Propaganda, die nicht auf den Intellekt, sondern unmittelbar auf die Gefühle wirkte, und gerade darin erwiesen sich die Nationalsozialisten als Meister.

Wichtigste Klammer des Zusammenhaltes im Dritten Reich war der Führerglaube. Er behielt seine Kraft noch bis in das Kriegsende hinein und erwies sich bei vielen Menschen als erheblich stärker als jede nüchterne Einschätzung der Kriegslage.

(Rückspiegel, Bd. 4, Paderborn 1996, S. 128ff.)

M 4

„Bannerträger" (Gemälde von Hubert Lanzinger, Mitte der 30er-Jahre)

95

# Der schöne Schein des Friedens!

Das Beispiel der Olympiade soll einen Eindruck von der zivilen Normalität des Alltags gegen Ende der 30er-Jahre geben. Bei genauer Betrachtung findet sich aber nicht nur der Wunsch vieler Menschen nach einem geregelten Leben in Ruhe, Ordnung und Sicherheit, sondern auch das rauschhaft übersteigerte Gefühl, Teil eines ganz außerordentlichen Geschehens zu sein.

## Olympia 1936

Im Dritten Reich hatten jüdische Sportler keine Chance, sich für die Olympiade in Garmisch-Partenkirchen (Winter) und Berlin zu qualifizieren. Entweder waren sie aus den Vereinen ausgeschlossen worden oder man hatte sie zu den Ausscheidungskämpfen nicht zugelassen. Dies war allgemein bekannt, sodass mehrere Staaten, insbesondere die USA, ernsthaft erwogen, die Olympiade auf-grund der antisemitischen Politik im Dritten Reich zu boykottieren. Erst die Aufnahme der jüdischen Fechterin Helene Mayer in die deutsche Olympiamannschaft stoppte die Befürworter eines Boykotts der Sommerspiele.

### Der Ablauf der Spiele

Die Olympischen Spiele 1936 wurden zu einem großen, glanzvollen Ereignis und steigerten das Ansehen des Nationalsozialismus in der Welt. Zwei Wochen lang konnten sich mehr als 6000 Sportler, Offizielle und Journalisten aus aller Welt über eine perfekt organisierte Veranstaltung und sportlich faire Wettkämpfe freuen. Berlin zeigte sich von seiner gastfreundlichsten Seite. Es herrschte eine ungezwungene Atmosphäre der Freiheit und Weltoffenheit. Der britische „Observer" sprach von dem großartigsten Sportereignis, das die Welt je gesehen habe; der Präsident des Internationalen Olympischen Komitees, Graf de Baillet-Latour (Frankreich), urteilte: „In dieser herzlichen Feststimmung konnten die Olympischen Spiele 1936 in einem grandiosen Rahmen und in einer Atmosphäre allgemeiner Sympathie, die durch keine politischen Schwierigkeiten getrübt wurde, stattfinden".
Kritische Stimmen, ganz zu schweigen von Boykottüberlegungen, waren verstummt.
Einige Elemente der Berliner Olympiade haben sich bis heute gehalten. So etwa die pompösen Eröffnungs- und Schluss-feiern oder der Fackellauf, mit dem das olympische Feuer (zuvor im heiligen Hain von Olympia entzündet) in das Stadion getragen wird. Berlin veranstaltete auch die ersten Olympischen Spiele als Medienereignis. Der Rundfunk übertrug die Veranstaltungen fast ohne Pause und mit leichter Verzögerung erreichten auch die Wochenschaufilme in den Kinos alle Winkel des Reiches. Buchverlage gaben aufwendige Bildbände heraus und die Sammelalben, in denen großformatige Olympia-Bücher durch Bilder aus Zigarettenschachteln nach und nach selbst illustriert werden konnten, erreichten eine Auflage von über eine Million Exemplaren. Die Massen waren elektrisiert, zumal die deutschen Sportler überaus erfolgreich waren und in der Medaillenwertung noch weit vor den USA rangierten. Zum herausragenden Teilnehmer der Sommerspiele wurde jedoch der US-Amerikaner Jesse Owens, der vier Goldmedaillen errang. Von den deutschen Zuschauern wurde der stets gut gelaunte Athlet begeistert gefeiert, aber Hitler verweigerte den Händedruck: Zu deutlich widersprach Owens als Mensch mit schwarzer Hautfarbe dem Denken von der Überlegenheit der germanischen Rasse.

M 1

M 2

Lutz Long und Jesse Owens plaudern ein wenig in der Ruhepause beim Weitsprung.

Alle Abbildungen auf dieser Doppelseite sind aus dem Buch „Die Olympischen Spiele 1936" (= Cigaretten-Bilderdienst Hamburg).

## Der Fall Helene Mayer

470 deutsche Sportlerinnen und Sportler gehörten zum Olympia-Team. Nur die Fechterin Helene Mayer aus Offenbach war Jüdin. Helene Mayer war ein internationaler Sonderfall. Zum einen war sie prominent: Bei der Olympiade 1928 hatte sie die Goldmedaille gewonnen, 1931 und 1933 war sie Weltmeisterin geworden. Zum anderen lebte sie schon seit 1932 aus privaten Gründen in Kalifornien, weshalb ihr „Fall" in den USA großes Aufsehen erregte. Eine mögliche Nichtnominierung hätte vermutlich die Absage des US-Teams bedeutet. Hitler persönlich soll deshalb angeordnet haben, Helene Mayer in die deutsche Mannschaft aufzunehmen. Pikanterweise entsprach ihre äußere Erscheinung (sehr groß, lange blonde Haare, zum Zopf geflochten) genau dem Bild einer arischen Modellathletin. Sie selbst stufte sich als unpolitische Sportlerin ein, die unbedingt noch einmal eine Olympiamedaille gewinnen wollte. Nach den Spielen kehrte sie nicht wieder nach Deutschland zurück und nahm 1938 die amerikanische Staatsbürgerschaft an.

**M 4  Eine kritische Stimme**

Q Die Olympiade, die nun zu Ende geht, ist mir doppelt zuwider. Erstens als irrsinnige Überschätzung des Sports; die Ehre eines Volkes hängt davon ab, ob ein Volks-
5 genosse zehn Zentimeter höher springt als alle andern. Übrigens ist ein Neger aus den USA am allerhöchsten gesprungen, und die silberne Fechtmedaille für Deutschland hat die Jüdin Helene Meyer
10 gewonnen (ich weiß nicht, wo die größere Schamlosigkeit liegt, in ihrem Auftreten als Deutsche des Dritten Reichs oder darin, dass ihre Leistung für das Dritte Reich in Anspruch genommen wird). […] Und
15 zweitens ist mir die Olympiade so verhasst, weil sie nicht eine Sache des Sports ist – bei uns meine ich –, sondern ganz und gar ein politisches Unternehmen. „Deutsche Renaissance durch Hitler" las
20 ich neulich. Immerfort wird dem Volk und den Fremden eingetrichtert, dass man hier den Aufschwung, die Blüte, den neuen Geist, die Einigkeit, Festigkeit und Herrlichkeit, natürlich auch den fried-
25 lichen, die ganze Welt liebevoll umfassenden Geist des Dritten Reiches sehe. Die Sprechchöre sind (für die Dauer der Olympiade) verboten; Judenhetze, kriegerische Töne, alles Anrüchige ist aus den
30 Zeitungen verschwunden, bis zum 16. August, und ebenso lange hängen überall Tag und Nacht die Hakenkreuzfahnen. In englisch geschriebenen Artikeln werden „unsere Gäste" immer wieder darauf hin-
35 gewiesen, wie friedlich und freudig es bei uns zugehe […]

(Victor Klemperer, Tagebücher 1935/36, Berlin ³1999, S. 122f.)

Die Spiele von Berlin: eine Sportveranstaltung oder ein politisches Unternehmen? Urteile selbst.

**M 5**

Blick in eine festlich geschmückte Straße

**M 3**

Die Siegerinnen im Florettfechten bei der Ehrung im Olympiastadion: (von links) Ellen Preis – Österreich (3.), Ilona Elek-Schacherer – Ungarn (1.) und Helene Mayer – Deutschland (2.)

# Über Deutschlands Grenzen hinausgeschaut: Faschismus in Europa

### Deutschland steht nicht (ganz) allein in Europa

Sogar in alten Demokratien wie Frankreich, Großbritannien oder der Schweiz entstanden in den 30er-Jahren Gruppierungen, die mit dem NS-System sympathisierten und für ihre Länder ganz ähnliche Parteien gründeten.

Als im Zweiten Weltkrieg deutsche Truppen viele europäische Länder besetzten, konnte man fast überall auf Einheimische zurückgreifen, die mit der deutschen Besatzung zusammenarbeiten wollten – nicht weil sie gezwungen waren, sondern weil sie politisch ganz ähnlich dachten. In den Niederlanden, in Frankreich oder in Norwegen waren diese Formen der Kollaboration besonders ausgeprägt. Die überwiegende Mehrheit der Europäer und Amerikaner blieb gegenüber dem NS-Deutschland jedoch sehr skeptisch und befürchtete vor allem, dass ein wiedererstarktes Deutschland eine unberechenbare und aggressive Außenpolitik betreiben könnte. Deutschland wurde nicht als Partner oder gar als Freund gesehen, sondern als Land, vor dem man auf der Hut sein musste.

In einigen Ländern, etwa in Spanien, Portugal, Ungarn oder Rumänien, existierten in den 30er-Jahren Regierungssysteme, die viele Parallelen zum NS-Regime aufwiesen und als mögliche Partner und Bundesgenossen infrage kamen: Das Vorbild all dieser Regierungen war der italienische Faschismus unter dem Duce (= Führer) Benito Mussolini, mit dem Hitler 1936/37 die „Achse Rom-Berlin" bildete.

### Mussolinis Weg zur Macht

Viele Italiener hatten das Ende des Ersten Weltkrieges als große Enttäuschung empfunden: Obwohl Italien als Siegermacht galt, hatte man nur einen Teil der erhofften Gebiete zugesprochen bekommen (Südtirol); die heimkehrenden Soldaten litten unter Arbeitslosigkeit, die besitzlose Landbevölkerung hoffte vergeblich auf eine Landreform. Die vielfach enttäuschten Erwartungen führten zu Unruhen, Aufständen und alltäglicher Gewalt. In dieser wirren und unsicheren Nachkriegszeit gründete Mussolini, ein ehemaliger sozialistischer Politiker, Kampfbünde, die er unter dem Symbol der „Fasces" versammelte (Rutenbündel mit Beil = Zeichen der Amts- und Gerichtsgewalt im antiken Rom) und deshalb „Fascisti" nannte. Bei den Wahlen im Jahre 1919 waren die Faschisten wenig erfolgreich, aber innerhalb von nur drei Jahren gelang der Aufstieg zur stärksten politischen Kraft. Mithilfe der bürgerkriegsähnlichen Taktik der Gewaltanwendung, bei der Folter und Mord an der Tagesordnung waren, gingen uniformierte Stoßtrupps (Schwarzhemden) gegen die nach ihrer Meinung drohende sozialistische Revolution vor. Polizei und Behörden griffen nicht ein bzw. duldeten dieses Vorgehen. Als im Oktober 1922 die führenden Bankiers, Großgrundbesitzer und Industriellen dem italienischen König dazu rieten, Mussolini mit der Regierungsbildung zu beauftragen, hatte er sein Ziel erreicht. Für mehr als zwei Jahrzehnte bestimmte er als Duce (= Führer) die italienische Politik.

### Mussolini an der Macht

Innenpolitisch wurden die politischen Gegner verfolgt. Seit 1929 gab es keine Parteien mehr. Mussolini herrschte jedoch nicht unumschränkt, da die katholische Kirche, das Königshaus und auch das Militär den Einfluss nicht völlig verloren. Außenpolitisch wurde angestrebt, das Mittelmeer zu beherrschen und damit an das Römische Imperium der Antike anzuknüpfen, an dessen Größe sich der italienische Faschismus immer wieder orientierte. 1923 wurde Korfu besetzt, 1932 Libyen. Ende des Jahres 1935 nutzte Mussolini einen Vorwand, um Äthiopien anzugreifen und zu besetzen. Dass der Völkerbund Italien daraufhin ausschloss und wirtschaftliche Sanktionen verhängte (u.a. wurden die Rohstoffeinfuhren unterbunden), nahm Mussolini in Kauf. Triumphierend empfing er die heimkehrenden Soldaten als Beweis für die wiedererlangte Größe Italiens. Im Jahre 1939 wurde die aggressive Außenpolitik mit der Eroberung Albaniens fortgesetzt.

Bis heute findet man in Italien viele Bauten, die an die Zeit des Faschismus und

Benito Mussolini

den Duce erinnern: Für Mussolini war klar, dass die einmalige Größe seiner Herrschaft auch in der Architektur ihren sichtbaren Ausdruck finden musste. Anknüpfend an die Kunstwerke der Antike entstanden monumentale Denkmäler oder Triumphbögen. Zeit seines Lebens hat Adolf Hitler bewundert, mit welcher Rücksichtslosigkeit und Entschlossenheit Mussolini die Macht erobert, die Gegner verfolgt und in Italien, wie er sagte, „Ruhe und Ordnung" wiederhergestellt hat. Hitler hat die Strategie genau beobachtet und sich Mussolini in mancher Hinsicht zum Vorbild gemacht.

### Der spanische Bürgerkrieg (1936 – 1939)

Auch in Spanien setzte sich ein autoritäres System durch. Im Jahre 1936 erhob sich ein Teil der spanischen Armee unter dem späteren General Franco gegen die linksgerichtete, republikanische Regierung. Dieser Putsch führte zu einem grausamen Bürgerkrieg, der drei Jahre dauerte und dem 500 000 Menschen zum Opfer fielen. Es war ein Krieg der Weltanschauungen: Aufseiten der Nationalisten kämpften italienische und deutsche Soldaten, für die Republik kämpften auch Freiwillige aus mehreren Ländern in internationalen Brigaden – ausgerüstet mit Waffen aus der Sowjetunion. Auf beiden Seiten kam es zu unvorstellbaren Grausamkeiten, die Spanien bis heute belasten. Die sozialistischen Hochburgen im Baskenland und in Katalonien (Barcelona) leisteten den hartnäckigsten Widerstand gegen die, wie es nun allgemein hieß, Faschisten. Der Begriff Faschismus war zum Schlagwort geworden für alle Formen autoritärer Diktaturen. Nach dem militärischen Sieg im Jahre 1939 dankte Franco Hitler und Mussolini für die Unterstützung, vermied aber eine zu enge Anbindung und verfolgte bis zu seinem Tode im Jahre 1975 eine Politik der eigenen, spanischen Diktatur.

### Der Faschismus an der Macht

Am 28.9.1937 sagte Mussolini bei einer Rede in Berlin: „Wir haben viele Elemente unserer Weltanschauung gemeinsam". Hitler und Propagandaminister Goebbels sprachen von einer „gemeinsamen Richtung". Auch wenn die führenden Politiker den Nationalsozialismus nicht als „Faschismus" bezeichneten, kann man den Nationalsozialismus als eine Variante des Faschismus betrachten. Alle faschistischen Regime besitzen folgende Gemeinsamkeiten:

> Sie sind radikal nationalistisch (und betonen die Vorzüge, meistens sogar die Überlegenheit des eigenen Volkes).

> Sie bekämpfen den Kommunismus und den Sozialismus der Marxisten auf der einen Seite und die liberale Demokratie auf der anderen Seite.

> Sie betreiben eine aggressive, auf den Zugewinn von Territorien zielende Außenpolitik.

> Sie treten für eine Militarisierung des gesamten Lebens ein (nicht die Diskussion und der Konflikt, sondern Befehl und Gehorsam sollten das Zusammenleben leiten; ein Mann hatte kriegerisch zu sein und bereit, sich für das Vaterland zu opfern).

> Sie besitzen an der Spitze einen für unfehlbar erklärten, geradezu religiös verehrten Führer. Unterschiedlich ausgeprägt war der Antisemitismus; in Deutschland und in Osteuropa spielte er eine große Rolle, in Italien gab es ihn fast nicht.

Generalissimus Franco

# Der Zweite Weltkrieg (1939–1945)

## Info  Das Kriegsgeschehen im Überblick

Die Erweiterung des deutschen Machtbereichs von 1935 bis zum Kriegsbeginn

Versuche die wichtigsten Informationen zusammenzustellen (S. 100–103).
Die Zwischenüberschriften helfen bei der Auswahl.

**Der Zweite Weltkrieg: Überblick**

| Datum | Schauplatz | Ereignis |
|-------|------------|----------|
|       |            |          |

### Der Weg in den Krieg

Spätestens seit dem Jahre 1936 wurden massive Vorbereitungen für den Krieg getroffen. In einer Denkschrift zum Vierjahresplan hatte Hitler unmissverständlich gefordert, die deutsche Wirtschaft müsse in vier Jahren kriegsfähig sein. Generäle der Wehrmacht, die auf militärische Risiken einer osteuropäischen Expansion hinwiesen, wurden kurzerhand abgesetzt. Der erfolgreiche Anschluss Österreichs (März 1938) bestärkte Hitler in dem Entschluss, die Ausdehnung nach Osten mit der Zerschlagung der Tschechoslowakei einzuleiten. Immer wieder hatte er die Zustände im Sudetengebiet als unerträglich bezeichnet: Der Versailler Vertrag hatte das überwiegend von Deutschen bewohnte Sudetengebiet der Tschechoslowakei zugesprochen. Öffentlich setzte er den Termin zum Einmarsch auf den 1. 10. 1938 fest. Die Welt hielt den Atem an: Würde es Krieg geben? Ein Einmarsch hätte die Bestimmungen des Versailler Vertrages eklatant verletzt; England und Frankreich hätten militärisch antworten müssen. In fast letzter Sekunde wurde die Gefahr abgewendet: Auf einer eilig einberufenen Konferenz in München erhielt Deutschland von England, Frankreich und Italien das Sudetengebiet zugesprochen (29. 9. 1938). Franzosen und Briten hofften, den Frieden durch eine Politik des Entgegenkommens (Appeasement) zu bewahren. Man glaubte dem Versprechen Hitlers, dass es keine weiteren territorialen Forderungen gebe, wenn die Sudeten „heim ins Reich" geholt worden seien. Als am 30. 9. der britische Premierminister Chamberlain und Hitler einen deutsch-britischen Nichtangriffspakt unterzeichneten, bestärkte dies weite Teile der Öffentlichkeit in dem Glauben, der Frieden sei gesichert.

Die Wertlosigkeit des Münchener Abkommens wurde am 15. 3. 1939 deutlich. Deutsche Truppen marschierten in die sogenannte Rest-Tschechei ein und erklärten die fast ausschließlich von Tschechen bewohnten Gebiete zum Protektorat (= Schutzgebiet) Böhmen und Mähren. Dieser Verstoß gegen alle internationalen Verträge machte klar: Hitlers Bekenntnisse, das Selbstbestimmungsrecht der Völker „zu heiligen" und nur Ungerechtigkeiten des Versailler Vertrages überwinden zu wollen, waren rein taktischer Art gewesen. Er machte Ernst mit seiner Idee einer Lebensraumpolitik.

### Der Krieg bricht aus

England und Frankreich reagierten diesmal schnell: Gemeinsam gaben sie Garantieerklärungen für den Bestand anderer europäischer Staaten (u. a. für Polen) ab und forcierten die eigene Aufrüstung. In dieser gespannten Atmosphäre allgemeiner Kriegserwartung überraschte die Nachricht von einem Nichtangriffspakt zwischen Deutschland und der Sowjetunion (23. 8. 1939). Kommunisten und Nationalsozialisten galten als ideologische Todfeinde – und jetzt einigten sie sich! Auch ohne Kenntnis des geheimen Zusatzprotokolls, in dem die beiden Großmächte Osteuropa untereinander aufteilten, war der Weltöffentlichkeit klar: Ein Krieg ließ sich nicht mehr vermeiden. Unter dem Vorwand, Polen hätten den schlesischen Radiosender in Gleiwitz angegriffen, ließ Hitler am 1.9.1939 deutsche Truppen in Polen einmarschieren. Dies war der Beginn des Zweiten Weltkrieges in Europa. Zur Verblüffung Hitlers („Unsere Gegner sind kleine Würmchen. Ich sah sie in München.") erklärten Frankreich und Großbritannien am 3.9. den Krieg. Italien unterstützte die deutsche Seite („Achsenmächte"). Die meisten europäischen Länder und auch die USA verhielten sich neutral.

Titelblatt „Die Wehrmacht", November 1941. Originaltext: „1 000 von 657 948! In der Doppelschlacht von Brjansk und Wjasma wurden nach dem OKW-Bericht vom 19. Oktober 657 948 Gefangene gemacht. Unser Bild zeigt den Abtransport von Gefangenen aus Auffanglagern."

## Deutsche Anfangserfolge

In den ersten Kriegsjahren errangen die deutschen Truppen viele Siege. In sogenannten „Blitzkriegen" konnten große Teile Europas besetzt werden. Die Kampfhandlungen im Osten (Polen), Norden (Dänemark, Norwegen) oder im Westen (Niederlande, Belgien, Frankreich) dauerten jeweils nur wenige Wochen. Dann konnte die deutsche Propaganda melden: „Der Feind wurde vernichtend geschlagen". Große Teile der deutschen Bevölkerung waren vom Kriegsgeschehen nicht unmittelbar betroffen. Luftangriffe alliierter Bomberverbände waren noch recht selten, die Heimatfront blieb weitgehend ruhig. Hitler ließ sich als größter Feldherr aller Zeiten feiern, zumal auch im Mittelmeerraum, in Nordafrika und auf dem Balkan deutsche Truppen Erfolge errangen. Am 22. 6. 1941 überfielen deutsche Truppen die Sowjetunion: trotz Nichtangriffspakt und Freundschaftsvertrag. Auch hier gab es große Anfangserfolge; dass der deutsche Vormarsch auf Moskau im russischen Winter 1941/42 gestoppt wurde, konnte die deutsche Siegeszuversicht kaum trüben: Im Jahre 1942 erstreckte sich der deutsche Machtbereich vom Nordkap bis nach Afrika, vom Atlantik bis zur Wolga.

Diese Raumgewinne waren so beeindruckend, dass viele Zeitgenossen eine ganz entscheidende Entwicklung kaum wahrnahmen: Der japanische Luftangriff auf die US-Flotte im Hafen von Pearl Harbor (7.12.1941) eröffnete den Krieg im Pazifik und bewog die Amerikaner, ihre offizielle Neutralität aufzugeben. Hitler erklärte den USA am 11.12.1941 den Krieg. Bis auf wenige Länder war nun die ganze Welt in diesen Krieg einbezogen. Die Achsenmächte Deutschland, Italien und Japan sahen sich Alliierten gegenüber, die immer mehr die Initiative gewinnen sollten. Großbritannien und die Sowjetunion waren nicht besiegt worden, überall in den besetzten Gebieten kämpften Befreiungsbewegungen und Partisanen. Die USA unterstützten die Alliierten mit dem riesengroßen wirtschaftlichen und militärischen Potenzial einer Supermacht.

Kriegsschauplatz Europa: August 1939

Mai 1941

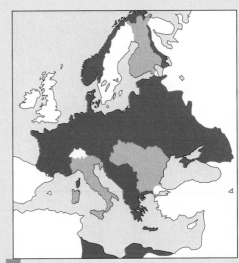

1942: Größte Ausdehnung der Achsenmächte Deutschland und Italien

# Info

## Unvergessene Verbrechen

Die Lebensraumpolitik des Nationalsozialismus zielte von Anfang an auf den Osten. Dort sollte ein großgermanisches Reich errichtet werden. Der „Generalplan Ost", den hunderte deutscher Beamter detailliert ausgearbeitet hatten, sah eine gigantische Verschiebung von Menschen vor: Die slawische Bevölkerung in den Ostgebieten sollte vertrieben werden und deutsche „Wehrbauern" sollten die Äcker bewirtschaften, um die Ernährungsgrundlage für die deutsche „Herrenrasse" zu sichern.

Zuhörer der Goebbels-Rede „Wollt ihr den totalen Krieg?" (Berliner Sportpalast, 18. Februar 1943)

Menschenleben spielten in diesen Überlegungen keine Rolle. Der Krieg im Osten war vom ersten Tag an auch ein Vernichtungskrieg gegen das „jüdisch-bolschewistische System". Schon am 10. 10. 1941 befahl Generalfeldmarschall von Reichenau als Oberbefehlshaber der 6. Armee seinen Soldaten die „erbarmungslose Ausrottung", um „das deutsche Volk von der asiatisch-jüdischen Gefahr ein für alle Mal zu befreien". Soldaten der Waffen-SS, aber auch der Wehrmacht töteten Zivilisten und Kriegsgefangene, rekrutierten Zwangsarbeiter und raubten kleine Kinder, die „arisch" aussahen, um sie in Deutschland aufziehen zu lassen. Die grauenhaften Erfahrungen sind in der Bevölkerung Osteuropas bis heute unvergessen.

## Totaler Krieg

Als deutliche Wende des Krieges gilt heute die Schlacht um Stalingrad, wo nach monatelangen Kämpfen große Teile der deutschen Armee kapitulieren mussten (2. 2. 1943). Fast zeitgleich gerieten auch die Soldaten des deutschen Afrika-Korps in britische Gefangenschaft, wodurch die „Südflanke" offen wurde. Der Mythos von der unbesiegbaren deutschen Armee war gebrochen.

Propagandaminister Joseph Goebbels hielt im Berliner Sportpalast eine geschickt inszenierte Rede, bei der die Zuhörer ihm zujubelten und seine Frage: „Wollt ihr den totalen Krieg? Wollt ihr ihn, wenn nötig, totaler und radikaler, als wir ihn uns heute überhaupt vorstellen können?" mit Beifallsstürmen bejahten.

In wirtschaftlicher Hinsicht bedeutete totaler Krieg, dass alle verfügbaren Kräfte der Waffenproduktion dienten. In neuen, teilweise unterirdisch angelegten Fabriken wurden kriegswichtige Geräte hergestellt. Alle waffenfähigen Männer zwischen 16 und 60 gehörten zum „Volkssturm"; sie wurden schnell ausgebildet, schlecht bewaffnet und an die Front geschickt. Die 14-Jährigen halfen bei der Flakabwehr oder bei Schanzarbeiten. Die Mädchen und Frauen arbeiteten im Sani-

Ein deutsches Plakat aus dem Jahre 1943

tätsdienst und zunehmend auch in Fabriken. In der Zeit der Blitzkriege waren viele Männer nach kurzen Wochen an der Front wieder an ihre Arbeitsplätze zurückgekehrt. Weil seit 1942 die Kriegshandlungen ununterbrochen bestanden, mussten die Frauen ihre Männer an der „Heimatfront" ersetzen – obwohl die weibliche Fabrikarbeit dem Frauenbild der NS-Ideologie völlig widersprach. Der Großteil der Arbeitskräfte wurde jedoch durch „Fremdarbeiter" gedeckt, die zum Arbeitseinsatz in Deutschland gezwungen wurden. Im Sommer 1944 arbeiteten 7,6 Millionen Männer und Frauen aus den „besiegten Gebieten", um die deutsche Kriegswirtschaft in Gang zu halten. Fast alle lebten in Baracken, bei schlechter Verpflegung und ohne Lohn.

Totaler Krieg bedeutete auch die ständige Gefahr von Luftangriffen. Mindestens 700 000 Zivilisten wurden bei diesen Angriffen getötet.

## Kriegsende

Die Anstrengungen für den totalen Krieg verhinderten nicht, dass sich Niederlage an Niederlage reihte. An allen Fronten rückten die Alliierten vor: von Osten die „Rote Armee", von Westen und Süden die Streitkräfte Englands und der USA, unterstützt von Divisionen aus Frankreich und vielen anderen Ländern. Deutschland wurde zunehmend zum Schauplatz der Kriegshandlungen. Fast täglich flogen die alliierten Bomber Luftangriffe. Die Taktik des Flächenbombardements führte zur Zerstörung vieler deutscher Städte. Aus dem Osten flohen etwa 7,5 Millionen Menschen: um dem Krieg zu entgehen und auch aus Angst vor der Rache der Roten Armee. Zu Fuß oder mit einfachen Pferdekarren versuchten sie ihr Leben zu retten.

Im Mai 1945 kapitulierten die deutschen Truppen. Hitler hatte sich in seinem Führungsbunker in Berlin selbst getötet (30.4.1945).

---

2.2.1943: Kapitulation Stalingrads

10.7.1943: Alliierte Truppen landen auf Sizilien.

25.7.1943: Die Italiener stürzen Mussolini.

Sep./Okt. 1943: Waffenstillstand Italiens mit den Alliierten; Italien erklärt dem einstigen Verbündeten Deutschland den Krieg.

6.6.1944: Invasion der Westalliierten in der Normandie (Frankreich)

1944/1945 Jahreswende: Die Alliierten stehen im Osten und Westen an den alten Reichsgrenzen.

März 1945: Westalliierte überschreiten den Rhein.

8.5.1945: Kapitulation der deutschen Wehrmacht

---

### Die Toten des Zweiten Weltkrieges

|  | Soldaten | Zivilbevölkerung |
|---|---|---|
| Deutsches Reich | 3 760 000 | 1 654 000[1] |
| Volksdeutsche | 432 000 | 1 020 000[2] |
| Österreich | 230 000 | 104 000 |
| Sowjetunion | 13 600 000 | 7 000 000 |
| Frankreich | 340 000 | 470 000 |
| Großbritannien | 326 000 | 60 000 |
| Italien | 330 000 | 80 000 |
| Niederlande | 12 000 | 198 000 |
| Polen | 320 000 | 4 200 000 |
| Jugoslawien | 410 000 | 1 280 000 |
| USA | 259 000 | – |
| Japan | 1 200 000 | 600 000 |

[1] davon 1,2 Millionen bei Flucht und Vertreibung

[2] Verluste bei Flucht und Vertreibung 1944–46

(Zahlen zusammengestellt nach verschiedenen Quellen. Nach anderen Schätzungen liegen die Verluste höher.)

---

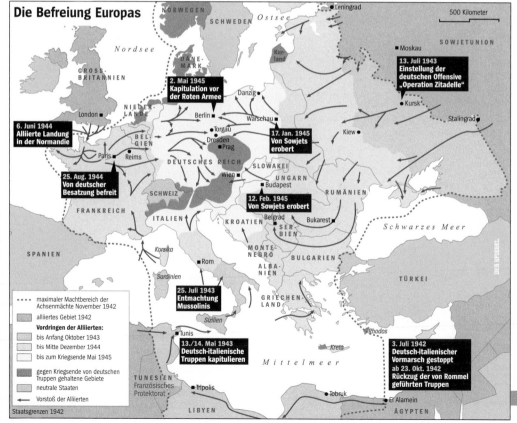

**Die Befreiung Europas**

500 Kilometer

13. Juli 1943 Einstellung der deutschen Offensive „Operation Zitadelle"

2. Mai 1945 Kapitulation vor der Roten Armee

6. Juni 1944 Alliierte Landung in der Normandie

17. Jan. 1945 Von Sowjets erobert

25. Aug. 1944 Von deutscher Besatzung befreit

12. Feb. 1945 Von Sowjets erobert

25. Juli 1943 Entmachtung Mussolinis

13./14. Mai 1943 Deutsch-italienische Truppen kapitulieren

3. Juli 1942 Deutsch-italienischer Vormarsch gestoppt ab 23. Okt. 1942 Rückzug der von Rommel geführten Truppen

Legende:
- - - - maximaler Machtbereich der Achsenmächte November 1942
alliiertes Gebiet 1942
**Vordringen der Alliierten:**
bis Anfang Oktober 1943
bis Mitte Dezember 1944
bis zum Kriegsende Mai 1945
gegen Kriegsende von deutschen Truppen gehaltene Gebiete
neutrale Staaten
→ Vorstoß der Alliierten
Staatsgrenzen 1942

Kartenbeschriftungen: NORWEGEN, SCHWEDEN, Ostsee, Leningrad, Moskau, SOWJETUNION, Nordsee, Kurland, GROSS-BRITANNIEN, DÄNEMARK, London, NIEDERLANDE, Danzig, Berlin, Warschau, Kursk, Stalingrad, BELGIEN, Torgau, Dresden, Prag, Kiew, Paris, Reims, DEUTSCHES REICH, SLOWAKEI, Wien, UNGARN, Budapest, RUMÄNIEN, SCHWEIZ, ITALIEN, KROATIEN, Belgrad, Bukarest, SERBIEN, Schwarzes Meer, SPANIEN, Korsika, MONTENEGRO, BULGARIEN, ALBANIEN, TÜRKEI, Rom, Sardinien, GRIECHENLAND, Sizilien, Tunis, Rhodos, Kreta, Mittelmeer, TUNESIEN Französisches Protektorat, Tripolis, Tobruk, El Alamein, LIBYEN, ÄGYPTEN

Der Zweite Weltkrieg 1942/1943–1945

---

### Der Krieg im Pazifik

Seit 1932 hatten die Japaner Krieg in Ostasien geführt und die gesamte Region unter ihre Vorherrschaft gebracht. Um die Japaner zum Ende des Kampfes zu zwingen, hatten die USA ein Rohstoffembargo verhängt, was das rohstoffarme Japan als Existenzbedrohung interpretierte. Deshalb erfolgte der Angriff auf den US-Flottenstützpunkt Pearl Harbor (Hawaii). In verlustreichen Kämpfen eroberten die US-Truppen die von Japan besetzten Inseln schrittweise zurück.

Erst nach dem Abwurf der beiden Atombomben auf Hiroshima und Nagasaki kapitulierte Japan (2.9.1945).

# Menschen im Krieg

Die Materialien auf den folgenden Doppelseiten dokumentieren in Text oder Bild Situationen, die Menschen im Krieg zu einem ganz bestimmten Zeitpunkt erlebt haben. Wenige Stunden zuvor haben die Menschen vielleicht gelacht, Karten gespielt, gefrühstückt oder auch gekämpft. Wenige Stunden später könnten sie, d.h. die Verfasser der Texte oder die Fotografen, selbst zum Opfer des Krieges geworden sein, über den sie sich gerade vorher noch geäußert haben.

Diesen dramatischen menschlichen Schicksalen wird eine nüchterne Analyse kaum gerecht. Deshalb verstehen sich die wenigen Arbeitsaufträge eher als Anregung für ein Gespräch über die Materialien bzw. die Schrecken des Krieges.

## Schauplatz Stalingrad
## (Winter 1942/43)

**M 1**

Foto 1943: Tote deutsche Soldaten in Stalingrad. Es ist unbekannt, ob diese „Sammelstelle" von deutschen oder russischen Soldaten angelegt wurde.

*Ich finde Bilder und Texte einfach schockierend …*

*Ich möchte etwas zu dem Bomberpiloten sagen.*

**M 2** **Feldpostbrief eines jungen deutschen Soldaten aus Stalingrad**

Meine Lieben!          31. Dezember 1942

Jetzt ist Silvesterabend und wenn ich an zu Hause denke, dann will mir fast das Herz brechen. Wie ist das alles hier trost-
5 und hoffnungslos. Seit 4 Tagen habe ich schon kein Brot mehr zu essen und lebe nur von dem Schlag Mittagssuppe. Morgens und abends einen Schluck Kaffee und alle 2 Tage 100 g Büchsenfleisch od.
10 1/2 Büchse Ölsardinen od. etwas Tubenkäse. – Hunger, Hunger, Hunger, und dann Läuse und Schmutz. Tag und Nacht werden wir von Fliegern angegriffen, und das Art.[illerie]-Feuer schweigt fast
15 nie. Wenn nicht in absehbarer Zeit ein Wunder geschieht, gehe ich hier zugrunde. – Schlimm ist nur, dass ich weiß, dass von euch ein 2-kg-Paket mit Kuchen und Marmelade unterwegs ist. Ich muss nun
20 ständig daran denken, ja bekomme Wahnvorstellungen, dass diese Sachen mich nie erreichen werden. Obwohl ich erschöpft bin, kann ich nachts nicht schlafen, sondern träume mit offenen Augen
25 immerzu von Kuchen, Kuchen, Kuchen. Manchmal bete ich, und manchmal fluche ich über mein Schicksal. Dabei ist alles sinn- und zwecklos. Wann und wie kommt die Erlösung? Ist es der Tod durch
30 eine Bombe od. Granate? Ist es Krankheit und Siechtum? Alle diese Fragen beschäftigen uns unauslässlich. Dazu kommt die ständige Sehnsucht nach zu Hause, und das Heimweh wird zur Krankheit. Wie
35 kann ein Mensch dies bloß alles ertragen! Sind alle diese Leiden eine Strafe Gottes? – Meine Lieben, ich dürfte euch dies alles ja gar nicht schreiben […]. Wenn man mich wegen dieses Briefes vors Kriegsge-
40 richt stellt und erschießt, so möchte ich glauben, wäre es für den Körper eine Wohltat. – Ich bin ohne Hoffnung, und ich bitte euch, weint nicht zu sehr, wenn ihr die Nachricht bekommt, dass ich nicht
45 mehr bin. Seid gut und lieb zueinander, dankt Gott für jeden Tag, der euch beiden beschieden wird, denn zu Hause ist das Leben süß.

In herzlicher Liebe euer Bruno

(Zit. nach: Walter Kempowski, Das Echolot, Bd. 1, München 1993, S. 34 ff.)

# Schauplatz Coventry – ein Luftangriff (14./15.11.1940)

## M 3 Aus dem Tagebuch eines deutschen Bomberpiloten

**Q** Es geht heute Nacht nach Coventry. Meine Startminute ist für 20.15 Uhr festgesetzt. Schönster Mondschein und fabelhafte Wolken machen den Nachtflug zu
5 einem besonderen Genuss. Es soll heute der größte Nachtangriff gegen ein Ziel in England sein, der jemals geflogen wurde. […] In Zielnähe verdichten sich das gezielte Flakfeuer und der Einsatz der tau-
10 senden von Scheinwerfern in einer Weise, wie ich es nicht einmal von London her kenne. Endlos lange erscheint mir der Anflug durch diese Hölle. Immer häufiger muss ich Abwehrbewegungen fliegen.
15 Was wir aber am Ziel erleben, übersteigt alles, was man sich in der Fantasie ausmalen kann. Die ganze Stadt scheint zu brennen. Und wir sind erst der Anfang, hinter uns folgen ja noch viele Flugzeuge. Ich ge-
20 he im Gleitflug mit gedrosselten Motoren in die Richtung auf meinen Zielraum am Rande der Stadt. Unten erkennen wir bereits Einzelheiten brennender Straßenzüge und große Flächenbrände. Da erfasst
25 mich die Flak und zwingt mich erneut zum Abdrehen. Ich warte nun ab, bis sich das Feuer auf eine andere Maschine konzentriert, und benütze diesen Augenblick, um steil nach unten und mit hoher Fahrt
30 meinen Auslösepunkt anzufliegen. Mein Flugweg führt mich dabei noch einmal mitten über die brennende Stadt. Als ich meine Minen genau am festgelegten Punkt auslöse, bin ich gerade noch 2000
35 Meter hoch. Wir befinden uns in einem nie erlebten Inferno. Unter uns ist rote Feuersglut, aus der eine Rauchwolke hochsteigt, welche den Luftraum zu einem Feuerball macht, weil sie durch den
40 Feuerschein gleichsam zum Glühen gebracht wird. Es blitzt unten und oben und rundherum von Bombeneinschlägen, Flakabschüssen und Flakdetonationen. Wir fliegen mitten durch die Hölle! Wir verlie-
45 ren jedes Gefühl für Zeit und Raum. Noch eine große Runde fliege ich um das grausige Schauspiel, ehe ich abdrehe. […] Zu Hause auf dem Gefechtsstand ist unter

den zurückgekehrten Besatzungen eine
50 tolle Stimmung. Einmal natürlich deswegen, weil ein jeder froh ist, heil davongekommen zu sein, zum andern aber auch, weil wir Anteil hatten an einem unvorstellbaren Ereignis. Zwei Besatzungen
55 werden vermisst.

(Zit. nach: P. W. Stahl, Kampfflieger zwischen Eismeer und Sahara, Stuttgart 1974 (Neuauflage), S. 67)

## M 4 Brief von Mrs. Chifney, die sich in der Nacht des Luftangriffs in einem Tanzsaal in Coventry aufhielt:

**Q** Der Luftschutzwart versuchte uns alle aus dem Gebäude herauszubekommen, das hell erleuchtet war, aber als wir nach
5 draußen kamen, schien jedes Gebäude zu brennen und in der Entfernung erleuchteten die Flammen die Kathedrale. Ich war wie versteinert und unfähig, mich zu bewegen. Ein Luftschutzwart riss mich zu
10 Boden, als das Heulen einer anderen Bombe zu hören war, aber dann ließ er mich los und rannte zu einer Frau, deren Kleidung Feuer gefangen hatte. Er rollte sie auf dem Boden hin und her, um die
15 Flammen zu ersticken, und schleppte sie in einen Luftschutzraum. Ich schaute mich um, ob ich vielleicht eines der Mädchen sehen könnte, mit denen ich gekommen war, aber es fielen immer mehr Bom-
20 ben und ich brauchte irgendeinen Ort, wo ich geschützt war. […] Ich hörte das Heu-

len einer anderen Bombe, warf mich hinter eine kleine Erhebung und hielt mir die Ohren zu gegen den Knall. Ich weiß nicht, wie lange ich dort so verharrte, es schien
25 eine Ewigkeit […]. Ich überlegte, in welcher Richtung der Bahnhof wohl lag. Vielleicht könnte ich dort ins Untergeschoss gelangen. So stand ich auf, ging los und lief dann in die Richtung des Bahnhofs.
30 Als ich aufsah, sah ich im hellen Mondlicht einen Fallschirm mit etwas daran, das aussah wie ein Mülleimer. So suchte ich einen neuen Schutzwall, um mich zu schützen. Ich lag da, hielt meine Ohren zu
35 und wartete, aber es explodierte nichts und so versuchte ich erneut zum Bahnhof zu kommen. […] Dann sah ich die Eisenbahnbrücke und zum zweiten Mal in der Nacht wurde ich zu Boden gerissen,
40 dieses Mal von einem Feuerwehrmann. Er sagte etwas, zeigte zur Eisenbahntrasse, und was dort hing wie ein Kronleuchter, war die Bombe. Der Fallschirm hatte sich an der Brücke verfangen. Den Rest
45 der Nacht verbrachte ich nass, kalt und zu Tode erschrocken in dem Kohlenkeller eines Hauses. Dort waren mehrere andere Personen. Eine arme Frau war wahnsinnig geworden. Sie schrie immerzu und
50 versuchte den Raum zu verlassen, denn ihr Sohn sei in der Stadt. Es war unfassbar. Wie ich nach Hause kam, weiß ich nicht mehr. […] Ich brach zusammen und weinte mich in den Schlaf.

(Imperial War Museum, London, 85/48/1, übers. v. U. Bröhenhorst)

## M 5

Coventry nach der deutschen
Bombardierung (14./15. 11. 1940)

# Kriegsalltag

Die Fotografien stammen alle aus dem Zweiten Weltkrieg. Die näheren Informationen über Ort, Umstände, Anlass usw. sind auf das Notwendigste beschränkt.

Wählt ein Bild aus und beschreibt die Situation aus dem Blickwinkel einer der dargestellten Personen. Als Einstieg ist es oft hilfreich, sich vorzustellen, wie man eine Sprechblase ausfüllen könnte.

**M 3**

Londoner Kinder suchen in einem Splittergraben Schutz (Oktober 1940).

**M 1**

Tote Mutter und ihr Kind (Foto eines deutschen Soldaten, Russland 1941)

**M 4**

„Überlebt", nach einem Luftangriff in Mannheim (1943)

**M 2**

Deutscher Frontsoldat im Heimaturlaub (Fotografie um 1944)

106

**M 5**

Kondomari auf Kreta (2.6.1941): Nach einem Attentat auf deutsche Soldaten werden die männlichen Bewohner der Ortschaft Kondomari zusammengetrieben (links) und in einem Olivenhain erschossen (rechts).

**M 6**

Hitler zeichnet 14- und 15-jährige Jungen für ihren Kampfeinsatz mit dem Eisernen Kreuz aus (Ende April 1945).

**M 7**

Fotografie eines deutschen Offiziers (10.9.1941). Handschriftliche Bemerkung auf der Rückseite: „Frisch gefangene Russen vom Dnjepr"

**M 8**

Hitler erfährt, dass Paris eingenommen wurde – und triumphiert (1940).

# Projekt:
## Zweiter Weltkrieg

### Projektvorschlag 1:
### Wie erlebten die Menschen den Krieg in meiner Stadt? – Wir suchen Informationen im Archiv

Auf den vorherigen Seiten habt ihr einiges über den Verlauf des Krieges erfahren. Ihr habt Eindrücke gesammelt, welche Auswirkungen der Krieg auf Menschen in verschiedenen Lebenssituationen hatte. Nicht nur die Soldaten erlebten Tod und Angst, in allen Teilen Deutschlands litt die Bevölkerung – auch in eurer Heimatstadt. Wie und wo lässt sich zuverlässig dazu etwas in Erfahrung bringen?

Neben Zeitzeugen, die als Zeugen der Vergangenheit anschaulich ihre persönlichen Erlebnisse schildern können, werden in Archiven interessante Schriftstücke und Dokumente aufbewahrt, die als historische Quellen darüber „erzählen", wie Menschen in einer bestimmten Zeitepoche oder historischen Situation gelebt haben. Natürlich nur, wenn man die Quellen fachgerecht erschließt. Nahezu überall gibt es Stadt- oder Kommunalarchive. Hier könnt ihr nach Zeugnissen und Spuren suchen und herausfinden, wie der Krieg in eurer Heimatstadt und -region zu spüren war. Im Archiv findet ihr Akten, auch Berichte von Zeitzeugen und vor allem die damals erschienenen Zeitungen aus eurer Heimatstadt. Ihr merkt schon an der Aufzählung, dass es in solchen Archiven eine Fülle von Material gibt. Daher ist eine sorgfältige Vorbereitung des Archivbesuchs besonders wichtig – sowohl organisatorisch als auch inhaltlich. Hinweise, wie ihr vorgehen könnt, um in eurem Stadtarchiv erfolgreich zu recherchieren, findet ihr in der Methodenbox zur Archivarbeit.

# Methodenbox
## Archivarbeit

| | |
|---|---|
| **1. Schritt:**<br>**Inhaltliche Vorbereitung** | Um genaue Ergebnisse zu erzielen, müsst ihr euch die folgenden Fragen stellen:<br>• Was sind unsere erkenntnisleitenden Fragestellungen?<br>• Was erwarten/erhoffen wir zu finden (Hypothesenbildung)?<br>• Wie wollen wir unsere Ergebnisse darstellen? |
| **Organisatorische Vorbereitung** | • Das Archiv kennenlernen (Führung durchs Archiv, Beratung durch Archivpädagogen oder Mitarbeiter).<br>• Sich informieren über Öffnungszeiten, Nutzungsbedingungen, Sperrfristen (Akten/Personendaten).<br>• Checkliste Zeitplanung erstellen: Zeitrahmen insgesamt, Zeitrahmen für Recherche, Auswertung und Präsentation. |
| **2. Schritt:**<br>**Suchen und Lesen im Archiv** | • In Findbüchern oder thematisch sortierter Kartei nach Material suchen, Signaturen notieren, bestellen.<br>• Informationen sammeln: Kopieren (gut erhaltenes Material, Zeitungen), Exzerpieren oder Abschrift erstellen (bei älterem Material).<br>• Dabei müsst ihr immer die Fragestellung im Auge behalten, denn das Material ist nicht vorstrukturiert wie in euren Geschichtslehrbüchern.<br>• **Wichtig:** Notiert euch immer sofort alle wichtigen Angaben über eure Fundstücke: Signatur, Titel, Verfasser, Erstellungsdatum, Adressat. |
| **3. Schritt:**<br>**Auswerten und Darstellen der Ergebnisse** | • Sichtung der Kopien, Exzerpte und Abschriften.<br>• Welche gesicherten Ergebnisse in Bezug auf die Fragestellung könnt ihr formulieren? Wer ist der Autor? Welche Absicht verfolgt er mit seinem Bericht?<br>• Benötigt ihr noch weitere Hintergrundinformationen aus Büchern?<br>• **Tipp!** In vielen Städten gibt es Heimat- und Geschichtsvereine, die eigene Zeitschriften herausgeben. Die sind häufig eine gute Ergänzung des von euch gefundenen Materials.<br>• Vorher festgelegte Art der Präsentation erstellen (Poster, Wandzeitung, Ausstellung, Vortrag, …). |

## Projektvorschlag 2:
## Zweiter Weltkrieg – Was verbinden junge Menschen in europäischen Ländern mit diesem Schlagwort?

Überall in Europa beschäftigen sich junge Menschen im Geschichtsunterricht mit dem Zweiten Weltkrieg. Der Kriegsausbruch im Jahre 1939, die Schlacht von Stalingrad, die Landung der Alliierten in der Normandie und natürlich auch das Kriegsende vom Mai 1945 werden in allen Ländern angesprochen. Hinzu aber treten Ereignisse und Personennamen, die in Deutschland nahezu unbekannt sind, für die jeweiligen Länder aber eine sehr große Bedeutung haben. Dies gilt etwa für die britische Stadt Coventry, die in Großbritannien bis heute als Symbol für die Schrecken eines Luftangriffs steht (vgl. S. 105). Fast alle französischen Jungen und Mädchen kennen den Ortsnamen Oradour, die spanischen Jugendlichen wissen, was Guernica bedeutet, in den Niederlanden werden die Wörter Rotterdam und Zweiter Weltkrieg in einem Atemzug genannt. In Deutschland fällt immer wieder der Name Dresden, wenn es um die Schrecken des Krieges geht.

1. Wähle einen Ortsnamen aus und informiere deine Mitschülerinnen und Mitschüler
   – über die Ereignisse: Was ist an diesem Ort geschehen?
   – über die Bedeutung: Was macht diesen Ort für die Bewohner des Landes so wichtig?

### Wo recherchieren?

Z.B. in dem vor euch liegenden Geschichtsbuch, in Lexika, Chroniken und Bildbänden …

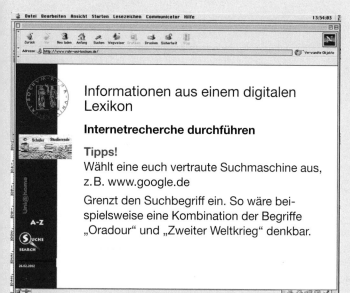

Informationen aus einem digitalen Lexikon

**Internetrecherche durchführen**

**Tipps!**
Wählt eine euch vertraute Suchmaschine aus, z.B. www.google.de

Grenzt den Suchbegriff ein. So wäre beispielsweise eine Kombination der Begriffe „Oradour" und „Zweiter Weltkrieg" denkbar.

### 2. Präsentation eurer Ergebnisse:

Entscheidet euch für eine Form der Präsentation (z. B. Erstellung einer Dokumentation, Gestaltung einer Wandzeitung, Vortrag eines folien- und bildgestützten Kurzreferates).

### 3. Lohnt sich diese Arbeit?

Diskutiert abschließend gemeinsam den möglichen Sinn einer Beschäftigung mit diesen Ortsnamen für deutsche Mädchen und Jungen.

# Holocaust – der Massenmord an den Juden

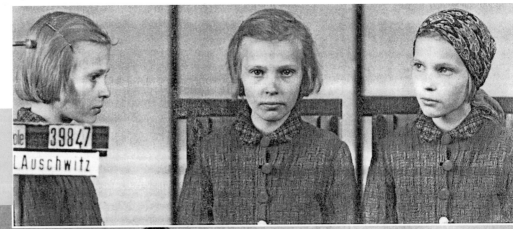

Eines von tausenden Kindern: Maria Matlak, geboren 1928, Häftlingsnummer 39 847, mit einem Sammeltransport am 2. April 1943 nach Auschwitz verschleppt.

Am 30. Januar 1939, ein gutes halbes Jahr vor Ausbruch des Zweiten Weltkrieges, hatte Hitler in einer Rede vor dem Reichstag in zynischer Verdrehung von Täter- und Opferrolle angekündigt: „Wenn es dem internationalen Finanzjudentum [...] gelingen sollte, die Völker noch einmal in einen Weltkrieg zu stürzen, dann wird das Ergebnis die Vernichtung der jüdischen Rasse in Europa sein".

Mit der Ausweitung des deutschen Machtbereiches wurde der Völkermord Wirklichkeit. Bis heute will es unfassbar erscheinen, dass etwa sechs Millionen Menschen, nur weil sie Juden waren, systematisch verfolgt und ermordet wurden – und dass sich zahlreiche Menschen an der technisch perfekten Ausrottung beteiligten bzw. diese unwidersprochen hinnahmen. So unterschiedlich auch die Bezeichnungen für den Massenmord

sind (im englischsprachigen Raum heißt er Holocaust, die Juden nennen ihn Shoa, die Deutschen Völkermord oder Genozid), die „Endlösung der Judenfrage" ist ohne Beispiel in der Geschichte. Der Name Auschwitz – allein in diesem Massenvernichtungslager wurden ca. 1,4 Millionen Menschen umgebracht – wurde weltweit zum Symbol für Menschenverachtung und Schuld.

# Stationen der „Endlösung"

## Maßnahmen der Ausgrenzung

Zahlreiche Verordnungen hatten bereits vor Ausbruch des Krieges zur Ausgrenzung der Juden aus der normalen Gesellschaft geführt. Bis Kriegsbeginn hatten mehrere hunderttausend Juden die „Reichsflucht-steuer" bezahlt und waren aus Deutschland geflohen. Auf die ca. 185 000 Juden, die im September 1939 noch in Deutschland lebten, kamen nun neue Diskriminierungen zu: Juden durften nur tagsüber auf die Straße, keine Rundfunkgeräte und Telefone besitzen, konnten nur zu bestimmten Zeiten einkaufen, durften keine Haustiere halten und keine öffentlichen Verkehrsmittel benutzen. Seit dem 1.9.1941 mussten sie einen gelben Stern auf ihrer Kleidung tragen – so waren sie leicht zu identifizieren und gleichzeitig schutzlos willkürlichen Übergriffen ausgesetzt.

## Einrichtung von Gettos im Osten

Demütigung, Isolierung und Ausbeutung der Juden erhielten mit Kriegsbeginn eine neue Qualität. Polnische Juden wurden in wenigen „Wohngebieten" konzentriert. Diese Gettos wurden von der Außenwelt durch Mauern und Stacheldraht abgeschlossen. Dass Überfüllung und Hunger zu lebensgefährlichen Krankheiten und Epidemien führten, war durchaus gewollt. SS-Einsatzgruppen verschleppten jüdische Bewohner und führten erste Erschießungen durch.

## Massenerschießungen

Zu Beginn des Russlandfeldzuges folgten die Einsatzgruppen der Wehrmacht und ermordeten fast 560 000 Menschen – fast ausschließlich Juden. Traurige Berühmtheit erhielten die Vorfälle vom 29. und 30.9.1941, als die SS-Einheiten bei Babi Yar (Ukraine) weit über 30 000 Juden erschossen.

## Massendeportationen

Seit Juli/August 1941 wurde die „Endlösung" diskutiert. Alle Juden im deutschen Machtbereich sollten ohne Rücksicht auf Alter, Geschlecht, Beruf usw. vernichtet

werden. Die Weite des eroberten Raumes wollte Hitler nutzen, um die Aktionen möglichst geheim zu halten. Im Herbst 1941 wurden die ersten Juden aus dem Deutschen Reich in Gettos deportiert, die in den neu eroberten Gebieten lagen. Die Juden durften so gut wie nichts mitnehmen, ihre Fahrt mussten sie bezahlen.

## Massenvernichtung

Mit dem Bau von sechs Massenvernichtungslagern auf dem Gebiet des ehemaligen Polen begann die industrielle „Endlösung". Generalstabsmäßig wurde geplant, in welcher Reihenfolge die Judengettos

aufgelöst, die Eisenbahntransporte abgefertigt und die eigentliche Vernichtung durchgeführt werden sollten. Mit unverhohlenem Stolz meldete der Lagerkommandant von Auschwitz, Höß, dass es „gelungen" sei, in besonders kurzer Zeit „ungefähr 400 000 ungarische Juden" nach Auschwitz zu transportieren und hinzurichten.

## Verwischung der Spuren

Mit dem Vorrücken der Roten Armee löste das Wachpersonal die Lager auf und baute Gaskammern und Krematorien weitgehend ab.

**M 1** Die wichtigsten Konzentrationslager im Deutschen Reich und in den besetzten Gebieten

**M 2 Die Wannsee-Konferenz**

Auf einer Konferenz in Berlin-Wannsee wurde die industrielle Massenvernichtung formell beschlossen (20. 1. 1942). Das Protokoll ist erhalten.

**Q** Im Zuge dieser Endlösung der europäischen Judenfrage kommen rund 11 Millionen Juden in Betracht. [...] Unter entsprechender Leitung sollen [...] die
5 Juden in geeigneter Weise im Osten zum Arbeitseinsatz kommen. In großen Arbeitskolonnen, unter Trennung der Geschlechter, werden die arbeitsfähigen Juden Straßen bauend in diese Gebiete ge-
10 führt, wobei zweifellos ein Großteil durch natürliche Verminderung ausfallen wird. Der allfällig endlich verbleibende Restbestand wird, da es sich bei diesen zweifellos um den widerstandsfähigsten Teil
15 handelt, entsprechend behandelt werden müssen, da dieser, eine natürliche Auslese darstellend, bei Freilassung als Keimzelle eines neuen jüdischen Aufbaus anzusprechen ist. [...] Im Zuge der prak-
20 tischen Durchführung der Endlösung wird Europa von Westen nach Osten durchgekämmt.

(Zit. nach: Walther Hofer, Der Nationalsozialismus, Fischer TB 1971, S. 304 f.)

# Die Perspektive der Täter

## M 1 Rudolf Höß, Kommandant in Auschwitz, über die Endlösung

Höß notierte seine Erinnerungen nach Kriegsende in polnischer Haft; er wurde zum Tode verurteilt.

Die „Endlösung" der jüdischen Frage bedeutete die vollständige Ausrottung aller Juden in Europa. Ich hatte den Befehl, Ausrottungserleichterungen in Ausch-
5 witz im Juni 1942 zu schaffen. Zu jener Zeit bestanden schon drei weitere Vernichtungslager im Generalgouvernement: Belzec, Treblinka und Wolzek. Diese Lager befanden sich unter dem Einsatzkom-
10 mando der Sicherheitspolizei und des SD. Ich besuchte Treblinka, um festzustellen, wie die Vernichtungen ausgeführt wurden. Der Lagerkommandant von Treblinka sagte mir, dass er 80 000 im Laufe eines
15 halben Jahres liquidiert hätte. Er hatte hauptsächlich mit der Liquidierung aller Juden aus dem Warschauer Getto zu tun. Er wandte Monoxid-Gas an, und nach seiner Ansicht waren seine Methoden nicht
20 sehr wirksam. Als ich das Vernichtungsgebäude in Auschwitz errichtete, gebrauchte ich also Zyklon B, eine kristallisierte Blausäure, die wir in die Todeskammer durch eine kleine Öffnung einwarfen.
25 Es dauerte 3 bis 15 Minuten, je nach den klimatischen Verhältnissen, um die Menschen in der Todeskammer zu töten. Wir wussten, wenn die Menschen tot waren, weil ihr Kreischen aufhörte. Wir warteten
30 gewöhnlich eine halbe Stunde, bevor wir die Türen öffneten und die Leichen entfernten. Nachdem die Leichen fortgebracht waren, nahmen unsere Sonderkommandos die Ringe ab und zogen das
35 Gold aus den Zähnen der Körper. […] Wir sollten diese Vernichtungen im Geheimen ausführen, aber der faule und Übelkeit erregende Gestank, der von der ununterbrochenen Körperverbrennung ausging,
40 durchdrang die ganze Gegend, und alle Leute, die in den umliegenden Gemeinden lebten, wussten, dass in Auschwitz Vernichtungen im Gange waren.

(Zit. nach: Wochenschau 49, März/April 1998, S. 171)

## M 2 Heinrich Himmler, Rede vor SS-Führern in Posen (4.10.1943)

Himmler, Reichsführer SS, organisierte an verantwortlicher Stelle die Konzentrations- und Vernichtungslager.

Ein Grundsatz muss für den SS-Mann absolut gelten: Ehrlich, anständig, treu und kameradschaftlich haben wir zu Angehörigen unseres eigenen Blutes zu sein
5 und zu sonst niemandem. Wie es den Russen geht, wie es den Tschechen geht, ist mir total gleichgültig. Das, was in den Völkern an gutem Blut unserer Art vorhanden ist, werden wir uns holen, indem
10 wir ihnen, wenn notwendig, die Kinder rauben und sie bei uns großziehen. Ob die andern Völker in Wohlstand leben oder ob sie verrecken vor Hunger, das interessiert mich nur so weit, als wir sie als Skla-
15 ven für unsere Kultur brauchen, anders interessiert mich das nicht. Ob bei dem Bau eines Panzergrabens 10 000 russische Weiber an Entkräftung umfallen oder nicht, interessiert mich nur insoweit, als
20 der Panzergraben für Deutschland fertig wird. […] Wenn mir einer kommt und sagt: „Ich kann mit den Kindern oder den Frauen den Panzergraben nicht bauen. Das ist unmenschlich, denn dann sterben
25 die daran" – dann muss ich sagen: „Du bist ein Mörder an deinem eigenen Blut, denn wenn der Panzergraben nicht gebaut wird, dann sterben deutsche Soldaten, und das sind Söhne deutscher Mütter.
30 Das ist unser Blut". […] Es gehört zu den Dingen, die man leicht ausspricht. – „Das jüdische Volk wird ausgerottet", sagt ein jeder Parteigenosse, „ganz klar, steht in unserem Programm, Ausschaltung der
35 Juden, Ausrottung, machen wir." Und dann kommen sie alle an, die braven 80 Millionen Deutschen, und jeder hat seinen anständigen Juden. Es ist ja klar, die anderen sind Schweine, aber dieser eine
40 ist ein prima Jude. Von allen, die so reden, hat keiner zugesehen, keiner hat es durchgestanden. Von euch werden die meisten wissen, was es heißt, wenn 100 Leichen beisammenliegen, wenn 500 daliegen
45 oder wenn 1 000 daliegen. Dies durchgehalten zu haben und dabei – abgesehen von Ausnahmen menschlicher Schwächen – anständig geblieben zu sein, das hat uns hart gemacht. Dies ist ein niemals
50 geschriebenes und niemals zu schreibendes Ruhmesblatt unserer Geschichte.

(Zit. nach: Hofer, a. a. O., S. 113 f.)

## M 3

Himmler betrachtet ein russisches Kind auf seine „Rassetauglichkeit" (Minsk, August 1941).

Versuche ein Täterprofil des typischen Vollstreckers zu erstellen. Welche Merkmale besaß er, welche Einstellungen kennzeichneten ihn, wie sah er sich selbst?

### M 4 Verhör des Unterscharführers Erber im Frankfurter Auschwitz-Prozess (Auszug)

Erber gehörte zum Wachpersonal und hatte auch an der sogenannten „Rampe" Dienst; das war der Bahnsteig, an dem die Transporte endeten.

**Q** *Wie groß war etwa der Anteil derjenigen, die arbeiten mussten, und derjenigen, die direkt in die Gaskammern geschickt wurden?*

ERBER: Man kann als Anteil rechnen mit
5 30 Prozent zu der Arbeit.
*Und 70 Prozent in die Gaskammern?*
ERBER: Und 70 Prozent kam weg. Ich meine, es war eine sehr schlimme Sache. Aber wir durften nicht darüber reden und gar
10 nichts. […]
*Da konnten dreitausend Leute auf einmal ins Gas geschickt werden?*
ERBER: Ja, aber so viele kamen nie zusammen, weil nie zwei Transporte zusammen
15 kamen. Weil ein Transport immer nach

dem anderen abgefertigt wurde. Und dann fing der Arzt mit der Selektion an. *Was ist das?*
ERBER: Also das Aussuchen. Zum Beispiel
20 junge Leute, also die arbeitsfähig waren zu der Arbeit. Und die anderen mussten in die Gaskammer gehen.
*Direkt von der Rampe in die Gaskammer?*
ERBER: Direkt von der Rampe weg. Da
25 wurden sie aber noch einmal gezählt, denn Berlin verlangte von uns, dass haargenau gezählt wird, und auch die Details, und extra gehalten, ob Männer oder Frauen. […]

(Zit. nach: Ebbo Demant (Hg.), Auschwitz – „Direkt von der Rampe weg", Reinbek 1979, S. 31 u. 33f.)

### M 5

Selektion auf der Rampe (SS-Foto von 1944)

### M 6 Der Historiker Till Bastian fasst Ergebnisse seiner Recherchen zusammen

Die Stärke der SS-Besatzung hatte am 15. Januar 1945 – zu Zeiten der Lagerräumung – ihren Höchststand erreicht und umfasste damals 4481 Männer und 71
5 Frauen. Infolge der erheblichen Fluktuation unter der Besatzungsmannschaft haben 1940–1945 insgesamt ca. 7000 SS-Männer und 200 Frauen in Auschwitz Dienst geleistet; von 6161 Angehörigen
10 konnten Daten ermittelt werden. Aus den von 3447 Personen bekannten Geburtsdaten ergibt sich, dass drei Viertel der Be-

satzung unter 40 Jahre, die Hälfte unter 35 Jahre, ein knappes Drittel unter 30 Jah-
15 re und ein gutes Fünftel unter 25 Jahre alt war – eine auffallend junge Mannschaft. Beruflicher Status und Bildungsniveau der SS-Angehörigen in dieser Mannschaft sind eher niedrig gewesen […]. Nur sehr
20 selten kam es vor, dass Angehörige der SS-Besatzung die Teilnahme am Massenmord ablehnten und sich zum Beispiel weigerten, bei der Übernahme eines in Birkenau eintreffenden, größtenteils zur

25 sofortigen Vernichtung bestimmten Sammeltransportes Dienst zu tun – obschon kein einziger SS-Mann je disziplinarisch bestraft worden ist, weil er sich hier verweigert hätte. Eine solche Weigerung, bei
30 der „Selektion an der Rampe" mitzuwirken, ist zum Beispiel von dem SS-Arzt Dr. Hans Münch vom Hygieneinstitut der SS in Rajsko bekannt. Münch blieb unbehelligt.

(Wochenschau 49/1998, S. 171)

# Die Perspektive der Opfer

## M 1 Noch in Sicherheit?

David Rubinowicz
(Tagebucheintrag 6.5.1942):

Q 6. Mai. Ein furchtbarer Tag! Um drei Uhr etwa weckte mich ein Klopfen. Das war schon die Polizei, die die Razzia machte. [Die Polizisten suchten Männer
5 als Arbeitskräfte für die nahe gelegene Fabrik der deutschen Firma IG Farben.] Ich erschrak nicht, Papa und der Vetter sind in Krajno und wissen es und die übrigen Vettern haben sich versteckt. [Die Polizis-
10 ten beladen ihren Wagen mit Möbelstücken und Hausrat.] Als sie alles aufgeladen hatten, fuhren sie zur Wache. Und Papa ist nicht da, was sollen wir jetzt anfangen? – Mama ist mit der Tante zur Wa-
15 che gegangen. Ich war sehr niedergedrückt, alles, was wir nun besessen haben, wurde mitgenommen, jetzt muss man um ein Stück Brot betteln gehen. [Mein Bru-

> Im Mai 1942 war David 14 Jahre alt.
> Er lebte in einer polnischen Kleinstadt
> und führte ein Tagebuch in Schulhef-
> ten. David starb am 21.9.1942 in der
> Gaskammer von Treblinka. Seine Hefte
> wurden 1959 gefunden.

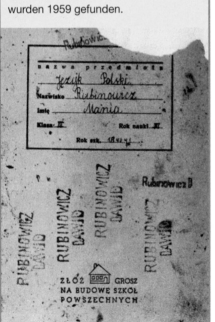

der] Anciel ist gleich gekommen und hat
20 gesagt, dass sie Papa und den Vetter auch gefangen haben. Jetzt erst begann ich zu weinen. Den Papa haben sie uns genommen, alles, was wir an Eigenem hatten, haben sie auch genommen. [David er-
25 fährt, dass sein Vater in einem Auto am Marktplatz sitzen soll, und läuft dorthin.] Ich schluchzte laut, als sie nahe waren, und rief Papa, wo bist du, ich will dich doch noch sehen, und sah ihn auf dem
30 letzten Wagen, weinend, ich sah so lange hin, bis er hinter der Biegung verschwand, und erst jetzt weinte ich laut und fühlte, wie sehr ich ihn liebe und er mich.

(Zit. nach: Gerhard Schoenberner, Der gelbe Stern, München (Goldmann) 1988)

## M 2 Im Getto

M. Ch. Rumkowski, Vorsitzender des Judenrates in Lodz (Polen), 4.9.1942:

Die deutschen SS-Einheiten verlangten von der jüdischen Selbstverwaltung des Gettos in Lodz die Mitarbeit bei der Zusammenstellung eines Transportes von Menschen unter 10 und über 65 Jahren sowie aller Kranken in ein „Arbeitslager". Der Judenrat sollte eine Vorschlagsliste unterbreiten, anderenfalls werde wahllos zusammengestellt. Rumkowski wandte sich an seine Gemeinde:

Q [...] wir, das heißt ich und meine engsten Mitarbeiter, [sind] zu dem Schluss gekommen, dass wir die Ausführung dieses Verhängnisses in unsere Hände nehmen
5 müssen, wie schwer uns dies auch fallen sollte. Ich muss diese schwere und blutige Operation durchführen, ich muss Glieder amputieren, um den Körper zu retten! Ich muss Kinder nehmen, denn andernfalls
10 könnten – Gott behüte – andere genommen werden [...]

(Zit. nach: Hanno Loewy/Gerhard Schoenberner, Unser einziger Weg ist Arbeit, Jüdisches Museum Frankfurt (Hg.), Wien (Löcker) 1990, S. 233)

## M 3 Auf der Rampe

Esther, 14 Jahre:

Q Ich kam am 22. August 1944 nach Auschwitz. Ich war zusammen mit meiner Mutter, meinem Bruder, meiner Tante, meinem Onkel und meinem Cousin. [...]

5 Alles ging sehr schnell. Als Mengele [= SS-Arzt in Auschwitz, berüchtigt für medizinische Experimente an Häftlingen] kam, begann er mit der Selektion. Meine Tante mit ihrem kleinen Jungen stand
10 vorn, dann meine Mutter mit dem kleinen Mädchen an der Hand und mein Bruder, und ich war die Letzte. Meine Tante und ihr kleiner Sohn wurden nach links beordert, und als er meine Mutter fragte, ob
15 das kleine Mädchen ihr Kind sei, und sie nickte, schickte er sie nach links. Da mein Bruder damals erst zwölf war, schickte er ihn auch nach links, mich winkte er nach rechts. Ich begriff, dass meine Mutter auf
20 der anderen Seite war, und wollte zu ihr laufen, ich wollte bei ihr sein. Eine Jüdin, die dort arbeitete, fing mich in der Mitte ab und sagte auf Polnisch: „Wag es nicht, dich von hier wegzurühren!" Sie wusste,
25 dass ich in die Gaskammer kommen würde, wenn ich auf der anderen Seite stünde. Und sie wollte mich nicht loslassen. Das war das letzte Mal, dass ich meine Mutter gesehen habe.

(Zit. nach: D. Dwork, Kinder mit dem gelben Stern, München 1994, S. 215)

## M 4

Das Foto zeigt eine Deportation aus Lodz (1942).

> *„Dass unsere Kraft nicht*
> *ausreicht, um uns diese Millio-*
> *nen wirklich vorzustellen und*
> *um den ungeheuren Klagelärm,*
> *den die Summe der Aber-*
> *millionen Todesschreie ergeben*
> *würde, wirklich zu hören, das*
> *wissen wir ja. Was können wir*
> *da tun, um ihrer dennoch zu*
> *gedenken?"*
>
> *(Günter Anders)*

## M 5 Rechts von der Rampe

Auszüge aus vier Briefen der Firma Bayer (Leverkusen), damals Teil der Firma IG Farben, an die Lagerleitung in Auschwitz:

**Q** Bezüglich des Vorhabens von Experimenten mit einem neuen Schlafmittel würden wir es begrüßen, wenn Sie uns eine Anzahl von Frauen zur Verfügung
5 stellen würden. […]
Wir erhielten Ihre Antwort, jedoch scheint uns der Preis von RM 200,– pro Frau zu hoch. Wir schlagen vor, nicht mehr als 170,– pro Kopf zu zahlen. Wenn das an-
10 nehmbar erscheint, werden wir Besitz von den Frauen ergreifen. Wir brauchen ungefähr 150 Frauen […].
Wir bestätigen Ihr Einverständnis. Bereiten Sie für uns 150 Frauen in bestmög-
15 lichem Gesundheitszustand vor, und sobald sie uns mitteilen, dass sie so weit sind, werden wir diese übernehmen. […]
Die Versuche wurden gemacht. Alle Personen starben. Wir werden uns bezüglich
20 einer neuen Sendung bald mit Ihnen in Verbindung setzen.

(Zit. nach: W. Wimmer, Die Sklaven, Reinbek 1979, S. 227f.)

## M 6 Links von der Rampe

Dr. André Lettich arbeitete als jüdischer Häftling und Arzt in Auschwitz.

**Q** Mehr als fünfhundert Meter weiter befanden sich zwei Baracken: Auf der einen Seite standen Männer, auf der ande-
5 ren Frauen. Sehr höflich und liebenswürdig hielt man ihnen eine kleine Ansprache: „Ihr kommt von der Reise, ihr seid schmutzig, ihr werdet ein Bad nehmen, zieht euch schnell aus". Man verteilte Handtücher und Seife, und plötzlich er-
10 wachten die Rohlinge und zeigten ihr wahres Gesicht: Mit starken Hieben zwang man diese Menschenherde, diese Männer und Frauen, sommers wie winters nackt herauszugehen und so die paar
15 hundert Meter Entfernung bis zum „Duschraum" zurückzulegen. Über der Eingangstür stand das Wort „Brausebad". An der Decke konnte man sogar Duschbrausen bemerken, die verkittet waren,
20 jedoch niemals das Wasser durchlaufen ließen.
Diese armen Unschuldigen waren zusammengepfercht, die einen gegen die anderen gepresst, und da brach Panik
25 aus: Denn endlich begriffen sie, welches Schicksal sie erwartete, jedoch stellten Kolbenschläge und Revolverschüsse schnell die Ruhe wieder her, und alle betraten schließlich die Todeskammer. Die
30 Türen wurden geschlossen, und zehn Minuten danach war die Temperatur hoch genug, um die Verflüchtigung der Blau-

Dose des Giftgases Zyklon B, wie sie auf dem Lagergelände gefunden wurden.

säure zu begünstigen, denn mit Blausäure wurden die Verurteilten vergast. Dies
35 war eben das „Zyklon B", mit 20% Blausäure getränkter Kieselgur, das von der deutschen Barbarei verwendet wurde.
Durch eine kleine Luke warf sodann SS-Unterscharführer Moll das Gas ein. Die
40 Schreie, die man hören konnte, waren fürchterlich: Aber einige Augenblicke später herrschte vollständige Stille. Zwanzig bis fünfundzwanzig Minuten darauf wurden Türen und Fenster zur
45 Lüftung geöffnet und die Leichen sofort in Gruben zum Verbrennen geworfen. Aber die Zahnärzte hatten vorher jeden Mund nachgeprüft, um die Goldzähne auszuziehen. Man vergewisserte sich
50 auch, ob die Frauen nicht etwa in ihren intimen Körperteilen Schmuck versteckt hatten, und ihr Haar wurde abgeschnitten und für industrielle Zwecke methodisch zusammengebündelt.

(Zit. nach: Eugen Kogon u.a. (Hrsg.), Nationalsozialistische Massentötungen durch Giftgas, Frankfurt a. M. 1983, S. 210f.)

## M 7 Im Krematorium

Dr. M. Nyszli, Häftling und Arzt in Birkenau, erinnert sich:

**Q** Die Türen öffnen sich, Lastwagen kommen herangefahren. […] Vier große Lastenaufzüge sind in Betrieb. Es werden jeweils zwanzig bis fünfundzwanzig Tote
5 verladen. Ein Klingelzeichen meldet, wenn die Ladung fertig ist und der Fahrstuhl abfahren kann. Der Aufzug hält beim Einäscherungssaal des Krematoriums, dessen große Türflügel sich auto-
10 matisch öffnen. […] Dicht gedrängt liegen die Leichen in Reihen […]. Sie werden zu dritt auf eine Schiebe aus Stahlblech gelegt. Automatisch öffnen sich die schweren Ofentüren und das Schiebe-
15 werk wird in den bis zur Weißglut erhitzten Ofen eingeführt. In zwanzig Minuten sind die Leichen eingeäschert […]. Es bleibt von ihnen nichts weiter zurück als die Asche im Ofen, die von Lastwagen
20 zur zwei Kilometer entfernten Weichsel gefahren wird.

(Zit. nach: Gerhard Schoenberner, Zeugen sagen aus, Gütersloh (Bertelsmann) 1973, S. 248ff.)

# Info  Nicht alle Deutschen waren Nazis

### Was meint der Begriff „Widerstand"?

„Wer nicht für uns ist, ist gegen uns" – diese Aussage Hitlers verdeutlicht, dass alle kritischen Einstellungen mit großen Gefahren verbunden waren. Je mehr sich die Kriegslage verschärfte, desto drastischer wurden die Strafen für alle, die sich in irgendeiner Form kritisch äußerten. Wer sich zum Widerstand entschloss, wusste, dass er sein Leben aufs Spiel setzte.

Dennoch haben sich Menschen dem ideologischen Einfluss des Nationalsozialismus entzogen. Zu den Menschen, die „dagegen waren", wie man damals sagte, gehörten politische Gegner, aber auch überzeugte Christen und einfach solche Menschen, die die wachsende Unfreiheit unerträglich fanden. Die Formen der Auflehnung waren sehr unterschiedlich. Auch muss man berücksichtigen, dass viele Oppositionelle ihre politische Haltung im Laufe des Dritten Reiches verändert hatten, manchmal sogar sehr drastisch. Ihre Kritik äußerten sie oft nur sehr vorsichtig, weil die Angst vor Denunziationen sehr groß war. Nicht immer wurde das NS-Regime als Ganzes abgelehnt, sondern nur einzelne Maßnahmen wurden als störend empfunden. Sehr häufig blieben die kritischen Äußerungen und Handlungen auf den privaten Bereich beschränkt. Wer den Hitler-Gruß nur undeutlich nuschelte, wer alliierte Radiosender hörte oder selbst die verpönte „Negermusik" spielte, schwamm gegen den Strom – aber das abweichende Verhalten zielte nicht auf den Sturz des NS-Regimes.

Die Emigration wird in der Regel nicht als Widerstandshandlung eingeschätzt, obwohl die zahlreichen bedeutenden Künstler und Gelehrten, die Deutschland verließen, eine starke symbolische Wirkung ausübten und sich als glaubwürdige Repräsentanten des anderen, besseren Deutschlands darstellten.

Der Historiker Detlev Peukert hat vorgeschlagen, die kritischen Einstellungen gegenüber dem Nationalsozialismus mithilfe eines einfachen Modells zu beschreiben (s. Grafik u. l.). Den Begriff „Widerstand" möchte er nur für Verhaltensformen anwenden, die das NS-Regime als Ganzes ablehnten und auf eine öffentliche Wirksamkeit der Maßnahmen zielten.

### Widerstand ohne Volk

Zum aktiven Widerstand entschlossen sich nach heutiger Schätzung allenfalls zwischen 20 000 und 40 000 Menschen. Sieht man von Einzelgängern (wie dem Hitler-Attentäter Georg Elser) oder der Studentengruppe „Weiße Rose" ab, kam der aktive Widerstand fast immer aus dem kommunistisch-sozialistischen Milieu oder dem militärischen Bereich (dieser aber erst in den letzten Kriegsjahren). Heftig umstritten ist die Frage, in welchem Ausmaß von einem Widerstand der christlichen Kirchen gesprochen werden kann oder ob es nicht ehrlicher ist, von dem mutigen Widerstand einzelner Christen zu reden.

Erfolg hatten die Widerständler nicht; anders als im faschistischen Italien, wo Mussolini von der eigenen Bevölkerung, also von innen heraus, abgesetzt und letztendlich sogar getötet wurde, blieben die deutschen Widerständler bis zum letzten Tag eine Minderheit. Erst der Selbstmord Hitlers und die bedingungslose Kapitulation besiegelten das Ende des „Tausendjährigen Reiches". In der Geschichtsforschung hat sich deshalb das Urteil vom „Widerstand ohne Volk" durchgesetzt.

### Die Erinnerung an den Widerstand

In fast jeder deutschen Stadt gibt es Straßen, Gebäude oder öffentliche Einrichtungen, die nach Frauen und Männern benannt sind, die dem System des Dritten Reiches kritisch gegenüberstanden haben. Ihr Beispiel soll zeigen, dass es auch zwischen 1933 und 1945 ein „besseres" Deutschland gab. Und es soll Mut machen, selbst einzugreifen, wenn elementare Rechte aller Menschen verletzt werden.

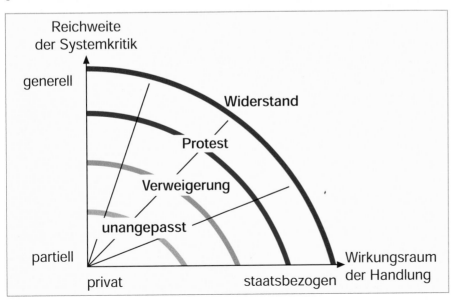

# Wir halten Referate zum Thema:
# Motive und Formen des Widerstandes im Dritten Reich

Eine arbeitsteilige Untersuchung bietet sich an, um das Thema „Widerstand" möglichst umfassend zu untersuchen. Hier wird vorgeschlagen, dass interessierte Schülerinnen und Schüler einzelne Widerstandskämpfer oder -gruppen als Schwerpunktthema für Kurzreferate auswählen, die dann in der Klasse gehalten werden.

In einem Geschichtsbuch können unmöglich für alle Gruppen ausreichend Materialien abgedruckt werden. Nutzt also die Internetseiten (z. B. www.gdw-berlin.de, www.shoa.de, www.bpb.de oder www.lpb.bwue.de) und auch Bibliotheken, z. B. die Gemeindebücherei, um euch selbstständig zu informieren.

Referate sind eine sehr anspruchsvolle Form der Präsentation. Deshalb wird auf den nächsten Seiten eine doppelte Hilfe angeboten: Ihr findet eine Methodenbox „Wir halten Referate" und zusätzlich ein Beispiel für eine konkrete Umsetzung im Unterricht.

Frauen, Männer, Gruppen, die dagegen waren: Über wen möchtest du Genaueres wissen?

*Georg Elser:*
„Ich habe den Krieg verhindern wollen."

*Martin Niemöller:*
„Als die Nazis die Kommunisten holten, habe ich geschwiegen; ich war ja kein Kommunist. Als sie die Sozialdemokraten einsperrten, habe ich geschwiegen; ich war ja kein Sozialdemokrat. [...] Als sie die Juden holten, habe ich geschwiegen; ich war ja kein Jude. Als sie mich holten, gab es keinen mehr, der protestieren konnte."

*Kurt Schumacher:*
„Dem Nationalsozialismus ist die restlose Mobilisierung der menschlichen Dummheit gelungen."

*Bartholomäus Schink:*
geb. 1927, gehörte zu den sog. Edelweißpiraten (oppositionelle Jugendgruppe), öffentlich gehängt am 10.11.1944.

*Claus Schenk Graf von Stauffenberg:*
„Es ist Zeit, dass jetzt etwas getan wird. Derjenige allerdings, der etwas zu tun wagt, muss sich bewusst sein, dass er wohl als Verräter in die deutsche Geschichte eingehen wird. Unterlässt er jedoch die Tat, dann wäre er ein Verräter vor seinem eigenen Gewissen."

*Eugen Bolz:*
„Mein Leben ist nichts, wenn es um Deutschland geht."

*Bernhard Lichtenberg:*
„Und ich erkenne auch im Juden meinen Nächsten, der eine unsterbliche, nach dem Bild und Gleichnis Gottes geschaffene Seele besitzt."

*Hans und Sophie Scholl*
**(Foto 24.7.1942):**

„Mir ist der Kopf schwer. Ich verstehe die Menschen nicht mehr. Wenn ich durch den Rundfunk diese namenlose Begeisterung höre, möchte ich hinausgehen auf eine große einsame Ebene und dort allein sein."

# Methodenbox

## Wir halten Referate

### Thema: Motive und Formen des Widerstandes im Dritten Reich

| Allgemeine Regeln | Beispiel |
|---|---|
| **1. Schritt:** Entscheidet euch, über welche Person oder Gruppe ihr das Referat halten wollt. (Anregungen auf Seite 117). | Zwei Mädchen aus einer 9. Klasse entscheiden sich für das Attentat am 20. Juli 1944. Es interessiert sie besonders, welche Rolle der Attentäter Claus von Stauffenberg gespielt hat. |
| **2. Schritt:** Sucht Informationen über die gewählte Person/ Gruppe. Eine gute Grundlage bieten die Internetseiten der „Gedenkstätte" (http://www.gdw-berlin.de); auch die Stadtbücherei hat sicherlich Materialien. | Sie informieren sich auf verschiedenen Internetseiten und leihen sich aus der Stadtbücherei ein Sachbuch über die Zeit des Dritten Reiches aus, in dem ein Kapitel über den Widerstand des 20. Juli informiert (z.B. Wolfgang Benz, Geschichte des Dritten Reiches). Dort erhalten sie auch die Ausgabe des Nachrichtenmagazins Der Spiegel 29/2004, in der sich u.a. der Historiker Wiegrefe äußert. |
| **3. Schritt:** Arbeitet in den Gruppen. Setzt Schwerpunkte (die später Überschriften für einzelne Abschnitte eures Vortrages bilden können). Notiert die wichtigen Aussagen stichwortartig. | In dieser Phase ist die Arbeit hart und langwierig, aber sie finden immer mehr heraus. Sinnvoll erscheint es ihnen, die Arbeit aufzuteilen: in die Darstellung der Ereignisse/Abläufe und die Motive Stauffenbergs. Stauffenbergs Kontakte zum Kreisauer Kreis sollen die Mitschüler erwähnen, die über Graf Yorck referieren. |
| **4. Schritt:** Legt genau fest, in welcher Reihenfolge ihr vortragen wollt und wer für welche Abschnitte zuständig ist. Die Gliederung eures Referates könnte an der Tafel oder auf einer Folie stehen – eine große Hilfe für die Mitschülerinnen und Mitschüler und auch für euch selbst! | Folgende Gliederung soll an der Tafel oder auf der Folie stehen: *Motive und Formen des Widerstandes im Dritten Reich: Oberst Stauffenberg und das Attentat vom 20. Juli* 1. *Das Attentat: Planung, Durchführung, Scheitern* 2. *Der Attentäter: Vom Sympathisanten zum Verschwörer* 3. *Nach dem Attentat: Wie sollte es in Deutschland weitergehen?* 4. *Ist Stauffenberg ein Vorbild?* |
| **5. Schritt:** Legt fest, ob ihr in der Klasse ein Materialblatt (mit zentralen Quellenauszügen und/oder Fotos) austeilen wollt. Das Blatt müsste rechtzeitig kopiert werden. | Das Materialblatt wird zusammengestellt (vgl. Seite 119). Sie haben die Texte aufgenommen, auf die sie im Referat genauer eingehen wollen. |
| **6. Schritt:** Trainiert euren Vortrag im kleinen Kreis, bis ihr ganz sicher seid, auch vor der Klasse frei sprechen zu können. Notiz- oder Spickzettel nicht vergessen! | Training: Das ganze Referat wird laut und deutlich gesprochen. Da sie sich nicht einig sind, ob Stauffenberg nun ein Vorbild ist oder nicht, vereinbaren sie: Jeder darf die eigene Meinung 1 Minute lang begründen. Sie hoffen: Ihre Pro- und Kontra-Argumente können eine interessante Diskussion in der Klasse einleiten. |
| **7. Schritt:** Referat in der Klasse | Zu Beginn nennen beide Mädchen das Thema, nennen die Materialgrundlagen, weisen auf die Gliederungspunkte an der Tafel hin und teilen das Materialblatt aus. |

# Motive und Formen des Widerstandes:
## Oberst Stauffenberg und das Attentat vom 20. Juli 1944

### M 1

Nach dem Attentat vom 20. Juli 1944: Führerhauptquartier

### M 2

Stauffenberg, der Sympathisant (1934)

### M 3  Das Urteil eines Historikers über Stauffenberg

Wie die meisten Verschwörer hegte auch Stauffenberg zunächst Sympathien für Hitler. Der braune Reichskanzler versprach den Wiederaufstieg Deutschlands
5 und manchem Offizier Aussicht auf Karriere. Auch Stauffenberg erlag dem nationalen Rausch. Der groß gewachsene, gut aussehende Berufsoffizier, Spross schwäbischen Uradels, hatte die erste deutsche
10 Republik verachtet. Stauffenberg, bei Hitlers Machtantritt 25 Jahre alt, träumte von einem tausendjährigen Reich, das sein Idol, der rheinische Dichter Stefan George, verkündete, und verstand sich als Teil
15 einer neuen Elite. Nationale Erneuerung statt „Schmach von Versailles" – es waren die außenpolitischen Erfolge Hitlers, von denen sich Stauffenberg blenden ließ. „Welche Veränderung in welcher Zeit",
20 schwärmte er von Hitlers Siegen über Polen und Frankreich 1939/1940. In einem Brief an seine Frau aus dem besetzten Polen mokierte sich der charismatische Offizier, dem viele eine glänzende Karriere
25 voraussagten, über den „unglaublichen Pöbel [...], sehr viele Juden und sehr viel Mischvolk. [...] Ein Volk, welches sich

nur unter der Knute wohl fühlt. Die tausenden von Gefangenen werden unserer
30 Landwirtschaft gut tun."
Nach dem Scheitern der deutschen Hoffnungen auf einen Blitzsieg über die Sowjetunion änderte er seine Haltung. Einer seiner Brüder berichtete Freunden:
35 „Claus sagt, zuerst müssen wir den Krieg gewinnen. Aber dann, wenn wir nach Hause kommen, werden wir mit der braunen Pest aufräumen." Anfang 1942 erkannte Stauffenberg, dass der Krieg
40 ohne Unterstützung der sowjetischen Bevölkerung nicht zu gewinnen war. Als ihm ein Offizier von einem Massaker an Juden durch die SS in der Ukraine berichtete, schimpfte er bald darauf bei
45 einem Ausritt: „Findet sich da drüben im Führerhauptquartier kein Offizier, der das Schwein mit der Pistole umlegt?" Nach einer schweren Verwundung sagte er 1943 zu seiner Frau, die ihn im Laza-
50 rett besuchte: „Weißt du, ich habe das Gefühl, dass ich jetzt etwas tun muss, um das Reich zu retten."

(Klaus Wiegrefe, Helden und Mörder, in: Der Spiegel 29/2004, S. 36f.)

### M 4  Stauffenbergs politische Pläne

**Q** In dem Tagebuch des Hauptmanns Kaiser, eines Mitverschwörers und Freundes Stauffenbergs, fand die Gestapo einen Eintrag, in dem die Gruppe um Stauffenberg Grundzüge für Friedensverhandlungen mit den Alliierten notiert hatte:

1. Sofortige Einstellung des Luftkrieges
2. Aufgabe der Invasionspläne
3. Vermeiden weiterer Blutopfer
4. Dauernde Verteidigungsfähigkeit im
5   Osten
   Räumung aller besetzten Gebiete im Norden, Westen und Süden
5. Vermeiden jeder Besetzung
6. Freie Regierung, selbstständige selbst-
10   gewählte Verfassung
7. Vollkommene Mitwirkung bei der Durchführung der Waffenstillstandsbedingungen, bei der Vorbereitung der Gestaltung des Friedens
15 8. Reichsgrenze von 1914 im Osten, Erhaltung Österreichs und der Sudeten beim Reich, Autonomie Elsass-Lothringens, Gewinnung Tirols bis Bozen, Meran
20 9. Tatkräftiger Wiederaufbau mit Mitwirkung am Wiederaufbau Europas
10. Selbstabrechnung mit Verbrechern am Volk
11. Wiedergewinnung von Ehre, Selbst-
25   achtung und Achtung

(Zit. nach: W. Hofer, Der Nationalsozialismus, FfM 1957 u.ö., S. 345)

### M 5

Straßenschild: Stauffenbergallee

# Vergangenheit, die nicht vergeht

## Die Frage nach der persönlichen Verantwortung

In den zurückliegenden Jahrzehnten ist die Zeit des Nationalsozialismus immer wieder kontrovers diskutiert worden. In den 80er-Jahren kam es zu einem heftigen Streit, ob der Nationalsozialismus einzigartig in der Geschichte sei oder ob es in der Weltgeschichte auch andere vergleichbare Unrechtsregime gegeben habe. Auch die Frage, ob der 8. Mai 1945 nun als „Tag der Befreiung" oder als „Tag der Niederlage" gelten solle, wurde sehr unterschiedlich beantwortet. Ausgelöst durch ein Buch des US-Historikers Goldhagen wurde Ende der 90er-Jahre über den Vorwurf gestritten, die Deutschen seien in ihrer überwältigenden Mehrheit „willige Vollstrecker" der NS-Politik gewesen.

Gemeinsam ist diesen Kontroversen, dass sie dazu zwingen, eine persönliche Einordnung, Deutung und Wertung der NS-Vergangenheit vorzunehmen.

Die Materialien auf dieser Doppelseite sollen euch anregen, eine solche Diskussion zu einem Problembereich zu führen, der seit dem „Tag der Machtergreifung" am 30.1.1933 auf der Tagesordnung steht: der Bereich der persönlichen Verantwortung.

Zwei Einschätzungen bilden die extremen Positionen: die These von der Kollektivschuld aller Deutschen einerseits und die These, die deutsche Bevölkerung sei selbst Opfer eines verbrecherischen Regimes geworden, andererseits.

Es wird vorgeschlagen, dass jeder von euch einen eigenen Standpunkt entwickelt und die gefundene Position im Spektrum der möglichen Meinungen markiert.

Die Materialien M 1 – M 4 helfen euch, den eigenen Standpunkt zu finden und zu begründen.

### Das deutsche Volk – kollektiv schuldig oder eher Opfer?

Die Deutschen sind als Volk schuldig und verantwortlich: Kollektivschuld.

Die Deutschen sind Opfer (von Ausnahmen abgesehen).

Ich setze mein Kreuz fast ganz nach links. Es gab nur wenig Widerstand.

Unsinn! Die Deutschen haben doch viel gelitten.

**Folgende Aufgaben können an alle Materialien herangetragen werden:**

**1.** Wie wird die Frage nach der Schuld beantwortet?

**2.** Welche Einstellungen zur Zeit des Nationalsozialismus werden deutlich?

**3.** Welches Material lässt eine Haltung erkennen, die besonders (un-)geeignet erscheint, um einen Neuanfang im Sinne demokratischer und humaner Werte zu ermöglichen?

**M 1**

Die Militärregierung stellt Fotos von der Öffnung der Konzentrationslager aus (Bad Mergentheim, Juli 1945).

**M 2** Aussage eines Mannes, der in der KZ-Verwaltung arbeitete, in einem alliierten Verhör:

**Q**

FRAGE: Habt ihr im Lager Leute getötet?
ANTWORT: Ja.
FRAGE: Habt ihr sie mit Gas vergiftet?
ANTWORT: Ja.
5 FRAGE: Habt ihr sie lebendig begraben?
ANTWORT: Das kam manchmal vor.
FRAGE: Wurden die Opfer aus ganz Europa aufgegriffen?
ANTWORT: Das nehme ich an.
10 FRAGE: Haben Sie persönlich geholfen, Leute zu töten?
ANTWORT: Durchaus nicht. Ich war nur Zahlmeister im Lager.
FRAGE: Was dachten Sie denn bei diesen
15 Vorgängen?
ANTWORT: Zuerst war es schlimm, aber wir gewöhnten uns daran.
FRAGE: Wissen Sie, dass die Russen Sie aufhängen werden?
20 ANTWORT (in Tränen ausbrechend): Warum sollten sie das? Was habe ich denn getan?
(Zit. nach: Die Wandlung, Heft 4, 1945/46, S. 339f.)

**M 3** **Stuttgarter Erklärung des Rates der Evangelischen Kirche in Deutschland (19.10.1945)**

**Q** Der Rat der Evangelischen Kirche in Deutschland begrüßt bei seiner Sitzung am 18. und 19. Oktober 1945 in Stuttgart Vertreter des Ökumenischen Rates der
5 Kirchen. Wir sind für diesen Besuch umso dankbarer, als wir uns mit unserem Volk nicht nur in einer großen Gemeinschaft der Leiden wissen, sondern auch in einer Solidarität der Schuld. Mit gro-
10 ßem Schmerz sagen wir: Durch uns ist unendliches Leid über viele Völker und Länder gebracht worden. Was wir un-

seren Gemeinden oft bezeugt haben, das sprechen wir jetzt im Namen der ganzen
15 Kirche aus: Wohl haben wir lange Jahre hindurch im Namen Jesu Christi gegen den Geist gekämpft, der im nationalsozialistischen Gewaltregime seinen furchtbaren Ausdruck gefunden hat; aber wir
20 klagen uns an, dass wir nicht mutiger bekannt, nicht treuer gebetet, nicht fröhlicher geglaubt und nicht brennender geliebt haben. Nun soll in unseren Kirchen ein neuer Anfang gemacht werden.
(Zit. nach: Günther Heidtmann (Hg.), Hat die Kirche geschwiegen?, Berlin 1958)

**M 4** Hannah Arendt, die als junge Jüdin 1933 aus Deutschland floh, besuchte 1949/50 die Städte ihrer Kindheit und Jugend und notierte ihre Eindrücke:

Überall fällt einem auf, dass es keine Reaktion auf das Geschehene gibt, aber es ist schwer zu sagen, ob es sich dabei um eine irgendwie absichtliche Weigerung zu
5 trauern oder um den Ausdruck einer echten Gefühlsunfähigkeit handelt. [...] Dieser allgemeine Gefühlsmangel [...] ist jedoch nur das auffälligste äußerliche Symptom einer tief verwurzelten, hartnä-
10 ckigen und gelegentlich brutalen Weigerung, sich dem tatsächlich Geschehenen zu stellen und sich damit abzufinden. Diese Gleichgültigkeit und die Irritation, die sich einstellt, wenn man dieses Verhalten
15 kritisiert, kann an Personen mit unterschiedlicher Bildung überprüft werden. Das einfachste Experiment besteht darin, [offen mitzuteilen], dass man Jude sei. Hierauf folgt in der Regel eine kurze Ver-
20 legenheitspause, und danach kommt – keine persönliche Frage wie etwa: „Wohin gingen Sie, als Sie Deutschland verließen?", kein Anzeichen für Mitleid, etwa dergestalt: „Was geschah mit Ihrer Fami-
25 lie?" –, sondern es folgt eine Flut von Geschichten, wie die Deutschen gelitten hätten (was sicher stimmt, aber nicht hierher gehört), und wenn die Versuchsperson dieses kleinen Experiments zufällig gebil-
30 det und intelligent ist, dann geht sie dazu über, die Leiden der Deutschen gegen die Leiden der anderen aufzurechnen.
(H. Arendt, Zur Zeit. Politische Essays, Berlin 1986, S. 43f.)

# Rechtsextremismus heute – Sind Rechtsextremisten die neuen „Nazis"?

Fast täglich ist in den Medien von rechtsextremistischen Gewalttaten die Rede. Besonderes Aufsehen erregen Körperverletzungen oder Brandstiftungen. Gibt es einen Zusammenhang dieser Straftaten mit der Zeit des Nationalsozialismus? Der äußere Schein lässt dies vermuten: In jeder Stadt findet man Hakenkreuz-Schmierereien, NS-Symbole werden gezeigt und NS-Sprüche gegrölt. Überreste aus der NS-Zeit wie Orden, Uniformen usw. erzielen auf Flohmärkten horrende Preise.

*Ich finde, die heutigen Rechten haben mit dem Nationalsozialismus gar nichts zu tun. Die wissen ja oft gar nichts über die Jahre 1933–1945.*

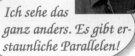

*Ich sehe das ganz anders. Es gibt erstaunliche Parallelen!*

**M 1**

**M 2**

Schaut euch die Abbildungen an und tauscht eure Eindrücke, Gedanken und Gefühle aus. Habt ihr selbst Erfahrungen mit dieser Thematik? Berichtet darüber. (Fotos 1999/2000)

**M 3**

## M 4  Was ist Rechtsextremismus (Neofaschismus)?

Politisches Konzept, dessen Inhalt die Wiederbelebung faschistischer bzw. nazistischer Vorstellungen ist. […] [Vertreter dieser Gruppierungen] propagieren
5 eine autoritäre, antidemokratische Gesellschaft, wobei sie im Sinn eines politisch motivierten Rassismus besonderen Wert auf deren ethnische Homogenität legen. Daher schüren sie den Hass gegen
10 Ausländer, Asylbewerber, Juden sowie einheimische Minderheiten und soziale Randgruppen. Kernziel neofaschistischer Vorstellungen ist der Umsturz der demokratisch verfassten Staatsordnung. […]
15 Ein zentrales Anliegen des neofaschistischen Weltbildes ist das Leugnen des Holocaust, der planmäßigen Judenvernichtung im Dritten Reich. […] In Zeiten hoher Arbeitslosigkeit und sozialer
20 Unsicherheit genießen die rechtsradikalen Parolen, die auf latent in der Bevölkerung vorhandenen Vorurteilen aufbauen, eine gesteigerte Popularität, wie sich an dem statistisch signifikanten Anwach-
25 sen rechtsextremer (insbesondere ausländerfeindlicher) Übergriffe im wiedervereinigten Deutschland der Neunzigerjahre ablesen lässt. Die angebotenen einfachen Antworten auf schwierige Fragen („Aus-
30 länder raus!", „Deutschland den Deutschen") erweisen sich als umso beliebter, je niedriger das Bildungsniveau und die persönlichen Lebenschancen innerhalb bestimmter Bevölkerungsschichten sind.

(Encarta 2001)

122

## M 5 Kurzporträt eines überzeugten Rechtsextremisten: Siegfried, 18 Jahre

**Name:** Der Name Siegfried ist selbst gewählt. „Wenn schon ein Name in der Zeitung, dann ein guter, germanischer."

**Äußeres:** Glatze, Stiefel, T-Shirt mit Aufdruck „Blut und Ehre", SS-Totenköpfe auf der Gürtelschnalle und als Anhänger einer Halskette.

**Musik:** hört gern „Fascho-Rock", z.B. Lieder von „brennenden Negern".

Siegfried über die Bundeswehr: „Wegen der Tattoos und meiner politischen Einstellung nehmen die mich bestimmt nicht.

Aber egal: Die kämpfen ja inzwischen sowieso lieber für Moslems als für Deutschland."

Siegfried über eigene Interessen: „Die ganze alte Kultur eben, Germanen, Sommersonnenwende und so." Jedenfalls kein „Multikulti-Mischmasch".

Siegfried über einige gleichaltrige Gymnasiasten: „Immer mehr Kiffer, immer weniger Respekt." Man muss sich „von den Zecken" ungestraft als Nazi beschimpfen lassen.

Siegfried über den Vorsitzenden der rechtsradikalen DVU, Frey: „Der Frey ist doch selbst ein Halbjude – wie kann der ernsthaft rechts sein?"

(Zusammengestellt nach: H. Witzel, „Kämpfen bis aufs Blut", in: STERN 34/2000, S. 32 f.)

## M 6

Siegfried vor dem Denkmal „Unsere Helden" (Siegfried wollte vor diesem Hintergrund fotografiert werden.)

Hallo Siegfried,
ich habe die Angaben im *STERN* gelesen und möchte dir mitteilen, warum ich deine Einstellung für gefährlich halte. Ich fange mal mit dem Bild von der Lichterkette an. Es zeigt eine Demonstration, an der ich teilgenommen habe – mit einigen anderen aus meiner Klasse. Du sollst wissen, dass ich nicht zufällig mitgegangen bin. Ich habe ganz bewusst mitgemacht, denn …

Lichterkette gegen Ausländerfeindlichkeit

Erhaltene Verbrennungsöfen im Lager
Auschwitz (Foto von 1995)

# Gegen das Vergessen!
# Vorschläge für ein
# Projekt

## Bleibt uns als Ergebnis nur die Resignation?

Es gibt eine sehr nüchterne, einfache Schlussfolgerung für politisches Handeln, die man aus alledem ziehen kann. Sie heißt: Wehret den Anfängen! Wenn man es erst so weit kommen lässt, dass sich politische Kräfte festsetzen, die die humanen und demokratischen Werte verachten, oder gar zulässt, dass sie die Herrschaft übernehmen, ist es leicht zu spät. Aus diesem Grund muss man sehr frühzeitig wachsam sein und sich zur Wehr setzen!

### Spuren suchen und dokumentieren: Anregungen für zeitgeschichtliche Untersuchungen außerhalb des Klassenzimmers

Anlässlich von Projekttagen oder -wochen ergeben sich oft Möglichkeiten für Schülerinnen und Schüler, eigene historische Aktivitäten – im günstigsten Falle sogar kleine Forschungen – zu verfolgen. Da die örtlichen Bedingungen sehr verschieden sind, können hier nur einige Anregungen gegeben werden, die je nach den Gegebenheiten abgewandelt werden müssen.

**1.**

Versucht herauszufinden, ob und wo es in eurer Stadt oder der Umgebung Kriegsgefangenenlager, Zwangsarbeiterlager, Außenstellen von Konzentrationslagern u. Ä. gegeben hat. Wendet euch an Ämter, Archive, Zeitungen mit der Bitte, euch bei der Klärung von Lebensschicksalen ehemaliger Gefangener oder Häftlinge zu helfen. Fotografiert ggf. die Überreste solcher Örtlichkeiten oder die Dokumente, zu denen ihr Zugang findet, und veranstaltet eine Ausstellung in eurer Schule. (In vielen Großstädten gibt es feste Institutionen, die die Erinnerung an die Opfer des Dritten Reiches wachhalten und die euch weiterhelfen können.)

**2.**

Nehmt eine Abbildung aus diesem Buch und nutzt sie als Grundlage/Ausgangsmaterial für ein Plakat. Ziel könnte es sein, an die Opfer von Krieg und/oder Verfolgung zu erinnern oder dazu aufzurufen, die Werte von Demokratie und Humanität zu achten. (Die Zusammenarbeit mit dem Kunstunterricht könnte sinnvoll sein.)

**3.**

Bereitet einen sogenannten alternativen Stadtrundgang in eurer Stadt vor, bei dem es darum geht, die düsteren (oder unter den Teppich gekehrten?) Seiten der Vergangenheit in Augenschein zu nehmen.

# Stopp
## Ein Blick zurück

**Einschätzungen über den Charakter des Nationalsozialismus**

### M 1 Der Historiker Golo Mann

„Die Juden", rief er [= Hitler] während des Krieges, „haben auch einmal über mich gelacht; ich weiß nicht, ob sie heute noch lachen, oder ob ihnen das Lachen
5 vergangen ist!" Dies war der Trieb, der ihn seine Erfolge erreichen wie seine Verbrechen begehen ließ: sich der Welt aufzudrängen, es einzutränken allen denen, die gewagt hatten, ihn nicht so ernst zu
10 nehmen, wie er sich selber nahm. [...] Kaum war der Lusttraum dieses Menschen ausgeträumt, so war es, als ob die Nation aus langer Betäubung erwachte. Kein Gedanke daran, dass Regime und
15 Partei ihn überleben könnten; auch dann nicht, wenn die fremden Sieger nicht jetzt die Herren in Deutschland gewesen wären. Der böse Zauber hielt nicht länger als der Zauberer. Mit ungläubigem Staunen
20 fanden die Alliierten, dass es in dem Land, das zwölf Jahre lang vom Nationalsozialismus regiert worden war, eigentlich überhaupt keine Nationalsozialisten gab. So als sei das Ganze nur eine Komö-
25 die im Stil des Hauptmanns von Köpenick gewesen, mörderisch wie nie zuvor ein Unfug in der Weltgeschichte, aber eben doch ein Unfug, eine Betrügerei nur, mit der jetzt, da sie demaskiert war, kaum
30 einer etwas zu tun gehabt haben wollte. Und war das nicht am Ende der Kern der ganzen peinlichen Geschichte: die Geschichte eines Gauklers, der sich großer, aber moralisch blinder, gleichgültiger na-
35 tionaler Tüchtigkeit bemächtigt hatte wie einer Maschine und nun sie für sich arbeiten ließ, pünktlich, wirkungsvoll, tödlich, so lange, bis sie von Ruinen umgeben, selber verbraucht und zerschlagen
40 war?

(Golo Mann, Deutsche Geschichte 1919–1945, FfM (unveränd. Neuaufl.) 1969, S. 195)

### M 2 Der Historiker Ian Kershaw

Mit Hitler ist man noch nicht fertig. Dass Hitler kein Tyrann war, der einem unterdrückten deutschen Volk seinen Willen aufzwang, sondern ein Produkt
5 der deutschen Gesellschaft und für einen Großteil der Dreißigerjahre der wohl populärste politische Führer der ganzen Welt und der Gegenstand außerordentlicher und weit verbreiteter Bewunde-
10 rung, erklärt zum Teil, warum er nicht „vergangen" ist, warum sein Schatten immer noch auf die Gegenwart fällt. Denn neben der historischen Frage, warum Hitler möglich war, stehen sogar
15 heute noch die moralische Frage, wie weit das deutsche Volk in Hitlers Verbrechen verstrickt war und immer noch Verantwortung dafür trägt, und die politische Problematik, ob in der deutschen
20 Gesellschaft noch das Potenzial existiert, einen neuen Hitler hervorzubringen. [...] Die Gründe für die Zustimmung zu Hitler waren vielfältig: die Wiederbelebung der Wirtschaft und das Ende der
25 Massenarbeitslosigkeit; das Ende der Entehrung durch nationale Erniedrigung; die Rückgewinnung von Gebieten, von denen man weithin meinte, sie seien Deutschland zu Unrecht durch den Ver-
30 sailler Vertrag weggenommen worden. Hinzu kam die Empfindung, dass Einigkeit und Zielstrebigkeit der Nation wiederhergestellt waren.

Die Unterstützung für Hitler umfasste
35 aber auch die Unterdrückung von Minderheiten und die Ziele (wenn auch nicht immer die Methoden) der Rassenpolitik. [...] Für die Masse der Bevölkerung erschien die Unterdrückung politischer
40 Gegner und abgelehnter Minderheiten wie der Juden als eine notwendige Komponente des nationalen Wiedererwachens. Die Politik der Repression konnte mit weit verbreiteter Unterstützung rech-
45 nen. Je mehr Hitler imstande war, „nationale" Erfolge zu verkünden, sein Image von dem eines Parteiführers in das eines Führers der Nation zu verwandeln, desto mehr schienen die „unangenehmen" As-
50 pekte des Dritten Reiches hinnehmbar zu sein – etwas, was man in Kauf nehmen oder ignorieren konnte, wenn man nicht Beifall spendete. [...] Die Mentalitäten, die einen Hitler
55 hervorgebracht hatten, waren [nach Kriegsende] nicht so schnell davonzujagen. Als die amerikanischen Besatzungsstreitkräfte im Oktober 1945 in Darmstadt Meinungsumfragen durchführten, fan-
60 den sie heraus, dass fast die Hälfte der befragten jüngeren Deutschen sich nach „einem starken Führer" sehnte, der ihr Land erneut retten sollte.

(Ian Kershaw, Trauma der Deutschen; in: Der Spiegel 19/2001, S. 66ff.)

---

**1.** Analysiert beide Darstellungen. Achtet besonders darauf, welche Aspekte Golo Mann bzw. Ian Kershaw betonen.

**2.** Welche der beiden Positionen findest du überzeugender? Begründe im Rückgriff auf Materialien aus dem Buch/dem Unterricht.

**3.** Versucht beide Auffassungen gegeneinander abzuwägen – evtl. indem ihr ein Streitgespräch in der Klasse durchführt.

# Europa und die Zweiteilung der Welt nach 1945

## Ost-West-Konflikt

Die täglichen Nachrichtensendungen machen deutlich, dass sich an der Notwendigkeit, Konflikte zu lösen und Kriege zu verhindern, nichts geändert hat. Frieden und Gerechtigkeit sind nach wie vor Gegenwarts- und Zukunftsaufgaben, die uns alle betreffen.

**Vereinte Nationen (UNO)**

Berlin 1961: Amerikanische und sowjetische Panzer stehen sich gegenüber.

NATO-Staaten
(Gründung: 1949)

1 Belgien
2 Bundesrepublik
  Deutschland
  (seit 1955)
3 Dänemark
4 Frankreich
5 Griechenland
  (seit 1952)
6 Großbritannien
7 Island
8 Italien
9 Kanada
10 Luxemburg
11 Niederlande
12 Norwegen
13 Portugal
14 Spanien (seit 1982)
15 Türkei (seit 1952)

Warschauer Pakt-
Staaten
(Gründung: 1955)

1 Bulgarien
2 ČSSR
3 DDR (seit 1956)
4 Polen
5 Rumänien
6 Ungarn
7 Albanien (bis 1968)

# Friedliche „Eine Welt"?

6. August 1945: Ein amerikanischer Bomber wirft auf die japanische Hafenstadt Hiroshima die erste Atombombe ab. Eine unvorstellbare Zahl von Menschen wird getötet oder verletzt, die gesamte Stadt zerstört. Von den 400 000 Einwohnern sterben bis Ende 1945 140 000, bis Ende 1950 200 000. Das Leid der Menschen ist in Worten nicht fassbar.

Nach dem Abwurf einer weiteren Bombe über Nagasaki am 9. August 1945 kapituliert mit Japan das letzte Land, das sich mit den Alliierten im Kriegszustand befindet.

Der Abwurf der Atombombe auf Hiroshima markiert das Ende des Zweiten Weltkrieges.

Er markiert zugleich den Anfang einer neuen Epoche in der Geschichte der Menschheit. Mit der Atombombe ist es möglich, ein Zerstörungspotenzial zu entwickeln, das die gesamte Erde vernichten kann. Damit ist nicht einfach eine neue Quantität in die Welt gekommen – eben eine noch stärkere Bombe –, sondern eine neue Qualität, etwas, das unser Leben grundsätzlich bestimmt, endgültig bestimmen kann. Leben im Zeitalter der Atombombe bedeutet Überleben trotz der jederzeit möglichen globalen Vernichtung. Dieses Überleben ist seit 1945 weltpolitische Aufgabe.

Hiroshima, August 1945

## M 1 Der Atomphysiker Robert Oppenheimer über die Bedeutung der Atombombe

**Q** [...] ich glaube, die Existenz der Atombombe und die Tatsachen, die sich herumsprechen werden, dass es nämlich nicht allzu schwierig ist, sie zu bauen;
5 dass sie für kein starkes Land eine wirkliche Belastung der Wirtschaft darstellt; und dass ihre Vernichtungskraft wachsen wird und jetzt bereits unvergleichlich viel größer ist als die jeder anderen Waffe – ich
10 glaube, all das wird eine neue Situation schaffen, so neu, dass darin eine Gefahr liegt [...].

Ich denke, es ist richtig zu sagen, dass Atomwaffen eine Bedrohung darstellen,
15 die jeden auf der Welt betrifft; in diesem Sinne sind sie ein Problem, das alle in vollkommen gleicher Weise betrifft, und zwar ebenso, wie es für die Alliierten ein gemeinsames Problem war, die Nazis zu
20 besiegen.

Dieses gemeinsame Problem zu lösen, kann als Pilotprojekt für eine neue Art der internationalen Zusammenarbeit verstanden werden. Ich spreche von einem
25 Pilotprojekt, weil es recht klar auf der Hand liegt, dass die Kontrolle von Atomwaffen in sich nicht das alleinige Ziel einer solchen Bemühung sein kann: Das Ziel kann einzig und allein eine geeinte
30 Welt sein, eine Welt, in der Krieg nicht mehr entsteht.

(Zit. nach: Richard Rhodes, Die Atombombe oder Die Geschichte des 8. Schöpfungstages, (Greno) Nördlingen 1988, S. 765 ff.)

# Die Vorstellung von der „Einen Welt"

## Die Gründung der Vereinten Nationen

Das Foto hält eine der denkwürdigsten und weltpolitisch bedeutsamsten Szenen aus der Nachkriegsgeschichte der internationalen Staatenwelt im Bild fest. Der amerikanische Präsident Harry S. Truman eröffnet am 26. Juni 1945 die Gründungsversammlung der Vereinten Nationen in San Francisco. Etwa zwei Monate nach dem Tod seines Amtsvorgängers Roosevelt schien sich dessen Traum zu erfüllen. Die Vertreter von 50 Staaten traten zusammen und berieten über die Satzung, die den angestrebten Zusammenschluss der internationalen Staatenwelt zu den Vereinten Nationen regeln sollte. Die Hoffnung, Frieden und die Einhaltung der Menschenrechte durch eine weltumspannende Organisation zu sichern, war nach der Katastrophe des Zweiten Weltkriegs noch stärker ausgeprägt als nach dem Ersten Weltkrieg. Die Erfahrungen aus diesem Krieg hatten dazu geführt, dass Politiker erstmals auf internationaler Ebene gemeinsam darüber nachdachten, wie zukünftig kriegerische Auseinandersetzungen dieses Ausmaßes verhindert werden könnten. Zu diesem Zweck wurde der „Völkerbund" ins Leben gerufen. Er sollte sich künftig für Rüstungsbeschränkungen und wirtschaftliche Freiheit einsetzen sowie bei Konflikten vermitteln. Bis 1939 konnte der Völkerbund bei der Lösung kleinerer Krisen hilfreich sein. Allerdings machte der Zweite Weltkrieg diesem Versuch internationaler Friedenssicherung ein Ende. Am Ende des Zweiten Weltkriegs, der ungefähr 55

Millionen Menschen das Leben gekostet hatte und Millionen von Menschen in bitterste Einsamkeit, existenzielle Not und Hoffnungslosigkeit getrieben hatte, träumten die Menschen von einer Welt in Frieden. Präsident Roosevelt war der Meinung, dass durch die Mitwirkung der USA – sie waren nach dem Ersten Weltkrieg nicht Mitglied des Völkerbunds geworden – und die Vermeidung später erkannter Mängel in der Organisation und Arbeitsweise des Völkerbunds eine neu zu schaffende Organisation der Vereinten Nationen, für die er sich mit Nachdruck einsetzte, wirkungsvoller als der Völkerbund befähigt sein werde, internationale Streitfragen zu lösen. Wie eine solche neue Weltfriedensordnung mithilfe der Vereinten Nationen aussehen müsste, darüber hatte er sich schon vor dem Eintritt der Vereinigten Staaten in den Krieg konkrete Gedanken gemacht und Vorstellungen entwickelt. Zusammen mit dem britischen Premierminister Winston S. Churchill entwickelte er seinen Plan, eine neue Weltorganisation zur Sicherung des Friedens zu schaffen. Das Ergebnis der amerikanisch-britischen Unterredungen war die sogenannte „Atlantik-Charta", die am 14. August 1941 verkündet wurde. Sie enthielt die Grundsätze einer neuen Weltfriedensordnung, die nach dem Sieg über Deutschland und Japan verwirklicht werden sollte. Im darauf folgenden Jahr 1942 bekannte sich auch Stalin zu diesen Zielen als Grundlage zukünftiger Weltfriedenspolitik.

## M 2 Atlantik-Charta (Auszug)

**Q** Beide Länder [USA und GB] streben keine Vergrößerung an, weder territorial noch sonst wie.

Sie missbilligen territoriale Verände-
5 rungen, die nicht mit den frei geäußerten Wünschen der beteiligten Völker übereinstimmen.

Sie respektieren das Recht jedes Volkes, sich die Regierungsform, unter der es
10 leben will, selbst zu wählen.

Sie werden bestrebt sein, [...] allen Staaten, [...] Siegern oder Besiegten, zu ermöglichen, sich den für ihr wirtschaftliches Gedeihen nötigen Anteil
15 am Welthandel und an den Weltrohstoffen unter gleichen Bedingungen zu sichern.

Sie haben den Wunsch, die Zusammenarbeit aller Nationen [...] herbei-
20 zuführen.

Sie hoffen, nach dem endgültigen Sturz der Nazityrannei einen Frieden aufgerichtet zu sehen, der [...] allen Menschen und allen Ländern ein Le-
25 ben frei von Furcht und Not sichert.

Sie sind der Überzeugung, dass alle Nationen der Welt aus materiellen wie aus ethischen Gründen zum Verzicht auf Anwendung von Gewalt kommen
30 müssen.

(Zit. nach: Winston S. Churchill, Der Zweite Weltkrieg. Mit einem Epilog über die Nachkriegsjahre, (Droemerverlag) Bern – Stuttgart – München 1954, S. 545–549)

# Die UNO

## Organe und Gliederung der Vereinten Nationen

Beschreibt und erläutert das Schaubild. Die Stichworte im Begleittext helfen euch dabei.

**M 1**

**VEREINTE NATIONEN**
UNO (UNITED NATIONS ORGANIZATION) NEW YORK

Internationaler Gerichtshof — 15 Richter — Den Haag — wählt

Entwicklungsländer / Industrieländer / westl. / östl.

**Vollversammlung in New York** — Jährliche Sitzung der Vertreter der (2005) 191 Mitglieder

wählt — **Treuhänderrat** — verwaltet die Treuhandgebiete der UNO

**UN-Streitkräfte**

wählt — **Sicherheitsrat** — 5 (ständige) + 10 (nichtständige) Mitgl. — wählt alle 2 Jahre

wählt alle 5 Jahre — **Generalsekretär** — Sekretariat — New York

*UN-Sonderorganisationen*

| Ständige UN-Kommissionen | |
|---|---|
| ILO | Kommission für Arbeit |
| FAO | Kommission für Ernährung |
| UNESCO | Kommission für Erziehung |
| WHO | Kommission für Gesundheit |

| Ständige UN-Hilfsorganisationen | |
|---|---|
| UNICEF | Weltkinderhilfswerk |
| UNHCR | Hoher Kommissar für Flüchtlinge |
| UNCTAD | Welthandels-/Entwicklungskonferenz |
| UNDP | Entwicklungsprogramm |
| WFC | Welternährung |
| UNEP | Umwelt |

### Stichwort: Vollversammlung

In der Vollversammlung ist jedes Mitgliedsland mit einer Stimme vertreten. Die Funktionen der Mitgliedsländer sind:
– Streit schlichtende und friedenserhaltende Tätigkeiten (z.B. Schlichtung, Vermittlung),
– Überwachungsaufgaben,
– Interessenartikulation von Einzelstaaten oder Gruppen,
– Wahlfunktion bezüglich der verschiedenen UNO-Gremien.

### Stichwort: Generalsekretär

Der Generalsekretär besitzt die Möglichkeit, Initiativen in Fragen der Friedenssicherung einzuleiten. Er hat eine „Maklerrolle" zwischen Mitgliedsstaaten, aber auch zwischen Konfliktparteien.

### Stichwort: Sicherheitsrat

Der Sicherheitsrat war ursprünglich als eine Art Weltpolizei der Großmächte gedacht. Seine Handlungsmöglichkeiten könnt ihr den Artikeln 41 und 42 der UNO-Charta (S. 131, M 2) entnehmen.
Die Wirkung des Sicherheitsrates soll dadurch gewährleistet werden, dass in ihm alle fünf Großmächte als ständige Mitglieder vertreten sind, alle Beschlüsse nur mit Zustimmung der ständigen Mitglieder gefasst werden können (Vetorecht der Großmächte) und Sicherheitsfragen ausschließlich diesem Gremium vorbehalten bleiben. Nach wie vor ist der Sicherheitsrat das wichtigste Gremium der UNO, das Beschlüsse fassen kann, die für alle Mitglieder gültig sind. Neben den ständigen Mitgliedern gehören zehn nichtständige Mitglieder dem Sicherheitsrat an: zwei aus Westeuropa, eins aus Osteuropa, zwei aus Lateinamerika, fünf aus Afrika und Asien.

UN-Vollversammlung

# Was sind Auftrag und Ziele der Vereinten Nationen?

**1.** Auf der Grundlage der Gründungserklärung (UNO-Charta) kannst du herausarbeiten, welche Ziele und Aufgaben die UNO verfolgt und welche Mittel in Krisensituationen zur Durchsetzung der Ziele vorgesehen bzw. verfügbar sind.

**2.** Wie beurteilst du Chancen, Möglichkeiten und Grenzen der Vereinten Nationen als friedenssichernde Organisation?

## M 2 Die Gründungserklärung der UNO

**Q** *Artikel 1*

Die Vereinten Nationen setzen sich folgende Ziele:
1. den Weltfrieden und die internationale
5 Sicherheit zu wahren und zu diesem Zweck wirksame Kollektivmaßnahmen zu treffen, um Bedrohungen des Friedens zu verhüten und zu beseitigen, Angriffshandlungen und andere Friedensbrüche
10 zu unterdrücken und internationale Streitigkeiten oder Situationen, die zu einem Friedensbruch führen könnten, durch friedliche Mittel nach den Grundsätzen der Gerechtigkeit und des Völkerrechts
15 zu bereinigen oder beizulegen;
2. freundschaftliche, auf der Achtung vor dem Grundsatz der Gleichberechtigung und Selbstbestimmung der Völker beruhende Beziehungen zwischen den Natio-
20 nen zu entwickeln und andere geeignete Maßnahmen zur Festigung des Weltfriedens zu treffen;
3. eine internationale Zusammenarbeit herbeizuführen, um internationale Pro-
25 bleme wirtschaftlicher, sozialer, kultureller und humanitärer Art zu lösen und die Achtung vor den Menschenrechten und Grundfreiheiten für alle ohne Unterschied der Rasse, des Geschlechts, der
30 Sprache oder der Religion zu fördern und zu festigen.

*Artikel 2*

[…] 3. Alle Mitglieder legen ihre internationalen Streitigkeiten durch friedliche
35 Mittel so bei, dass der Weltfriede, die internationale Sicherheit und die Gerechtigkeit nicht gefährdet werden. […] 7. Aus dieser Charta kann eine Befugnis der Vereinten Nationen zum Eingreifen in
40 Angelegenheiten, die ihrem Wesen nach zur inneren Zuständigkeit eines Staates gehören, nicht abgeleitet werden […].

*Artikel 41*

Der Sicherheitsrat kann […] die vollstän-
45 dige oder teilweise Unterbrechung der Wirtschaftsbeziehungen […] und den Abbruch der diplomatischen Beziehungen beschließen.

*Artikel 42*

Ist der Sicherheitsrat der Auffassung,
50 dass die in Artikel 41 vorgesehenen Maßnahmen unzulänglich sein würden oder sich als unzulänglich erwiesen haben, so kann er mit Luft-, See- oder Landstreitkräften die zur Wahrung oder Wiederher-
55 stellung des Weltfriedens und der internationalen Sicherheit erforderlichen Maßnahmen durchführen. Sie können Demonstrationen, Blockaden und sonstige Einsätze der Luft-, See- oder Land-
60 streitkräfte von Mitgliedern der Vereinten Nationen einschließen.

(Peter J. Opitz und Volker Rittberger (Hg.), Forum der Welt. 40 Jahre Vereinte Nationen, Bonn 1986, S. 318ff.)

## M 3

„After You" (Karikatur von David Low, 1945)

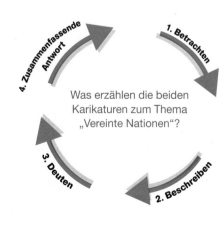

Was erzählen die beiden Karikaturen zum Thema „Vereinte Nationen"?

1. Betrachten
2. Beschreiben
3. Deuten
4. Zusammenfassende Antwort

## M 4

„Ein gutes Team – aber es könnte einen Schuss Einheitlichkeit vertragen …"
(Karikatur von David Low, 1945)

# Die Welt im Schatten des Ost-West-Konflikts

Konflikte zwischen Gruppen und Staaten stellen sich uns häufig als schwer durchschaubare Phänomene dar. Historische Konflikte sind nicht weniger komplex, zum Beispiel der Ost-West-Konflikt. Hier handelte es sich um einen Konflikt, der mehr als vierzig Jahre die Politik der Welt bestimmte, der die Welt in zwei verfeindete Lager teilte und der die ganze Welt aufgrund der bis dahin nicht gekannten Vernichtungskraft der Atombomben an den Rand der völligen Selbstvernichtung bringen konnte.

# Leitproblem „Konflikt"

Die Beschäftigung mit den verschiedenen Epochen der Geschichte zeigt, dass es „Schlüsselprobleme" gibt, denen sich die Menschen im Verlauf der Geschichte immer wieder stellen mussten. Eine solche überzeitliche historische Leitkategorie ist der Konflikt. Der Blick zurück auf den gesamten Zeitraum der bekannten Geschichte ist bestimmt von einem Miteinander, aber auch Gegeneinander menschlicher Gemeinschaften und Staaten. Das Leitproblem „Konflikt" stellt die Probleme des Zusammenlebens von Menschen unterschiedlicher nationaler, ideologischer oder auch religiöser Identität in den Mittelpunkt der Betrachtung.
Angesichts der Vielzahl, Unterschiedlichkeit und Komplexität von Konflikten haben sich Konfliktforscher die Frage gestellt:

● **Gibt es ein Instrumentarium, das klare Erkenntnisse über einen konkreten Konflikt ermöglicht und das auch auf jeden Konflikt anwendbar ist?**

Ein solches Instrumentarium findet ihr hier. Es hilft euch, den Ost-West-Konflikt, der Gegenstand des folgenden Kapitels ist, zu analysieren und zu beurteilen. Natürlich könnt ihr damit künftig auch andere Konflikte untersuchen.

---

### Konfliktanalyse – wie geht man vor?

Konflikte haben in der Regel drei zeitliche Dimensionen:
die Ausgangslage, den Konfliktverlauf und die Konfliktlösung.
Sie bilden die Oberkategorien der Analyse.

**A  Die Ausgangslage**
① Wer sind die Konfliktgegner?
② Welche Interessen und Ziele vertreten sie?
③ Welche Vorgeschichte hat der Konflikt?
④ Wie stellen sich die Machtverhältnisse zwischen den Gegnern dar?
⑤ Welches Ereignis/welche Ereignisse lösen den Konflikt aus?

**B  Der Konfliktverlauf**
⑥ Welche wichtigen Konfliktereignisse kennzeichnen die Chronologie des Konfliktes in besonderer Weise?
⑦ Welche Kompromiss- oder Lösungskonzepte für den Konflikt werden vorgelegt?

**C  Die Konfliktlösung**
⑧ Wie kommt es zur Lösung des Konflikts?
⑨ Wie sieht die Lösung konkret aus?
⑩ Wie ist diese Konfliktlösung zu beurteilen?
   ● Steckt in dieser Lösung die Chance für einen dauerhaften Frieden?
   ● Ist die Konfliktlösung als Modell oder Vorbild auf andere Konflikte übertragbar?
   ● Kann man aus dem Verhalten der Konfliktbeteiligten etwas über grundsätzliche Verhaltensweisen in Konfliktsituationen lernen?

# Als der Krieg zu Ende war – Ausgangslage nach 1945

Im Frühjahr 1945 war die Anti-Hitler-Koalition am Ziel. Der Zweite Weltkrieg in Europa war beendet. Das nationalsozialistische Deutschland war besiegt und bedingungslos dem Willen der Sieger unterworfen.

Ein Ergebnis des Krieges war, dass die europäische Vorherrschaft und Führungsrolle in der Welt verloren gegangen war. Die beiden europäischen Mächte Großbritannien und Frankreich gehörten zwar zur Gruppe der Sieger, waren aber in ihrer Machtstellung angeschlagen und geschwächt. Nicht nur, dass sie auf politische wie wirtschaftliche Hilfe und Unterstützung durch die USA angewiesen waren; sie verloren im Rahmen der Neuordnung der Welt auch ihre Kolonialreiche.

Die USA und die Sowjetunion gingen als dominierende zukünftige Weltmächte gestärkt aus diesem Krieg hervor, allerdings unter verschiedenen Vorzeichen.

Die USA hatten den Krieg ohne Zerstörung im eigenen Lande überstanden und waren zur stärksten Wirtschaftsmacht aufgestiegen. So kam aus ihrer Sicht der Forderung nach freiem Zugang zu den Weltmärkten eine besondere Bedeutung zu. Den amerikanischen Politikern war bewusst, dass nach dem Wandel der bislang vor allem von europäischen Großmächten beherrschten internationalen Ordnung kein Machtvakuum in Europa entstehen durfte.

Die Sowjetunion hatte besonders unter dem Krieg gelitten und die höchsten Verluste gehabt. Das Land war vor allem in den industrialisierten Gebieten im Westen Kriegsschauplatz gewesen und lag nun weitgehend zerstört da. Andererseits war die Sowjetunion aufgrund ihrer militärischen Erfolge zu einer Weltmacht aufgestiegen. Mit dem Kriegsende verband man die Hoffnung auf wirtschaft-

liche Erholung durch Reparationszahlungen des besiegten Deutschlands und finanzielle Hilfen aus den USA. Darüber hinaus war die Sowjetunion bestrebt, das eigene Staatsgebiet durch einen Schutzgürtel abhängiger Staaten in Osteuropa, Mittelasien und Fernost abzusichern. Dieses Bestreben war Ausdruck eines ausgeprägten Sicherheitsbedürfnisses, das vor allem aus den Erfahrungen der Vorkriegszeit erwuchs. Umringt von kapitalistischen Staaten fürchtete man Aktivitäten zur Beseitigung des Sozialismus und wollte dieser Gefahr wirksam begegnen.

> Entscheide dich für eine der beiden Karikaturen und interpretiere sie unter dem thematischen Leitgedanken „Siegerkoalition".

## Sieger ins Bild gesetzt

M 1

Karikatur der „Schweizer Illustrierten" am 11. April 1945. Das Gesicht der Schlange soll an Hitler erinnern.

M 2

Karikatur in der „Los Angeles Times" 1945

# Blockbildung – die Zweiteilung der Welt aus westlicher und östlicher Sicht

Nur ungefähr zwei Jahre nach Kriegsende standen sich die Partner des erfolgreichen Kampfes gegen das nationalsozialistische Deutschland und dessen Verbündete in Europa und Deutschland als Feinde gegenüber, die Welt hatte sich in zwei Blöcke aufgespalten.

- **Warum werden aus siegreichen Partnern Konkurrenten und letztlich sogar Feinde?**
- **Wie kommt es zur Spaltung der Welt in einen westlichen und östlichen Machtblock?**

Dieser Problematik könnt ihr im Folgenden mithilfe der Materialien auf den Seiten 136–139 nachgehen. Für die Analyse der Anfangsphase der Ost-West-Teilung der Welt bietet sich als Zugriff die Methode des Perspektivenwechsels an.

## Methodenbox

### Perspektivenwechsel
**Was bedeutet das und wie geht das?**

**1. Schritt:**
**Perspektiven sich zu eigen machen**

Perspektivenwechsel heißt, bereit zu sein und sich unvoreingenommen zu bemühen, „eine doppelt originäre Sichtweise" einzunehmen. In unserem speziellen Fall bedeutet das, dass wir zunächst – unabhängig von der eigenen persönlichen Meinung – die Positionen der Hauptkonfliktbeteiligten zur Kenntnis nehmen und sie zu verstehen versuchen. Ziel ist, aus unterschiedlichen Perspektiven zwei parteiliche Geschichten zum Prozess der Blockbildung zu erzählen.

**Vorschläge:**

– zwei Schulbuchtexte verfassen

oder:

– zwei Reden vorbereiten und halten
– einen Rundfunkkommentar vorbereiten
– ein Interview vorbereiten und vorspielen.

**2. Schritt:**
**Perspektiven kritisch verarbeiten und eigene Sichtweisen entwickeln**

Hier geht es darum, die von den Konfliktparteien vertretenen Positionen zu vergleichen, sie kritisch zu hinterfragen und eigene begründete Antworten auf die gestellten Fragen zur Blockbildung zu formulieren und gemeinsam zu diskutieren.

## Perspektive West

**M 1** 5. März 1946 – Der britische Oppositionsführer Winston Churchill äußert sich in Fulton (USA) zur Situation in Europa:

**Q** Von Stettin an der Ostsee bis nach Triest an der Adria hat sich ein eiserner Vorhang über den Kontinent gesenkt. Dahinter liegen die Hauptstädte der vorma-
5 ligen Staaten Zentral- und Osteuropas: Warschau, Berlin, Prag, Wien, Budapest, Belgrad, Bukarest und Sofia. Alle diese berühmten Städte und die umwohnende Bevölkerung befinden sich in der Sowjet-
10 sphäre, wie ich sie nennen muss, und sind in der einen oder anderen Form nicht nur dem sowjetischen Einfluss ausgesetzt, sondern unterstehen in hohem und in vielen Fällen in steigendem Maße der
15 Kontrolle Moskaus. In fast allen Fällen herrscht ein Polizeiregime. [...]
Wenn die Sowjetregierung jetzt versucht, durch eigenmächtiges Vorgehen ein prokommunistisches Deutschland in ihren
20 Gebieten zu errichten, wird das neue, ernsthafte Schwierigkeiten in der britischen und amerikanischen Zone hervorrufen und den geschlagenen Deutschen die Macht geben, sich zwischen
25 den Sowjets und den westlichen Demokratien an den Meistbietenden zu verkaufen. Welche Schlussfolgerungen aus diesen Tatsachen man auch ziehen mag – dies ist sicher nicht das befreite Europa,
30 für dessen Aufbau wir gekämpft haben.

(Winston Churchill, Der Zweite Weltkrieg, Bern/Stuttgart 1954, S. 1102 ff., bearbeitet)

**M 2** Der amerikanische Historiker und Diplomat George F. Kennan war maßgeblich an der Entwicklung der Strategie der Eindämmungspolitik als Konzept der US-Außenpolitik beteiligt, das den Kurs der amerikanischen Außenpolitik seit Ende 1946 bestimmte.
Er beschreibt seine Sichtweise in seinen Memoiren:

**Q** Unser Land muss auch in Zukunft davon ausgehen, dass die Politik der Sowjetunion nicht von abstrakter Friedensliebe und dem Wunsch nach Stabilität, nicht von
5 dem Glauben an die Möglichkeit eines dauernden glücklichen Nebeneinanderexistierens der sozialistischen und der kapitalistischen Welt diktiert ist, dass sie vielmehr ihre Bemühungen fortsetzen wird, alle mit ihr
10 rivalisierenden Einflüsse und Kräfte zu desorganisieren und zu schwächen. Dem steht entgegen, dass Russland im Vergleich zu der westlichen Welt als Ganzem der bei weitem schwächere Teil ist, dass die Sowjeti-
15 on äußerst anpassungsfähig ist und dass die Sowjetgesellschaft Schwächen aufweist, die schließlich ihr ganzes Kräftepotenzial beeinträchtigen könnten. Schon diese Tatsachen würden es rechtfertigen, wenn die Ver-
20 einigten Staaten getrost einen politischen Kurs einschlügen, der darauf abzielte, Russland in Schranken zu halten und ihm mit Kraft entgegenzutreten, wann und wo es immer Miene macht, die Interessen einer
25 friedlichen und auf Stabilität bedachten Welt anzutasten.
In Wirklichkeit jedoch braucht sich die amerikanische Politik keinesfalls darauf zu beschränken, Positionen zu halten und
30 im Übrigen das Beste zu hoffen. Die Vereinigten Staaten sind durchaus in der Lage, durch konkrete Handlungen die Faktoren zu beeinflussen, die Russlands Politik weitgehend bestimmen, und zwar gilt
35 das sowohl für die innerrussischen Entwicklungen als auch für die Vorgänge in der internationalen kommunistischen Bewegung.

(George F. Kennan, Memoiren eines Diplomaten, Stuttgart 1968, S. 357 ff.)

**Tipp!** Notiert für jede der Quellen M 1 bis M 7, den bewährten W-Fragen folgend, was ihr jeweils über die Sichtweisen zur eigenen Position und der des Konfliktgegners erfahrt.

Winston Churchill, britischer Premierminister, ab 1946 Oppositionsführer

12. März 1947 – US-Präsident Harry S. Truman hält aus einem aktuellen politischen Anlass eine historisch bedeutsame Rede vor beiden Häusern des amerikanischen Kongresses. Sie spiegelt die zukünftig gültigen Leitlinien amerikanischer Außenpolitik.

## M 3 Die „Truman-Doktrin"

**Q** Zum gegenwärtigen Zeitpunkt der Weltgeschichte muss fast jede Nation zwischen alternativen Lebensformen wählen. Nur zu oft ist diese Wahl nicht frei.

5 Die eine Lebensform gründet sich auf den Willen der Mehrheit und ist gekennzeichnet durch freie Institutionen, repräsentative Regierungsform, freie Wahlen, Garantien für die persönliche Freiheit,

10 Rede- und Religionsfreiheit und Freiheit von politischer Unterdrückung.

Die andere Lebensform gründet sich auf den Willen einer Minderheit, den diese der Mehrheit gewaltsam aufzwingt. Sie

15 stützt sich auf Terror und Unterdrückung, auf die Zensur von Presse und Rundfunk, auf manipulierte Wahlen und auf den Entzug der persönlichen Freiheiten.

Ich glaube, es muss die Politik der Verei-

20 nigten Staaten sein, freien Völkern beizustehen, die sich der angestrebten Unterwerfung durch bewaffnete Minderheiten oder durch äußeren Druck widersetzen. Ich glaube, wir müssen allen freien Völ-

25 kern helfen, damit sie ihre Geschicke auf ihre Weise selbst bestimmen können. Unter einem solchen Beistand verstehe ich vor allem wirtschaftliche und finanzielle Hilfe, die die Grundlage für wirtschaft-

30 liche Stabilität und geordnete politische Verhältnisse bildet.

Die Welt ist nicht statisch und der status quo [lat.: Ist-Zustand] ist nicht heilig. Aber wir können keine Veränderungen des sta-

35 tus quo erlauben, die durch Zwangsmethoden oder Tricks wie der politischen Infiltration unter Verletzung der Charta der Vereinten Nationen erfolgen. Wenn sie freien und unabhängigen Nationen

40 helfen, ihre Freiheit zu bewahren, verwirklichen die Vereinigten Staaten die Prinzipien der Vereinten Nationen […].

Die freien Völker der Welt rechnen auf unsere Unterstützung in ihrem Kampf um

45 die Freiheit. Wenn wir in unserer Führungsrolle zaudern, gefährden wir den Frieden der Welt – und wir schaden mit Sicherheit der Wohlfahrt unserer eigenen Nation […]. Die Vereinigten Staaten haben

50 von der Regierung Griechenlands einen dringenden Appell um finanzielle und wirtschaftliche Unterstützung erhalten […]. Griechenland muss, wenn es eine sich selbst genügende und sich selbst achtende

55 Demokratie werden soll, Hilfe erhalten. Diese Hilfe müssen die Vereinigten Staaten geben […]. Griechenlands Nachbar, die Türkei, verdient unsere Aufmerksamkeit. Die Zukunft der Türkei als unabhängiger

60 und wirtschaftlich gesunder Staat ist nicht von geringerer Bedeutung für die friedensliebenden Völker der Welt als die Zukunft Griechenlands […]. Ich bin der Ansicht, dass wir den freien Völkern beistehen

65 müssen, ihr eigenes Geschick auf ihre Weise zu bestimmen. Ich glaube, dass unser Beistand in erster Linie in Form von wirtschaftlicher und finanzieller Hilfe gewährt werden sollte, eine Hilfe, die wesentlich ist

70 für die wirtschaftliche Stabilität und ordnungsgemäße politische Entwicklung.

(Zit. nach: Geschichte in Quellen – Die Welt seit 1945, Bayerischer Schulbuchverlag/München 1980, S. 576 f.)

5. Juni 1947 – Der amerikanische Außenminister George Marshall gibt mit einer Rede in der Harvard-Universität den Anstoß zur Entwicklung eines wirtschaftlichen Hilfsprogramms für den Wiederaufbau Europas. (ERP, European Recovery Program). Dieses Programm sollte allen europäischen Staaten einschließlich der Sowjetunion zugute kommen.

Die UdSSR lehnte den Marshall-Plan ab und untersagte sowohl der sowjetischen Besatzungszone als auch allen in ihrem Einflussbereich stehenden osteuropäischen Staaten die Inanspruchnahme dieses Hilfsprogramms.

## M 4 Der Marshall-Plan

**Q** Unsere Politik ist nicht gegen irgendein Land oder eine Doktrin, sondern gegen Hunger, Armut, Verzweiflung und Chaos gerichtet. Ihr Zweck soll es sein, die

5 Weltwirtschaft wiederherzustellen, um das Entstehen politischer und sozialer Verhältnisse zu ermöglichen, unter welchen freie Institutionen existieren können. Jede Regierung, die willens ist, bei der Aufgabe

10 des Wiederaufbaues mitzuwirken, wird, dessen bin ich sicher, seitens der Regierung der Vereinigten Staaten volle Unterstützung erfahren. Eine Regierung, welche den Wiederaufbau anderer Länder zu verhin-

15 dern sucht, kann keine Hilfe von uns erwarten. Regierungen, politische Parteien oder Gruppen, welche bestrebt sind, das menschliche Elend zu verewigen, um daraus politisch oder in anderer Weise zu

20 profitieren, werden auf den Widerstand der Vereinigten Staaten stoßen.

Es ist klar, dass, bevor die Regierung der Vereinigten Staaten in ihren Bemühungen, die Situation zu erleichtern und beim euro-

25 päischen Wiederaufbau zu helfen, weiter fortschreiten kann, eine Vereinbarung zwischen den Völkern Europas geschlossen werden muss bezüglich der Erfordernisse der Lage und des Anteils, den diese Län-

30 der selbst übernehmen wollen, um eine eventuelle Aktion der amerikanischen Regierung wirksam zu gestalten. Es wäre für die amerikanische Regierung weder passend noch wirksam, einseitig ein Pro-

35 gramm zu entwerfen, das bestimmt, wie Europa wirtschaftlich wieder auf die Füße gestellt werden kann […]

(Zit. nach: Geschichte in Quellen, a.a.O., S. 370 f.)

# Perspektive Ost

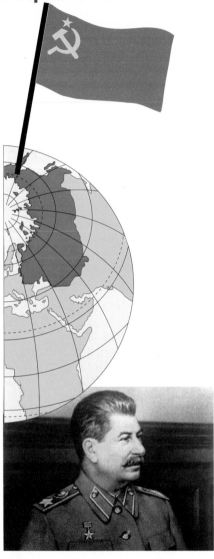

**M 5** April 1945 – Stalin in einem Gespräch mit dem jugoslawischen Kommunisten und früheren Stellvertreter Marshall Titos, Milovan Djilas:

**Q** Dieser Krieg ist nicht so wie früher; jeder, der ein Gebiet besetzt, stülpt ihm auch sein eigenes soziales System über, jeder setzt sein eigenes System so weit
5 durch, wie seine Armee reichen kann. Es kann nicht anders sein.

(Zit. nach: Henry Kissinger, Die Vernunft der Nationen. Über das Wesen der Außenpolitik, Berlin (Siedler) 1994, S. 444)

---

**M 6** September 1947 –
Die „zwei Lager"

Der Sekretär des Zentralkomitees der sowjetischen KPdSU, Shdanov, äußert sich zur außenpolitischen Situation anlässlich der Gründung der Kominform. Die Kominform (Nachfolgeorganisation der Komintern, 1919–43) war ein von der Sowjetunion betriebener und geleiteter Zusammenschluss regierender und auch nicht regierender kommunistischer Parteien in einem „Kommunistischen Informationsbüro", mit dem Ziel, die sozialistischen Kräfte in Europa zu bündeln und zu gemeinsamer Aktion zu verpflichten. Shdanov erklärt:

**Q** Die amerikanischen Imperialisten, die sich als die Hauptkraft betrachten, die der UdSSR, den Ländern der neuen Demokratie, gegenübersteht, die sich als
5 Bollwerk der reaktionären, antidemokratischen Kräfte in der ganzen Welt betrachten, sind am nächsten Tag nach der Beendigung des Zweiten Weltkriegs in die der Wiederaufrichtung der UdSSR und der
10 Weltdemokratie feindliche Front gegangen. […]
Die grundlegenden Veränderungen in der internationalen Lage und in der Lage der einzelnen Staaten nach dem Krieg haben
15 das ganze Weltbild verändert. Es ist zu einer Neuaufteilung der politischen Kräfte gekommen. Je größer der Zeitraum wird, der uns von der Beendigung des Krieges trennt, desto schärfer heben
20 sich zwei Grundtendenzen in der internationalen Nachkriegspolitik hervor, die der Teilung der politischen Kräfte in zwei Lager entsprechen: in das imperialistische und antidemokratische Lager einerseits und das antiimperialistische und
25 demokratische Lager andererseits. Die führende Hauptkraft des imperialistischen Lagers sind die USA. […]
Die sowjetische Außenpolitik geht von
30 der Tatsache aus, dass die beiden Systeme, das des Kapitalismus und das des Sozialismus, auch eine lange Periode gemeinsam bestehen werden. Daraus ergibt sich die Möglichkeit der Zusammenar-
35 beit zwischen der UdSSR und den Ländern anderer Systeme, unter der Bedingung der Gegenseitigkeit und der übernommenen Verpflichtungen. Eine ganz entgegengesetzte Politik betreiben Eng-
40 land und Amerika […]. Sie machen alles, um sich von den […] übernommenen Verpflichtungen loszusagen und sich die Hände frei zu machen für eine neue Politik, die nicht auf die Zusammenarbeit der
45 Völker berechnet ist, sondern darauf, sie gegeneinander aufzuhetzen. […] Die Sowjetpolitik hält sich an den Kurs der Aufrechterhaltung loyaler gutnachbarlicher Beziehungen zu allen Staaten, die
50 den Wunsch nach Zusammenarbeit bekunden. […] Der Übergang des amerikanischen Imperialismus zum aggressiven expansionistischen Kurs, der sich nach dem Kriege vollzog, fand sowohl in der
55 Außenpolitik als auch in der Innenpolitik der USA seinen Ausdruck.

(Zit. nach: Keesing's Archiv der Gegenwart, Jahrgang 1947, S. 128 f.)

---

**M 7** 1. Oktober 1947 – Shdanov
reagiert auf den Marshall-Plan

**Q** Die US-‚Wirtschaftshilfe' verfolgte das weit gesteckte Ziel, Europa mithilfe des amerikanischen Kapitals zu versklaven. Doch die wirtschaftliche Kontrolle
5 zieht auch die politische Unterordnung nach sich. […] Ihren Ausdruck haben die Bestrebungen in den USA gegenwärtig in der Truman-Doktrin und im Marshall-Plan gefunden. […] Die Truman-Doktrin,
10 die darauf berechnet ist, alle […] reaktionären Regime zu unterstützen, trägt unverhüllt aggressiven Charakter. Da die Truman-Doktrin eine so ungünstige Aufnahme fand, tauchte die Notwendigkeit
15 des Marshall-Planes auf. Das Wesen der verschwommenen Formulierungen dieses Planes besteht darin, einen Block der Staaten zu schaffen, die durch Verpflichtungen den USA gegenüber gebunden
20 sind, und den europäischen Staaten als Lohn für ihren Verzicht auf die wirtschaftliche und dadurch auch politische Selbstständigkeit amerikanische Kredite zu gewähren.

(Zit. nach: W. Reichert, Die Deutsche Frage, Würzburg 1974, S. 50)

# NATO und Warschauer Pakt – Die Konfliktgegner gründen Militärbündnisse

Die Zurückweisung des amerikanischen Hilfsangebotes im Marshall-Plan durch die Sowjetunion führte zu einer Vertiefung des Misstrauens zwischen den Konfliktgegnern. Die Sowjets sahen in der angebotenen Wirtschaftshilfe den Versuch der Versklavung Osteuropas im Namen des amerikanischen Kapitalismus. Der Westen war mehr und mehr davon überzeugt, dass der sowjetische Kommunismus eine Bedrohung für ganz Europa darstellte. Auf amerikanischer und westeuropäischer Seite reiften Pläne für die Gründung eines gemeinsamen Militärbündnisses, dessen wichtigstes Ziel der Schutz vor der Bedrohung durch den sowjetischen Kommunismus sein sollte.

Im sog. „Brüsseler Pakt" waren im März 1948 die europäischen Staaten Großbritannien, Frankreich, Belgien, Niederlande und Luxemburg ein Verteidigungsbündnis eingegangen, das ursprünglich dem Schutz vor einem wieder erstarkenden Deutschland dienen sollte. Im Juli 1948 trafen sich die Staaten des Brüsseler Paktes mit den USA und Kanada, um über ein erweitertes Bündnis zu verhandeln. Später kamen Island, Norwegen, Dänemark, Portugal und Italien dazu.

Am 4. April 1949 unterzeichneten diese zwölf Staaten den „Nordatlantikvertrag". Darin vereinbaren sie, dass ein Angriff gegen einen von ihnen als Angriff gegen alle gesehen wird und dass sie sich im Angriffsfall gegenseitig Beistand leisten, ggf. auch mit Waffengewalt. Er bildet (noch heute) die Grundlage des Nordatlantischen Verteidigungsbündnisses NATO (**N**orth **A**tlantic **T**reaty **O**rganization). 1954 wurde die Bundesrepublik Deutschland in die NATO aufgenommen. Griechenland und die Türkei kamen schon 1952 dazu, Spanien 1982.

Von 1943 bis vor Kriegsende schloss die Sowjetunion mit den Nachbarstaaten Tschechoslowakei, Polen und Jugoslawien bilaterale Verträge über „Freundschaft, Zusammenarbeit und gegenseitigen Beistand". 1948 folgten gleiche Verträge mit Rumänien, Ungarn und Bulgarien. Ähnliche Verträge schlossen auch die sechs mit der UdSSR verbündeten Staaten untereinander ab, sodass ein Geflecht von über 20 Einzelverträgen entstand.

Den äußeren Anlass für die Gründung eines noch festeren Militärbündnisses der Ostblockstaaten lieferte der Beitritt der Bundesrepublik Deutschland zur NATO. Am 14. Mai 1955 entstand mit dem „Warschauer Pakt" das militärische Gegenbündnis zur NATO. Die Mitgliedstaaten waren: Bulgarien, DDR (bis 1990), Polen, Rumänien, Sowjetunion, Tschechoslowakei, Ungarn und bis 1968 Albanien. Eine eindeutige Vormachtstellung hatte sich die Sowjetunion gesichert. Zum Beispiel verlangte der Vertrag die Ausrichtung der Streitkräfte aller Mitglieder nach sowjetischem Vorbild.

NATO kontra Warschauer Pakt: Damit hatten sich die Konfliktgegner militärisch in Stellung gebracht.

### Was man noch wissen sollte …

Über vierzig Jahre stehen sich die Bündnisse als Militärblöcke konfrontativ gegenüber. Ab 1990 kam es zu Auflösungserscheinungen im Warschauer Pakt. Am 1. Juli 1999 beschlossen die darin verbliebenen Mitglieder seine endgültige Auflösung. 1999 nahm die NATO im Zuge ihrer Ost-Erweiterung mit Polen, Ungarn und Tschechien die ersten ehemaligen Warschauer-Pakt-Staaten auf. Weitere folgten 2004. Im Oktober 2001 meldete der russische Staatspräsident Putin den Wunsch Russlands an, ebenfalls der NATO beizutreten.

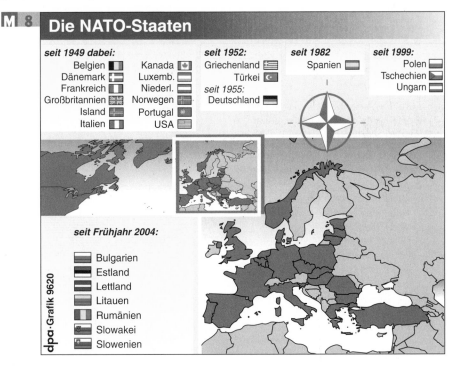

**M 8**

## Die NATO-Staaten

**seit 1949 dabei:**

Belgien
Dänemark
Frankreich
Großbritannien
Island
Italien

Kanada
Luxemb.
Niederl.
Norwegen
Portugal
USA

**seit 1952:**
Griechenland
Türkei

**seit 1955:**
Deutschland

**seit 1982:**
Spanien

**seit 1999:**
Polen
Tschechien
Ungarn

**seit Frühjahr 2004:**

Bulgarien
Estland
Lettland
Litauen
Rumänien
Slowakei
Slowenien

dpa·Grafik 9620

**1.** Ihr könnt eine Tabelle anlegen, in die ihr die wichtigsten Entwicklungsdaten für beide Militärbündnisse eintragt.

**2.** Zu Beginn eines Konfliktes suchen Konfliktparteien nach Verbündeten, mit denen sie sich zusammenschließen. Kennt ihr andere Konfliktverläufe, auf welche diese Vorgehensweise übertragbar ist?

# Stationen im Konfliktverlauf

Spätestens ab 1948 geriet der Ost-West-Konflikt in seine offene Phase. Sie dauerte über 40 Jahre und wird als die Zeit des Kalten Krieges bezeichnet.

Da es hier nicht möglich ist, jedes Detail dieser Zeitspanne zu verfolgen, werden auf den folgenden Seiten fünf besonders markante Stationen des Konfliktes exemplarisch angesprochen.

**Alle fünf Stationen sind unter den folgenden Gesichtspunkten bzw. Fragestellungen zu untersuchen:**

**1.** **Verlauf:** Was war passiert? Wie kam es zu dem Konflikt und wie entwickelte sich das Geschehen?

**2.** **Positionen, Hintergründe und Folgen:** Welche Ziele und Interessen standen hinter dem Verhalten der Konfliktgegner? Wie gingen sie vor? Mit welchem Ergebnis?

**3.** **Eure Bewertung:** War man in dieser Phase näher am Krieg oder näher am Frieden als vorher?

**Tipp!** Ihr könnt die Bearbeitung des Konfliktverlaufs als **Stationenlernen** organisieren.

a) Zunächst müssen alle die Kurzinformationen zur Frage 1: „Was war passiert?" durcharbeiten.

b) Danach teilt ihr euch die fünf Lernstationen auf und beantwortet die Fragen 2 und 3 zu eurer Station sowie auch die Zusatzfragen, die sich auf die einzelnen Konfliktstationen beziehen und jeweils dort zu finden sind.

c) Die Ergebnisse des arbeitsteiligen Vorgehens müssen dann den übrigen Schülerinnen und Schülern sehr genau präsentiert werden, damit alle den gleichen Kenntnisstand haben.

d) Die angebotenen Diskussionen und Bewertungen sollten alle gemeinsam durchführen.

**(1) Berlin 1948:**
Vom latenten zum offenen Konflikt
(S. 142/143)

**(2) Korea 1950:**
Stellvertreterkrieg in Asien
(S. 144/145)

**(5) Bonn 1982:**
Streit um das richtige Friedenskonzept
(S. 151–153)

**(4) Helsinki 1975:**
Annäherung durch Verhandlungen
(S. 148–150)

**(3) Kuba 1962:**
Höhepunkt und Wendepunkt des
Konflikts  (S. 146/147)

# Berlin 1948 – Vom latenten zum offenen Konflikt

## Was war passiert?

Berlin 1948: Ein Bild geht um die Welt. Berliner Kinder winken einem amerikanischen Transportflugzeug zu. Der Hintergrund: Der Westen Berlins ist durch eine sowjetische Blockade isoliert. Die Zugangswege Berlins sind abgeschnitten. Aber hunderte von Versorgungsflugzeugen fliegen Lebensmittel in die Stadt. Amerikaner und Briten lassen Westberlin nicht im Stich. Warum griffen sie ein?

Im Frühjahr 1948 einigten sich Großbritannien, Frankreich, die Benelux-Staaten und die USA darauf, in den Westzonen die Gründung eines eigenen westdeutschen Staates voranzutreiben. Nach Auffassung der USA sollte Westdeutschland Teil des „freien Europas" werden. Jede weitere Ausbreitung des Einflusses der Sowjetunion sollte verhindert werden. Zur wirtschaftlichen Erholung beschloss man die Einführung einer neuen Währung in den Westzonen, der Deutschen Mark. Der sowjetische Außenminister lehnte diese Maßnahmen der Westmächte ab und es kam zum offenen Bruch. Im März 1948 verließen die Sowjets den Alliierten Kontrollrat, die bisher von den vier Siegermächten gemeinsam geführte Militärregierung. Die Sowjets führten nun ihrerseits in ihrer Besatzungszone (SBZ) eine eigene Währung ein und dehnten diese auf ganz Berlin aus. Darauf reagierten die USA mit Empörung, denn Berlin war ja in vier Sektoren eingeteilt. Als Gegenmaßnahme führten die Westmächte nun die Mark auch in ihren Sektoren in Westberlin ein. Darauf wiederum sperrten die Sowjets alle Land- und Wasserwege nach Berlin. Auf die Blockade reagierten Amerikaner und Briten mit der Einrichtung einer Luftbrücke zur Versorgung der Bevölkerung Westberlins.

Im Rahmen der Ost-West-Konfrontation markiert die Berlin-Blockade als erste große Krise den Übergang vom latenten Systemwettstreit zum offenen Konflikt.

### Chronik der Ereignisse

*Juni 1948:* Zu Anfang glaubt niemand an eine dauerhafte Sperrung der Verkehrswege. Die US-Regierung entscheidet am *28. Juni:* kein gewaltsamer Blockadebruch, aber auch kein Rückzug. General Clay schätzt den Tagesbedarf: 500 Tonnen Nachschub für die alliierten Streitkräfte in Berlin, 2 000 Tonnen Nahrungsmittel für die deutsche Bevölkerung, 4 000 Tonnen Güter, um die Wirtschaft aufrechtzuerhalten. Er schlägt einen Notdienst vor: 600–700 Tonnen täglich mit der US-Air-Force.

*Juli 1948:* Diplomaten scheitern. Sowjets und Westmächte beschuldigen sich gegenseitig. Die Blockade wird verschärft.

*August 1948:* Stalin verlangt Zugeständnisse für die Aufhebung der Blockade. Berlin soll zu einem Teil der SBZ werden. Im August 1948 werden mit 18 075 Flügen 107 954,2 Tonnen Güter nach Westberlin eingeflogen.

*September 1948:* Störversuche: Am 6. September beginnt die Sowjetunion mit ausgedehnten Luftmanövern um Berlin. In Washington wird der nationale Sicherheitsrat einberufen. Krieg liegt in der Luft.

*September 1948 bis Januar 1949:* Festgefahren: Die Positionen sind unvereinbar. Aber es wird wieder verhandelt. Die Luftbrücke läuft. Der Kreml sucht nach einem Weg aus der Sackgasse – ohne Gesichtsverlust. Eine westliche Gegenblockade – der Güterverkehr von West- nach Mitteldeutschland wird gestoppt – hat spürbare Auswirkungen auf die Wirtschaft der Sowjetzone.

*Januar bis Mai 1949:* Verhandlungsbereitschaft: Ende Januar signalisiert Stalin Gesprächsbereitschaft. Er erkennt: Die Westmächte werden auf Berlin nicht verzichten. Die Entwicklung in den Westzonen ist nicht mehr aufzuhalten. Die Blockade wird am 12. Mai aufgehoben, nach elf Monaten.

# Wie reagieren die Menschen?

Kinder spielen Luftbrücke (August 1948).

**M 1**

**M 2**

Britische Piloten: Kurze Pause, dann folgt der nächste Flug (1948).

**M 3**

15. MAI 1949
NR. 20 · 2. JAHRGANG
ILLUSTRIERTE
AUSGABE B
PREIS 40 PF

Berlin 12. Mai 1949!

12. Mai 1949:
Berliner feiern das Ende der Blockade.

## Wie äußern sich Beteiligte?

**M 4  Präsident Truman äußert sich zu den Interessen der USA**

**Q** Der Abzug aus Berlin hätte für unsere Pläne um Westdeutschland die katastrophalsten Folgen gehabt und würde die Erholung ganz Europas verzögert haben. 5 Die Deutschen fürchteten die Räumung Berlins seitens der Westmächte weitaus mehr als diese selber. Die Berliner waren entschlossen, auch unter schwersten Entbehrungen auszuharren.

(Harry S. Truman, Memoiren, Band 2, Stuttgart 1956, S. 135; bearbeitet)

**M 5  General Clay, der Organisator der Luftbrücke, am 16.4.1948**

**Q** Wir haben die Tschechoslowakei verloren. Norwegen ist in Gefahr. Wenn Berlin fällt, wird Deutschland als Nächstes an die Reihe kommen. Wenn wir Europa 5 gegen den Kommunismus halten wollen, dürfen wir nicht weichen. Treten wir den

Rückzug an, ist unsere Stellung in Europa bedroht. Ich glaube, dass die Zukunft der Demokratie von uns verlangt, dass wir 10 bleiben.

(Zit. nach: W. Scheel, Deutschland nach 1945, Schriftenreihe der Niedersächsischen Landeszentrale für politische Bildung 5/1967, S. 87; bearbeitet)

**M 6  Mitteilung der sowjetischen Militärverwaltung zur Blockade Berlins**

**Q** Im Zusammenhang mit der separaten Währungsreform in den westlichen Besatzungszonen Deutschlands war die sowjetische Militärverwaltung gezwungen, 5 [...] zum Schutze der Interessen und der Wirtschaft der sowjetischen Zone sowie zur Vorbeugung einer Desorganisation des Geldumlaufs folgende Maßnahmen durchzuführen:
10 1. Der Passagierzugverkehr sowohl aus der sowjetischen Besatzungszone Deutschlands heraus als auch zurück wird eingestellt.
2. Die Einreise in die sowjetische Besat- 15 zungszone wird für alle Arten des Gespann- und Kraftwagenverkehrs aus den westlichen Zonen gesperrt [...].
6. Alle diese Anordnungen treten am 19. Juni, 0.00 Uhr, in Kraft.

(Zit. nach: Geschichte in Quellen – Die Welt seit 1945, Bayerischer Schulbuchverlag/München 1980, S. 132)

**1.** Wodurch wurde der latente zum offenen Konflikt?

**2.** Schildert mithilfe der Chronik den Ablauf von Maßnahmen und Gegenmaßnahmen der Konfliktparteien.

**3.** Notiert, was ihr in den Quellen M 4 bis M 6 über die Interessen und Ziele der USA und der Sowjetunion erfahrt.

**4.** Wie bewertet ihr die Situation in Berlin zwischen Kriegsgefahr und Frieden?

## Station 2:

# Korea 1950 – Stellvertreterkrieg in Asien

### M 1 Was geschah in Korea?

In der Anfangsphase des Kalten Krieges wurde das Land Korea, das bis 1945 eine Kolonie Japans gewesen war, in zwei Teile geteilt.

5 Nach der Kapitulation Japans marschierten sowjetische Truppen in den Norden, US-Einheiten in den Süden des Landes ein. Die Grenze zwischen beiden Staaten verlief entlang des 38. Breitengrades. USA

10 und UdSSR betrachteten Korea-Süd bzw. Korea-Nord als ihren jeweiligen Einflussbereich, der im Interesse der nationalen Sicherheit und als Schutz vor einer Ausdehnung des Kommunismus bzw. Kapita-

15 lismus gehalten werden musste.

**Krieg bricht aus**

Nachdem die US-Besatzungstruppen im Juni 1949 Korea-Süd bis auf einige Militärberater verlassen hatten, häuften sich die Grenzzwischenfälle am 38. Breitengrad.

20 Im Juni 1950 überschritten nordkoreanische Truppen die Demarkationslinie nach Korea-Süd. Der UN-Sicherheitsrat verurteilte Korea-Nord als Aggressor und beschloss in Abwesenheit der Sowjetunion

25 die Aufstellung einer UN-Streitmacht, in der die USA die militärische Hauptlast trugen und mit General Douglas MacArthur den Oberbefehlshaber stellten. Korea-Nord wurde von China unterstützt, wes-

30 halb sich MacArthur während des Krieges sogar für die Ausweitung des Konfliktes auf China aussprach und den Einsatz von Nuklearwaffen forderte. Nach wechselvollem Kriegsverlauf stabilisierte sich die

35 Front in der ersten Hälfte 1951 am 38. Breitengrad. Die UdSSR schlug Friedensverhandlungen vor, die sich mit Unterbrechungen bis 1953 hinzogen.

(nach: Harenberg Kommunikation Verlags- und Medien GmbH & Co. KG, Dortmund 2000, Aktuell 2001, S. 536)

Nur sechs Jahre nach dem Ende des Weltkrieges stehen sich die ehemaligen Verbündeten USA und UdSSR in einem grausam geführten Krieg als Feinde gegenüber.
Das Foto zeigt einen chinesischen Soldaten, der von einem amerikanischen Sanitäter versorgt wird (Mai 1951).

### M 2 Die Stimmungslage am Beginn des Krieges gibt der folgende Bericht wieder

Die Nachricht vom Krieg in Korea löst in den westlichen Hauptstädten panikartige Reaktionen aus. Fast überall wird vermutet, dass dies nur der erste Schritt zu einer

5 weltumfassenden kommunistischen Offensive ist.
In Amerika wird mit größter Hektik der Bau von Luftschutzbunkern betrieben, obwohl es keine Informationen gibt, wo-

10 nach sowjetische Waffen überhaupt amerikanisches Territorium erreichen können. [...]

Noch größere Unruhe erfasst die Menschen in den westeuropäischen Ländern,

15 vor allem in der Bundesrepublik. Man glaubt an einen unmittelbar bevorstehenden Angriff aus dem Osten. Segelboote werden gekauft, Benzinvorräte angelegt, und die südamerikanischen Botschaften

20 erleben einen nie gesehenen Andrang auf Visa.

(nach: Harenberg Kommunikation Verlags- und Medien GmbH & Co. KG, Dortmund 1982, Chronik des 20. Jahrhunderts, S. 740)

## Die Bedeutung des Korea-Krieges innerhalb der Ost-West-Konfrontation

Bis zum Jahr 1950 war der Ost-West-Konflikt ausschließlich ein „Kalter Krieg" gewesen. Gemeint ist mit diesem Begriff, dass es zwischen den USA und der UdSSR zu keinen nennenswerten direkten Kampfhandlungen kam. In diesem Sinne erhitzte sich der Konflikt nicht, er blieb kalt. Woran lag das? Nach 1945 setzte die UdSSR alles daran, die atomare Überlegenheit der USA auszugleichen. So verfügte sie ab 1949 über Atomwaffen. Zwar gelang es den Amerikanern mit der Erfindung der die Sprengkraft bisheriger Atombomben übertreffenden Wasserstoffbombe noch einmal, technologisch davonzuziehen, aber die UdSSR holte noch im gleichen Jahr auf.

Die gegenseitige Möglichkeit der totalen Zerstörung des Gegners hatte Auswirkungen auf das Verhalten der Konfliktparteien. Eine direkte Konfrontation sollte unter allen Umständen vermieden werden. So verlagerte sich die Konkurrenz und wurde in anderen Gebieten der Erde ausgetragen. Der Korea-Krieg war der erste in einer Reihe von Stellvertreterkriegen, welche der Ost-West-Konflikt hervorbringen sollte: Die Konfliktgegner kämpften nicht direkt gegeneinander; sie trugen ihren Streit stellvertretend in einem anderen Land aus, in dem sie um die Festlegung ihrer Einflusssphären Krieg führten.

In der westlichen Welt löste der Korea-Krieg die ständige Sorge um eine aggressive Ausbreitung des Kommunismus aus. Für den Fall einer weiteren Aggression drohte die amerikanische Seite der Sowjetunion „massive Vergeltung" an. Diese Strategie änderte sich schnell, weil bald auch die Sowjets hochwertige Atomwaffen besaßen, mit denen sie die USA direkt bedrohen konnten. Mit dem Hinweis auf die selbstmörderischen Folgen eines Atomkrieges bot der damals maßgebliche sowjetische Staatsmann, Nikita Chruschtschow, 1957 einen neuen Weg an. Die Blöcke sollten „friedliche Koexistenz" pflegen. Ein friedlicher Wettbewerb zwischen Kapitalismus und Sozialismus sollte an die Stelle der Kriegsbedrohung treten. Damit wollten die Sowjets die Überlegenheit des Sozialismus gegenüber den westlichen Systemen auf friedlichem Weg beweisen. Der Westen blieb skeptisch gegenüber diesem Angebot, zeigte aber zunehmend Gesprächsbereitschaft.

Die Teilung Koreas dauert bis heute an und ist eine der letzten noch deutlich sichtbaren Folgen des Ost-West-Konflikts.

1. Erklärt, worin das Interesse der USA und der UdSSR am fernen Land Korea bestand.

2. Was versteht man unter einem Stellvertreterkrieg?

3. Wie bewertet ihr die Situation der Konfliktgegner am Beginn des Korea-Krieges zwischen Kriegsgefahr und Frieden?

4. Was verändert sich im Umgang miteinander aufgrund dieses Krieges?

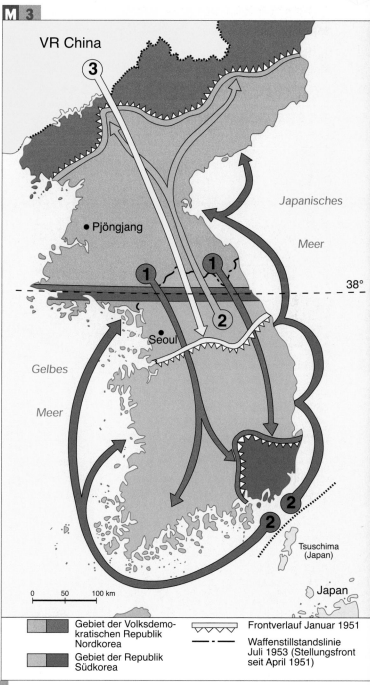

**M 3**

VR China

Pjöngjang

Japanisches Meer

38°

Seoul

Gelbes

Meer

Tsuschima (Japan)

Japan

0   50   100 km

Gebiet der Volksdemokratischen Republik Nordkorea

Gebiet der Republik Südkorea

Frontverlauf Januar 1951

Waffenstillstandslinie Juli 1953 (Stellungsfront seit April 1951)

Die Korea-Karte zeigt die verschiedenen Phasen im Kriegsverlauf. Es begann mit dem Einfall nordkoreanischer Truppen nach Südkorea im Juni 1950 (Pfeile 1). Die Pfeile 2 zeigen die Gegenoffensive der UN-Truppen unter der Führung der Amerikaner. Pfeil 3 markiert den Vorstoß der chinesischen Truppen zur Unterstützung des kommunistischen Nordens. Insgesamt dauerten die Kämpfe etwa drei Jahre, bis zum Juli 1953.

# Kuba 1962 – Höhepunkt und Wendepunkt des Konflikts

Im Oktober 1962 entdeckten die Amerikaner zu ihrem Entsetzen, dass die Sowjets Abschussbasen für Atomraketen direkt vor ihrer Haustür platzierten – auf Kuba, nur 150 Kilometer von der amerikanischen Küste entfernt. Jetzt zielten russische Atomraketen auf Amerika und Europa und amerikanische auf Russland. Nur ein winziger Schritt fehlte noch bis zur totalen Katastrophe eines weltweiten Atomkrieges.

Die Kubakrise gilt als Höhepunkt, aber auch als Wendepunkt im Ost-West-Konflikt. Die Politiker schienen danach zu begreifen, dass sie das Leben der gesamten Menschheit aufs Spiel gesetzt hatten.

**M 1**

**M 2**

LAUNCH STANDS

17 MISSILE ERECTORS

**Schaut genau hin!** Die beiden Fotos wurden im Oktober 1962 von amerikanischen Aufklärungsflugzeugen aufgenommen. Sie zeigen den sowjetischen Frachter „Krasnograd" im karibischen Meer vor Kuba und eine Luftaufnahme über der Insel. Was löste das Entsetzen der Amerikaner aus?

## M 3   Was geschah in Kuba?

1959 wird auf Kuba die von den USA unterstützte Regierung des Diktators Batista gestürzt. Die neue sozialistische Regierung unter Fidel Castro gerät zunehmend
5 in Konflikt mit den USA. Der amerikanische Präsident Kennedy ist an einer Beseitigung der Regierung Castro interessiert, weil die sozialistische kubanische Revolution auch auf andere Staaten Lateinamerikas ausstrahlt. Ein vom CIA,
10 dem amerikanischen Geheimdienst, organisierter Invasionsversuch von 1500 Exilkubanern scheitert 1961.

**Sommer 1962:** Die Sowjetunion beginnt
15 mit der Stationierung von Raketen mit Atomsprengköpfen auf Kuba, die in der Lage sind, die Vereinigten Staaten aufs Äußerste zu bedrohen. Die Krise tritt am 22. Oktober 1962 ein, als Kennedy die
20 Sowjetunion auffordert, die Raketen zurückzuziehen. Der Präsident verhängt eine Schiffsblockade über die Insel und be-

reitet die amerikanischen Streitkräfte auf eine Invasion vor, die einen Krieg zwi-
25 schen den beiden Supermächten auslösen könnte. Sieben Tage lang – in denen laufend Verhandlungen stattfinden – lebt die Welt in einer wachsenden Spannung, mit der realen Angst, in einen atomaren Kon-
30 flikt gezogen zu werden. Am 28. Oktober 1962 akzeptiert Chruschtschow die Forderung, die Raketen abzuziehen, und zwar im Tausch gegen die amerikanische Zusicherung, nicht in Kuba einzufallen
35 und einige Raketen der NATO aus Italien und der Türkei zu entfernen.

Die Lösung der Krise scheint die amerikanische Standhaftigkeit zu belohnen, die wegen der strategisch bemerkens-
40 werten Überlegenheit noch überzeugender schien. Dies regt die UdSSR an, sich in ein Zehnjahresprogramm zur Aufrüstung zu stürzen, um eine effektive Gleichstellung zu erreichen.

45 Von 1963 an beginnen Washington und Moskau über die Kontrolle der Atomwaffen zu verhandeln, mit dem Ziel, das erreichte „Gleichgewicht des Schreckens" zu sichern. Im August 1963 wird ein Ab-
50 kommen unterzeichnet, das Atomversuche in der Atmosphäre, unter Wasser und im Weltraum verbietet. Das Weiße Haus und der Kreml sind nun durch eine direkte Leitung verbunden (das soge-
55 nannte „rote Telefon") und es wird damit begonnen, gemeinsame Aktionen auszuarbeiten, um den Zuwachs an Nuklearwaffen zu verhindern. Die Beziehungen zwischen den beiden Supermächten ver-
60 lieren die Schroffheit des vorangegangenen Jahrzehnts und verzeichnen die Anerkennung einiger essenzieller Interessen. […] Dies schließt trotz allem das Bestehen einer starken Rivalität nicht aus.

(nach: Die Geschichte des 20. Jahrhunderts, Verlag Kaiser, deutsche Erstausgabe 2000, S. 290 f.)

# Ansichten der Beteiligten

## M 4  Die russische Seite … während der Krise am 28. Oktober 1962 …

Der Generalsekretär der KPdSU, Nikita Chruschtschow, in einem Brief an den amerikanischen Präsidenten John F. Kennedy:

▣ Sie sind wegen Kuba beunruhigt. Sie sagen, dass es Sie deshalb beunruhigt, weil es 90 Seemeilen von der Küste der Vereinigten Staaten von Amerika entfernt
5 liegt. Die Türkei liegt doch auch in unserer Nähe, unsere Wachtposten gehen auf und ab und blicken einander an. Sie halten sich also für berechtigt, für Ihr Land Sicherheit und die Entfernung jener
10 Waffen zu fordern, die Sie als offensiv bezeichnen, erkennen aber uns dieses Recht nicht zu. Sie haben doch zerstörende Raketenwaffen, die Sie offensiv nennen, in allernächster Nähe von uns, in der Türkei
15 stationiert […]. Dies ist keineswegs miteinander zu vereinbaren.

(Zit. nach: Frankfurter Allgemeine Zeitung vom 29.10.1962)

### … und danach

▣ Die Menschheit in unserer Zeit hat nur eine Wahl: friedliche Koexistenz oder Vernichtungskrieg. Die Lösung der strit-
20 tigen Fragen durch Krieg ist ein Wahnwitz, der den Völkern nur Leid und Unglück bringen kann.

(Chruschtschow am 13. 12. 1962 in der Prawda; bearbeitet)

Nikita Chruschtschow

## M 5  Die amerikanische Seite … während der Krise …

John F. Kennedy in seiner Fernsehansprache am 23. Oktober 1962:

▣ Ich appelliere an Ministerpräsident Chruschtschow, diese heimliche, unbesonnene und provokatorische Bedrohung des Weltfriedens und der stabilen Bezie-
5 hungen zwischen unseren Ländern zu beenden. Ich appelliere ferner an ihn, dieses Streben nach Weltherrschaft aufzugeben und sich an dem historischen Bemühen zu beteiligen, das gefährliche
10 Wettrüsten zu beenden und der Geschichte der Menschheit eine neue Richtung zu geben. Er hat jetzt eine Gelegenheit, die Welt vor dem Abgrund der Vernichtung zu bewahren, indem er sich auf die Worte
15 seiner eigenen Regierung besinnt, dass keine Notwendigkeit für die Stationierung von Raketen außerhalb des eigenen Territoriums besteht.

(Zit. nach: Frankfurter Allgemeine Zeitung vom 24.10. 1962, S. 11)

### … und danach

▣ Unsere Probleme sind von Menschen
20 geschaffen, deshalb können sie auch von Menschen gelöst werden. […] Unter den vielen Zügen, die den Völkern unserer beider Länder gemeinsam sind, ist keiner ausgeprägter als unser beiderseitiger Abscheu vor dem Krieg.

(Zit. nach: Europa-Archiv, 1963, D2, S. 289)

John F. Kennedy

KEVIN COSTNER

# 13 DAYS

EIN FILM VON
ROGER DONALDSON

**Filmtipp!** Der Politthriller „Thirteen Days" aus dem Jahr 2001 zeigt die Ereignisse während der Kubakrise aus der Perspektive der USA. Der Film verdeutlicht, wie nah die Menschheit damals am Rande eines Atomkriegs stand.

1. Erklärt, warum die Kubakrise als Höhepunkt im Ost-West-Konflikt gilt.

2. Stellt die Sichtweisen und die Forderungen der Konfliktgegner an die jeweils andere Seite einander gegenüber.

3. Woran kann man feststellen, dass die Kubakrise auch einen Wendepunkt im Konflikt darstellt?

# Helsinki 1975 – Annäherung durch Verhandlungen

Mit dem Namen der finnischen Hauptstadt verbinden wir im Ost-West-Konflikt eine Phase der Entspannung und Annäherung der Konfliktparteien. Hier fanden ab 1969 Verhandlungen zur Begrenzung der Atomwaffen auf beiden Seiten statt. Hier wurde am 1. August 1975 zwischen den USA, der Sowjetunion und weiteren 33 Staaten die Schlussakte der Konferenz für Sicherheit und Zusammenarbeit in Europa feierlich unterzeichnet. SALT und KSZE sind auf dem Weg zur Entspannung und Annäherung wichtige Abkürzungen, die ihr euch einprägen solltet.

Das Foto zeigt die Unterzeichnung der KSZE-Schlussakte durch die Vertreter der damals noch zwei deutschen Staaten: für die Bundesrepublik Kanzler Helmut Schmidt, für die DDR Erich Honecker.

## Wie kam es zur Phase der Annäherung?

### Stichwort SALT

Die Beziehungen zwischen den USA und der Sowjetunion hatten im Laufe der Sechzigerjahre zu der beiderseitigen Einsicht geführt, dass Vereinbarungen über Abrüstung und Rüstungskontrolle zwischen den beiden Supermächten dringend geboten waren, um zukünftige Krisen mit der Gefahr eines die Erde zerstörenden Nuklearkrieges zu vermeiden. Darüber hinaus wurde deutlich, dass die riesigen Summen, die die Rüstung verschlang, in anderen wichtigen Bereichen der Volkswirtschaften fehlten.

So begannen am 17. November 1969 in Helsinki Gespräche zur Begrenzung strategischer Waffen (Strategic Arms Limitation Talks, SALT), mit dem Ziel, das Rüstungsgleichgewicht zwischen den Supermächten zu stabilisieren. 1972 wurde eine erste Phase dieser Verhandlungen mit der Unterzeichnung des SALT-1-Abkommens abgeschlossen. Die vertragliche Beschränkung hinderte jedoch beide Supermächte nicht daran, an der qualitativen Verbesserung der zugelassenen Raketen weiterzuarbeiten.

Im SALT-1-Abkommen wurde die Anzahl der nuklearen Sprengköpfe in den USA und der UdSSR begrenzt. 1979 folgte mit SALT 2 ein weiteres Begrenzungsabkommen für nukleare Angriffswaffen. Daneben gab es in der Phase der Entspannung zwischen 1963 und 1979 eine Reihe weiterer Rüstungskontrollabkommen. Sie führten insgesamt nicht zu einem Abbau von Atomwaffen, weil sie immer nur Obergrenzen für die Aufrüstung festlegten.

### Stichwort KSZE

In den sich intensivierenden Gesprächen zwischen den USA und der Sowjetunion zu Beginn der Siebzigerjahre hatten die Sowjets wiederholt den Plan einer europäischen Sicherheitserklärung vorgetragen. Nach Vorgesprächen wurde 1973 in Helsinki von 35 Außenministern europäischer Staaten einschließlich der Sowjetunion, der USA und Kanadas die Konferenz über Sicherheit und Zusammenarbeit in Europa (KSZE) eröffnet.

Nach einer langen Konferenzphase wurde am 1. August 1975 in Helsinki die Schlussakte unterzeichnet. Sie enthielt keine verbindlichen Absprachen, sondern lediglich Absichtserklärungen.

Die 35 beteiligten Staaten einigten sich auf:

> die Akzeptanz der souveränen Gleichheit aller Staaten in Europa.
> generellen Gewaltverzicht untereinander.
> die Unverletzlichkeit der Grenzen.
> die friedliche Regelung von Konflikten.
> die Nichteinmischung in innere Angelegenheiten.
> die Achtung der Menschenrechte.
> die Förderung regelmäßiger Begegnungen.
> Zusammenarbeit in Wirtschaft und Technik.

Aus der KSZE ging 1990 die dauerhafte Organisation für Sicherheit und Zusammenarbeit in Europa (OSZE) hervor, die sich für Frieden und Entwicklung einsetzt und ihr Zentrum in Prag hat.

# Beschlüsse der KSZE und Reaktionen der Beteiligten

**Q** I. Die Teilnehmerstaaten werden gegenseitig ihre souveräne Gleichheit und Individualität […] achten […]. Sie werden ebenfalls das Recht jedes anderen Teilnehmerstaats achten, sein politisches, soziales, wirtschaftliches und kulturelles System frei zu wählen […].

5 II. Die Teilnehmerstaaten werden sich in ihren gegenseitigen Beziehungen sowie in ihren internationalen Beziehungen im Allgemeinen der Androhung oder Anwendung von Gewalt […] enthalten […].

III. Die Teilnehmerstaaten betrachten gegenseitig alle ihre Grenzen sowie die Grenzen in Europa als unverletzlich […].

10 IV. Die Teilnehmerstaaten werden die territoriale Integrität eines jeden Teilnehmerstaates achten […].

V. Die Teilnehmerstaaten werden Streitfälle zwischen ihnen mit friedlichen Mitteln […] regeln […].

VI. Die Teilnehmerstaaten werden sich ungeachtet ihrer gegenseitigen 15 Beziehungen jeder direkten oder indirekten, individuellen oder kollektiven Einmischung in die inneren oder äußeren Angelegenheiten enthalten, […].

VII. Die Teilnehmerstaaten werden die Menschenrechte und Grundfreiheiten, einschließlich der Gedanken, Gewissens-, Religions- oder Über-20 zeugungsfreiheiten für alle ohne Unterschied der Rasse, des Geschlechtes, der Sprache oder der Religion achten. Die Teilnehmerstaaten achten die universelle Bedeutung der Menschenrechte und Grundfreiheiten.

VIII. Die Teilnehmerstaaten werden die Gleichberechtigung der Völker und ihr Selbstbestimmungsrecht achten […].

25 IX. Die Teilnehmerstaaten werden ihre Zusammenarbeit miteinander […] entwickeln […].

X. Die Teilnehmerstaaten werden ihre völkerrechtlichen Verpflichtungen nach Treu und Glauben erfüllen […].

**M 2** US-Präsident Gerald Ford im August 1975 zu den amerikanischen Hoffnungen

**Q** Die Ära der Konfrontation, die Europa seit dem Ende des Zweiten Weltkrieges gespalten hat, dürfte jetzt zu Ende gehen. Es herrscht eine neue Vorstellung, eine 5 gemeinsame Vorstellung von einem Wandel zum Besseren, weg von der Konfrontation und hin zu neuen Möglichkeiten einer sicheren und beiderseits vorteilhaften Zusammenarbeit. […] Wir werden 10 keine Anstrengungen scheuen, um Spannungen abzubauen und die Probleme zwischen uns zu lösen.

(Zit. nach: Geschichte in Quellen – Die Welt seit 1945, München (bsv) 1980, S. 697)

**M 3** Stimme der Kommunistischen Partei der Sowjetunion

**Q** […] Unsere Partei würdigt das Erreichte, sieht aber zugleich auch die bestehenden Schwierigkeiten und Probleme, die Aufgaben, die noch zu lösen 5 sind, um die Entspannungsprozesse unumkehrbar zu machen. Es ist offensichtlich, dass jeder Schritt vorwärts auf diesem Wege auch weiterhin in einem scharfen und komplizierten Kampf mit 10 den Entspannungsgegnern erzwungen werden muss. Wie auch zu erwarten ist, werden diese Kräfte jedem Fortschritt auf dem Weg zur Entspannung mit erbitterten Gegenangriffen begegnen. Die 15 Hauptrichtung dieser Angriffe bilden die Versuche nachzuweisen, dass die Vorteile von der Entspannung angeblich nur die Sowjetunion und die Länder des Sozialismus haben […].

(Grundsatzartikel in der Moskauer „Iswestja" vom 4.9.1975; zit. nach: Geschichte in Quellen, a.a.O., S. 699)

1. Erklärt, was die Entspannungspolitik bis zu SALT und zur KSZE-Schlussakte ausgelöst hat.

2. Wie bewertet ihr die zehn Prinzipien der KSZE-Schlussakte im Hinblick auf eine Entspannung oder Verschärfung des Ost-West-Konflikts?

3. Wie zeigt sich in den Stimmen der Beteiligten, dass Entspannung zwar erwünscht ist, aber auch nach 1975 schwierig bleiben wird?

# Zur Diskussion: Waren die KSZE-Beschlüsse ein Erfolg?

## Einerseits ...

Bei den olympischen Spielen 1968 in Mexiko protestierten die US-Sprintstars Smith und Carlos gegen die Politik ihres eigenen Landes USA. Sie forderten ihre Regierung dazu auf, die Menschenrechte im eigenen Land zu verwirklichen und Rassendiskriminierungen aufzuheben.

> Auf der vorangegangenen Seite habt ihr Auszüge aus der Schlussakte der KSZE-Konferenz kennengelernt.
> Hier könnt ihr euch mit den Folgen auseinandersetzen, um anschließend miteinander zu diskutieren.

1975 hatte die Entspannungspolitik zu bemerkenswerten Erfolgen geführt. Die weiteren Hoffnungen auf einen Abbau der Konfrontation zwischen USA und Sowjetunion wurden aber bald wieder getrübt. Eine Ursache sehen Historiker darin, dass die USA in eine Krise geraten waren, sodass sie als treibende Kraft in einem Annäherungsprozess für längere Zeit ausfielen. Der Grund lag im Krieg in Vietnam. Dort hatte sich im Verlauf der 60er-Jahre ein weiterer Stellvertreterkrieg entwickelt, in dem der kommunistische Nordteil des Landes mit der Unterstützung Chinas und der Sowjets gegen den südvietnamesischen Teil mit direkter Beteiligung amerikanischer Truppen kämpfte. Trotz des zeitweisen Einsatzes von 550 000 amerikanischen Soldaten hatten die USA nicht verhindern können, dass ganz Vietnam 1976 unter kommunistische Herrschaft geriet. Der Vietnam-Krieg hatte in Europa und in den USA heftige Proteste gegen die amerikanische Politik ausgelöst. Die Praxis des grausam geführten Krieges stand offensichtlich im Widerspruch zur oft verkündeten Verteidigung von Demokratie und Menschenrechten. Weitere hausgemachte Krisen, wie zum Beispiel der Rücktritt des amerikanischen Präsidenten Richard Nixon in der „Watergate-Affäre" 1973, beeinflussten den zeitweise nicht klar zu bestimmenden Kurs der USA in der Weltpolitik.

Zugleich setzte die Sowjetunion ihre militärische Aufrüstung fort und vergrößerte ihren Einflussbereich. Als die Sowjets Ende der Siebzigerjahre in Afghanistan einmarschierten, schien die Entspannungspolitik am Ende zu sein.

---

## Andererseits ...

Die demokratischen Umwälzungen, die sich im Jahr 1989 in vielen Staaten Osteuropas vollzogen, hatten ihren Ursprung bereits in den 70er-Jahren und die Beschlüsse von Helsinki haben diese Veränderungen vorbereitet. Der „Geist von Helsinki" zeigte sich darin, dass mutige Menschen in den Ländern des Ostblocks die Beschlüsse der KSZE für sich und ihr Land einzufordern begannen. Die Schlussakte wurde so zu einem Auslöser demokratischer Bestrebungen „von unten", die in den Folgejahren immer mehr an Kraft gewannen.

## Beispiel 1: Charta 77

In der Tschechoslowakei berief sich die Bürgerrechtsgruppe „Charta 77" auf die Beschlüsse der KSZE. Sie kritisierte die Unterdrückung der Menschen und die Verweigerung der Menschenrechte im eigenen Land. Der Schriftsteller Vaclav Havel war eine der herausragenden Persönlichkeiten der Charta 77. Nach dem Zusammenbruch der sozialistischen Herrschaft wurde er Staatspräsident der Tschechoslowakei.

## Beispiel 2: Solidarität in Polen

1980 wurde in Polen die Gewerkschaft „Solidarität" gegründet. Sie wurde zur treibenden Kraft der Demokratisierung des Landes. In ihrem Gründungsprogramm berief sich die Gewerkschaft auf die Beschlüsse der KSZE. Der Sprecher der freien polnischen Gewerkschaft, Lech Walesa (Foto 1980), wird nach der politischen Wende 1990 Staatsoberhaupt Polens.

> Die zehn Bestimmungen aus der KSZE-Schlussakte waren ein großer Schritt auf dem Weg zur Konfliktlösung. Sie haben insgesamt Positives bewirkt.

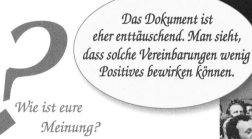

**?** *Wie ist eure Meinung?*

> Das Dokument ist eher enttäuschend. Man sieht, dass solche Vereinbarungen wenig Positives bewirken können.

# Bonn 1982 – Streit um das richtige Friedenskonzept

Bonn, 10. Juni 1982

## Noch mehr Atomwaffen: Wahnsinn?

### Was geschah in Bonn?

400 000 Demonstranten versammeln sich am 10. Juni 1982 anlässlich des Besuchs von US-Präsident Ronald Reagan in Bonn, um ihren Protest gegen die Aufrüstung in Ost und West auszudrücken. Insgesamt beteiligen sich mehr als eine Million Menschen an Friedensdemonstrationen in Bonn, London und New York. Redner aus dem In- und Ausland fordern die Schaffung einer atomwaffenfreien Zone in Europa. Mehr als 500 000 Menschen demonstrieren am 12. Juni in New York. Sie verlangen ein Ende der Aufrüstung und das Einfrieren der Atomwaffenbestände. Nicht nur in der Bundesrepublik, auch in der DDR finden sich in diesem Jahr Menschen zusammen, die vor den Gefahren des Atomkriegs warnen. Der Ost-West-Konflikt löst jetzt zunehmend eine Massenbewegung aus. Eine internationale Friedensbewegung setzt sich zum Ziel: „Vernichtet die Atomwaffen, bevor sie euch vernichten".

Nach der Phase der Annäherung der Konfliktgegner, die zum „Geist von Helsinki" geführt hatte, waren die Beziehungen zwischen USA und Sowjetunion seit dem Ende der 70er-Jahre wieder stärker durch Konfrontation geprägt. „Tot wie ein Türnagel" war 1981 nach Ansicht eines amerikanischen Senators die Entspannungspolitik. Der neue amerikanische Präsident Ronald Reagan setzte auf Aufrüstung und Antikommunismus statt auf Verhandlungen. Die Sowjets realisierten ein gigantisches atomares Aufrüstungsprogramm. So schwand das gegenseitige Vertrauen in die Ernsthaftigkeit von Abrüstungsbemühungen. Jede Seite war bemüht, sich jeweils einen Rüstungsvorteil vor der anderen zu verschaffen. Es wurden riesige Arsenale atomarer, aber auch biologischer, chemischer und konventioneller Waffen angehäuft, die es bis heute ermöglichen, die Erde viele Male zu vernichten.

Das Wort vom „Rüstungswahnsinn" machte die Runde.

 **M 1**

„Er zwingt mich ja nachzurüsten, zählen Sie nach: Er kann mich zehnmal töten – ich ihn nur neunmal!"

▌ Was erzählt diese Karikatur von 1982 über die damalige Situation im Ost-West-Konflikt?

**M 2**

Das Wettrüsten schien dem außenstehenden Beobachter zunehmend unbegreiflich und sinnlos [...].
Das Spiel von Drohung und Gegendrohung nahm für viele Menschen im Westen Züge der Verbohrtheit, ja des Wahnsinns an.

(Zitat aus: Für den Frieden rüsten, Omnia Verlag/Stuttgart 1989, S. 18)

# Nachrüsten oder abrüsten? Stimmen zum Streit

## Hintergrund: der NATO-Doppelbeschluss

Seit 1977 hatte die Sowjetunion begonnen, ihre auf Westeuropa gerichteten Mittelstreckenraketen durch moderne, zielgenauere Raketen vom Typ SS 20 mit jeweils drei Sprengköpfen zu ersetzen. Dadurch sahen sich die europäischen NATO-Verbündeten einer neuen Bedrohung ausgesetzt.

Auf Anregung des deutschen Bundeskanzlers Helmut Schmidt kam es 1979 in Brüssel zum sogenannten NATO-Doppelbeschluss. Er sah vor, dass neue amerikanische Mittelstreckenraketen (Pershing-II-Raketen und Cruise-Missile-Marschflugkörper) in Europa stationiert werden sollten. Diese Stationierung sollte nicht erfolgen, falls die Sowjetunion sich in Verhandlungen dazu bereit erklären würde, ihre SS-20-Raketen abzubauen.

Als der Termin für die geplante Nachrüstung immer näher rückte, ohne dass die Verhandlungen in Genf zu einem sichtbaren Abrüstungserfolg führten, nahm der Streit um die geplante Nachrüstung und die von der Friedensbewegung geforderte Abrüstung immer dramatischere Formen an.

---

In den Texten auf dieser Doppelseite kommen Befürworter und Gegner der Nachrüstung zu Wort.

**1.** Arbeitet die Argumente der Autoren für und gegen die atomare Rüstung bzw. für oder gegen eine Politik der militärischen Stärke aus den Quellentexten heraus.

**2.** Diskutiert die Positionen und Argumente im Klassengespräch.

## M 3 Atomwaffen abschaffen!

Der Text aus dem Jahr 1981 stammt aus dem Aufruf „Ärzte gegen den Atomkrieg". Die Organisation erhielt 1985 für ihr Engagement den Friedensnobelpreis.

**Q** Die unterzeichnenden Ärzte warnen eindringlich vor der wachsenden Gefahr eines Atomkrieges.

Das Atomwaffenpotenzial in Ost und
5 West hat ein unvorstellbares Ausmaß erreicht. Trotzdem beschließt die NATO eine weitere Nachrüstung bisher unbekannter Treffsicherheit. Der amerikanische Außenminister Haig sagt, es gäbe
10 wichtigere Dinge als den Frieden und Schlimmeres als Krieg, und bestätigt damit Aussagen namhafter Wissenschaftler und ehemaliger Militärs: Es geht nicht mehr um „Frieden durch nukleares
15 Gleichgewicht". Man plant schon Einzelheiten eines nuklearen Kriegs in Europa. Im medizinischen Bereich sollen Fortbildungsveranstaltungen über Katastrophenschutz Ärzte und Krankenpflege-
20 personal auf einen möglichen Atomkrieg vorbereiten. Wir sind davon betroffen, wie bedenkenlos in diesen Planungen menschliche und ärztliche Grundsätze aufgegeben werden. Im Atomkrieg wür-
25 den nur noch diejenigen behandelt, bei denen es sich noch „lohnt", und Schwerstverletzte, alte Menschen, Behinderte und schon vorher chronisch Kranke
30 nicht mehr versorgt werden. Selektion statt medizinischer Versorgung für alle
35 soll dazu beitragen, eine atomare Katastrophe zu „beherrschen".
40 Doch auch ein „begrenzter" Atomkrieg wird in seinen Folgen für die Menschen nicht be-
45 grenzt bleiben: Im unmittelbaren Katastrophengebiet wird der Sauerstoff durch die Explosion und die entstehenden Großfeuer verbraucht, sodass selbst die Menschen in den Bunkern ersticken.
50 Selbst in einer Entfernung von 300 km wird der radioaktive Niederschlag so viel tödliche Strahlung abgeben, dass man – wenn überhaupt – dort erst nach Jahren wieder leben kann. Durch die Vielzahl
55 der atomaren Explosionen wird die Atmosphäre so verändert, dass auch auf anderen Kontinenten das Leben von Menschen und Natur gefährdet ist. Die radioaktive Strahlung führt zur Verseuchung
60 der Lebensmittel, des Trinkwassers und der gesamten Umwelt; bei den Überlebenden zu Krebserkrankungen, Siechtum und Erbschäden. Millionen von Menschen würden an den unmittelbaren und
65 langfristigen Folgen der atomaren Explosionen qualvoll zugrunde gehen, ohne dass die überlebenden Ärzte helfen könnten. Blutplasma, Medikamente und medizinische Geräte wären ohnehin ver-
70 nichtet. Es gibt keine wirksame Hilfe gegen die Vielzahl von Krankheiten und Verletzungen, insbesondere keine gegen die Strahlenkrankheit. Alle „Vorkehrungen" für einen Atomkrieg, Gesetzes-
75 vorlagen und Zivilschutz, können daran nichts ändern; dies weckt nur ungerechtfertigte Hoffnungen und erhöht die Bereitschaft der politisch Verantwort-
80 lichen zum tödlichen Risiko. Ein Atomkrieg ist die letzte Katastrophe für Mensch und Na-
85 tur.
Wir sehen es als unsere notwendige ärztliche Aufgabe an, die
90 Bevölkerung darauf hinzuweisen, dass der einzig wirksame Schutz die Verhinderung des Atom-

krieges ist. Wir setzen uns dafür ein, die Atomwaffen insgesamt abzuschaffen. Unser erster Schritt zu diesem Ziel ist es, die Stationierung der neuen Atomwaffen in Europa und in der Bundesrepublik nicht zuzulassen.

(Zit. nach: Alfred Mechtersheimer (Hg.), Nachrüsten? Dokumente und Positionen zum NATO-Doppelbeschluss)

## M 4 Frieden schaffen ohne Waffen

Aus einem Aufruf der kirchlichen Friedensbewegung in der DDR vom 25. Januar 1982:

**Q** Es kann in Europa nur noch einen Krieg geben, den Atomkrieg. Die in Ost und West angehäuften Waffen werden uns nicht schützen, sondern vernichten.
5 Wir werden alle längst gestorben sein, wenn die Soldaten in den Panzern und Raketenbasen und die Generäle und Politiker in den Schutzbunkern, auf deren Schutz wir vertrauten, noch leben und
10 fortfahren zu vernichten, was noch übrig geblieben ist.
Darum: Wenn wir leben wollen, fort mit den Waffen! Und als Erstes: Fort mit den Atomwaffen! Ganz Europa muss zur
15 atomwaffenfreien Zone werden. Wir schlagen vor: Verhandlungen zwischen den Regierungen der beiden deutschen Staaten über die Entfernung aller Atomwaffen aus Deutschland.
20 Frieden schaffen ohne Waffen – das bedeutet nicht nur, Sicherheit zu schaffen für unser eigenes Überleben. Es bedeutet auch das Ende der sinnlosen Verschwendung von Arbeitskraft und Reichtum.
25 Sollen wir nicht lieber den Hungernden in aller Welt helfen, statt fortzufahren, unseren Tod vorzubereiten?

(Zit. nach: W. Büscher u. a. (Hg.), Friedensbewegung in der DDR. Texte 1978–1982, Scandica-Verlag/Hattingen 1982, S. 242 f.)

## M 5 Politik der Stärke muss sein

Aus einer Rede des amerikanischen Außenministers George Schultz vor US-Senatoren 1983:

**Q** Eine sichere Welt wird nicht durch guten Willen verwirklicht. [...] Jeder amerikanische Präsident der Nachkriegszeit ist früher oder später zu der Einsicht ge-
5 kommen, dass Frieden auf Stärke aufgebaut werden muss.
Präsident Reagan hat diese Realität schon vor langer Zeit erkannt. In den vergangenen zwei Jahren ist diese Nation eine
10 grundlegende Verpflichtung eingegangen, ihre militärische und wirtschaftliche Macht und ihre moralische und geistige Stärke wiederherzustellen. [...]
Während es früher unser Ziel war, die
15 sowjetische Präsenz auf die Grenzen, die sie unmittelbar nach dem Krieg erreicht hatte, zu beschränken, muss es jetzt unser Ziel sein, unsere eigenen Ziele zu fördern und dabei sowjetischen Herausforde-
20 rungen, wenn es möglich ist, vorab zu begegnen, und wenn es nötig ist, ihnen entgegenzutreten, wo auch immer unsere Interessen von ihnen bedroht werden. Anders als die Politik der Eindämmung
25 geht unsere Politik von der klaren Erkenntnis aus, dass die Sowjetunion eine Supermacht mit weltweiten Interessen ist und bleiben wird. [...]
Unsere Politik beruht weder auf Vertrauen
30 en noch auf einem sowjetischen Sinneswandel. Sie beruht auf der Erwartung, dass die Sowjetunion, wenn sie sich der erneuten Entschlossenheit des Westens zur Verstärkung seiner Verteidigungs-
35 kraft [...] gegenübersieht, Zurückhaltung als die vorteilhafteste oder auch die einzige Option ansehen wird.

(Zit. nach: Ernst-Otto Czempiel/Carl Christoph Schweitzer, Weltpolitik der USA nach 1945 – Einführung und Dokumente, Opladen 1984, S. 43 f.)

**1.** Welcher Zusammenhang besteht zwischen dem NATO-Doppelbeschluss und der erstarkenden Friedensbewegung?

**2.** Wie schildert die Organisation der Ärzte die Wirkung von Atomwaffen?

**3.** Stellt zwei Meinungen zur Diskussion:

*Der Aufruf der Aktion „Schwerter zu Pflugscharen" zur Abschaffung aller Atomwaffen ist naiv. Ohne eine atomare Abschreckung des Gegners wäre die Gefahr eines Krieges größer gewesen.*

*Die Atomwaffengegner haben Recht. Die Menschen sollten ihre Intelligenz und ihren Reichtum für vernünftigere Dinge als für die Herstellung von Vernichtungswaffen verwenden.*

**Die Auflösung des Ost-West-Konflikts**

Nach der Phase des Rüstungswettlaufs zu Beginn der 80er-Jahre werden in der zweiten Hälfte der 90er-Jahre zwischen den beiden Großmächten USA und Sowjetunion die Abrüstungsgespräche wieder aufgenommen. Mit großem Erfolg: 1989 erklären der Generalsekretär der KPdSU, Michail Gorbatschow, und der amerikanische Präsident George Bush sogar den Ost-West-Konflikt für beendet.

- Wie war das möglich? Wie konnte ein Konflikt in so kurzer Zeit zu Ende gehen, der über 40 Jahre lang die internationale Politik bestimmt und die Weltöffentlichkeit in Atem gehalten hatte?
- Überwindung des Ost-West-Konflikts: das Ende einer zweigeteilten Welt – oder was kommt danach?

Das sind die Fragen, um die es auf dieser und der nächsten Doppelseite geht.

## Wie kam es zum Ende des Ost-West-Konflikts?

### Reformpolitik unter Gorbatschow

Im März 1985 wurde Michail Gorbatschow Generalsekretär der KPdSU. Er leitete eine Reformpolitik ein, die die offensichtlich gewordene Wirtschaftsmisere des Landes beheben sollte. Dabei wählte er nicht den Weg eines harten Stabilisierungskurses mit stalinistischen Methoden, sondern setzte auf eine Reorganisation des Landes durch Demokratisierung aller Lebensbereiche. Der Prozess der Intensivierung der Wirtschaft sollte zum Anliegen des ganzen Volkes werden. Die Politik der Perestroika (Umbau) und die Entwicklung einer modernen Industriegesellschaft verlangten – so Gorbatschow – einen autonomen, nicht einen gehorsamen Staatsbürger. Deshalb propagierte Gorbatschow auch ein Programm der politischen Öffnung: Glasnost (Offenheit). Perestroika und Glasnost wurden 1987 zu einem Programm der „radikalen Umgestaltung der Wirtschaftsleitung" zusammengefasst.

### Perestroika und Glasnost in Osteuropa

Die in der UdSSR proklamierten Reformen zeigten in den Staaten des Warschauer Pakts eine wohl unvorhersehbare Wirkung. Vor allem in Polen, Ungarn und der Tschechoslowakei – also in jenen Staaten, in denen sich bereits infolge des KSZE-Vertrages eine Opposition gegen die kommunistische Herrschaft gebildet hatte, – wurden Perestroika und Glasnost als Rücknahme des Herrschaftsanspruchs der UdSSR und des Kommunismus verstanden. Das „neue Denken" Gorbatschows strahlte auch auf diese Länder aus und stärkte dort die Reformkräfte und die Opposition. Diese Wirkung bescherte Gorbatschow Kritik und Ablehnung aus streng kommunistischen Kreisen im eigenen Lager.

Aufholen und überholen

### Die Großmächte verhandeln wieder

Gorbatschows Politik der Perestroika wurde durch die enormen Belastungen der Rüstung behindert.
Dies mag ein Grund dafür gewesen sein, dass die UdSSR seit 1985 neue Abrüstungsverhandlungen anregte. Darüber

1986 – Man redet wieder miteinander: Nach einer Phase der Abkühlung in den Beziehungen treffen sich der amerikanische und der sowjetische Präsident im isländischen Reykjavik, um über Abrüstung zu verhandeln.

1989 – Jubel: Bei seinem Staatsbesuch in Deutschland wird Michail Gorbatschow von der großen Mehrheit der Bevölkerung begeistert empfangen.

1992 – Freundlicher Abschied: Die letzten Soldaten der Sowjetarmee, die über 40 Jahre in der ehemaligen DDR stationiert war, verlassen Thüringen.

hinaus war es Ziel Gorbatschows, die UdSSR stärker politisch und wirtschaftlich in die Weltgemeinschaft zu integrieren. Nach einer Phase des Wettrüstens Anfang der 80er-Jahre kamen nun durch eine Reihe von Gipfeltreffen zwischen Gorbatschow und den amerikanischen Präsidenten Reagan und Bush weit reichende Vereinbarungen zustande. So einigte man sich 1987 auf den Abbau aller sowjetischen und amerikanischen Mittelstreckenraketen. In den nächsten Jahren folgten Verträge über die Reduzierung der Streitkräfte in Europa und die Reduzierung der Langstreckenwaffen (START-Vertrag). Zugleich wurden die KSZE-Gespräche 1990 wieder aufgenommen.

Nach dem Putsch 1991: Michail Gorbatschow und Boris Jelzin

## Der „Ostblock" löst sich auf

Neben Perestroika und Glasnost führten auch die Entnuklearisierung Europas und damit der Wegfall der auswärtigen Bedrohung zu einer Schwächung der Autorität der kommunistischen Regime in Osteuropa, denn die gemeinsame Bedrohung durch den Feind verlor zunehmend an Bedeutung. Das Jahr 1989 brachte in Polen den ersten nichtkommunistischen Präsidenten, in Ungarn das Ende der Herrschaft der Kommunistischen Partei und schließlich das Umschlagen der Reformen in eine gewaltlose Revolution. Das Gleiche gilt für die DDR (s. S. 232 ff.).

Die UdSSR blieb von dieser Entwicklung nicht ausgenommen. Das Reformprogramm Gorbatschows hatte die wirtschaftliche Lage des Landes nicht verbessert. Den meisten Menschen ging es nach fünf Jahren Reform schlechter als zuvor. Eine Reihe von Nationalitätenkonflikten beschleunigte den Verfall der UdSSR. 1991 konnte ein Putsch gegen Gorbatschow vor allem durch das Eingreifen Boris Jelzins verhindert werden, der kurz zuvor in freien Wahlen Präsident von Russland geworden war. Die Auflösung der UdSSR jedoch war nicht aufzuhalten. Im August 1991 trat Gorbatschow zurück. Im Dezember des Jahres erklärten die Vertreter von ehemaligen Sowjetstaaten das Ende der UdSSR und gründeten die „Gemeinschaft unabhängiger Staaten" (GUS). Schon im April 1991 war der Warschauer Pakt aufgelöst worden. Die NATO-Staaten begleiteten diese Auflösung, ohne aktiv in das Geschehen einzugreifen. 1990 erklärten die Staats- und Regierungschefs der KSZE in ihrer „Charta für ein neues Europa" die Ära der Konfrontation und der Spaltung Europas für beendet.

Die neuen Grenzen in Europa nach der Auflösung des Ostblocks

Informiert euch über Ablauf und Hintergründe der Ereignisse in den Achtzigerjahren.

Kurzvortrag: **Überwindung des Ost-West-Konflikts**

# Was sind die Gründe für die Auflösung des Ost-West-Konflikts?

**1.** Analysiert die Stellungnahme des Historikers Loth (M 1) und die Einschätzung des ehemaligen amerikanischen Außenministers Henry A. Kissinger (M 2) zum Ende des Ost-West-Konflikts.

**2.** Vergleicht die beiden Positionen und setzt euch kritisch mit ihnen auseinander.

**Tipp!** Informiert euch mithilfe der Methodenbox auf S. 57 über den Umgang mit historischer Sekundärliteratur.

## M 1 Der Historiker Wilfried Loth (1990)

Dass der Ost-West-Konflikt schließlich doch für alle Beteiligten überraschend schnell zu Ende ging, war – das muss gegen einen allzu durchsichtigen Versuch
5 der Legendenbildung festgehalten werden – nicht ein Erfolg westlicher Politik der Stärke. [...] Entscheidend für die Überwindung des Sicherheitsdilemmas war vielmehr zunächst das geduldige Be-
10 harren all derjenigen, die sich um ein Durchlässigmachen der Blockgrenzen bemühten. Sie trugen damit dazu bei, dass die westlichen Prinzipien im sowjetischen Machtbereich Verbreitung fanden
15 und bis zur Spitze des sowjetischen Imperiums vordrangen, und sie erleichterten mit ihrer Kooperationsbereitschaft der sowjetischen Führung den Abschied von den alten Einkreisungsängsten.
20 Entscheidend war sodann vor allem, dass Michail Gorbatschow und die Reformer, für die er steht, den Schritt aus der Festung des Kalten Kriegs heraus tatsächlich gewagt haben [...]. Dieser Schritt folgte
25 gewiss aus der Einsicht in die desolate Lage des Sowjetimperiums; er wurde mit dem Mut der Verzweiflung unternommen. Dennoch war er alles andere als selbstverständlich. [...]
30 Es ist darum ganz irreführend zu behaupten, der Westen habe im Kalten Krieg gesiegt. Nicht der Westen hat gesiegt, sondern die westlichen Prinzipien sind im sowjetischen Machtbereich zum
35 Programm geworden. Das ist etwas ganz anderes. Es ist neben und vor dem Erfolg westlicher Entspannungspolitik auch ein Erfolg der Sowjetunion selbst. Sie hat [...] Verbündete gewonnen, die
40 ihr bei der Bewältigung ihrer Modernisierungsprobleme helfen können. Vor allem aber hat sie sich von den Lasten einer 45-jährigen Überspannung ihrer Kräfte befreit.

(Zit. nach: Wochenschau, Jg. 41/1990, Heft 4/5, S. 160)

## M 2 Das Urteil Henry A. Kissingers

Der anerkannte Politikwissenschaftler war mehrere Jahre Sicherheitsbeauftragter zweier amerikanischer Präsidenten und von 1973 bis 1977 Außenminister der USA.

Die fatale Schwäche des aufgedunsenen Sowjetimperialismus wurzelte in der Tatsache, dass seinen Machthabern im Laufe der Zeit jedes Gefühl für Verhältnismä-
5 ßigkeiten abhandengekommen war. Sie hatten die Fähigkeit des sowjetischen Systems, seine militärischen wie wirtschaftlichen Erfolge zu festigen, überschätzt und völlig aus den Augen verlo-
10 ren, dass die Basis, von der aus sie alle anderen Großmächte herausforderten, eigentlich außerordentlich schwach war. Außerdem konnten sich sowjetische Machthaber nie eingestehen, dass ihr
15 System in tödlichem Ausmaß unfähig war, Initiative und Kreativität zu fördern, und dass die Sowjetunion trotz ihrer militärischen Macht in Wirklichkeit noch immer ein rückständiges Land war. [...]
20 Gorbatschow [hat ...] eine der bedeutendsten Revolutionen seiner Zeit bewerkstelligt: Er zerstörte die ehedem speziell zum Zweck der Machtergreifung und -erhaltung gegründete Kommunisti-
25 sche Partei, welche das Leben in der Sowjetunion bis in die hintersten Winkel kontrolliert hatte; er hinterließ ein in Stücke gesprungenes Weltreich, das über Jahrhunderte hinweg mühevoll zusam-
30 mengefügt worden war. [...] Er wollte Modernisierung, nicht Freiheit; er hatte versucht, die Kommunistische Partei nach außen hin zu öffnen, nicht aber den Zusammenbruch jenes Systems einleiten
35 wollen, das ihn hervorgebracht hatte und dem er seinen Aufstieg verdankte. Gorbatschow, der von seinem eigenen Volk für das Ausmaß des während seiner Amtszeit eingetretenen Desasters verant-
40 wortlich gemacht wurde, [...] sah sich ungemein schwierigen, vielleicht unüberwindlichen Problemen gegenüber. [...] Vierzig Jahre Kalter Krieg hatten die Industrienationen zu einem mehr oder
45 weniger festen Bündnis gegen die Sowjetunion zusammengeführt. [...]
Gleichzeitig stellte die strategische Aufrüstung der USA [...] eine technologische Herausforderung dar, der die stagnieren-
50 de, strapazierte sowjetische Wirtschaft nicht gewachsen war. Als dann der Westen mit der Weiterentwicklung des Mikrochips noch eine Supercomputer-Revolution in Gang setzte, sah der neue sowje-
55 tische Generalsekretär sein Land in die technologische Unterentwicklung abdriften. Trotz der letztlich verheerenden Entwicklungen verdient Gorbatschow Anerkennung, weil er bereit war, sich mit dem
60 Dilemma der UdSSR auseinanderzusetzen. Anfangs mag er geglaubt haben, er könne dem System durch Säuberungen innerhalb der Kommunistischen Partei und durch die Einführung marktwirt-
65 schaftlicher Elemente in die zentrale Planwirtschaft neuen Schwung verleihen. Wenngleich er noch keine Vorstellung von dem Umfang seiner innenpolitischen Vorhaben hatte, so wusste er
70 doch, dass er dafür eine Zeit außenpolitischer Ruhe brauchte.

(Henry A. Kissinger, Die Vernunft der Nationen, Berlin 1994, S. 847 u. 872 ff.)

**„Fröhliches Begräbnis" – und was kommt danach?**
Der amerikanische Präsident Bush, Gorbatschow, der französische Staatspräsident Mitterrand und Bundeskanzler Helmut Kohl tragen den „Kalten Krieg" zu Grabe (deutsche Karikatur von 1990).

Was ist die Aussage dieser Karikatur? Begründet eure Deutung auf der Grundlage eurer Kenntnisse über Entstehung, Verlauf und Ende des Ost-West-Konflikts.

## M 4 Der Journalist Theo Sommer (1993)

In einem Leitartikel formuliert er, wie sich für ihn nach dem Ende des Ost-West-Konflikts die Weltordnung im ausgehenden 20. Jahrhundert darstellt:

Fast ein halbes Jahrhundert lang beschrieben „Ost" und „West" die beiden Heerlager im Konflikt der verfeindeten Blöcke. Dann ging der Kalte Krieg zu Ende. […]
5 Hoffnung keimte damals in den Herzen. Nun könne endlich jene „Eine Welt" entstehen, von der die Überlebenden der zwei großen Kriege 1914–18 und 1939–45 geträumt hatten. Schwerter würden zu
10 Pflugscharen umgeschmiedet und […] die westlichen Prinzipien der Demokratie, des freien Marktes und der Menschenrechte hätten rund um den Erdball ein für alle Mal gesiegt […].
15 Seitdem sind vier Jahre vergangen, die Hoffnung ist verflogen. […] Wenn das Zeitalter nach dem Kalten Krieg überhaupt schon seine Signatur gefunden hat, so ist sie mit Blut geschrieben: Weltun-
20 ordnung, nicht Weltordnung; Stammeskriege, nicht Völkerkonsens; Auflösung der Strukturen, nicht Verfestigung. Allmählich sickert dieser Befund ins Bewusstsein der Zeitgenossen […]. Düster-
25 nis ist Trumpf, trotz aller Lichtblicke in Südafrika, im Nahen Osten, in Nordir-

land […]. [Brzezinski, ein Amerikaner polnischer Herkunft,] diagnostiziert die
30 Gefahr weltweiter Anarchie. Er glaubt nicht an eine friedliche Entwicklung auf dem Gebiet der ehemaligen Sowjetunion. Ostmitteleuropa („Europa II") werde in Anlehnung an die Brüsseler Gemein-
35 schaft („Europa I") seine inneren Schwierigkeiten wohl überwinden, wohingegen dem „dritten Europa" – dem Balkan und dem Baltikum, der Ukraine, Weißrussland, Moldawien – auf Jahrzehnte hinaus
40 schwere Krisen bevorstehen. […] Amerika klassifiziert er weiterhin als […] eine unerreichte Weltmacht. Sie vermag nicht alles allein, kann aber als „katalytische Nation"[1] Koalitionen bauen, Adhoc-Ver-
45 bünde[2] des Handelns. Im Gemeinschafts-Europa („kopflos und seelenlos") sieht Brzezinski ebenso wenig einen Führungsrivalen wie in Japan. […] Eine Zweiteilung der Welt, gekoppelt mit lähmender
50 Handlungsunfähigkeit der großen Akteure – dieses Bild malen [auch andere Autoren]. […]
Wie triftig oder fragwürdig diese Befunde im Detail auch sein mögen, in einem stim-
55 men sie alle überein. Einem Mehr an Sicherheit in unserer Weltregion nach dem Ende des Kalten Krieges steht ein Zuwachs an Instabilität gegenüber. Die große Bedrohung, die zur einheitlichen
60 Reaktion zwang, weil sich dahinter die

Gespenster einer Invasion auf breiter Front und letztlich des Atomkrieges erhoben, ist verschwunden. Von den Inseln
65 der Barbarei in allernächster Nähe, den Ausbrüchen aggressiver Ethno-Nationalismen jenseits der Linie, an der einst der „Eiserne Vorhang" Europa entzweischnitt, den grauenvollen Stammesfeh-
70 den in den fernen Landstrichen der Dritten Welt geht eine vergleichbare Gefährdung unserer Existenz nicht aus. […]
Drei Grundbefürchtungen sind heute im Schwange. Manche ängstigen sich vor
75 einem Kampf der Klassen, einem Handelskonflikt zwischen den Industriemächten in der Zone des Friedens, ihrem Tauziehen um Märkte, Arbeitsplätze, ökonomische Suprematie. Die Wirtschaft wird
80 dabei zur Fortsetzung des Krieges mit anderen Mitteln; die Opfer werden nicht nach Millionen Gefallenen gezählt, sondern nach Millionen Arbeitslosen. Viele warnen vor einem weltweiten Kampf der
85 Klassen: dem Nord-Süd-Konflikt nach dem Ost-West-Konflikt, einem Krieg der Habenichtse gegen die Besitzenden, geführt auch mit Drogen, Viren, Massenvernichtungswaffen. Andere schließlich be-
90 schwören einen Kampf der Rassen, besser: einen Zusammenprall der Kulturen […]. Danach werden sich die Verwerfungslinien zwischen den großen Weltkulturen unausweichlich in die Schützen-
95 gräben der Zukunft verwandeln. Morgenland wider Abendland: Islam gegen Christentum, Konfuzianismus gegen den Westen, „The West against the Rest".

(Theo Sommer, in: Die Zeit, 31.12.1993, S. 1)

[1] hier: bewegende Nation
[2] Verbündete zu einem bestimmten Zweck, von Fall zu Fall

**1.** Analysiert den Textauszug M 4.

**2.** Setzt euch kritisch mit den Argumenten Theo Sommers auseinander. Diskutiert dabei insbesondere auch seine „drei Grundbefürchtungen".

**3.** Als Ergebnis eurer Diskussion könnt ihr einen eigenen kritischen Zeitungskommentar verfassen; Thema: Antwort auf Theo Sommer.

# Stopp
## Ein Blick zurück

### ... auf den Ost-West-Konflikt

„Look things in the face" lautet der Titel dieser englischen Karikatur aus der frühen Nachkriegszeit von David Low. Warum blickt West enttäuscht auf Ost?

M 2

Hier hat die Erde einen Riss bekommen und wurde notdürftig verarztet. (1963)

## Ein Blick zurück mit Karikaturen

Mithilfe der Karikaturen, die zu verschiedenen Zeiten im Ost-West-Konflikt entstanden sind, könnt ihr den Konfliktverlauf im Auf und Ab zwischen Kriegsgefahr und Entspannung rekonstruieren.

**So könnt ihr vorgehen:**

1. Jede bzw. jeder wählt eine Karikatur aus über eine Zeitspanne zwischen 1945 und 1990, in der sie oder er sich gut auskennt.

2. Alle stellen ihre Karikatur vor, indem sie
a) genau beschreiben, was zu sehen ist (vom Auffälligen zu den Einzelheiten);
b) die Karikatur vor dem Hintergrund ihre Wissens über den historischen Kontext des Konflikts erläutern;
c) erklären, was der Karikaturist zum Ausdruck bringen wollte.

3. Mit der Interpretation aller Karikaturen entsteht im Zusammenhang ein Rückblick auf den Ost-West-Konflikt. Die zentralen Begriffe sollen in den Rückblick eingebaut werden.

| Diese Begriffe und Vorgänge kann ich erläutern: | |
|---|---|
| * Blockbildung | * Entspannung |
| * Nukleares Gleichgewicht | * Koexistenz |
| * Containment | * Wettrüsten |

M 3

„Was für eine Unverschämtheit, mir Raketen vor die Haustür zu stellen." (1962)

Der „Geist von Helsinki" (1990)

Ohne Titel (1981)

„... packen wir die Verschrottung an!" (1992)

## Blick zurück mithilfe einer Mindmap

Stationen im Verlauf

Gründe für die Konfliktlösung

**Der Ost-West-Konflikt**

Ursachen

Auslöser

Konfliktparteien

# Deutschland nach 1945: Ein Volk – Zwei Geschichten

**... 1963:**
Polizisten aus Westberlin und ein Mitglied der Nationalen Volksarmee der DDR begegnen sich zufällig am Sektorenübergang Oberbaumbrücke, der für Fußgänger reserviert war.

**Die Mauer ...**

ist das bekannteste Symbol der deutschen Nachkriegsgeschichte.
Drei Momentaufnahmen spiegeln ihren wechselvollen Verlauf.

**1.** Welche Gedanken und Gefühle lösen die drei Momentaufnahmen in euch aus?

**2.** Sammelt euer Vorwissen und versucht die drei Momentaufnahmen in die Geschichte der Deutschen nach dem Zweiten Weltkrieg einzuordnen.

**... 1989:**
Ein Westberliner Polizeibeamter (links) und ein Soldat der DDR-Grenztruppen sorgen für einen reibungslosen Fußgängerverkehr am Potsdamer Platz.

## Zwei Geschichten in einem Deutschland

Die beiden deutschen Staaten, die „Deutsche Demokratische Republik" und die „Bundesrepublik Deutschland", waren nicht einfach nur zwei Staaten, sondern zwei sehr unterschiedliche Lebensumstände, die das Leben ihrer Bürger formten.
Die 16 Millionen Bürger der DDR und die 54 Millionen Bürger der BRD entwickelten deshalb jeweils besondere Verhaltensweisen und Wertvorstellungen. Bewusst oder unbewusst spielen sie noch heute eine Rolle.

## Vergangenheit erklärt Gegenwart

Im Mittelpunkt dieses Kapitels steht deshalb die Untersuchung der Alltagsgeschichte der Deutschen nach dem Zweiten Weltkrieg. Wir untersuchen und deuten die Vergangenheit, um die Gegenwart besser verstehen und die Zukunft besser gestalten zu können.
Wir beginnen mit dem Alltag der Deutschen unmittelbar nach dem Zweiten Weltkrieg, verfolgen dann die zwei durch den „Kalten Krieg" getrennten Geschichten Deutschlands und betrachten abschließend die Zeit seit 1989, in der es wieder eine gemeinsame Geschichte gibt.

**... 1998:**
Besucher an der Mauer-Gedenkstätte, Berlin, Bernauer Straße

# Deutschland – ein zerstörtes Land

Nach dem Untergang des Dritten Reiches brach die staatliche Ordnung total zusammen. Am 8. Mai 1945 kapitulierte Deutschland bedingungslos. Die Menschen in Deutschland kämpften um ihr Überleben.

> Lest den Text und versucht dann, euch in die Situation der beiden Kinder auf dem Foto (1946) zu versetzen: Mit welchen Schwierigkeiten mussten sie zurechtkommen?

### Der Alltag

Kälte, Hunger und Wohnungsnot bestimmten den Alltag der Menschen. Viele Großstädte wie Köln, Berlin, Hamburg oder Dresden waren fast vollständig zerstört. Grundnahrungsmittel und Kohlen waren sehr knapp.

### Lautlose Geschäfte

Viele notwendige Dinge gab es nur im Tauschhandel auf dem Schwarzmarkt. Die alte Reichsmark war wertlos geworden, an ihre Stelle waren amerikanische Zigaretten getreten.
Auf tagelangen „Hamsterfahrten" versuchten die Hungernden, auf dem Land Wertgegenstände gegen Lebensmittel einzutauschen. Viele wanderten zu Fuß; andere hatten das Glück, einen der unregelmäßig fahrenden, mühsam zusammengeflickten und völlig überfüllten Züge zu erwischen. Sie fuhren auf den Dächern, Trittbrettern oder Puffern.
Im Kampf gegen den Hunger wurden Parks und Freiflächen in den Städten umgegraben und in Gemüsebeete verwandelt.
Nachts versuchten viele, Kohlen aus den Güterzügen zu klauen – der einzige Weg, an Brennmaterial zu kommen. Weil der Kölner Kardinal Frings den Diebstahl aus Überlebensnot gerechtfertigt hatte, sprach der Volksmund von „fringsen".

### Flüchtlinge und Vermisste

Millionen Flüchtlinge und Heimatvertriebene aus dem Osten machten die Situation noch schwieriger. Täglich zogen 300 000 von ihnen durch Berlin.
Andere suchten verzweifelt nach ihren vermissten Angehörigen: Waren sie im Krieg gefallen, irrten sie irgendwo durch Deutschland; hatte sie jemand gesehen, von ihnen gehört?

Hohenzollernbrücke in Köln, 1945

## Kinder und Jugendliche

Etwa 250 000 Kinder und Jugendliche, deren Eltern vermisst waren, streiften alleine durchs Land. Hunger, Verwahrlosung und Wohnungsnot führten zu einer steigenden Jugendkriminalität. Kinder- und Jugendbanden versuchten, durch Raub und Diebstahl das zum Überleben Notwendigste zu ergattern. Allein in Berlin besaßen 1947 125 000 Kinder kein einziges Paar brauchbare Schuhe.

## Trümmerfrauen

Unzählige Männer waren gefallen oder lebten in Kriegsgefangenschaft. Die Bevölkerung bestand zu zwei Dritteln aus Frauen. Sie standen dem Chaos in Deutschland alleine gegenüber. Unter härtesten Bedingungen sorgten sie für ihre Familien und begannen die Trümmer der zerstörten Städte wegzuräumen. Weil es kein Baumaterial gab, wurden die Steine der zerstörten Häuser aufgesammelt, Stein für Stein mit dem Hammer gesäubert, wegtransportiert und gestapelt. Unterbrochen von nur kurzen Pausen reinigte eine Frau im Durchschnitt 1200 Ziegelsteine pro Tag. Ohne die Arbeit der Trümmerfrauen wäre an Wiederaufbau nicht zu denken gewesen.

## Care-Pakete

Viele Deutsche überlebten nur mithilfe der sogenannten Care-Pakete, die von kirchlichen und karitativen Organisationen in den USA gespendet und nach Deutschland geschickt wurden, um die Hungersnot zu lindern.

163

# „Stunde Null"?

„Stunde Null" – so wird oft die Stimmungslage und das ganz besondere Lebensgefühl der Deutschen in den ersten drei Jahren nach dem Krieg bezeichnet.

- **Aber: Konnten die Deutschen wirklich einfach neu, „bei Null" anfangen?**

Zeitgenossen helfen uns, diese Frage zu beantworten.

„Wer die Jugend hat, hat die Zukunft" (Hitler). Die Hitlerjugend vor dem Krieg (Juni 1933)

Mai 1945: deutsche Soldaten nach der Kapitulation auf dem Weg in die Kriegsgefangenschaft

1. **„Pausenzeichen"?** (M 1)
   Versucht dieses Gefühl zu erklären.
   **Tipp:** Benutzt die Begriffe Vergangenheit, Zukunft, Gegenwart.

2. **Froschperspektive?** (M 2)
   Erzählt, wie Christiana von Barghorst die „Stunde Null" erlebte. Inwiefern spiegelt ihr Bericht eine typisch kindliche Perspektive, welche Rückschlüsse auf ihre erwachsene Umgebung sind möglich?

3. **Ein unsichtbares Tier?** (M 3)
   Wie erlebte Max Frisch die Stimmung unter den Deutschen? Welche Gedanken sind ihm beim Anblick der Kinder wichtig?

4. **Ein Wendepunkt?** (M 4)
   Wie denken die Mitglieder der „Bekennenden Kirche" über die Schuld der Deutschen? Welche Abstufungen sind erkennbar?

## M 1 Ein Pausenzeichen der Geschichte

Ein Zeitgenosse beschrieb die Stimmung der Deutschen so:

> [Es war ein] trotz Hunger und […] Unsicherheit fast schmerzendes Hochgefühl von Freiheit, eine grenzenlose Erwartung. Schlimmeres als das Überlebte
> 5 war nicht denkbar und diesem Schlimmen war ein Ende gesetzt.
> Ein Augenblick von Zeitlosigkeit, der sich rauschhaft dehnte, ein Pausenzeichen der Geschichte, nach dem alles ver-
> 10 ändert sein würde.

(Zit. nach: Christoph Kleßmann, Die doppelte Staatsgründung, Göttingen (Vandenhoek u. Ruprecht) ⁴1989, S. 37)

## M 2 Froschperspektive

Christiana von Barghorst erlebte das Jahr 1945 als kleines Mädchen. In ihren Erinnerungen schreibt sie:

> Abends wurde uns noch einmal eingeschärft, wirklich kein Hakenkreuz mehr zu malen und die Spiele mit dem Hitlergruß zu lassen. Ich war wütend. Es
> 5 hatte mich solche Mühe gekostet, das Hakenkreuzmalen zu lernen. Immer zeichnete ich die Balken zur falschen Seite oder zwei nach innen und zwei nach außen. Nun endlich konnte ich es, und jetzt war
> 10 es verboten.
> Der Hitlergruß war für uns immer Anlass zum Streit gewesen. Klaus machte ihn so, wie die Hitlerjugend ihn machte: gerade stehen, beide Füße zusammensetzen, den
> 15 Arm durchbiegen, schräg nach oben halten und keinen Finger krümmen. Ich hingegen hatte den Führer in der Wochenschau unseres Kinos gesehen und bestand auf seinem Gruß: den Oberarm am Kör-
> 20 per lassen, den Unterarm ganz kurz hochnehmen, dann die Hand locker nach oben werfen und dabei ein ernstes Gesicht machen. Man durfte bei diesem wahren und echten Hitlergruß sogar ge-
> 25 hen, die Front abschreiten zum Beispiel oder die Parteigenossen begrüßen.
> Es gab aber keine Parteigenossen mehr, keine Hakenkreuze, keine Hitlergrüße

und keine braunen Hemden. Das von
30 Onkel Friedhelm, der aus Riga zu uns gekommen war, färbte meine Großmutter in der Zinkbadewanne grün.

(Christiana von Barghorst, Froschperspektive. Bilder einer Kindheit, Husum Druck- und Verlagsgesellschaft/Husum 1984, S. 41)

## M 3 Ein unsichtbares Tier

Der schweizerische Schriftsteller Max Frisch besuchte im Mai 1945 Deutschland. In seinem später veröffentlichten Tagebuch beschreibt er seine Eindrücke und Gedanken:

> Flüchtlinge liegen auf allen Treppen, und man hat den Eindruck, sie würden nicht aufschauen, wenn mitten auf dem Platz ein Wunder geschähe; so sicher
> 5 wissen sie, daß keines geschieht […].
> Ihr Leben ist scheinbar ein Warten ohne Erwartung, sie hängen nicht mehr daran; nur das Leben hängt noch an ihnen, gespensterhaft, ein unsichtbares Tier, das
> 10 hungert und sie durch zerschossene Bahnhöfe schleppt, Tage und Nächte, Sonne und Regen. Es atmet aus schlafenden Kindern, die auf dem Schutte liegen, ihren Kopf zwischen den knöcher-
> 15 nen Armen […].
> Die spielenden Kinder, die mich geweckt haben, ihre Kleidchen, ihre sehr dünnen Gesichter und der Gedanke daran, daß sie noch nie eine ganze Stadt erblickt ha-
> 20 ben, dann der Gedanke, daß sie nichts dafür können: weniger als irgendeiner von uns. Über die dringende Hilfe hinaus, die sie vor dem Hunger retten muß so wie alle andern Kinder, geht es vor
> 25 allem darum, daß sie keine Verdammten sind, keine Verfemten, gleichviel, wer ihre Väter und ihre Mütter sein mögen. […]

(Max Frisch, Tagebuch 1946–1949, Frankfurt am Main 1950; zit. nach: Materialien für den Geschichtsunterricht, Bd. VI, Frankfurt/M. [Diesterweg] ²1987, S. 66 f.; aus lizenzrechtlichen Gründen nicht in neuer Rechtschreibung)

## M 4 Ein Wendepunkt

Während der Herrschaft des Nationalsozialismus hatten die Anhänger der „Beken-

nenden Kirche" Widerstand gegen das Regime geleistet und sich von der offiziellen Evangelischen Kirche abgespalten. Nach dem Krieg wandten sich ihre Vertreter an das deutsche Volk.

a) „Wort der Berliner Bekenntnissynode an die Pfarrer und Gemeinden" (31.7.1945):

> In der Geschichte unseres Volkes ist ein Wendepunkt eingetreten. In diesem Augenblick sieht die Bekenntnissynode auf den Kampf, der hinter ihr liegt, zu-
> 5 rück und bittet Gott, dass er uns in Kirche und Volk Erkenntnis und Bereitschaft zu gründlicher Umkehr und Erneuerung schenken möge. […]
> Unser Volk, das zu 90 % aus getauften
> 10 Christen besteht, hat sich unter geringem Widerstand die christliche Prägung seines […] Lebens in kürzester Frist rauben lassen. Das ist eine für uns Deutsche zutiefst beschämende Tatsache.
> 15 Die amtliche Kirche hat sich gegenüber dem Angriff des totalen Staates und seiner Weltanschauung weithin als blind und taub erwiesen. Ihre Haltung ist so zum Verrat an der Kirche geworden. Die
> 20 Pfarrer und Gemeindemitglieder, die dem Kampf überhaupt ausgewichen sind, müssen sich dem Vorwurf stellen, dass ihr Versagen ein Verhängnis und eine Schuld gegenüber unserer Kirche und
> 25 unserem Volk gewesen ist.

b) „Stuttgarter Erklärung" (19.10.1945):

> Mit großem Schmerz sagen wir: Durch uns ist unendliches Leid über viele Völker und Länder gebracht worden. Was wir unseren Gemeinden oft bezeugt
> 30 haben, das sprechen wir jetzt im Namen der ganzen Kirche aus: Wohl haben wir lange Jahre hindurch im Namen Jesu Christi gegen den Geist gekämpft, der im nationalsozialistischen Gewaltregiment
> 35 seinen furchtbaren Ausdruck gefunden hat; aber wir klagen uns an, dass wir nicht mutiger bekannt, nicht treuer gebetet, nicht fröhlicher geglaubt und nicht brennender geliebt haben.

(Günther Heidtmann (Hg.), Hat die Kirche geschwiegen? Das öffentliche Wort der evangelischen Kirche aus den Jahren 1945 bis 1957, Berlin 1958; zit. nach: Materialien, a.a.O., S. 86 f.)

In einem sowjetischen Aufruf hatte es 1944 geheißen: „Wir kommen als Richter und Rächer. Der Feind muss ohne Gnade vernichtet werden".

Nach dem Ende des Krieges waren für die Zeitgenossen in Deutschland dies die wichtigsten Fragen:

- **Wie würden die siegreichen Alliierten mit dem besiegten Deutschland umgehen?**
- **Was würde aus Deutschland und den Deutschen werden?**

Der Informationstext auf den folgenden Seiten beschreibt die wichtigsten Hintergründe und Stationen der deutschen Geschichte von 1945 bis 1948.

Das Schema hilft euch, den Inhalt des Infotextes zu gliedern und einen Vortrag zu halten.

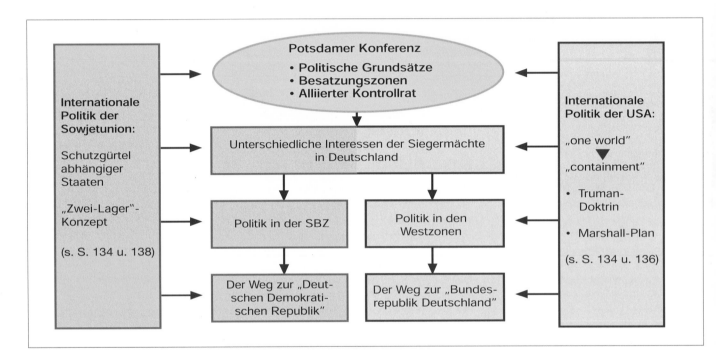

## Flucht und Vertreibung

Wichtige Entscheidungen hatten die Alliierten schon vor Kriegsende auf den Konferenzen in Teheran (November 1943) und Jalta (Februar 1945) getroffen. Dazu gehörte die Verschiebung der Westgrenzen der Sowjetunion und Polens, die die Westmächte der Sowjetunion als Ausgleich für die besonders hohen Kriegsschäden und -verluste – vorbehaltlich einer endgültigen Friedensregelung – zugestanden hatten. Dies führte dazu, dass Millionen von Menschen nach dem Krieg ihre Heimat verlassen mussten. Polen verlor im Osten 180 000 qkm Land: Millionen Polen mussten ihre Heimat verlassen und nach Westen ziehen. Zum Ausgleich erhielt Polen Pommern, Schlesien und Ostbrandenburg. Die dort lebenden Deutschen sollten – wie es wörtlich hieß – „planvoll umgesiedelt" werden. Tatsächlich wurden sie wegen der zuvor von den Deutschen im Zweiten Weltkrieg verübten Gräueltaten oft mit Härte behandelt.

Mit ihrem Vorrücken vertrieb die sowjetische Armee in ganz Osteuropa – von der Ostsee bis zu den Karpaten – die deutsche Bevölkerung, die mit mindestens 12 Millionen Menschen die größte Gruppe der in Europa am Ende des Zweiten Weltkrieges Entwurzelten stellte. In Pommern (1,5 Mio.), Ostpreußen (2 Mio.) und Schlesien (3,2 Mio.) wurde fast die gesamte ansässige deutschstämmige Bevölkerung vertrieben. Das Gleiche geschah mit den deutschen Minderheiten in Zentralpolen, Ungarn, Jugoslawien, Rumänien und mit den Sudetendeutschen in der Tschechoslowakei.

Flüchtlingsfamilie 1945

Diese Vertreibungen entsprangen dem politischen Kalkül der sowjetischen Führung, aber auch aufgestautem Hass und blindwütigen Rachegefühlen vieler Rotgardisten, die fast immer die Falschen und Unschuldigen trafen. Zivilisten wurden misshandelt und getötet, Frauen vergewaltigt. Millionen flohen in buchstäblich letzter Minute. Wer sich von seiner Heimat, von Hab und Gut nicht trennen wollte, riskierte sein Leben. Viele verunglückten, verhungerten oder erfroren während der Flucht.

Diejenigen, denen die Flucht gelungen war, standen wiederum vor neuen Problemen: Sie mussten in den zerbombten Städten und überfüllten Dörfern der Besatzungszonen ein neues Leben beginnen – oft misstrauisch beäugt von der ansässigen Bevölkerung, die selber um ihr eigenes Überleben kämpfte. In der DDR machten die vier Millionen Vertriebenen 1950 etwa ein Viertel, in Westdeutschland die acht Millionen Vertriebenen etwa 16 Prozent der Bevölkerung aus. Die Versorgung

und Integration der Vertriebenen ist eine der bedeutendsten Leistungen der deutschen Nachkriegsgesellschaft. Die westdeutsche Regierung unterstützte sie mit einem sogenannten Lastenausgleich in Höhe von insgesamt 140 Milliarden Mark. Die gewaltsamen Vertreibungen brachten am Ende des Zweiten Weltkrieges Tod, Leid und traumatische Erfahrungen für Millionen. Sie beendeten innerhalb weniger Monate unwiderruflich 1000 Jahre deutsche Geschichte in Osteuropa.

## Das Potsdamer Abkommen

Auf der Potsdamer Konferenz im Frühsommer 1945 einigten sich die Siegermächte auf eine Aufteilung des besiegten Deutschland in vier Besatzungszonen. Jede dieser Zonen sollte eigenständig von der jeweiligen Besatzungsmacht verwaltet werden. Auch die ehemalige Hauptstadt Berlin wurde in vier Sektoren aufgeteilt.

Ein „Alliierter Kontrollrat", bestehend aus den vier Militärgouverneuren der vier Besatzungszonen, sollte für die gemeinsame und einheitliche Verwaltung Deutschlands sorgen.

Im Potsdamer Abkommen waren auch die vier Grundsätze, nach denen Deutschland behandelt werden sollte, festgelegt. Sie sind als die „vier großen D's" bekannt geworden:

### Demilitarisierung

Alle militärischen Verbände wurden aufgelöst, alle Waffen eingezogen und die Rüstungsindustrie beseitigt.

### Denazifizierung

Alle nationalsozialistischen Organisationen wurden zerschlagen und alle nationalsozialistischen Gesetze aufgehoben. Die führenden deutschen Kriegsverbrecher wurden vor einem internationalen Militärgerichtshof angeklagt.

### Demokratisierung

Das politische Leben in Deutschland sollte auf demokratischer Grundlage in Zukunft wieder ermöglicht werden.

### Dezentralisierung

Um Machtmissbrauch in der Zukunft zu verhindern, sollte Deutschland zwar als Einheit erhalten, aber politisch dezentralisiert werden.

Hinzu kam die wirtschaftliche Dezentralisierung: Die großen deutschen Unternehmenszusammenschlüsse, die alle unter dem Einfluss der Nationalsozialisten gestanden, der Rüstungspolitik gedient und sich aktiv an der nationalsozialistischen Ausbeutungs- und Ausrottungspolitik beteiligt hatten, wurden aufgelöst und auf mehrere kleine Unternehmen aufgeteilt.

### Unterschiedliche Interessen der Besatzungsmächte

Mit Beginn des Kalten Krieges wuchs das Misstrauen, das die vier Besatzungs-

mächte gegeneinander hegten. Eine gemeinsame Verwaltung Deutschlands wurde deshalb immer schwieriger. Die Alliierten begannen zunehmend in ihren jeweiligen Besatzungszonen ihre eigenen Interessen zu verfolgen:

Die Politik der Sowjetunion war besonders tief von der Erfahrung des Zweiten Weltkrieges bestimmt. Ihr Territorium war durch Krieg weithin verwüstet worden. Von den insgesamt 55 Millionen Opfern des Zweiten Weltkrieges waren allein 20 Millionen Bürger der Sowjetunion. Die sowjetische Regierung erhob deshalb den Anspruch auf besondere Wiedergutmachungsleistungen, vor allem durch Reparationslieferungen aus allen vier Besatzungszonen. Um die eigene im Zweiten Weltkrieg zerstörte Industrie wieder aufzubauen, begann sie, in ihrer eigenen Zone in großem

Umfang Industrieanlagen abzubauen und abzutransportieren.

Die französische Regierung widersetzte sich energisch allen Versuchen, einheitliche Verwaltungsorgane oder ein gemeinsames Wirtschaftsgebiet für ganz Deutschland zu errichten. Sie wollte – nach zwei Überfällen in einem halben Jahrhundert – auf keinen Fall ein einheitliches und starkes Deutschland an ihrer Grenze mehr dulden. Aus demselben Grund verlangte sie, das Ruhrgebiet dauerhaft unter internationale Kontrolle zu stellen.

Die amerikanische und die englische Regierung verfolgten immer deutlicher das Ziel einer wirtschaftlichen Wiederbelebung in ihren Zonen. Sie erkannten, dass die Deutschen immer weniger in der Lage waren, die Kosten für ihre Nahrungsmittelversorgung aufzubringen. Sie wollten schließlich ihren eigenen Wählern diese Kosten nicht zumuten. Noch weniger wollten sie durch Reparationslieferungen

aus ihren Zonen die Sowjetunion indirekt unterstützen. Als die Sowjetunion ihre eigene Zone wirtschaftlich abzuschotten begann, um ihren eigenen Einfluss zu sichern, stoppte der amerikanische Militärgouverneur Lucius D. Clay die Reparationslieferungen aus den Westzonen.

Zum ersten Mal war damit der Streit zwischen den Alliierten offen ausgebrochen. Der Wettstreit um die „richtigere" oder „bessere" Besatzungspolitik begann.

## Die Entwicklung in der SBZ

Als erste Besatzungsmacht genehmigte die Sowjetunion schon am 14. Juli 1945 die Gründung von deutschen, antifaschistischen Parteien. Als erste Partei wurde die KPD zugelassen, deren führende Persönlichkeiten, wie Walter Ulbricht, schon während des Krieges in der Sowjetunion auf ihre neue Aufgabe vorbereitet worden waren.

Im April 1946 vereinigten sich die beiden Parteien KPD und SPD in der SBZ – ohne Befragung der Mitglieder – zur „Sozialistischen Einheitspartei Deutschlands" (SED). Die sowjetische Militäradministration (SMAD) und die Führung der KPD hatten den Zusammenschluss mit dem Argument begründet, die beiden Arbeiterparteien dürften sich nicht mehr – wie bei der Machtergreifung der Nationalsozialisten – gegeneinander ausspielen lassen, sondern müssten nun gegen den Faschismus zusammenstehen.

Viele Zeitgenossen vermuteten aber ein anderes Motiv, das heute von den meisten Historikern als entscheidend angesehen wird: Der Zusammenschluss wurde vor allem deshalb betrieben, weil die KPD allein nicht über genügend Rückhalt in der Bevölkerung verfügte. Jetzt konnten die kommunistischen Machthaber alle Maßnahmen mit dem angeblich einmütigen Willen des „antifaschistischen Blocks" rechtfertigen.

Der Vorsitzende der SPD in den Westzonen, Kurt Schumacher, kritisierte die Gründung der SED scharf als Zwangsvereinigung.

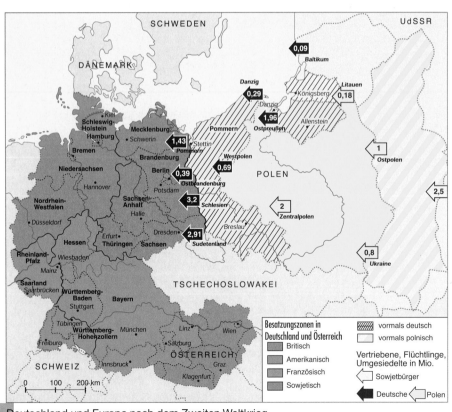

Deutschland und Europa nach dem Zweiten Weltkrieg

## Die Entwicklung in den Westzonen

Auch die Westmächte begannen ihre Zonen nach ihren Vorstellungen zu gestalten. In Schulungskursen und auf Bildungsreisen nach England oder in die USA lernten deutsche Kommunalpolitiker und Beamte die westlichen Vorstellungen von Demokratie. Besonders wichtig war den westlichen Besatzungsmächten, dass der wirtschaftliche Wiederaufbau nach marktwirtschaftlichen Regeln erfolgte.

Bei der Zulassung von Parteien waren die Besatzungsmächte in den Westzonen eher zögerlich: Parteien wurden nur auf regionaler Ebene zugelassen. Erst mit den Kommunal- und Landtagswahlen 1946/47 ging mehr politische Verantwortung auf die Deutschen über.

## Die Gründung der Bi-Zone

Um die wirtschaftliche Erholung in ihren Zonen zu beschleunigen, schlossen die USA und Großbritannien im Dezember 1946 ihre Besatzungszonen zur „Bi-Zone" zusammen. In diesem einseitigen Vorgehen sah die Sowjetunion einen Verstoß gegen das Potsdamer Abkommen. Eine Einladung, der Bi-Zone beizutreten, lehnte sie ab. Mit einer Zustimmung konnte auch niemand ernsthaft rechnen, denn schon längst hatte in der sowjetisch besetzten Zone (SBZ) der Aufbau einer sozialistischen Wirtschaftsordnung begonnen, die mit dem marktwirtschaftlichen System in der Bi-Zone unvereinbar war.

## Zwei Wirtschaftsräume

Mit dem Beitritt der französischen Zone zur Bi-Zone und der Einführung einer neuen gemeinsamen Währung in den vereinigten Westzonen (1948) entstanden in Deutschland endgültig zwei getrennte Wirtschaftsräume.

Der Marshall-Plan vertiefte diese Teilung weiter (s. S. 137f.). Mit diesem – nach dem amerikanischen Außenminister George Marshall benannten – Plan unterstützten die USA den wirtschaftlichen Wiederaufbau in Europa. Während die Deutschen in den Westzonen nun auf amerikanische Hilfe hoffen konnten, waren die Deutschen in der SBZ hiervon abgeschnitten. Die Sowjetunion hatte den Plan abgelehnt und war selbst aufgrund ihrer eigenen ökonomischen Probleme nicht in der Lage, die SBZ wirtschaftlich zu unterstützen. Im Gegenteil: Die Demontagen aus der SBZ gingen weiter.

Die Einführung der westlichen Währung in den Westsektoren von Berlin spaltete auch die Stadt in zwei Teile. Sie führte zur Berlin-Krise (vgl. S. 142/143), dem ersten Höhepunkt des Kalten Krieges.

## Das Ende des Kontrollrates

Unter dem Eindruck der Berlin-Krise und nachdem im Verlauf des Jahres 1947 auf zwei Konferenzen der Außenminister der vier Besatzungsmächte in London und Moskau keine Einigung erzielt werden konnte, beschlossen die Westmächte im Jahr 1948, den Deutschen in den Westzonen die Möglichkeit zu geben, eine Verfassung auszuarbeiten und einen eigenen Staat zu gründen. Die Sowjetunion reagierte mit dem Rückzug des sowjetischen Militärgouverneurs aus dem Alliierten Kontrollrat.

## Die Gründung der Bundesrepublik Deutschland

Die Regierungschefs der inzwischen in den Westzonen gegründeten Länder standen dem Angebot der Westmächte zunächst sehr skeptisch gegenüber. Denn sie wussten, dass es zu einer endgültigen Spaltung Deutschlands führen würde. Andererseits hätte eine Ablehnung zu unkalkulierbaren Problemen mit den Westmächten geführt, während eine Zustimmung die Aussicht auf Normalität und größeren politischen Handlungsspielraum eröffnete.

Schließlich fand man einen Kompromiss: Der neue westdeutsche Staat sollte gegründet werden. Aber er sollte bis zu einer späteren Vereinigung mit der SBZ ein Provisorium bleiben.

Die zukünftige Verfassung des westdeut-schen Staates wurde von Vertretern aus allen westdeutschen Ländern im „Parlamentarischen Rat" unter dem Vorsitz des späteren Bundeskanzlers Konrad Adenauer erarbeitet. Um ihren provisorischen Charakter zu betonen, nannte man sie aber „Grundgesetz". Es wurde im Mai 1949 verkündet. Mit den ersten Bundestagswahlen im September 1949 beginnt die Geschichte der Bundesrepublik Deutschland.

## Die Gründung der Deutschen Demokratischen Republik

In der SBZ hatte die Sowjetunion neue Verwaltungsbezirke eingerichtet. Als einzige deutsche Zentralbehörde in der SBZ existierte seit Mai 1947 die „zentrale Wirtschaftskommission", die den Neuaufbau der Wirtschaft in der SBZ nach dem Vorbild der sowjetischen Planwirtschaft koordinierte.

Die politische Macht in der SBZ lag in der Hand der SMAD, die mit der kommunistischen Führung der SED zusammenarbeitete. Deren zentrale und mächtigste Persönlichkeit war der „Erste Sekretär" Walter Ulbricht.

Im November 1947 versammelten sich Vertreter ausgewählter „antifaschistischer Organisationen" aus der gesamten SBZ zum „Volkskongress für Einheit und gerechten Frieden". Im März 1948 erteilte dieser Volkskongress dem von ihm gewählten „Deutschen Volksrat" den Auftrag, eine Verfassung auszuarbeiten.

Als Reaktion auf die Gründung der Bundesrepublik setzte der „Deutsche Volksrat" die von ihm ausgearbeitete Verfassung in Kraft. Sie war auf demokratisch sehr fragwürdige Weise zustande gekommen, denn weder der „Deutsche Volksrat" noch der „Volkskongress" war von der Bevölkerung der SBZ gewählt worden.

Der Volksrat erklärte sich zur Volkskammer, proklamierte die Gründung der DDR und wählte den Kommunisten Wilhelm Pieck zum Staatspräsidenten und den ehemaligen SPD-Vorsitzenden Otto Grotewohl zum Ministerpräsidenten (1949).

# „Als der Krieg zu Ende ging …"

## Wir befragen Zeitzeugen

Das alltägliche Leben in den Nachkriegsjahren hatte sehr viele unterschiedliche Facetten – je nachdem, wer sie an welchem Ort aus welcher Perspektive erlebte. Ihr könnt diese Facetten erforschen, indem ihr Zeitzeugen befragt und ihre Berichte auswertet. Am Beispiel von Frau Müller könnt ihr ein Schicksal untersuchen und die Methode der Zeitzeugenbefragung üben.

Flüchtlingszug (Januar 1945)

**M** **Q** Ein Schicksal von vielen …

Bericht von Frau Müller (Name geändert), geboren 1936 in Heydekrug (Memelland), aufgezeichnet am 8.3.2001:

*Können Sie sich erinnern, wann und warum Ihre Flucht begann?*
Ja, sicher – die Front kam näher. Wir wohnten ja damals in Heydekrug, das war direkt an der litauisch-russischen Grenze. Das kann man sich ja heute kaum noch vorstellen, die Front, die Panzer, der Krach, Tag und Nacht. Und man wollte auf keinen Fall den Russen in die Hände fallen, da wurden Schauermärchen erzählt,
5 noch aus dem Ersten Weltkrieg.
Und da waren wir beim Mittagessen, das war im August 1944, meine Mutter hatte Huhn gemacht, da kam mein Vater rein und sagte: Ihr müsst sofort los, ihr könnt bei einem Transport mitfahren. Da hat meine Mutter den Kochtopf mitgenommen und uns beide, meine Schwester und mich, und wir sind mit dem Soldatentransport bis nach Labiau mitgefahren, in verschiedenen Wagen, aber schließlich sind wir alle angekom-
10 men. Das war ja unsere größte Angst, dass wir uns verlieren.
*Gibt es ein Erlebnis, das Ihnen besonders in Erinnerung geblieben ist?*
So viele, aber vielleicht so … Dann kam die Front nach Labiau. Dann haben wir uns anderen angeschlossen und sind dann zu Fuß weiter, jeden Tag 15 Kilometer, mit Rucksack und immer die Straße lang und wenn ich müde war oder was – es half nichts, wir mussten unser Pensum schaffen. Und dann – in der Nähe von
15 Stettin, da überrollte uns die Front. Wir mussten dann in einen Keller – das war unser beider größtes Erlebnis – da haben uns Leute aufgenommen, in eine Art Luftschutzkeller, wo viele alte Leute waren und Kinder, alle weinten, und direkt über uns die Panzer und die ganze Nacht der Schlachtenlärm. Und wir haben immer nur geweint und gebetet und gedacht: Gleich haben sie uns. Und plötzlich war Stille, absolute Stille. Da hatten die Deutschen die Russen noch einmal zurückgeschlagen. Und als wir am nächsten Morgen heraus-
20 kamen, war Schnee gefallen und überall lagen Leichen und überall Blut im Schnee. Für eine Kinderseele war das zu viel.
Aber die Russen hatten ja bald ganz Pommern erobert. Wo sie hinkamen, da trieben sie die Deutschen ab und suchten nach versteckten Soldaten. Wir drei flüchteten weiter. Meistens zu Fuß, manchmal konnten wir auf einen Zug aufspringen. Einmal hielt ein Zug an einem Rübenfeld, das weiß ich noch, da sprangen man-
25 che raus, um Rüben zu holen, und ich hab gebetet, Mutter, hol du auch welche, aber sie hats nicht getan. Sie hatte zu viel Angst, dass der Zug wieder anfahren würde. Und wir hatten solchen Durst und konnten nicht an so einer Zuckerrübe lutschen wie die anderen.
Einmal – in der Nähe von Schneidemühl – haben sie uns nachts entdeckt in einem Keller, da war überall Stroh aufgeschüttet. Sie haben mit Taschenlampen geleuchtet und Soldaten gesucht und uns zuerst nichts
30 getan, aber man wusste, die kommen morgen wieder und holen meine Schwester. Sie war damals sechzehn Jahre alt. Da haben wir ihr im Wald ein Versteck gebaut, in einem Erdloch, mit Tannenzweigen zugedeckt, und ich bin jeden Tag hingegangen und hab ihr was zu essen gebracht. Und meine Mutter hat mir eingeschärft, wenn dich einer fragt, du weißt nicht, wo sie ist, das darfst du niemandem verraten. Damals, da hab ich – mit meinen acht Jahren – vieles noch gar nicht richtig begriffen.
35 *Was geschah mit Ihrem Vater?*
In Friedland, im Dezember 1945, haben wir erfahren, vier Monate, nachdem wir ihn zuletzt gesehen hatten, dass er in englische Kriegsgefangenschaft geraten war. Wir sind dann mit dem Zug zu meiner Schwester nach Bielefeld. Da war er schon dort angekommen. Aber meine Mutter ist nie wieder richtig froh geworden. Sie vermisste ihre Heimat. Und die Flüchtlinge waren schlecht angesehen, sie fielen ja irgendwie zur Last.

*Wo befand sich dieser Ort? Den Fluchtweg – soweit erkennbar – auf einer Karte nachzeichnen.*

*Der erste Fluchtgrund.*

*Vergleichen! Waren das wirklich „Schauermärchen"? War das vielleicht NS-Propaganda?*

*Das vorherrschende Gefühl! Auch alle folgenden Gefühle markieren.*

*Hatte das einen bestimmten Grund?*

*Der zweite Fluchtgrund: Worauf ist das Verhalten der russischen Armee zurückzuführen?*

*Frauen haben Krieg und Flucht auf besondere Weise erlebt und erlitten.*

*Hier unterscheiden: Was hat die Zeitzeugin damals bewusst erlebt, was später im Nachhinein verstanden?*

*Diese Sicht aus der Perspektive der Vertriebenen mit der Sicht der ansässigen Bevölkerung vergleichen. Informieren: Wurden die Vertriebenen unterstützt? Erhielten sie Hilfe?*

# Methodenbox

## Zeitzeugenbefragung

| | |
|---|---|
| **Wie kann man Zeitzeugen befragen?** | Wenn wir historische Ereignisse und Zusammenhänge erforschen wollen, die noch nicht allzu weit zurückliegen, dann können wir Menschen, die sie selbst erlebt haben, befragen und ihre Berichte auswerten.<br>Der Vorteil: Zeitzeugen berichten aus „erster Hand" und oft sehr anschaulich und konkret.<br>Aber Vorsicht: Auch Zeitzeugen erzählen Geschichte aus einer bestimmten Perspektive!<br>● Ihr könnt einen oder mehrere Zeitzeugen in den Unterricht einladen.<br>● Ihr könnt jeweils einzeln oder als Gruppe außerhalb des Unterrichts Zeitzeugen aufsuchen und befragen.<br>Unabhängig davon, welches Vorgehen ihr wählt, solltet ihr die folgenden Schritte beachten: |
| **1. Schritt: Vorbereiten**<br>● Thema festlegen, Leitfragen formulieren | Unser Thema: **„Als der Krieg zu Ende war ..."** – **Der Alltag in den Nachkriegsjahren.**<br>Listet verschiedene Aspekte des Themas auf: Wohnungsnot, Hunger, Schwarzmarkt, Flucht, Kriegsgefangenschaft. Nutzt dazu die vorhergehenden Seiten. Formuliert Leitfragen. |
| ● Zeitzeugen auswählen | Zeitzeugen müssen die Zeit, die wir erforschen wollen, selbst aus eigener Anschauung erlebt haben. Vielleicht können eure Großeltern berichten. |
| ● Fragen formulieren | Geht von euren Leitfragen aus und formuliert (nicht zu viele) Fragen, die ihr den Zeitzeugen stellen wollt. Denkt daran, nicht nur nach Fakten und Tatsachen zu fragen, sondern auch nach Gefühlen, nach besonderen Eindrücken, nach Meinungen. Selbstverständlich könnt ihr während der Befragung weitere Fragen formulieren. |
| **2. Schritt: Durchführen**<br>● Die Befragung durchführen und dokumentieren | Begrüßt die Zeitzeugen; erklärt ihnen, wer ihr seid und warum ihr die Befragung durchführt. Dokumentiert die Berichte der Zeitzeugen mit einem Kassettenrekorder oder einer Videokamera. Notiert Geburtsjahr und Geschlecht. Haltet auch das Datum der Befragung fest.<br>Unmittelbar nach der Befragung solltet ihr eure ersten Eindrücke von dem Zeitzeugen oder der Zeitzeugin und ihrem Bericht in Stichworten festhalten. |
| ● Die Berichte systematisch ordnen und darstellen | Hört bzw. schaut euch die Berichte an und übertragt wichtige Passagen in ein schriftliches Gesprächsprotokoll.<br>Dann könntet ihr zum Beispiel die Erlebnisse von Frau Müller in einer Zeitleiste ordnen oder den Verlauf ihrer Flucht auf einer Karte darstellen. Weitere Tipps findet ihr in der Methodenbox „Dokumentieren" auf Seite 221. |
| **3. Schritt: Auswerten**<br>● Die Berichte analysieren und interpretieren | → Stellt fest, auf welchen Zeitraum und welchen thematischen Aspekt sich die Berichte beziehen.<br>*Frau Müllers Bericht etwa umfasst den Zeitraum von Mitte 1944 bis Ende 1946. Er stellt die Ursachen und den Verlauf ihrer Flucht aus Ostpreußen dar.*<br>→ Klärt Fragen, Unklarheiten und historische Bezüge.<br>*Zum Beispiel: Welche politischen Hintergründe hatte das Verhalten der russischen Armee? Gab es Hilfen für Flüchtlinge in den Westzonen?*<br>→ Überprüft die Berichte auf Wahrscheinlichkeit und Schlüssigkeit.<br>→ Stellt fest, welche Perspektiven die Berichte enthalten: Werden Lebensumstände oder Überzeugungen deutlich, die Wahrnehmung und Deutung des Zeitzeugen beeinflusst haben?<br>*Der Bericht von Frau Müller verdeutlicht die weibliche Perspektive auf die Schrecken des Krieges. Deutlich wird auch ein ganz bestimmtes Bild von den russischen Soldaten.*<br>→ Überlegt, welchen Beitrag jeder Bericht zur Klärung eurer Leitfragen leisten kann. |
| **4. Schritt: Präsentieren** | Informiert eure Mitschülerinnen und Mitschüler über eure Ergebnisse. |

# Forschungs-station

## Bestrafen oder erziehen?
## Die „Entnazifizierung" der Deutschen

In den Jahren 1945 bis 1949 wurden die Weichen für die Zukunft Deutschlands gestellt. Aber vor dieser Zukunft stand die unmittelbare Vergangenheit.

Hinter dem Schlagwort „Entnazifizierung" verbarg sich nicht nur das Problem einer gerechten Bestrafung der Täter, sondern auch die Frage, ob und wie ein ganzes Volk nach Jahren der NS-Diktatur wieder auf den Weg der Demokratie geführt werden könne.

Im Mittelpunkt dieser Forschungsstation steht deshalb die **Leitfrage**:

- **Welche Wege können aus einer verbrecherischen Vergangenheit in eine demokratische Zukunft führen?**

Diese Frage untersuchen und diskutieren wir am Beispiel des Umgangs der Alliierten mit den Verbrechen des Nationalsozialismus.

### Eure Forschungsaufträge:
1. Welche Wege wählten die Alliierten 1945 bis 1948?
2. Welche Konzepte standen dahinter?
3. Wie werden sie von Historikern beurteilt?

Als Forschungsgrundlage stehen euch Darstellungstexte, Fotografien, zeitgenössische Quellen und Karikaturen zur Verfügung.

Ihr könnt – am besten arbeitsteilig – in vier Stationen forschen:

**Station 1:** Die Bestrafung der Kriegsverbrecher
**Station 2:** Die Haltung der Alliierten gegenüber dem deutschen Volk (S. 174)
**Station 3:** Entnazifizierung im Alltag: ein Beispiel aus der SBZ (S. 175)
**Station 4:** Entnazifizierung im Alltag: ein Beispiel aus der US-Zone (S. 176 f.)

### So könnt ihr in dieser Forschungsstation arbeiten:

**1.** Teilt euch auf die vier Stationen auf, bearbeitet jeweils alle drei Forschungsaufträge und versucht eine vorläufige Antwort auf die Leitfrage (zum Beispiel in Form einer These) zu formulieren.

**2.** Präsentiert eure Ergebnisse der Klasse und diskutiert zum Schluss gemeinsam mögliche Antworten auf die Leitfrage.

## Station 1:

# Die Bestrafung der Kriegsverbrecher

Unmittelbar nach ihrem Einmarsch nahmen die alliierten Truppen alle Kriegsverbrecher, derer sie habhaft werden konnten, fest und stellten sie vor ein Militärgericht.

Die führenden Nationalsozialisten wurden, soweit sie sich nicht durch Selbstmord (Hitler, Goebbels, Himmler) oder Flucht (Bormann, Eichmann) der Verantwortung entzogen hatten, vor dem von den vier Siegermächten gemeinsam gebildeten „Internationalen Militärgerichtshof" in Nürnberg angeklagt. Jede Siegermacht stellte einen der vier vorsitzenden Richter. Der Prozess begann im November 1945. Angeklagt waren insgesamt 177 Personen, von denen 25 zum Tode verurteilt und 12 hingerichtet wurden. Mit dem Hauptkriegsverbrecherprozess des Internationalen Militärgerichtshofes in Nürnberg vom November 1945 bis zum Oktober 1946 begann die juristische Aufarbeitung der Verbrechen des Nationalsozialismus.

Josef Cramer, KZ-Kommandant von Bergen-Belsen, und Irma Grese, die für die Todeszellen verantwortlich war, warten auf ihr Verhör. (Foto des englischen Sergeanten Silverside, Celle, 8. August 1945)

**M 3** **Die Anklage**

Q (a) Verbrechen gegen den Frieden: Nämlich: Planung, Vorbereitung, Einleitung oder Durchführung eines Angriffskrieges.

5 (b) Kriegsverbrechen: Nämlich: Verletzung der Kriegsgesetze oder -bräuche. Solche Verletzungen umfassen [...] Mord, Misshandlungen, Deportation zur Sklavenarbeit oder für irgendeinen anderen

10 Zweck, [...] Mord oder Misshandlungen von Kriegsgefangenen [...] , Töten von Geiseln [...].

(c) Verbrechen gegen die Menschlichkeit: Nämlich: Mord, Ausrottung, Versklavung

15 [...], Verfolgung aus politischen, rassischen oder religiösen Gründen [...].

(Aus dem Statut des Internationalen Militärgerichtshofes vom 8. August 1945; zit. nach: Materialien, a.a.O., S. 7)

Die Angeklagten sitzen in zwei Reihen, vor ihnen ihre deutschen Anwälte.
Erste Reihe (v. l. n. r.): Göring, Heß, Ribbentrop, Keitel, Kaltenbrunner, Rosenberg, Frank, Frick, Streicher, Funk.
Zweite Reihe (v. l. n. r.): Raeder, Schirach, Sauckel, Jodl, Papen, Seyß-Inquart, Speer, Neurath, Fritzsche.

## Wie Historiker heute über Ziele und Erfolg des Nürnberger Prozesses urteilen

### Die Grundidee und die Ziele des Prozesses

Die Grundidee des Prozesses bestand darin, die Kriegsverbrecher nicht – wie es früher üblich gewesen wäre – in geheimen Militärprozessen, sondern in einem öffentlichen und geregelten Prozess zu verurteilen.

Damit verfolgten die Alliierten drei Ziele: Erstens sollten die Täter bestraft und die nationalsozialistische Führungsschicht ausgeschaltet werden.

Zweitens verbanden sie mit dem juristischen Prozess die politische Absicht, die Weltbevölkerung über die Verbrechen des Nationalsozialismus aufzuklären. Für die Deutschen sollte diese Aufklärung die Grundlage für einen demokratischen Neuanfang bilden.

Drittens war in dem Prozess das Ziel angelegt, den Menschenrechten auch in der Beziehung zwischen den Staaten eine rechtliche und moralische Basis zu geben.

### Wurden die Ziele erreicht?

Unter Historikern ist umstritten, ob die erzieherische Absicht der Alliierten unter den Deutschen überhaupt Anklang fand oder ob der Prozess nicht eher als selbstgerechtes Ritual der Sieger empfunden wurde. Von vielen Zeitgenossen wurde als problematisch gesehen, dass im Nürnberger Prozess mit den von den Alliierten eingesetzten Staatsanwälten und Richtern Sieger über Besiegte urteilten. Außerdem existierte bis dahin für die Anklagepunkte keine gesetzliche Grundlage.

Vor allem aber erwies sich das Ziel einer Stärkung der Menschenrechte in den internationalen Beziehungen – auf das viele Zeitgenossen große Hoffnungen gesetzt hatten – als Illusion. Der schon während des Prozesses beginnende weltpolitische

Gegensatz zwischen den Supermächten blockierte dieses Ziel für lange Zeit.

Auf der anderen Seite bleibt festzuhalten, dass der Nürnberger Prozess tatsächlich die führenden Nationalsozialisten ausschaltete und ihrer gerechten Strafe zuführte. Einig sind sich die Historiker auch darin, dass der Nürnberger Prozess einen wesentlichen Anteil an der Aufklärung, Aufarbeitung und Dokumentation der vom nationalsozialistischen Deutschland begangenen Verbrechen leistete.

Nach dem Ende des Ost-West-Gegensatzes erhält nun auch sein drittes Ziel wieder aktuelle Bedeutung: Im Nürnberger Prozess wurden zum ersten Mal in der Geschichte Kriegsverbrechen und Verbrechen gegen die Menschlichkeit vor einem internationalen Gericht verhandelt – ein wichtiger Schritt zur Durchsetzung der Menschenrechte. Der internationale Militärgerichtshof gilt deshalb als Vorläufer des heutigen internationalen Gerichtshofes in Den Haag.

# Forschungs-station

## Station 2:

## Die Haltung der Alliierten gegenüber dem deutschen Volk

### M 1 Botschaft des englischen Generals Montgomery an die Einwohner der britischen Besatzungszone

Q Während des Krieges verheimlichten eure Führer vor dem deutschen Volk das Bild, das Deutschland der Außenwelt bot. Unsere Soldaten haben [...] in den Län-
5 dern, in die eure Führer den Krieg trugen, schreckliche Dinge geschaut. Für diese Dinge, meint ihr, seid ihr nicht verantwortlich, sondern eure Führer.
Aber aus dem deutschen Volk sind diese
10 Führer hervorgegangen. Dieses Volk ist für seine Führer verantwortlich.
Und solange diese Führung Erfolg hatte, habt ihr gejubelt und gelacht. Darum stehen unsere Soldaten mit euch nicht auf
15 gutem Fuße. Dies haben wir befohlen. Dies haben wir getan, um euch, eure Kinder und die ganze Welt vor noch einem Krieg zu bewahren.
Es wird nicht immer so sein. Wir sind ein
20 christliches Volk, das gerne vergibt, wir lächeln gern und sind gern freundlich. Es ist unser Ziel, das Übel des nationalsozialistischen Systems zu zerstören. Es ist zu früh, um sicher sein zu können, dass
25 dieses Ziel erreicht ist. Dies sollt ihr euren Kindern vorlesen, wenn sie alt genug sind, und zusehen, dass sie es wirklich verstehen.
(Zit. nach: Materialien, a.a.O., S. 85f.)

### M 2

Deutsche aus Burgsteinfurt beim Verlassen einer von der britischen Militärregierung organisierten Filmvorführung über die Grausamkeiten von Bergen-Belsen und Buchenwald
(Foto des englischen Sergeanten Stiggins, Burgsteinfurt, Mai 1945)

### M 4 Schocktherapie?

Der deutsche Historiker Eugen Kogon, selbst während des Nationalsozialismus im KZ inhaftiert, schrieb in seinem 1946 erschienenen Werk „Der SS-Staat" zum Vorgehen der Alliierten:

Die Kräfte der Besinnung im Deutschtum zu wecken, war Aufgabe [...] der Alliierten. Sie fassten sie in dem Programm der „Umerziehung" zusammen.
5 Und sie wurde eingeleitet von der These der deutschen Kollektivschuld. Der Anklage-„Schock", dass sie alle mitschuldig seien, sollte die Deutschen zur Erkenntnis der wahren Ursache ihrer Niederlage
10 bringen.
Man kann schon ein Jahr nach Verkündigung der These sagen, dass sie ihren Zweck verfehlt hat [...]. Jeder von ihnen [den Deutschen] spürte, dass ihn ein hö-
15 herer Richter nicht auf ein und dieselbe Anklagebank mit Verbrechern und Aktivisten der NSDAP gesetzt hätte – von den zahlreichen und todesmutigen Kämpfern der [...] Opposition gegen das Regime
20 ganz zu schweigen. Ein berechtigtes Gefühl von Millionen wehrte sich gegen die Kollektivanklage, die einen gleichmacherischen Anschein hatte.
(Zit. nach: Materialien, a.a.O., S. 88)

### M 3

Bürger aus dem benachbarten Soltau wurden gezwungen, ein Massengrab mit 97 zu Tode geprügelten Sklavenarbeitern bei Bergen-Belsen auszuheben, die Leichen auszugraben und bei ihrem christlichen Wiederbegräbnis anwesend zu sein.
(Foto des englischen Sergeanten Smith, Soltau, 28. April 1945)

# Entnazifizierung im Alltag – ein Beispiel aus der SBZ

## Die Enteignung eines Gutsbesitzers

### Der Ablauf

**M 1** Der zeitgenössische Bericht eines Bauernpaares

Ein aus der SBZ nach Westdeutschland geflohenes Bauernpaar berichtete dem westdeutschen Historiker Hanns Werner Schwarze:

**Q** Eines Tages kam ein fremder Mann zu Karl, unserem Bürgermeister, und sagte, dass er gleich mal alle Bauern sprechen müsse und die Siedler und die
5 Flüchtlinge und auch die Arbeiter vom Gut. Und als der Bürgermeister fragte, wer er denn überhaupt sei, da zeigte der Fremde ein Papier von den Russen und von der kommunistischen Partei, die es
10 bei uns im Ort überhaupt noch nicht gab. Als dann alle zusammengetrommelt waren, fragte der Fremde, wann wir den Junker enteignen wollten. Wir fragten, welchen Junker er denn meinte. Na, den Fa-
15 schisten, sagte er, dem das Gut gehört. Dabei wussten wir alle, dass der Gutsbesitzer gar nicht adelig, also gar kein Junker war und überhaupt nicht in der Partei gewesen war. Der war im Gegenteil ein
20 anständiger Kerl und hatte noch kurz vor Kriegsschluss einige versteckt, die sonst von den Nazis aufgehängt worden wären. Die meisten von uns fragten also, wieso wir dem das Land wegnehmen sollten.
25 Und der Fremde sagte, der Junker habe uns das Land gestohlen oder unseren Vätern abgegaunert, und wenn wir wollten, dass man ihn enteigne, werde sofort ein Gesetz gemacht, denn Junkerland müsse
30 in Bauernhand. Und zwei Monate danach

haben sie den Gutsbesitzer davongejagt und sein Land aufgeteilt.

(Zit. nach: H. W. Schwarze, Die DDR ist keine Zone mehr, Köln-Berlin 1969, S. 165)

### Die gesetzliche Grundlage

**M 2** Verordnung der SMAD über die Bodenreform in Sachsen (3.9.1945)

In der Verordnung zur Bodenreform in Sachsen hieß es zur Begründung der Enteignungen:

**Q** Die demokratische Bodenreform ist eine unaufschiebbare nationale, wirtschaftliche und soziale Notwendigkeit. Die Bodenreform muss die Liquidierung des feudal-junkerlichen Großgrundbesitzes gewährleisten und die Herrschaft der Junker und Großgrundbesitzer im Dorfe ein Ende bereiten, weil diese Herrschaft immer eine Bastion der Reaktion und des Faschismus
10 in unserem Lande darstellte und eine der Hauptquellen der Aggression und der Eroberungskriege gegen andere Völker war.

(Zit. nach: Materialien, a. a. O., S. 131 f.)

### Ein zeitgenössisches Urteil

**M 3** Der Parteivorstand der SED über die Entnazifizierung in der SBZ (20. 6. 1946)

**Q** Ein Jahr ist jetzt seit dem Zusammenbruch des Naziregimes vergangen. Aufgrund der Zusammenarbeit der antifaschistisch-demokratischen Parteien und
5 Organisationen in der sowjetischen Besatzungszone wurden die demokratischen Selbstverwaltungen neu aufgebaut und von nazistischem Einfluss gesäubert. Dasselbe ist in weitestgehendem
10 Maße in der Leitung der Wirtschaft und der Betriebe geschehen. Auf dem Lande wurden die kriegstreibenden junkerlichen Großgrundbesitzer durch die Bodenreform entmachtet. So wurden den
15 Kriegstreibern und den aktiven Nazis die Mittel zur weiteren Durchführung ihrer unheilvollen Politik genommen.

(Beschluss des Parteivorstandes der SED vom 20. Juni 1946; zit. nach: Materialien, a. a. O., S. 384)

### Entnazifizierung in der SBZ

Nach Auffassung der Sowjetunion beruhte der Nationalsozialismus hauptsächlich auf seiner Unterstützung durch die Großindustriellen und die landwirtschaftlichen Großgrundbesitzer. Bis Ende 1945 wurden deshalb in der SBZ 11 000 Güter und Bauernhöfe enteignet, zu einem Teil in volkseigene Güter verwandelt und zum größeren Teil unter 232 000 landlosen Familien aufgeteilt. Ein SMAD-Befehl vom 30.10.1945 erlaubte darüber hinaus die Enteignung von Industriebetrieben, wenn ihre Besitzer als Nationalsozialisten angesehen wurden. Ehemalige NSDAP-Mitglieder wurden aus allen öffentlichen Ämtern und Betrieben entfernt.

### Urteile heutiger Historiker

**M 4** Adolf M. Birke (1989)

Die Entnazifizierung in der sowjetischen Besatzungszone war ursprünglich am radikalsten, aber sie folgte ideologischen und ökonomischen Prinzipien, und der
5 Großgrundbesitz und die Industrie wurden auch dann ausgeschaltet, wenn sie zu leidenschaftlichen Gegnern des Regimes gehört hatten.

(A. M. Birke, Nation ohne Haus, Berlin 1989, S. 69)

**M 5** Christoph Kleßmann (1989)

In der SBZ lässt sich die Entnazifizierung […] als nachgeholte Revolution von 1918 verstehen. Die Strukturschwächen der Weimarer Republik sollten jetzt behoben
5 und damit eine Wiederholung von 1933 ein für alle Mal unmöglich gemacht werden. Ob darüber hinaus von vornherein eine Sowjetisierung Ostdeutschlands ins Auge gefasst […] war, lässt sich nicht ent-
10 scheiden.

(Ch. Kleßmann, Die doppelte Staatsgründung, Göttingen [4]1989, S. 80 f.)

# Forschungs-station

## Entnazifizierung im Alltag – ein Beispiel aus der US-Zone

### Die Entnazifizierung des Chemikers Rudolf Hüttel

#### Der Ablauf

**M 1** Aus dem Bericht eines Historikers

Der Historiker Freddy Litten berichtet über die Entnazifizierung des Chemikers Rudolf Hüttel, der Mitglied der SA und der NSDAP gewesen war, sich dann aber ab 1939 gegen den Nationalsozialismus wendete. Er half – ohne offiziell aus der Partei auszutreten – vor allem „halbjüdischen" Studenten der Universität München, die zunehmender Bedrohung ausgesetzt waren.

Am 20. November 1945 entschied die amerikanische Militärregierung, dass er, wie eine große Anzahl anderer Mitglieder der Universität München, aufgrund sei-
5 ner Parteimitgliedschaft zu entlassen sei.
Am 13. Februar 1946 stellte Hüttel den Antrag auf Einleitung des Vorstellungsverfahrens beim Wirtschaftsbereinigungsamt München, um die mit der Entlassung
10 durch die Militärregierung verbundene Beschäftigungssperre gegen ihn aufzuheben, da er im Werk Gersthofen der IG-Farben eine Anstellung finden konnte.
Dem Antrag legte Hüttel eidesstattliche
15 Erklärungen, außerdem einen großen Fragebogen und eine Erklärung zu den Mitgliedschaften in der NSDAP und der SA bei.
Am 20. März wurde vom Prüfungsaus-
20 schuss des Wirtschaftsbereinigungsamtes

ein Vorbericht erstellt, der zu dem Schluss kam:
„Nach den gegebenen Unterlagen [d.h. den von Hüttel beigebrachten Dokumen-
25 ten] war der Antragsteller aber in keiner Weise mit den Zielen des Nationalsozialismus einverstanden, sondern hat sich, wie durch die Zeugen glaubhaft belegt wird, tatkräftig gegen den Nationalsozia-
30 lismus gestellt und mehreren rassisch Verfolgten Hilfe zukommen lassen. Er hat dies ohne Rücksicht auf seine eigene Person getan und durch diese tatsächliche Einstellung dürfte die Schuld seiner
35 zwangsläufigen Zugehörigkeit in den Parteiorganisationen wesentlich gemildert werden. Aufgrund der aktiven Kampfführung gegen die NSDAP, die der Antragsteller durch die glaubwürdigen Zeugen
40 nachgewiesen hat, dürfte er in der deutschen Wirtschaft in leitender Stellung tätig sein. Da Hüttel keine politische Aktivität, sondern nur politische Gegnerschaft bewiesen werden kann, dürfte dem Gesuch
45 stattzugeben sein."
Am 25. März 1946 schloss sich der Prüfungsausschuss dieser Meinung „im Wesentlichen" an und hielt daher Hüttel mit 4 zu 1 Stimmen für beschäftigungswürdig.
50 Damit war aber die „Entnazifizierung" keineswegs erledigt. Hüttel musste nun noch das Spruchkammerverfahren durchlaufen.
Am 3. August 1946 bat ein Mitarbeiter des Werks Gersthofen der IG-Farbenindustrie-
55 Aktiengesellschaft („In Auflösung") bei der Spruchkammer Augsburg-Land um beschleunigte Entscheidung im Fall Hüttel, da eine Entlassung Hüttels den Betrieb „störend beeinflussen" würde.
60 Am 30. Oktober 1946 beantragte der öffentliche Kläger der Spruchkammer Augsburg-Land in Göggingen, Hüttel in die Gruppe IV der Mitläufer einzustufen, da er zwar Mitglied der NSDAP etc. gewesen
65 war, sich aber „in keiner Weise aktiv oder werbend für die Ziele des Nat.Soz. betätigt" hatte.
Im schriftlichen Verfahren entschied die Spruchkammer Augsburg-Land am 8.
70 November 1946 entsprechend und setzte eine Geldsühne von RM 800 sowie Kosten von RM 320 fest; Letztere wurden am

16. November auf RM 165 ermäßigt. Hüttel zahlte, die Militärregierung erkannte
75 das Urteil am 15. Januar 1947 an. Damit war für Hüttel die Angelegenheit erledigt. Bereits am 29. Dezember 1946 hatte er (in einem Brief) geschrieben: „Ich habe den Sühnebescheid angenommen, ohne
60 auf einer Verhandlung zu bestehen, weil ich endlich den ganzen schmutzigen Kram los sein wollte".

(F. Litten, Er half, weil er sich als Mensch und Gegner des Nationalsozialismus dazu bewogen fühlte – Rudolf Hüttel, Mitteilungen der Gesellschaft deutscher Chemiker – Fachgruppe Geschichte der Chemie, 14/1998, S. 94ff.; gekürzt und leicht verändert)

#### Die gesetzliche Grundlage

**M 2** Gesetz zur Befreiung von Nationalismus und Militarismus in der US-Zone vom 5.3.1946

**Q** Zur Befreiung unseres Volkes von Nationalsozialismus und Militarismus und zur Sicherung des […] deutschen demokratischen Staatslebens im Frieden mit der
5 Welt, werden alle, die die nationalsozialistische Gewaltherrschaft aktiv unterstützt […] haben, von der Einflussnahme auf das öffentliche, wirtschaftliche und kulturelle

---

### Entnazifizierung in den Westzonen

In den Westzonen versuchten die Besatzungsmächte nach der individuellen Schuld vorzugehen. Alle Deutschen über 18 Jahren mussten deshalb einen Fragebogen ausfüllen und wurden von Spruchkammern in eine von fünf Kategorien eingeteilt: (I) Hauptschuldige, (II) Belastete, (III) Minderbelastete, (IV) Mitläufer und (V) Entlastete. In der US-Zone wurde im März 1946 die Verantwortung für die Arbeit der Spruchkammern im so genannten „Befreiungsgesetz" auf deutsche Stellen übertragen. Eine Arbeitserlaubnis bzw. die Aufhebung von Arbeitsverboten durch die „Wirtschaftsbereinigungsämter" war von der Zuordnung zu den Kategorien (IV) oder (V) abhängig.

Leben ausgeschlossen und zur Wiedergut-
10 machung verpflichtet. Wer verantwortlich
ist, wird zur Rechenschaft gezogen. Zugleich wird jedem Gelegenheit zur Recht-
fertigung gegeben.

(Zit. nach: Kleßmann, a.a.O., S. 85)

## Zeitgenössische Urteile

### M 3 Die evangelische Kirche von Hessen (Ende 1947)

**Q** Die evangelische Kirche hat sich von
Anfang an für eine echte Befreiung unseres Volkes vom Ungeist des Nationalsozialismus eingesetzt [...]. Aber sie hat [...]
5 warnend darauf hingewiesen, dass dies
Gesetz zur Unbotmäßigkeit führen könne, weil hier ein großer Teil der Bevölkerung genötigt wird, sich selber zu rechtfertigen und als unschuldig hinzustellen.
10 [Aber unsere] Befürchtungen sind weit
übertroffen worden; denn der Versuch,
den Nationalsozialismus mit den Mitteln
dieses Gesetzes auszurotten, ist auf gan-
zer Linie gescheitert. Dagegen hat diese
15 Art der Entnazifizierung zu Zuständen
geführt, die auf Schritt und Tritt an die
hinter uns liegenden Schreckensjahre erinnern. Hunderttausende von Menschen
stehen unter beständigem Druck und er-
20 liegen der Versuchung, zu aller erdenk-
lichen Unwahrhaftigkeit und Lüge zu
greifen, um sich reinzuwaschen [...].

(Zit. nach: Kleßmann, a.a.O., S. 386)

## Urteile heutiger Historiker

### M 5 Adolf M. Birke (1989)

Das Verfahren selbst galt nicht nur Betroffenen als wirklichkeitsfremd, das Katego-
riensystem des Fragebogens als nicht mit
der Realität des Dritten Reiches verein-
5 bar. Die Oberflächlichkeit der Untersuchungen drückte sich in Formulierungen
der Amerikaner wie „to whitewash" aus.
„Persilschein" nannte man die Leu-
mundszeugnisse. Säuberung und Reha-
10 bilitierung verschmolzen miteinander,
bis schließlich die Rehabilitierung zum
dominierenden Faktor wurde. [...]

(A. M. Birke, Nation ohne Haus, Berlin 1989, S. 71)

### M 4 „Schwarz wird Weiß – oder: Mechanische Entnazifizierung"

### M 6 Christoph Kleßmann (1989)

Versucht man ein Fazit aus der Entnazifizierung zu ziehen, so lässt sich feststellen,
dass damit die Einstellung zum Nationalsozialismus kaum tief gehend beeinflusst
5 wurde [...].
Das im Entnazifizierungsverfahren erlebte
Risiko politischen Engagements hat den
Rückzug ins Privatleben gefördert und
statt aktiver Umorientierung eher eine in-
10 nere Abwehrhaltung forciert [verstärkt].

(Kleßmann, a.a.O., S. 91 f.)

Springt immer rein! Was kann euch schon
passieren? Ihr schwarzen Böcke aus dem
braunen Haus! Man wird euch schmerzlos
rehabilitieren. Als weiße Lämmer kommt ihr
unten raus. Wir wissen schon: Ihr seid es
nie gewesen! (Die anderen sind ja immer
schuld daran –). Wie schnell zum Guten
wandeln sich die Bösen, man schwarz auf
weiß im Bild hier sehen kann.
(Karikatur aus dem Simplicissimus, Nr. 6,
1946)

# Der westdeutsche Staat – ein Erfolgs-modell?

## Die Geschichte der Bundesrepublik Deutschland (1949–1990)

## Die Bundeskanzler und ihre Zeit – ein Überblick

**Getrennte Wege in Deutschland ...**

In den folgenden beiden Kapiteln beschäftigen wir uns mit der Geschichte der beiden deutschen Staaten von ihrer Gründung 1949 bis zur Wiedervereinigung im Jahr 1990.

Im Mittelpunkt wird diese Frage stehen:

● **Wie prägten beide Staaten das Alltagsleben und das Denken der Menschen?**

**Konrad Adenauer (CDU)**
1949–1963

**1948**
Währungsreform und Einführung der Marktwirtschaft

**1949**
Das „Grundgesetz" tritt in Kraft.

**1955**
Beitritt der Bundesrepublik zu NATO und WEU

**1956**
Wiederbewaffnung, Aufbau der Bundeswehr

**1957**
Gründung der EWG

**1959**
„Godesberger Programm" der SPD

**1961**
Bau der Berliner Mauer

Das politische Leben begann mit der Neugründung von Parteien und der Verabschiedung des „Grundgesetzes". Der wirtschaftliche Neubeginn basierte auf dem Konzept der „sozialen Marktwirtschaft".

Das „Wirtschaftswunder" prägte die 50er-Jahre. „Fresswelle", „Wohnwelle" und „Reisewelle" folgten aufeinander. Die Menschen genossen den Wohlstand: Die Bundesrepublik war zur drittstärksten Exportnation der Welt geworden.

Die Bundesrepublik war nicht nur politisch und militärisch in den Westen integriert. Aus Amerika kam auch der Rock'n'Roll. „Halbstarke", deren Vorbild James Dean war, verunsicherten die erwachsene Wohlstandsgesellschaft.

Foto um 1959

Foto 1954

**Ludwig Erhard (CDU)**
1963–1966

178

**Kurt Georg Kiesinger (CDU)**
1966–1969

**1968**
Höhepunkt
der Studenten-
bewegung

**1970**
„Moskauer
Vertrag" und
„Warschauer
Vertrag"

**1972**
„Grundlagen-
vertrag" mit
der DDR

**Willy Brandt (SPD)**
1969–1974

**1977**
Höhepunkt des
RAF-Terrors

**1980**
Gründung der
Partei
„Die Grünen"

**Helmut Schmidt (SPD)**
1974–1982

**1990**
1. Juli:
Wirtschafts- und
Währungsunion,
3. Oktober: Beitritt
der ostdeutschen
Länder zur
Bundesrepublik

**Helmut Kohl (CDU)**
1982–1998

Dem Wirtschaftswunder folgte ab Mitte der 60er-Jahre eine Wirtschaftskrise. In wichtigen Wirtschaftszweigen kam es zu Entlassungen von Arbeitnehmern. Nach dem Rücktritt von Ludwig Erhard bildete eine „Große Koalition" aus CDU und SPD die Regierung.

Der Protest gegen den Vietnamkrieg der USA sowie die Suche nach mehr Demokratie und nach neuen Lebensformen prägten die „Studentenbewegung". Nach dem Attentat auf einen ihrer bekanntesten Redner, Rudi Dutschke, kam es im April 1968 zu schweren Straßenunruhen.

Die neue sozialliberale Regierung (SPD und FDP) leitete einen Wandel in der Ostpolitik ein. Verträge mit Polen, der Sowjetunion und der DDR über Gewaltverzicht und Anerkennung der Grenzen sollten gefährliche Konfrontationen abbauen und zu einer Normalisierung der Beziehungen führen. Brandts Kniefall vor dem Mahnmal für die Opfer des Aufstandes im Warschauer Getto drückte ein neues Verhältnis zur deutschen Geschichte aus.

Die 70er-Jahre waren geprägt durch zwei Ölpreiskrisen, die zu schweren wirtschaftlichen Problemen und hoher Arbeitslosigkeit führten.

Der Terrorismus der „Roten Armee Fraktion" stellte die freiheitlichen und rechtsstaatlichen Prinzipien des demokratischen Staates vor schwere Herausforderungen.

Proteste gegen die „Nachrüstung" der NATO (s. S. 151 ff.), Auseinandersetzungen um die Atomkraft und das Aufkommen einer neuen Partei, der „Grünen", prägten die 80er-Jahre.

Die CDU-FDP-Koalition mit Helmut Kohl als Bundeskanzler verfolgte innenpolitisch das Ziel einer geistig-moralischen „Wende" und außenpolitisch die Fortentwicklung und Vertiefung der europäischen Einigung.

In den Jahren 1989 und 1990 ergriff die Regierung Kohl nach der friedlichen Revolution in der DDR die Chance, die deutsche Einheit wiederherzustellen.

**1.** Versucht die gesamte Geschichte der Bundesrepublik Deutschland (1949–1989) in Zeitabschnitte („Epochen") zu unterteilen. Gebt jedem dieser Zeitabschnitte eine Überschrift und notiert Stichworte, die sie charakterisieren.

**2.** Vergleicht eure Ergebnisse: Nach welchen Kriterien seid ihr vorgegangen?

179

# Aus Erfahrung klug?
# Das „Grundgesetz" der Bundesrepublik Deutschland

Die Verfassung des neuen Staates, das Grundgesetz, sollte besser sein als ihre Vorgängerin, die Weimarer Verfassung. Darin waren sich die Abgeordneten des „Parlamentarischen Rates" (s. S. 169) – trotz aller Meinungsverschiedenheiten – einig. Sie wollten aus der Geschichte lernen. Fehler der alten Verfassung, die die Machtergreifung der Nationalsozialisten erleichtert hatten, wollten sie für die Zukunft vermeiden. Vor allem sollten Parlament und Regierung des neuen Staates stabiler und ruhiger arbeiten können.

Am 1.9.1948 trat der „Parlamentarische Rat" zu seiner ersten Sitzung zusammen. Die Abgeordneten waren von den Länderparlamenten der Westzonen bestimmt worden.

Am 8.5.1949 beendeten sie nach intensiven Beratungen ihre Arbeit. Sie beschlossen das „Grundgesetz" mit 53 gegen 12 Stimmen. Es gilt – von kleineren Veränderungen abgesehen – bis heute.

**„Grundgesetz" und Weimarer Verfassung – ein systematischer Vergleich:**

**1.** Wiederholt, welche wichtigen Bestimmungen die Weimarer Verfassung enthielt und welche Erfahrungen die Deutschen mit ihnen machten. Nutzt dazu die Spalten A und B der Tabelle und schlagt besonders auf den Seiten 20f. und 54f. noch einmal nach.

**2.** Wie reagierte das Grundgesetz auf diese Erfahrungen? Ordnet die Bestimmungen und Inhalte des Grundgesetzes den Erfahrungen richtig zu und überlegt, welches Ziel der Parlamentarische Rat jeweils verfolgte. Nutzt dazu die rechte Materialseite und tragt eure Zuordnungen und Überlegungen in die Tabelle ein.

**3.** Versucht eine Antwort auf die Frage in der Überschrift.

| A Weimarer Verfassung (5 Beispiele) | B Erfahrungen | C Grundgesetz (Artikel und Inhalte) | D Welche Absichten verfolgte der Parlamentarische Rat? |
|---|---|---|---|
| ① Grundrechte werden erwähnt; es gibt aber kein Staatsorgan, das ihre Einhaltung überwacht. | Verletzung aller Grundrechte im Nationalsozialismus | Grundrechte werden garantiert. Das Bundesverfassungsgericht wacht über deren Einhaltung. | ? |
| ② Keine Benennung der Aufgaben der Parteien | Aufgabe der Parteien unklar. Auch antidemokratische Parteien (KPD, DVP, DNVP, NSDAP) dürfen ungehindert arbeiten. | ? | ? |
| ③ Starke Stellung des Reichspräsidenten (Direktwahl, Notverordnungsrecht) | Paul von Hindenburg entmachtete das Parlament (Präsidialkabinette) und ernannte Hitler zum Reichskanzler. | ? | ? |
| ④ Die Länder und ihre Vertretung, der Reichsrat, hatten nur eine schwache Stellung. | Einsprüche der Länder bzw. des Reichsrates gegen Gesetze hatten nur eine zeitlich aufschiebende Wirkung. Die Folge: Die Länder konnten der Machtergreifung der Nationalsozialisten kaum etwas entgegensetzen (Zentralisierung der Macht). | ? | ? |
| ⑤ Schwache Stellung der Reichsregierung durch die Möglichkeit des Reichstages, den Reichskanzler durch ein „einfaches Misstrauensvotum" abzusetzen. | Ermöglicht die Absetzung einer Regierung durch eine „negative Mehrheit" von Abgeordneten. Diese „negative Mehrheit" ist sich nur einig in der Ablehnung des Reichskanzlers und seiner Regierung, kann aber nicht gemeinsam eine neue Regierung bilden. | ? | ? |

# Das „Grundgesetz"

### Art. 1

(1) Die Würde des Menschen ist unantastbar. [...]
(2) Das Deutsche Volk bekennt sich deshalb zu unverletzlichen und unveräußerlichen Menschenrechten [...].

### Art. 3

(1) Alle Menschen sind vor dem Gesetz gleich.
(2) Männer und Frauen sind gleichberechtigt.

### Art. 20

(1) Die Bundesrepublik Deutschland ist ein demokratischer und sozialer Bundesstaat.
(2) Alle Staatsgewalt geht vom Volke aus. Sie wird vom Volke in Wahlen und Abstimmungen und durch besondere Organe der Gesetzgebung, der vollziehenden Gewalt und der Rechtsprechung ausgeübt.

### Art. 21

(1) Parteien wirken bei der politischen Willensbildung des Volkes mit. [...]
(2) Parteien, die [...] darauf ausgehen, die freiheitlich demokratische Grundordnung zu [...] beseitigen, sind verfassungswidrig. Über die Frage der Verfassungswidrigkeit entscheidet das Bundesverfassungsgericht.

### Art. 54

Der Bundespräsident wird von der Bundesversammlung gewählt. [...]

### Art. 67

Der Bundestag kann dem Bundeskanzler das Misstrauen nur dadurch aussprechen, dass er mit der Mehrheit seiner Mitglieder einen neuen Bundeskanzler wählt [...].

## Wichtige Inhalte zusammengefasst

### Der Bundespräsident

Der Bundespräsident ist das höchste Staatsorgan. Seine wichtigste Aufgabe ist die Vertretung des deutschen Volkes nach außen. Er darf aber nicht direkt in den Gang der Gesetzgebung oder die Arbeit der Regierung eingreifen. Er wird nicht vom Volk, sondern von der „Bundesversammlung" gewählt (alle Bundestagsabgeordneten und ebenso viele von den Länderparlamenten gewählte Mitglieder).

### Indirekte Demokratie

Nach dem Grundgesetz ist das Volk die Grundlage des Staates (Art. 21, Abs. 2). Es bestimmt aber seine Gesetze und seine Regierung nicht direkt, sondern indirekt durch gewählte Vertreter (Abgeordnete des Parlamentes) (= indirekte Demokratie). Die Möglichkeit einer Volksabstimmung gibt es – außer in einigen Bundesländern auf kommunaler Ebene oder, z.B. in Bayern, auf Landesebene – nicht.

### Das Bundesverfassungsgericht

Das Bundesverfassungsgericht ist das höchste Organ der dritten Gewalt, der Judikative: Es überprüft, ob Gesetze oder das Handeln von Staatsorganen mit dem Grundgesetz vereinbar sind. Es kann zum Beispiel Gesetze außer Kraft setzen, die gegen eines der in Artikel 1 bis 19 festgelegten Grundrechte verstoßen.

### Der Bundestag

Gesetze dürfen nur vom Bundestag oder vom Bundesrat, also von den Parlamenten, beschlossen werden. Der Bundestag wählt auch die Regierung.

### Föderalismus

Die Bundesländer haben eigene Rechte (v. a. Polizei und Schulwesen), in die Bundestag und Bundesregierung nicht eingreifen dürfen. Bestimmte Bundesgesetze bedürfen der Zustimmung des Bundesrates, der von den Länderregierungen gebildet wird und die Länderinteressen auf Bundesebene vertritt.

Schlussapplaus im Parlamentarischen Rat nach der abschließenden Lesung des Grundgesetzes am 7./8. Mai 1949. Die beiden KPD-Mitglieder (vorne links) blieben demonstrativ sitzen.

# Neue Parteien – ein Neubeginn?

Schon vor der Gründung der beiden deutschen Staaten begann das politische Leben in den Westzonen und in der SBZ mit der Neugründung von Parteien.

- **Welche Parteien prägten die Bundesrepublik?**
- **Versuchten sie bewusst einen Neubeginn?**

**Wir interpretieren Wahlplakate und schriftliche Quellen:**

**1.** Versucht euch in die Lage eines Wählers oder einer Wählerin in den Nachkriegsjahren zu versetzen; betrachtet die drei Wahlplakate (M 1) und überlegt, welche Eindrücke sie hervorrufen sollten.

**2.** Informiert euch anhand der Steckbriefe über die wichtigsten Parteien der Bundesrepublik.

**3.** Interpretiert die Quellen M 2 und M 3 unter der Leitfrage: „Versuchten die Parteien bewusst einen Neubeginn?"

**4.** Nutzt eure Kenntnisse, um die Plakate (M 1) zu interpretieren. Folgt derselben Leitfrage und stellt eure Ergebnisse der Klasse vor.

**M 1** Wahlplakate 1946/47

### Steckbrief: CDU und CSU

Die historische Vorläuferpartei der CDU, das Zentrum, war eine ausgeprägt katholische Partei gewesen. Nach dem Krieg versuchten die CDU und (in Bayern) die CSU, alle konservativ-christlichen Gruppen über die Konfessionsgrenzen hinweg anzusprechen. Innerhalb der sehr unterschiedlichen geistig-religiösen und politischen Meinungen der Gründungsmitglieder wurde bald der aus dem Rheinland stammende Kreis um den späteren Bundeskanzler Konrad Adenauer vorherrschend. CDU-geführte Bundesregierungen prägten die frühe Bundesrepublik, insbesondere durch die Einführung der „sozialen Marktwirtschaft" und die Westintegration (s. S. 184f.). Nach den Wahlniederlagen 1969 und 1972 begann eine Erneuerung der Partei. 1982 übernahm die CDU zusammen mit der FDP wieder die Regierungsverantwortung.

### Steckbrief: SPD

1933 hatte die SPD als einzige Partei – trotz Terror und Einschüchterung – gegen das Ermächtigungsgesetz gestimmt. Die Sozialdemokraten waren deshalb enttäuscht, dass sie nach 1945 bei allen Wahlen auf Bundesebene hinter der CDU zurückblieben. Die SPD blieb in der Opposition und alle wesentlichen Entscheidungen der frühen Bundesrepublik wurden gegen ihren Willen getroffen. Im „Godesberger Programm" (1959) veränderte sich die SPD: Sie blieb im Kern eine Arbeiterpartei, öffnete sich aber durch den Verzicht auf sozialistische Forderungen und die Anerkennung der Marktwirtschaft auch für andere soziale Schichten. In der Großen Koalition (1966–1969) war sie zum ersten Mal an der Regierung beteiligt. In der Zeit von 1969 bis 1982 bildete sie zusammen mit der FDP die Regierung und prägte durch innenpolitische Reformen und eine neue Außenpolitik die Geschicke der Bundesrepublik.

### Steckbrief: FPD

Der 1948 in Heppenheim gegründeten FDP gelang der Versuch, die Anhänger des Linksliberalismus und des Nationalliberalismus in einer Partei zu vereinen. Ihr Erfolg in der Geschichte der Bundesrepublik gründete aber auch auf der Tatsache, dass sie als drittstärkste Partei mit ihrer Entscheidung für die CDU oder die SPD bei der Regierungsbildung oft den Ausschlag geben konnte.

## Verordnung Nr. 12

### Bildung von politischen Parteien.

Um das Wachstum eines demokratischen Geistes in Deutschland zu fördern und um das Abhalten freier Wahlen an einem noch zu bestimmenden Zeitpunkt vorzubereiten, wird folgendes verordnet:

#### ARTIKEL I

##### Bildung von politischen Parteien.

1. Politische Parteien können auf einer Kreisgrundlage gemäß den hierin enthaltenen Bestimmungen gebildet werden.

2. Die Militärregierung kann einen Zusammenschluß der im Rahmen dieser Verordnung gebildeten Parteien in größeren Gebieten unter Erlassung von besonderen Bestimmungen und Bedingungen gestatten.

3. Die Mitgliedschaft zu politischen Parteien muß freiwillig sein.

#### ARTIKEL II

##### Form des Antrages.

4. Jede Person oder jede Gruppe von Personen, die den

Am 15.9.1945 wurde diese Verordnung in der britischen Zone erlassen.

## Parteien in der deutschen Geschichte

Mit der Märzrevolution im Jahr 1848 beginnt die wechselvolle Geschichte der Parteien in Deutschland. In der Vielfalt der Parteiorganisationen lassen sich drei parteipolitische Grundströmungen erkennen: Konservatismus, Liberalismus und Sozialismus.

Nach dem Zweiten Weltkrieg entstanden neue Parteien – zunächst unter der Aufsicht der Besatzungsmächte. Die in den Westzonen bzw. der Bundesrepublik erfolgreichen Parteien CDU/CSU, FDP und SPD nahmen jeweils eine der drei Grundströmungen wieder auf.

In Erinnerung an die Endphase der Weimarer Republik wollten sie eine Zersplitterung des Parteiensystems verhindern. Sie versuchten deshalb, möglichst viele soziale Gruppen und Einzelmeinungen auf der Basis dieser Grundströmungen und ihrer Grundwerte in sich zu vereinigen.

### M 2 Konrad Adenauer über die Politik der CDU (24.3.1946)

**Q** Wie war es möglich, dass die nach 1918 entstandene deutsche Republik nur 15 Jahre Bestand hatte? Das deutsche Volk
5 krankt seit vielen Jahrzehnten in allen seinen Schichten an einer falschen Auffassung vom Staat, von der Macht, von der Stellung der Einzelperson. Es hat den Staat zum Götzen gemacht und auf den Altar erhoben. Die Einzelperson, ihre
10 Würde und ihren Wert hat es diesem Götzen geopfert. [...]
Der Nationalsozialismus war nichts anderes als eine bis ins Verbrecherische hinein vorgetriebene Konsequenz der sich
15 aus der materialistischen Weltanschauung ergebenden Anbetung der Macht und Missachtung, ja Verachtung des Wertes des Einzelmenschen. Der Nationalismus hat den stärksten geistigen Widerstand
20 stand gefunden in [...] katholischen und evangelischen Teilen Deutschlands.
Der Fundamentalsatz des Programms der CDU, der Satz, von dem alle Forderungen unseres Programms ausgehen, ist
25 ein Kerngedanke der christlichen Ethik: Die menschliche Person hat eine einzigartige Würde, und der Wert jedes einzelnen Menschen ist unersetzlich.

Ich glaube, dass aus meinen bisherigen
30 Ausführungen hervorgeht, warum wir uns *christlich-demokratisch* nennen. Wir nennen uns christliche Demokraten, weil wir der tiefen Überzeugung sind, dass nur eine Demokratie, die in den [...]
35 Grundsätzen der christlichen Ethik wurzelt, die große erzieherische Aufgabe am deutschen Volke erfüllen und seinen Wiederaufstieg herbeiführen kann. Wir nennen uns *Union*, weil wir alle diejenigen,
40 die auf diesem Boden stehen, zu politischer Arbeit zusammenführen wollen, gleichgültig, welchem Bekenntnis sie angehören.

(Zit. nach: Materialien, a.a.O., S. 115f.)

### M 3 Politische Leitsätze der SPD (Mai 1946)

**Q** Mit dem „Dritten Reich" war durch die Zerschlagung der politischen Kraft der arbeitenden Klasse die Demokratie außer Kurs gesetzt und durch das Fehlen
5 der demokratischen Willensbildung und Kontrolle die entscheidende Voraussetzung für die europäische Katastrophe gegeben. Das Versagen des deutschen Bürgertums und jenes Teils der Arbeiterbe-
10 wegung, der den [...] Wert der Demokratie nicht erkannt hatte, bildet den

Schuldanteil des deutschen Volkes. [...]
Das deutsche Volk ist in der Welt isoliert
15 und hat die Folgen des nationalsozialistischen Eroberungskrieges zu tragen.
Demgegenüber sieht die Sozialdemokratische Partei ihre Aufgabe darin, alle demokratischen Kräfte Deutschlands im
20 Zeichen des Sozialismus zu sammeln. Es gibt keinen Sozialismus ohne Demokratie, ohne die Freiheit des Erkennens und die Freiheit der Kritik. Es gibt aber auch keinen Sozialismus ohne Menschlichkeit
25 und ohne Achtung vor der menschlichen Persönlichkeit.
Der Charakter der deutschen Sozialdemokratie besteht in ihrem kompromisslosen Willen zu Freiheit und Sozialismus. Die deutsche Sozialdemokratie ist stolz
30 darauf, dass sie die einzige Partei in Deutschland war, die unter den größten Opfern für die Ideen der Demokratie, des Friedens und der Freiheit eingetreten ist. Sie ist auch heute die Partei der Demo-
35 kratie und des Sozialismus in Deutschland.
Die deutsche Sozialdemokratie lehnt jeden Rückfall in totalitäres Denken und Handeln entschlossen ab.

(Zit. nach: Materialien, a.a.O., S. 117f.)

## Ein Wunder?

### Wir erforschen das „Wirtschaftswunder" der 50er- und 60er-Jahre

**Eure Forschungsaufträge:**

**1.** Welche Ursachen hatte das Wirtschaftswunder? (s. diese Doppelseite)

**2.** Positiv oder negativ? – Wie beeinflusste das Wirtschaftswunder den Alltag der Zeitgenossen? (S. 186/187)

Als Forschungsgrundlage stehen euch Darstellungstexte, Quellen, eine Statistik und Ausschnitte aus zeitgenössischen Illustrierten zur Verfügung.
Die beiden Forschungsaufträge könnt ihr arbeitsteilig bearbeiten.

Der wirtschaftliche Wiederaufstieg der frühen Bundesrepublik aus den Trümmern des Zweiten Weltkrieges erschien vielen Zeitgenossen (und erscheint auch heute noch vielen Menschen) wie ein Wunder.

## Welche Ursachen hatte das Wirtschaftswunder?

### *Hilfe von außen – warum?*

**M 1 Die Haltung des britischen Außenministeriums**

In einer geheimen Aufzeichnung des britischen Außenministeriums vom 14.5.1948 zur Deutschlandpolitik heißt es:

[Es gibt] eine Frage zu überlegen, nämlich ob ein […] schwaches Westdeutschland den Russen größere Möglichkeiten eröffnet, gegen uns zu intrigieren,
5 als ein geeintes und prosperierendes Westdeutschland. Die Antwort ist sonnenklar. Wohlstand und Einheit in Westdeutschland mögen in gewisser Weise von den Westmächten auf Kosten ihrer eigenen Si-
10 cherheit finanziert werden, aber wenn wir bei dieser Sache den russischen Aspekt berücksichtigen, ist dies eine Versicherungsprämie, die zu zahlen sich lohnt.

(Zit. nach: Materialien, a. a. O., S. 69)

### „Westintegration" – die Außen- und Deutschlandpolitik der Regierung Adenauer hatte auch wirtschaftliche Folgen …

Die Außen- und Deutschlandpolitik der ersten Regierung der neu gegründeten Bundesrepublik war von der Sorge um eine Ausdehnung des sowjetischen Einflusses nach Westdeutschland geprägt. Um sich davor zu schützen, verfolgte Adenauer sein Konzept einer planmäßigen Westintegration: Durch eine möglichst enge Anbindung an die USA und die westeuropäischen Staaten wollte er die Bundes-

republik unter den militärischen Schutz der Westalliierten stellen. Zugleich wollte er auf diese Weise erreichen, dass die Westalliierten im Gegenzug der Bundesrepublik schrittweise wieder Souveränitätsrechte zugestehen würden. Eine Politik der Neutralität oder des Lavierens zwischen den Machtblöcken lehnte Adenauer strikt ab.
Der erste Erfolg dieses Konzeptes war die Gründung der „Europäischen Gemeinschaft für Kohle und Stahl" („Montanunion") (1952) zwischen der Bundesrepublik, Italien, Frankreich und den Beneluxstaaten. Die „Montanunion" diente der Vergemeinschaft und gegenseitigen Kontrolle der wichtigen Güter Kohle und Stahl; sie bildete die Keimzelle der späteren Europäischen Union. Der nächste Schritt der Westintegration, nämlich die seit 1952 geplante Gründung einer „Europäischen Verteidigungsgemeinschaft" zwischen der Bundesrepublik, Italien, Frankreich und den Beneluxstaaten, scheiterte zwar 1954 am Widerstand der französischen Nationalversammlung, wurde aber – ebenfalls 1954 – durch die „Pariser Verträge" ersetzt. Mit der Unterzeichnung dieser Verträge wurde die Bundesrepublik Mitglied der neu gegründeten Westeuropäischen Verteidigungsunion (WEU) und (ab dem 6. Mai 1955) der NATO. Am 5. Mai 1955 trat dann der „Deutschlandvertrag" zwischen der Bundesrepublik und den westlichen Siegermächten in Kraft. Dieser Vertrag war bereits am 26. Mai 1952 unterzeichnet worden, aber wegen des Scheiterns der EVG noch nicht in Kraft getreten. Er regel-

te das Ende des Besatzungsstatuts und gab der Bundesrepublik die Rechte eines souveränen Staates. Einige alliierte Vorbehaltsrechte blieben allerdings bestehen.
Mit den „Pariser Verträgen" und dem „Deutschlandvertrag" hatte Adenauer seine Politik der Westintegration erfolgreich umsetzen können. Sie blieb allerdings umstritten. Die Gegner Adenauers warfen ihm vor, die Spaltung Deutschlands durch die offene Brüskierung der Sowjetunion zu vertiefen. Außerdem entbrannte eine heftige Diskussion um die mit dem NATO-Beitritt verbundene Wiederbewaffnung Westdeutschlands (1956).
Die westdeutsche Wirtschaft profitierte rasch von der wirtschaftlichen Integration in den Westen. Am Anfang halfen die Gelder des Marshall-Plans. Gefördert vom Vertrauen der westlichen Handelspartner nahm der Außenhandel in den folgenden Jahren weiter deutlich zu. Schließlich kam der sogenannte „Korea-Boom" hinzu: Im Jahr 1951 begann der Korea-Krieg. Weil die amerikanische Industrie kriegswichtige Güter produzieren musste, profitierte die westliche Industrie: Sie sprang in die entstandene Lücke ein. Exporte in alle Welt, vor allem in die USA, stiegen sprunghaft an. Im Jahre 1953 wurde die Bundesrepublik zur drittstärksten Exportnation der Welt.

Interpretiert die Quelle M 1. Nutzt den Darstellungstext und eure Kenntnisse aus dem Kapitel zum Ost-West-Konflikt (s. S. 134ff., v. a. S. 137 u. 144f.).

# Wirtschaftspolitik hilft – aber wie?

Erarbeitet mithilfe des Darstellungstextes, auf welche Weise die Währungsreform und das Konzept der „sozialen Marktwirtschaft" ein günstiges wirtschaftspolitisches Klima in der Bundesrepublik schufen.

## Der „Vater des Wirtschaftswunders"

Ludwig Erhard (1897–1977) bereitete als Direktor der „Verwaltung für Wirtschaft des Vereinigten Wirtschaftsgebietes" die Währungsreform (20.6.1948) und das „Leitsätzegesetz" (7.7.1948) vor. Als erster Bundeswirtschaftsminister (von 1949 bis 1963) entwickelte er das neue Konzept der „sozialen Marktwirtschaft". Es bildet bis heute die Grundlage unserer Wirtschaftsordnung.

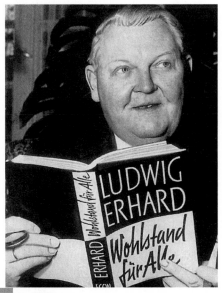

Foto 1957

## Die Währungsreform

Die Lebensmittelkarten waren das deutlichste Zeichen der Zwangsbewirtschaftung in den Nachkriegsjahren. Sie sollten die knappen Waren gerecht verteilen. Aber: Arbeiten lohnte sich nicht, denn bei festgelegten Niedrigpreisen konnte niemand beim Verkauf von Waren Geld verdienen. Der (illegale) Schwarzmarkt blühte.

Am 20. Juni 1948 änderte sich die Situation grundlegend. Die Westmächte verkündeten eine Währungsreform: Jeder Einwohner der Westzone erhielt 40,– DM „Kopfgeld", weitere Guthaben in alter Reichsmark wurden im Verhältnis 10:1 umgetauscht. So entstand eine stabile Währung, die eine wesentliche Grundlage für den wirtschaftlichen Aufschwung bildete.

## Das „Leitsätzegesetz"

Ebenso bedeutsam war das von Ludwig Erhard zusammen mit der Währungsreform vorbereitete „Leitsätzegesetz". Es hob – in dieser Radikalität auch für die Besatzungsmächte überraschend – alle Preisfestlegungen auf. Weil Hersteller und Ladenbesitzer wieder Geld verdienen konnten, lohnte es sich wieder, Konsumgüter zu produzieren und zu verkaufen. Mit einem Schlag füllten sich die Schaufenster mit Waren. Wer Geld hatte, konnte nun kaufen. Der Schwarzmarkt verschwand.

In der Erinnerung der Zeitgenossen ist die Währungsreform bis heute ein magisches Datum: Es gab wieder etwas zu kaufen, die Notzeiten waren vorbei, es ging wieder aufwärts.

## Die „soziale Marktwirtschaft"

### Die Idee

Im System der „freien Marktwirtschaft" sollen sich Angebot und Nachfrage auf dem Markt frei, d.h. ohne Eingriff des Staates, entwickeln können. Freie Konkurrenz, freie Preise und freie Löhne führen danach zu hoher Produktion und steigendem Wohlstand.

Die „soziale Marktwirtschaft" basiert auf diesem System, will aber zugleich einen sozialen Ausgleich schaffen. Der Staat soll dort für soziale Gerechtigkeit sorgen, wo der freie Markt zu Härten und Ungerechtigkeiten führt.

### Die fünf Prinzipien

① *Prinzip der freien Initiative:*
Unternehmer, Arbeitnehmer und Konsumenten sollen frei handeln können. Auf ihrer Aktivität und ihrem Fleiß beruht der Wohlstand.

② *Wettbewerbsprinzip:*
Der freie Wettbewerb in der Wirtschaft soll zu Leistung anspornen und überhöhte Preise verhindern.

③ *Sozialprinzip:*
Einkommensunterschiede sollen zwar Anstrengung belohnen (bzw. fehlende Leistung bestrafen), zugleich aber sollen Menschen, die nicht am Wettbewerb teilnehmen können, geschützt werden. Zum Beispiel sollen Kinder, Alte, Behinderte oder Menschen, die in Not geraten sind, vom Staat unterstützt werden.

④ *Stabilitätspolitisches Prinzip:*
Staatliche Wirtschaftspolitik soll drastische Fehlentwicklungen, wie Inflation oder zu hohe Arbeitslosigkeit, verhindern und eine stabile Wirtschaftsentwicklung unterstützen.

⑤ *Prinzip der Marktkonformität:*
Solche wirtschaftspolitischen Maßnahmen sollen jedoch auf keinen Fall den freien Markt – etwa durch Preisvorschriften – einschränken. Ein Beispiel: In Zeiten des Wohnungsmangels sollte der Staat die Not einkommensschwacher Familien lindern, indem er Zuschüsse für die Miete zahlte. Die Festlegung von Höchstmieten hätte jedoch dem Prinzip der Marktkonformität widersprochen und dazu geführt, dass zu wenige neue Wohnungen gebaut worden wären.

# Forschungs-station

## Wie beeinflusste das Wirtschaftswunder den Alltag der Zeitgenossen?

Listet auf, in welchen Lebensbereichen sich der Alltag in der Wirtschaftswunderzeit veränderte. Urteilt aus eurer heutigen Sicht und versucht zwischen positiven und negativen Aspekten zu unterscheiden.

| 1949 Bevölkerung 49 Mio. | 1969 Bevölkerung 60 Mio. |
|---|---|
| Arbeitslose 1 263 000 | 190 000 Arbeitslose |
| Monatsverdienste (Industriearbeiter) DM 266 | DM 1080 Monatsverdienste (Industriearbeiter) |
| Wohnungen in Mio. 10 | 21 Wohnungen in Mio. |
| Pkw auf 100 Einwohner 1 | 19 Pkw auf 100 Einwohner |
| Privates Geldvermögen in Mrd. DM 20 | 335 Privates Geldvermögen in Mrd. DM |

**M 3  Neues Luxusgut: Kühlschrank mit Inhalt**

Eine Fotografie aus den 50er-Jahren – von Zeitgenossen im Nachhinein kommentiert:

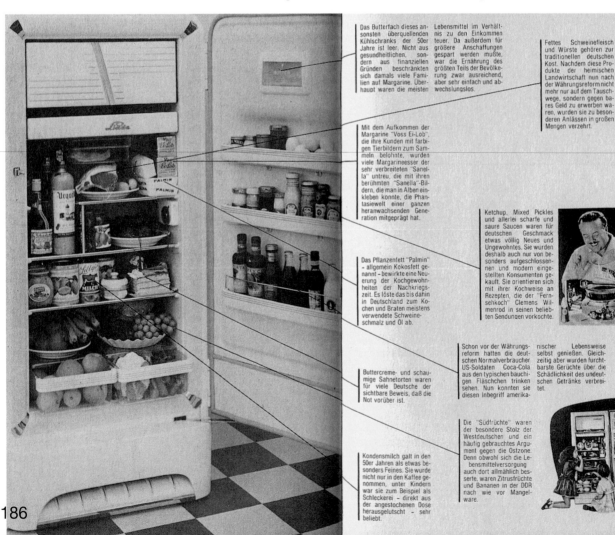

Das Butterfach dieses ansonsten überquellenden Kühlschranks der 50er Jahre ist leer. Nicht aus gesundheitlichen, sondern aus finanziellen Gründen beschränkten sich damals viele Familien auf Margarine. Überhaupt waren die meisten Lebensmittel im Verhältnis zu den Einkommen teuer. Da außerdem für größere Anschaffungen gespart werden mußte, war die Ernährung des größten Teils der Bevölkerung zwar ausreichend, aber sehr einfach und abwechslungslos.

Fettes Schweinefleisch und Würste gehören zur traditionellen deutschen Kost. Nachdem diese Produkte der heimischen Landwirtschaft nun nach der Währungsreform nicht mehr nur auf dem Tauschwege, sondern gegen bares Geld zu erwerben waren, wurden sie zu besonderen Anlässen in großen Mengen verzehrt.

Mit dem Aufkommen der Margarine "Voss Ei-Lob", die ihre Kunden mit farbigen Tierbildern zum Sammeln belohnte, wurden viele Margarineesser der sehr verbreiteten "Sanella" untreu, die mit ihren berühmten "Sanella"-Bildern, die man in Alben einkleben konnte, die Phantasiewelt einer ganzen heranwachsenden Generation mitgeprägt hat.

Das Pflanzenfett "Palmin" - allgemein Kokosfett genannt - bewirkte eine Neuerung der Kochgewohnheiten der Nachkriegszeit. Es löste das bis dahin in Deutschland zum Kochen und Braten meistens verwendete Schweineschmalz und Öl ab.

Ketchup, Mixed Pickles und allerlei scharfe und saure Saucen waren für deutschen Geschmack etwas völlig Neues und Ungewohntes. Sie wurden deshalb auch nur von besonders aufgeschlossenen und modern eingestellten Konsumenten gekauft. Sie orientieren sich mit ihrer Kochweise an Rezepten, die der "Fernsehkoch" Clemens Wilmenrod in seinen beliebten Sendungen vorkochte.

Buttercreme- und schaumige Sahnetorten waren für viele Deutsche der sichtbare Beweis, daß die Not vorüber ist.

Schon vor der Währungsreform hatten die deutschen Normalverbraucher US-Soldaten Coca-Cola aus den typischen bauchigen Fläschchen trinken sehen. Nun konnten sie diesen Inbegriff amerikanischer Lebensweise selbst genießen. Gleichzeitig aber wurden furchtbarste Gerüchte über die Schädlichkeit des undeutschen Getränks verbreitet.

Die "Südfrüchte" waren der besondere Stolz der Westdeutschen und ein häufig gebrauchtes Argument gegen die Ostzone. Denn obwohl sich die Lebensmittelversorgung auch dort allmählich besserte, waren Zitrusfrüchte und Bananen in der DDR nach wie vor Mangelware.

Kondensmilch galt in den 50er Jahren als etwas besonders Feines. Sie wurde nicht nur in den Kaffee genommen, unter Kindern war sie zum Beispiel als Schleckerei - direkt aus der angestochenen Dose herausgelutscht - sehr beliebt.

## M 4 Das neue Auto – mehr als ein Fahrzeug?

(aus einer zeitgenössischen Illustrierten)

„Wir haben es geschafft: Das neue Auto steht vor der Tür. Alle Nachbarn liegen im Fenster und können sehen,
5 wie wir für eine kleine Wochenendfahrt rüsten. Jawohl, wir leisten uns etwas, wir wollen etwas haben vom Leben; dafür arbeiten wir
10 schließlich alle beide, mein Mann im Werk und ich als Sekretärin wieder in meiner alten Firma."

## M 5 Neue Rollenbilder?

(aus einer zeitgenössischen Frauenzeitschrift)

„Ja, das lässt man sich gern gefallen! So eine reizende Sekretärin hat er noch nie gehabt:
5 Sie nimmt sich seiner wirklich an! Wohl ihm, wenn das aus hilfsbereitem, mütterlichem Wesen kommt,

10 aus Mitleid mit dem eingefleischten Junggesellen – weh ihm, wenn die Dame ebenso reizend wie berechnend ist, wenn die beiden nicht einander finden, sondern wenn er von ihr kaltherzig gegängelt wird, wenn sie ihn, wie der populäre, unbarmherzige Ausdruck erschöpfend sagt, „fertigmacht". Dann wird sie sich nicht damit zufrieden geben, dass er mit ihr auf dem Standesamt erscheint. Dann wird das Nächste sein, dass
15 sie einen schnelleren Wagen haben möchte und natürlich einen kostbaren Nerzmantel. Dann kommt die Reise nach Mallorca. Dann – dann – dann – ja, wie es dann weitergeht, kann er in dem alten Märchen vom armen Fischer und seiner erbarmungslos verlangenden Frau nachlesen."

## M 6 Ein Zeitgenosse beschrieb die Wirtschaftswunderjahre rückblickend so:

Die außenpolitische Isolierung, in der die Bundesrepublik lebte, hat die Wirtschaftswundermentalität mitgeprägt. Die hässlichen Deutschen, mit denen im Ausland
5 niemand etwas zu tun haben wollte, verkrochen sich hinter ihre Grenzen und stürzten sich auf das, was ihnen noch geblieben war: die Wirtschaft.
Verdrängung der Vergangenheit ins Wirt-
10 schaftliche – wer wollte es einem Dreißigjährigen, der seine Jugend im Uniformrock und anschließend in Gefangenschaft verbracht hatte, verübeln, wenn er nur noch friedlich arbeiten, eine Existenz aufbauen,
15 vielleicht ein Haus errichten wollte?
Viele der sogenannten höheren Werte – Freiheit, Vaterland, Ehre, Treue, Glauben – hatten in ihrer pervertierten Ausprägung gerade auf furchtbare Weise Schiff-
20 bruch erlitten. Die Antwort der Betrogenen war eine natürliche Skepsis. […]
Eines fand in der Wirtschaftswunderzeit sicherlich nicht ausreichend statt, die Bewältigung der Vergangenheit. Die Vermu-
25 tung, die (West-)Deutschen seien vor ihrer Vergangenheit ins Wirtschaftswunder geflohen, wollten das schlechte Gewissen mit Wirtschaftserfolgen betäuben, ist nicht ganz unbegründet.
30 Man musste nicht unbedingt schuldig geworden sein, um den Wunsch zu verspüren, in die Idylle von Eigenheimbau und Schrebergarten heimzukehren. Übrigens waren die Deutschen ja nicht nur Täter,
35 sondern auch Opfer der Schreckensjahre. Auch als Opfer verdrängten sie ihre Erlebnisse mit der Flucht ins Wirtschaftswunder. Es war schon ein Segen, dass das Trauma der Bombennächte, der Flucht
40 und der Vergewaltigungen sich in harter Arbeit am eigenen Häuschen auflösen ließ.

(Arno Surminski, Aufbruch ins Wunder, 1983)

(M 3–M 5 aus: Nikolaus Jungwirth/Gerhard Kromschröder, Die Pubertät der Republik, Reinbek (Rowohlt) 1983, S. 116f., S. 122, S. 134)

# 1961: Die Mauer

Im Morgengrauen des 13. August 1961 begann die DDR mit dem Bau der Berliner Mauer.

**1.** Was geschah am 13. August 1961?

**2.** Wie erlebten die Zeitgenossen den Bau der Mauer?

**3.** Welche Motive und Umstände ermöglichten „diese versteinerte Absage an die Menschlichkeit" (Richard von Weizsäcker) mitten durch Berlin und mitten durch Deutschland?

## Berlin, 13. August 1961

**1 Uhr:** An mehreren Sektorenübergängen verweigern ostdeutsche Volkspolizisten Ost-Berlinern den Übergang in die Westsektoren.

**2 Uhr:** Die West-Berliner Polizei erhält erste Meldungen über die Absperrung des Ost-Sektors.

**2 Uhr 15:** An der Friedrich-Ebert-Straße wird das Straßenpflaster aufgerissen, Maschinengewehre werden in Stellung gebracht.

**3 Uhr:** Am Potsdamer Platz und Unter den Linden fahren Panzer auf.

**3 Uhr 30:** Entlang der gesamten Sektorengrenze werden Straßensperren und Stacheldrahtverhaue errichtet.

**4 Uhr 30:** Der Stacheldrahtverhau trennt die Sektoren fast vollständig. Hier und da durchbrechen Flüchtlinge an unübersichtlichen Stellen noch die Grenze. Der U-Bahn-Verkehr nach Ost-Berlin ist unterbrochen, die Ost-Berliner Bahnhöfe geschlossen.

**8 Uhr:** Berliner aus Ost und West stehen sich – getrennt durch Stacheldraht und Maschinengewehre – fassungslos gegenüber. Die Sektoren sind vollständig getrennt.

M 1

M 2

Der Bau der Mauer (Ausschnitt aus einem Pressefoto, 1961)

Das Brandenburger Tor (Foto 1962)

# Der Bau der Mauer – Motive und Hintergründe

## Rechtfertigung und Ursache

Im Radio der DDR hörte sich der Bau der Mauer am 14. August 1961 so an: „Seit gestern wird eine Kontrolle und Bewachung unserer Grenzen durchgeführt, wie sie an den Grenzen jedes souveränen Staates üblich ist."

Offiziell begründete die Regierung der DDR den Bau der „gesicherten Grenzanlagen" mit der Notwendigkeit, die feindliche Tätigkeit westlicher Agenten in der DDR zu unterbinden.

Erst viele Jahre später gab die DDR-Regierung das wahre Motiv des Mauerbaus zu: Die Zahl der „Republikflüchtlinge" nahm dramatisch zu. Vor allem gut ausgebildete und junge Menschen verließen die DDR. Denn in der DDR nahm die Not zu, sogar Grundnahrungsmittel wurden knapp. Im Westen waren Lebensstandard und Löhne wesentlich höher.

Der Bau der Mauer sollte das Schlupfloch in den Westen endgültig und wirksam verschließen.

## Berlin – eine Frontstadt

Zum Zeitpunkt des Mauerbaus waren die beiden deutschen Staaten bereits fest in die beiden feindlichen Machtblöcke integriert. Die Bundesrepublik war seit dem 5.5.1955 Mitglied der NATO und die DDR seit dem 28.1.1956 Mitglied des Warschauer Paktes. Die Front des Kalten Krieges verlief mitten durch Deutschland und durch Berlin.

## Testfall der Weltpolitik

Knapp einen Monat vor dem Mauerbau – am 25. Juli 1961 – hatte der amerikanische Präsident John F. Kennedy in einer Fernsehansprache die drei Grundpfeiler der amerikanischen Berlinpolitik dargestellt:

① Stationierung westlicher Truppen in den Westsektoren;
② freier, ungehinderter Zugang für sie;
③ Erhaltung der Lebensfähigkeit West-Berlins.

Entscheidend war, dass Kennedy diese Grundsätze nur auf Westberlin bezogen hatte. Damit hatte er indirekt Ost-Berlin als Herrschaftsgebiet der Sowjetunion anerkannt. Damit war der Weg frei für die DDR-Regierung, auf dem Grenzgebiet des sowjetischen Sektors Maßnahmen zu ergreifen und die für ihr Ansehen so schädliche Abwanderung der Bevölkerung zu stoppen.

Der Bürgermeister von Berlin, Willy Brandt, schickte einen energischen Brief an den amerikanischen Präsidenten, in dem er um Hilfe bat. Der Protest der Westmächte fiel jedoch sehr gemäßigt aus. Der amerikanische Außenminister Rusk erklärte, dass sich der Bau der Mauer im sowjetischen Machtbereich abgespielt hätte und die USA deshalb nicht eingreifen könnten. Die Supermächte hatten begonnen, ihre jeweiligen Einflusssphären, den „Status quo", zu respektieren. Niemand hatte Interesse daran, durch unklare Verhältnisse und Unruhe in Berlin an den Rand eines neuen Weltkrieges zu geraten.

## Was blieb?

Gesamtberlin gab es nicht mehr, die Stadt war geteilt. Ost-Berlin wurde Hauptstadt der DDR. Westberlin war noch mehr auf die militärische Sicherung durch die Westmächte und auf finanzielle Hilfe aus der Bundesrepublik angewiesen. Die Transportwege und Reisemöglichkeiten zwischen der Bundesrepublik und Westberlin blieben gefährdet und Gegenstand von Schikanen, Auseinandersetzungen und Verhandlungen.

Die Mauer wurde höher und weiter ausgebaut. Mit den Jahren gewöhnten sich die Menschen an das absurde Bauwerk. Vom Westen her wurde es bemalt und mit Sprüchen oder Gedenkzeichen versehen. Vom Osten her konnte man die Mauer kaum zu Gesicht bekommen: Die nach Westen gehenden Fenster nahe liegender Gebäude waren zugemauert, die Grenzanlagen waren militärisches Sperrgebiet.

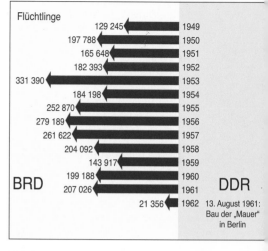

**M 3  Flüchtlingszahlen 1952–1962**

Flüchtlinge

| BRD | | DDR |
|---|---|---|
| 129 245 | | 1949 |
| 197 788 | | 1950 |
| 165 648 | | 1951 |
| 182 393 | | 1952 |
| 331 390 | | 1953 |
| 184 198 | | 1954 |
| 252 870 | | 1955 |
| 279 189 | | 1956 |
| 261 622 | | 1957 |
| 204 092 | | 1958 |
| 143 917 | | 1959 |
| 199 188 | | 1960 |
| 207 026 | | 1961 |
| 21 356 | | 1962 |

13. August 1961: Bau der „Mauer" in Berlin

**M 4**

17.8.1962: Der 18-jährige Peter Fechter bleibt – von einem Grenzsoldaten angeschossen – schwer verletzt im Niemandsland zwischen Mauer und Stacheldraht eine Stunde ohne jede Hilfe liegen und verblutet, bevor DDR-Grenzsoldaten ihn abtransportieren.

# Demokratie in der Bewährung

Zu Beginn der 60er-Jahre waren mit dem Grundgesetz, der sozialen Marktwirtschaft und der Westintegration die Grundlagen des westdeutschen Staates gelegt. Das „Modell Bundesrepublik" war klar erkennbar. Die Zeitgenossen konnten aber noch nicht wissen, welche Herausforderungen ihnen in der Zukunft begegnen würden.

● **Würde die westdeutsche Demokratie den Fragen und Problemen der Zukunft gewachsen sein?**

Heute – aus der Rückschau – können wir diese Herausforderungen erkennen. Die wichtigsten Stationen sind auf den folgenden Doppelseiten dargestellt (S. 192–201).

**1.** Wir schlagen euch vor, sie arbeitsteilig zu erarbeiten und eure Ergebnisse der Klasse in einem Vortrag vorzustellen (s. Methodenbox S. 191).

**2.** Diskutiert zum Schluss gemeinsam die Frage, ob die westdeutsche Demokratie sich im politischen Alltag eurer Meinung nach gut bewähren konnte.

**Tipp!** In der anschließenden Forschungsstation (S. 202–207) könnt ihr das Thema noch weiter vertiefen.

└ s. S. 192 f.

└ s. S. 194 f.

└ s. S. 196 f.

└ s. S. 198 f.

└ S. S. 200 f.

# Methodenbox
## Einen Vortrag halten

### Was ist ein Vortrag?

Ein Vortrag ist eine mündlich vorgetragene, zusammenhängende Darstellung eines Themas. Den Zuhörern werden Informationen vermittelt, die sie sonst mühsam selbst zusammentragen und erarbeiten müssten. Ein Vortrag ist eine gute Übung, sich die Fähigkeit anzueignen, Sachverhalte zusammenhängend darzustellen und frei vor einem größeren Publikum zu sprechen. Wer Vorträge halten kann, ist auf viele Situationen in Schule, Universität, Beruf oder im Privatleben gut vorbereitet.

### Was ist bei der Vorbereitung eines Vortrages zu beachten?

① Das Thema deutlich eingrenzen und klar formulieren:
   **Demokratie in der Bewährung.**
   *Wählt einen der Teilaspekte auf den folgenden Doppelseiten aus.*

② Vorhandenes Material auswerten und ordnen.

③ Eventuell weitere Materialien hinzuziehen:
   *Bücher, Lexika, CD-ROM oder Internet können euch weitere Informationen, aber auch Bilder, Statistiken und andere Materialien bieten.*

④ Das Thema gliedern.

⑤ Den Vortrag in Stichworten erstellen.

⑥ Material für den Vortrag bereitstellen:
   *Fotos, Statistiken, Schaubilder auswählen und ihre Präsentation in einem geeigneten Medium (Folie, Wandbild, Tafel, Dia, PC-Programm etc.) vorbereiten. Damit eure Zuhörer später dem Vortrag besser folgen können, solltet ihr auch die Gliederung eures Vortrages oder seine Kernaussagen schriftlich festhalten.*

### Was ist während des Vortrages zu beachten?

● Eine klare Gliederung in
   a) Einleitung (Interesse für das Thema wecken, einen Überblick über die wichtigsten Gesichtspunkte des Vortrages geben),
   b) Hauptteil (strukturierte und gegliederte Informationen, Thesen, Zusammenhänge, Argumente),
   c) Schluss (Zusammenfassung, offene Fragen)
   erleichtert das Verständnis für die Zuhörer und Zuhörerinnen.

● Ein Vortrag sollte frei vorgetragen und nicht abgelesen werden. Schaut während des Vortrages eure Zuhörer an. Stichwortzettel und die Präsentation von Materialien helfen euch beim freien Vortragen.

● Ein Vortrag sollte nicht zu lange dauern. 15 Minuten sind ausreichend.

● Am Ende solltet ihr den Zuhörern Gelegenheit zu Fragen geben. Eine Diskussion über die Ergebnisse des Vortrages kann sich anschließen.

### Stichwortzettel

**1. Einleitung**
– Thema klar formulieren
– Bedeutung des Themas deutlich machen
– Gliederung des Vortrages vorstellen

**2. Hauptteil**
– Aspekt 1 (Folie)
– Aspekt 2 (Dia)
– Aspekt 3
– Aspekt 4 (Tafel)

**3. Schlussteil**
– Kurze Zusammenfassung geben
– Die eigene Meinung oder Haltung deutlich machen
– Einen interessanten Schlussgedanken oder eine provokative These formulieren

# Ein Erfolgsrezept?

## Die politische Kultur der 50er- und 60er-Jahre in Zeitdokumenten

Die 50er- und 60er-Jahre waren für die Bundesrepublik eine Zeit großer politischer Stabilität.

Die beherrschende Figur jener Zeit war Konrad Adenauer, der von 1948 bis 1963 als Bundeskanzler die Geschicke des Landes bestimmte.

Neben seinem taktischen und politischen Geschick beruhte sein Erfolg auf einer bestimmten politischen Kultur, die damals die Bundesrepublik prägte.

- **Welche Grundelemente prägten die politische Kultur der Adenauer-Zeit?**
- **Wie beurteilen wir sie heute?**

**So könnt ihr vorgehen:**

**1.** Erarbeitet die wichtigsten Elemente mithilfe des Darstellungstextes und ordnet ihnen die Zeitdokumente zu.

**2.** Versucht – aus eurer Sicht – ein Urteil über die politische Kultur der Adenauer-Zeit abzugeben.

## Die Grundelemente

### Antikommunismus

Eine antikommunistische Grundhaltung war im Kalten Krieg in allen westlichen Ländern verbreitet. Durch die Teilung, den Bau der Mauer und die Nähe der DDR bekam sie in der Bundesrepublik noch zusätzliches Gewicht.

### Restauration

Gemessen an der Aufbruchstimmung der „Stunde Null" blieb der Neuanfang in Politik und Alltag bescheiden. Frühe Bestrebungen, wie die Demokratisierung der Gesellschaft, die Modernisierung des Bildungswesens oder die Gleichberechtigung der Frau, blieben im Ansatz stecken. Vielfach kehrte man zu alten Strukturen aus der Zeit vor 1933 zurück. Sogar ehemals führende Nationalsozialisten wurden begnadigt und in wichtige Ämter eingesetzt.

### Politische Stabilität

Im ersten Bundestag gab es noch zwölf Parteien, aber schon bei den Wahlen von 1953 zeichnete sich das Vier-Parteien-System aus CDU, CSU, SPD und FDP ab, das die Politik für lange Zeit prägte. Die oppositionelle SPD akzeptierte trotz aller Kritik an der Regierung die freie Marktwirtschaft und die Westorientierung als Grundlagen des Staates. Extremistische Parteien wurden verboten; mit der 1953 eingeführten 5 %-Klausel hatten kleine Splitterparteien keine Chance, in den Bundestag zu gelangen.

### Sozialpartnerschaft

Auch die Gewerkschaften trugen zur sozialen und politischen Stabilität bei. Sie sorgten für regelmäßige Lohnerhöhungen und einen gewissen sozialen Ausgleich – ohne jedoch die Wirtschaftsordnung oder die Regierungspolitik grundsätzlich infrage zu stellen.

### Steigender Wohlstand

Die steigende Produktivität der Wirtschaft sorgte in der „Wirtschaftswunderzeit" für einen regelmäßig steigenden Wohlstand, der viele Zeitgenossen immer wieder mit ihrem Land und seiner Regierung versöhnte. Die sichere Vorfreude auf das neue Auto oder die nächste Reise ließ manche Kritik in den Hintergrund treten.

**M 1a** **M 1b**

Bundeskanzler Konrad Adenauer neben seinem Dienstwagen, einem 115 PS starken Mercedes 300. Der „alte Herr" erwarb das Symbol der Leistungsfähigkeit der deutschen Automobilindustrie im Jahr 1951. Berühmt wurde seine nicht seltene Aufforderung an den Fahrer: „Jeben Se Jas!" Als Adenauer 1955 nach Moskau reiste, um die Freilassung der letzten deutschen Kriegsgefangenen zu erreichen, begleitete ihn die Karosse per Sonderzug. Heute kann man sie im Bonner „Haus der Geschichte" bewundern.

Alle Wege des Marxismus führen nach Moskau!

Darum **CDU**

Keine Experimente! Konrad Adenauer **CSU**

Wahlplakate der CDU und der CSU zu den Bundestagswahlen 1953 und 1957.

## M 4 Frauen und Männer im Familienrecht

a) Bürgerliches Gesetzbuch von 1896, gültig bis 1957:

**Q** § 1354: Dem Manne steht die Entscheidung in allen das gemeinschaftliche eheliche Leben betreffenden Angelegenheiten zu, er bestimmt insbesondere
5 Wohnort und Wohnung.

§ 1360: Der Mann hat der Frau […] Unterhalt zu gewähren. Die Frau hat dem Manne, wenn er außerstande ist, sich selbst zu unterhalten, Unterhalt zu gewähren.
10 […]

§ 1627: Der Vater hat kraft der elterlichen Gewalt das Recht und die Pflicht, für die Person und das Vermögen des Kindes zu sorgen.

b) Gleichberechtigungsgesetz von 1957, gültig bis 1977:

15 **Q** § 1354: fällt weg

§ 1360: Die Ehegatten sind einander verpflichtet, durch ihre Arbeit […] die Familie angemessen zu unterhalten. Die Frau erfüllt ihre Verpflichtung, durch Arbeit
20 zum Unterhalt der Familie beizutragen,

in der Regel durch die Führung des Haushalts. […]

§ 1627: Die Eltern haben die eheliche Gewalt in […] gegenseitigem Einvernehmen
25 zum Wohle des Kindes auszuüben. Bei Meinungsverschiedenheiten müssen sie versuchen, sich zu einigen.

(Zit. nach: Geschichte lernen, H. 35, 9/1993, S. 61)

## M 5 Verbot der KPD (1956)

Am 17.8.1956 verbot das Bundesverfassungsgericht die KPD. Im Urteil hieß es zur Begründung:

**Q** Die Kommunistische Partei ist verfassungswidrig. Die Kommunistische Partei wird aufgelöst.

Die Diktatur des Proletariats ist mit der
5 freiheitlich-demokratischen Ordnung des Grundgesetzes unvereinbar. Beide Staatsordnungen schließen einander aus; es wäre nicht denkbar, den Wesenskern des Grundgesetzes aufrechtzuerhalten, wenn
10 eine Staatsordnung errichtet würde, die die kennzeichnenden Merkmale der Diktatur des Proletariats trüge. […] Müßig ist jede Auseinandersetzung darüber, ob die Diktatur des Proletariats, wie die KPD

15 behauptet, als „Demokratie" […] bezeichnet werden kann oder muss. Das hängt von den Begriffen oder Maßstäben ab. Die Demokratie, die in der Diktatur des Proletariats bestehen soll, ist jedenfalls
20 nicht die der Prinzipien des Grundgesetzes.

(Zit. nach: Materialien, a.a.O., S. 317)

## M 6 Godesberger Programm der SPD (1959)

Im November 1959 beschloss die SPD in Bad Godesberg ein neues Grundsatzprogramm (s. S. 182). Darin hieß es:

**Q** Der demokratische Sozialismus […] will keine letzten Wahrheiten verkünden – nicht aus Verständnislosigkeit, sondern aus der Achtung vor den Glaubensent-
5 scheidungen des Menschen, über deren Inhalt weder eine politische Partei noch ein Staat zu bestimmen haben. […] Die Sozialdemokratische Partei Deutschlands bekennt sich zur Verteidigung der
10 freiheitlich-demokratischen Grundordnung. Sie bejaht die Landesverteidigung. […]

Freie Konsumwahl und freie Arbeitsplatzwahl sind entscheidende Grundla-
15 gen, freier Wettbewerb und freie Unternehmerinitiative sind wichtige Elemente sozialdemokratischer Wirtschaftspolitik.

(Zit. nach: Materialien, a.a.O., S. 318ff.)

## Das Ende einer Ära

Im Alter von 87 Jahren trat Adenauer 1963 zurück. Sein Nachfolger wurde Ludwig Erhard, dem es nicht gelang, eine bis dahin unbekannte Wirtschaftskrise (Rückgang der Produktion, Anstieg der Arbeitslosigkeit) zu bewältigen. Nach Stimmengewinnen der SPD und Verlusten der CDU bei den Bundestagswahlen von 1965 bildeten CDU und SPD 1966 eine „Große Koalition" mit Kurt Georg Kiesinger (CDU) als Bundeskanzler und Willy Brandt (SPD) als Außenminister. Mit der Wirtschaftskrise endete – auch für die Zeitgenossen deutlich sichtbar – die Nachkriegszeit in der Bundesrepublik.

Das Ende der Nachkriegsgesellschaft und den Beginn einer neuen Ära der westdeutschen Geschichte prägte eine Protestbewegung: die „außerparlamentarische Opposition" oder kurz: APO. Die APO war für die Zeitgenossen in vielerlei Hinsicht etwas ganz Neues, Überraschendes und Provozierendes. Neue Akteure und Gesichter, neue Themen und Ziele, neue Aktionsformen, bis dahin ganz unbekannte Lebensformen.

- **Was waren das für Leute?**
- **Was wollten sie?**

**Der Infotext gibt Antworten auf diese Fragen:**

1. Welche Menschen wurden in der APO aktiv?
2. Wogegen protestierten sie?
3. Welche Ziele verfolgten sie?
4. In welchen Formen protestierten sie?
5. Welche Folgen und Ergebnisse hatte ihr Protest?

Tragt eure Ergebnisse in einer Tabelle zusammen.

Protest gegen die Notstandsgesetze (Bonn, Mai 1968)

## Der Ursprung

Begonnen hatte die Protestbewegung an den Universitäten mit dem Kampf um bessere Studienbedingungen. Bald kritisierten die Studenten aber nicht nur das ihrer Ansicht nach völlig veraltete Bildungssystem, sondern die westdeutsche Gesellschaft insgesamt. Sie organisierten sich in sozialistischen, von marxistischen Ideen inspirierten Verbänden wie dem „Sozialistischen Deutschen Studentenbund" (SDS).

Diese Generation von Studenten hatte den Krieg und die Not der unmittelbaren Nachkriegszeit nicht mehr miterlebt. Sie waren vom Wirtschaftswunder und der Kultur der Adenauer-Zeit geprägt. Deutlicher als Ältere empfanden sie, dass die grundlegenden Werte der Elterngeneration – wie Wohlstand, Sicherheit und Antikommunismus – als Grundlage für eine demokratische Gesellschaft und ein sinnerfülltes Leben nicht ausreichten. An ihren Eltern kritisierten sie vor allem die Verdrängung und Leugnung der in der Nazizeit begangenen Verbrechen, das Desinteresse an Ungerechtigkeiten in der Welt, den Rückzug in die „bürgerliche Sattheit" und das Festhalten an einem ihrer Meinung nach verlogenen Familienideal.

Für viele Studenten war es ein Kampf für ihre persönliche Freiheit und gegen die in ihren Augen hohle und unglaubwürdige Autorität der älteren Generation.

## Der Anlass

Der Protest weitete sich aus, als die „Große Koalition" in Bonn die sogenannten „Notstandsgesetze" einführen wollte. Sie sollten im Falle politischer Unruhen die Einschränkung von Grundrechten, wie des Brief-, Post- und Fernmeldegeheimnisses, und den Einsatz von Streitkräften zur Unterstützung der Polizei erlauben.

Weil in Bonn die „Große Koalition" aus CDU und SPD regierte, fehlte im Bundestag eine wirksame Opposition, die gegen diese Pläne hätte protestieren können.

Vor allem in den Großstädten verbündeten sich Pazifisten, Intellektuelle, radikale Demokraten und marxistisch orientierte Gruppen mit der Studentenbewegung. Sie verlagerten die Opposition auf die Straße und die öffentlichen Plätze. Die APO entstand.

## Wichtige Einflüsse

Die Protestbewegung in der Bundesrepublik war nicht allein. Sie erfuhr wichtige Impulse durch die amerikanische Bürgerrechtsbewegung gegen die Diskriminierung der Farbigen und den Protest gegen den Vietnamkrieg in Amerika. Von großer Bedeutung war auch die neue Jugendkultur der „Hippies", die sich in der ganzen westlichen Welt ausbreitete. Musiker wie die Beatles, Rolling Stones, Jimi Hendrix oder Janis Joplin waren die Vorbilder eines neuen Lebensgefühls. In bewusster Abkehr von ihrer Elterngeneration stellten die Hippies sexuelle Freizügigkeit, Friedlichkeit und die Ablehnung kommerziellen Konsums in den Mittelpunkt ihres Lebens.

## Ziele und Themen

Die Anhänger der APO vertraten im Einzelnen oft unterschiedliche Ansichten. Alle interessierten sich jedoch für marxistische oder anarchistische Denker, die sie neu zu verstehen und zu interpretieren suchten. Mithilfe ihrer Theorien wollten sie die bürgerlich-kapitalistische Welt verändern. In ihren Augen war der Kapitalismus die eigentliche Ursache der vielen Missstände, gegen die sich ihr Protest richtete: der Vietnamkrieg der USA, die Ausbeutung der „Dritten Welt", die Unterstützung von Diktaturen, die Benachteiligung von Frauen, der „Konsumterror" und die einseitige, „verdummende" Berichterstattung in den Medien.

Viele Anhänger der APO experimentierten mit neuen Formen des Zusammenlebens, zum Beispiel in Wohngemeinschaften, oder mit der „antiautoritären" Kindererziehung. Auch die Benachteiligung von Frauen im Beruf und in der „bürgerlichen" Familie wurde thematisiert.

## Der Protest eskaliert

Ursprünglich verlief der Protest der APO in ungewöhnlichen, aber friedlichen Bahnen. Boykottaufrufe, „Sit-Ins" (Sitzblockaden), „Teach-Ins" (Diskussionsveranstaltungen) und Straßendemonstrationen erregten viel Aufmerksamkeit.

Die Situation eskalierte am 2. Juni 1967. An diesem Tag protestierte die APO in Westberlin gegen den Besuch des Schahs von Persien und sein – ihrer Ansicht nach – diktatorisches Regime. Mit Schlagstöcken bewaffnete – und wie sich später herausstellte – bezahlte Anhänger des Schahs provozierten die Demonstranten und die Situation geriet außer Kontrolle. Die unvorbereitete und überforderte Polizei erschoss den Studenten Benno Ohnesorg.

Als dann im April 1968 einer der Wortführer der APO, Rudi Dutschke, von einem jugendlichen Rechtsradikalen angeschossen und schwer verletzt wurde, kam es Ostern 1968 zu schweren Unruhen und Gewalttätigkeiten in allen Großstädten der Bundesrepublik.

## Die APO zerfällt

Die bis dahin unbekannten Gewalttätigkeiten riefen allgemeines Entsetzen unter Gegnern und Anhängern der APO hervor. An der Frage, ob Gewalt ein gerechtfertigtes Mittel der politischen Auseinandersetzung sein könne, zerbrach die APO schließlich im Verlauf des Jahres 1969. Deutlicher traten jetzt auch die unterschiedlichen Ansichten und Ziele ihrer Anhänger hervor. Sie gingen von nun an unterschiedliche Wege.

Zeitungsleser am 11.4.1968

Rudi Dutschke am Rednerpult während des internationalen Vietnam-Kongresses in Berlin am 18.2.1968

## Töchter der APO

Viele Anhänger der APO begannen sich in den Parteien SPD und – zu einem geringeren Teil – FDP und anderen gesellschaftlichen Organisationen, wie Kirchen und Gewerkschaften, zu engagieren, um sie von innen heraus in ihrem Sinne zu verändern.

Andere gründeten neue Bewegungen und Organisationen, die die Anliegen der APO mit nun genauer bestimmten Zielen und Mitteln weiterverfolgten. Neben verschiedenen studentischen Splittergruppen waren dies vor allem die Frauenbewegung, die Umweltbewegung, die Friedensbewegung und die Dritte-Welt-Bewegung. Mitglieder dieser Bewegungen gründeten später (1980) die Partei „Die Grünen".

Eine kleine Minderheit entschied sich für den Weg in den Terrorismus (s. S. 202 ff.).

## Die Folgen

Heute sind sich die Historiker darin einig, dass die Proteste der APO nicht von Gruppen aus allen Teilen der Gesellschaft getragen wurden, sondern auf studentische und bürgerliche Schichten begrenzt blieben. Einigkeit besteht aber auch darin, dass die Proteste dennoch weit reichende Folgen und Wirkungen hatten.

Diese werden jedoch bis heute unterschiedlich bewertet. Einige Historiker betonen den begrenzten Charakter der APO als bürgerlichen Jugendprotest; viele ihrer erklärten politischen Ziele, wie die Aufhebung der Notstandsgesetze, konnte sie nicht erreichen. Andere kritisieren den Bruch des Gewalttabus und ziehen eine direkte Linie zu dem späteren Terrorismus der RAF.

Eine Mehrheit der Historiker hebt jedoch die langfristig bedeutsame Wirkung der Proteste auf das Bewusstsein und die politische Kultur der Westdeutschen hervor: Sie stellten die allzu selbstzufriedene Nachkriegsgesellschaft und ihre moralischen Grundlagen infrage, bereiteten Reformen und Modernisierungen in allen gesellschaftlichen Bereichen vor und förderten Liberalität, Offenheit und kritisches Bewusstsein im alltäglichen Leben in der Bundesrepublik.

### Übrigens ...

Das Thema „APO" eignet sich besonders gut für eine Zeitzeugenbefragung (s. Methodenbox S. 171).

195

# Normalisierung oder Verrat?

## Der Streit um die Ostpolitik der sozialliberalen Koalition 1969–1974

7.12.1970: Bundeskanzler Willy Brandt kniet vor dem Mahnmal für die Opfer des Aufstandes im ehemaligen Warschauer Getto nieder. Diese Geste erregte weltweites Aufsehen. Sie war ein Symbol der Anerkennung deutscher Schuld und des Willens zur Aussöhnung. Das Foto ging um die Welt – auch als Symbol der „neuen Ostpolitik" der sozialliberalen Koalition (SPD und FDP), die nach den Bundestagswahlen von 1969 die „Große Koalition" abgelöst hatte. Die Ostpolitik, für die Willy Brandt als erster Deutscher nach dem Zweiten Weltkrieg den Friedensnobelpreis erhielt, war im Bundestag und in der deutschen Öffentlichkeit umstritten und wird bis in die Gegenwart unterschiedlich bewertet.

**1.** Was war das: „neue Ostpolitik"?
Erarbeitet mithilfe des Darstellungstextes Vorgeschichte und Ergebnisse der Ostpolitik.

**2.** Auf welchem Konzept beruhte die Ostpolitik?
Welche Argumente standen sich in der zeitgenössischen Diskussion gegenüber? Interpretiert die Quellen M 1 bis M 3.

**3.** Heutige Urteile …
Versucht eine eigene Stellungnahme aus heutiger Sicht zu entwickeln.

Willy Brandt vor dem Mahnmal im ehemaligen Warschauer Getto (Pressefoto vom 7.12.1970)

### Die Vorgeschichte

Der außenpolitische Schwerpunkt aller bisherigen CDU-geführten Bundesregierungen war die Westintegration. Kontakte mit den osteuropäischen Regierungen blieben auf das allernotwendigste Maß beschränkt, um die internationale Anerkennung der Grenzverschiebungen nach dem Zweiten Weltkrieg und insbesondere der Existenz der DDR zu verhindern.

Die sogenannte „Hallstein-Doktrin" drohte allen anderen Staaten, die diplomatische Beziehungen mit der DDR aufbauen wollten, mit einem Abbruch der diplomatischen Beziehungen zur Bundesrepublik. Nach den Erfahrungen der Kuba-Krise (vgl. S. 146 f.) mehrten sich in der westlichen Welt die Stimmen, die auf eine Verbesserung der Ost-West-Beziehungen drängten. Das ungelöste Deutschland-Problem blockierte jetzt eher die amerikanischen Bemühungen um eine Entspannung im Kalten Krieg. Nach den Bundestagswahlen des Jahres 1969 und der Bildung der sozialliberalen Koalition setzte auch in der Bundesrepublik ein politischer Wandel ein.

### Die „neue Ostpolitik"

Die neue Regierung verfolgte das Ziel, die Konfrontation mit der DDR und anderen Ostblockstaaten durch Verträge zu entspannen. Durch die Anerkennung ihrer Existenz sollten Ängste abgebaut und zwischenmenschliche Kontakte ermöglicht werden. Nach zähen Verhandlungen wurden Verträge mit der Sowjetunion (1970), Polen (1970) und der DDR (1972) abgeschlossen. Beide Seiten erklärten, die bestehenden Grenzen anzuerkennen, auf Gewaltanwendung zu verzichten und die Möglichkeiten menschlicher Begegnungen und des kulturellen Austausches zu verbessern.

### Die Diskussion

Die Ratifizierung der Ostverträge führte Ende 1971 zu einer leidenschaftlichen Debatte im Bundestag und schließlich zu einem konstruktiven Misstrauensvotum der oppositionellen CDU gegen die Regierung, das nur knapp scheiterte. Aus den anschließenden vorgezogenen Neuwahlen zum Bundestag am 19.11.1972 ging die SPD als Wahlsieger hervor und wurde zum ersten Mal stärkste Fraktion im Bundestag.

### Die Verträge und ihre wichtigsten Inhalte

- „Moskauer Vertrag" mit der Sowjetunion (7.12.1970):
Anerkennung der Unverletzlichkeit der bestehenden Grenzen in Europa, insbesondere der Oder-Neiße-Grenze und der innerdeutschen Grenze.

- „Warschauer Vertrag" mit Polen (7.12.1970):
Anerkennung der Oder-Neiße-Linie als Westgrenze Polens.

- „Viermächteabkommen" über Berlin (3.9.1971):
Anerkennung der Präsenz der Westmächte in Westberlin durch die Sowjetunion; Garantie der Verbindungen zwischen Westberlin und der Bundesrepublik.

- „Transitabkommen" mit der DDR (17.12.1971):
Vereinfachung und Erleichterung des Transitverkehrs zwischen Westberlin und der Bundesrepublik.

- „Grundlagenvertrag" mit der DDR (21.12.1972):
Anerkennung der DDR als gleichberechtigter und souveräner Staat ohne völkerrechtliche Anerkennung als Ausland.

## Das Konzept

**M 1** Als eigentlicher Architekt der Ostpolitik gilt der langjährige Mitarbeiter Willy Brandts und spätere „Bundesminister für besondere Aufgaben" (1972–1974) Egon Bahr. In einer Denkschrift skizzierte er schon 1963 die Grundelemente seines Konzeptes:

**Q** Die Voraussetzungen zur Wiedervereinigung sind nur mit der Sowjetunion zu schaffen. […] Die Wiedervereinigung ist ein außenpolitisches Problem. […]

5 Die amerikanische Strategie des Friedens lässt sich durch die Formel definieren, dass die kommunistische Herrschaft nicht beseitigt, sondern verändert werden soll. Die Änderung des Ost/West-

10 Verhältnisses […] dient der Überwindung des Status quo, indem der Status quo zunächst nicht verändert werden soll. Das klingt paradox, aber es eröffnet Aussichten, nachdem die bisherige Politik

15 des Drucks und Gegendrucks zu einer Erstarrung des Status quo geführt hat. […]

Es gibt […] in diesem Rahmen Aufgaben, die nur die Deutschen erfüllen können,

20 weil wir uns in Europa in der einzigartigen Lage befinden, dass unser Volk geteilt ist. Die erste Folgerung […] ist, dass die Politik des Alles oder Nichts ausscheidet. […] Heute ist klar, dass die Wieder-

25 vereinigung nicht ein einmaliger Akt ist […], sondern ein Prozess mit vielen Schritten und vielen Stationen.

Wenn es richtig ist, […] dass man auch die Interessen der anderen Seite anerken-

30 nen und berücksichtigen müsse, so ist es sicher für die Sowjetunion unmöglich, sich die Zone zum Zwecke der Stärkung des westlichen Potenzials entreißen zu lassen. Die Zone muss mit Zustimmung

35 der Sowjets transformiert werden. Wenn wir so weit wären, hätten wir einen großen Schritt zur Wiedervereinigung getan […]. Das ist eine Politik, die man auf die Formel bringen könnte: Wandel durch

40 Annäherung.

(Zit. nach: Heinrich von Siegler, Dokumentation zur Deutschlandfrage, Hauptband III, Bonn (Siegler-Verlag) 1966, S. 256 ff.)

## Die Diskussion

### M 2 Die Regierung

Aus der Regierungserklärung von Bundeskanzler Willy Brandt vor dem Bundestag (28. Oktober 1969):

**Q** Diese Regierung geht davon aus, dass die Fragen, die sich für das deutsche Volk aus dem Zweiten Weltkrieg und aus dem nationalen Verrat durch das Hitlerregime

5 ergeben haben, abschließend nur in einer europäischen Friedensregelung beantwortet werden können. Niemand kann uns jedoch ausreden, dass wir Deutschen ein Selbstbestimmungsrecht haben, wie

10 alle anderen Völker auch.

Aufgabe der praktischen Politik in den jetzt vor uns liegenden Jahren ist es, die Einheit der Nation dadurch zu wahren, dass das Verhältnis zwischen den Teilen

15 Deutschlands aus der gegenwärtigen Verkrampfung gelöst wird […].

20 Jahre nach Gründung der Bundesrepublik Deutschland und der DDR müssen wir ein weiteres Auseinanderleben

20 der deutschen Nation verhindern, also versuchen, über ein geregeltes Nebeneinander zu einem Miteinander zu kommen.

Dies ist nicht nur ein deutsches Interesse,

25 denn es hat seine Bedeutung auch für den Frieden in Europa und für das Ost-West Verhältnis.

Die Bundesregierung […] bietet dem Ministerrat der DDR […] Verhandlungen

30 beiderseits ohne Diskriminierung auf der Ebene der Regierungen an, die zu vertraglich geregelter Zusammenarbeit führen sollen. Eine völkerrechtliche Anerkennung der DDR durch die Bundesre-

35 gierung kann nicht in Betracht kommen. Auch wenn zwei Staaten in Deutschland existieren, sind sie doch füreinander nicht Ausland; ihre Beziehungen zueinander können nur besonderer Art sein.

(Bulletin des Presse- und Informationsamtes der Bundesregierung, Nr. 132, 29.10.1969, S. 1121 ff.)

## M 3 Die Opposition

Aus einer Rede des CSU-Abgeordneten Freiherr von und zu Guttenberg (27. Mai 1970):

**Q** Ich will die Sache, die hier auf dem Spiele steht, um deretwillen wir schwerste Sorge haben, […] beim Namen nennen. Die Sache ist nicht mehr und nicht weni-

5 ger als das Recht der Deutschen – aller Deutschen –, frei zu sein und über sich selbst zu bestimmen. Dies war, dies ist und dies wird bleiben der feste unveränderliche Kern und Auftrag aller deut-

10 schen Politik.

Ich sage hier […] mit allem Nachdruck, mit allem Ernst und leider auch mit der heute nötigen Sorge: Wir, die CDU/CSU, sind nicht bereit, sogenannte Realitäten zu ach-

15 ten, zu respektieren oder gar anzuerkennen, die den Namen „Unrecht" tragen. […] ich bin davon überzeugt, dass Ihre Regierung auf Anerkennungskurs liegt. Dieser Kurs wird dazu führen, dass eines

20 Tages der Schutz der NATO zerbröckeln und die Sowjetunion die Herrschaft über ganz Europa gewinnen kann. […]

Sie, Herr Bundeskanzler, sind dabei, das Deutschlandkonzept des Westens aufzu-

25 geben und in jenes der Sowjetunion einzutreten […], nicht anders als so […] ist es zu werten, wenn Ihr Unterhändler in Moskau […] weitgehend die sowjetischen Teilungs- und Anerkennungsformeln ak-

30 zeptiert hat.

Was aber wäre denn die unausweichliche Konsequenz eines solchen Scheinfriedens auf der Basis einer sanktionierten Teilung Deutschlands und Europas? Die erste Kon-

35 sequenz wäre die, dass viele, allzu viele in Amerika sagen würden, nun sei das entscheidende Problem in Europa gelöst; wozu also noch amerikanische Truppen in Europa? Die zweite Konsequenz wäre die,

40 dass die Sowjetunion in der wichtigsten und zentralen Auseinandersetzung in Europa über den Westen einen entscheidenden politischen Sieg errungen hätte und dass der Wind dann in Europa zugunsten

45 der Sowjetunion drehen würde […].

(Verhandlungen des deutschen Bundestages – Stenografische Berichte, Bd. 72, S. 2693 ff.)

# Die Hälfte der Welt!

## Was interessierte die „neue Frauenbewegung" vor 20 Jahren?

„Neue" Frauenbewegung – so nannten sich die Frauen, die mit Beginn der 70er-Jahre den traditionellen Forderungen der Frauenemanzipation neuen Schwung gaben.

Ihr Ziel – die Gleichberechtigung – war nicht neu, sondern schon Jahrhunderte alt. Aber Frauen waren nach Ansicht der „neuen Frauenbewegung" noch immer in praktisch allen Lebensbereichen benachteiligt – trotz der bereits erkämpften Fortschritte. Deshalb galt es nach ihrer Ansicht, neue Themen aufzugreifen und neue Strategien zu entwickeln.

 Welche Themen und welche Strategien prägten die „neue Frauenbewegung"? Erstellt eine Liste.

Karikatur („Vorwärts", 1979)

### Neue Zeiten – alte Unfreiheit

Die Entwicklung der „Anti-Baby-Pille" und die sogenannte „sexuelle Revolution" hatten zu einer freieren Sexualmoral geführt. Den ungezwungeneren Umgang mit Liebe, Lust und Leidenschaft empfanden viele Frauen als Befreiung. Gleichzeitig führte er aber auch zur Vermarktung des weiblichen Körpers in der Werbung und in der Pornografie. Frauen mussten sich gegen den Eindruck wehren, ihr Körper und ihre Sexualität seien frei verfügbar und nur noch Objekt männlicher Wunschvorstellungen. Die Erfahrung, dass das Leben von Frauen trotz allen gesellschaftlichen Wandels immer wieder von männlichen Erwartungen und Rollenbildern bestimmt war, bildete den Ausgangspunkt des Versuchs der neuen Frauenbewegung, die Stärke und Identität von Frauen wiederzuentdecken und sich gegen die Fremdbestimmung durch Männer zu wehren.

### Die „neue Frauenbewegung"

Die „neue Frauenbewegung" entstand zu Beginn der 70er-Jahre aus der Studentenbewegung. Ihre Vertreterinnen waren der Ansicht, dass die patriarchalische (d.h. von Männern beherrschte) Gesellschaft Frauen nicht nur im öffentlichen, sondern auch im privaten Leben unterdrücke.

### Forderungen

Sie forderte deshalb nicht nur bessere Ausbildungs- und Berufschancen sowie Teilhabe an der politischen Macht, sondern prangerte auch „private" Unterdrückungsmechanismen, wie die Festlegung auf die Rolle als Hausfrau und Mutter, das ihrer Ansicht nach frauenfeindliche Abtreibungsrecht oder die alltägliche Gewalt gegen Frauen an.

### Neue Strategien

Nach Auffassung vieler Frauen in der Frauenbewegung konnten Frauen nur in bewusster Abkehr von der patriarchalischen Gesellschaft ihr eigenes, selbstbestimmtes Leben entdecken und entwickeln. Eine Vielzahl von Frauengruppen und -projekten, wie Frauenbuchläden oder Frauenhäuser, sollte – unter Ausschluss von Männern – einen Schutz und Freiraum für die Entwicklung weiblicher Identität bieten.

Später teilte sich die Frauenbewegung: Während der radikalere Teil die Zusammenarbeit mit Männern ablehnte, begannen andere Frauen eine aktive Gleichstellungspolitik, zum Beispiel durch die Einführung von Frauenquoten in Parteien, Staat und Wirtschaft. Bei der Besetzung von Führungspositionen sollten Frauen bis zur Erreichung einer bestimmten Quote vor Männern bevorzugt werden. Gleichstellungsbeauftragte sollten die Gleichberechtigung im Alltag von Behörden und Institutionen durchsetzen und überprüfen. Gefordert wurde auch ein sorgfältigerer Umgang mit der Sprache. Bis 1977 mussten Frauen beispielsweise im Personalausweis ihre Unterschrift unter „Der Inhaber" setzen.

### Das Abtreibungsrecht

In dem bis 1974 geltenden Verbot von Abtreibungen sahen die Anhängerinnen der Frauenbewegung eine Fremdbestimmung über ihren Körper und verlangten, die Entscheidung über eine Abtreibung in die Verantwortung der Frau zu legen. Die 1974 vom Bundestag beschlossene „Fristenregelung", die einen Abbruch innerhalb der ersten drei Schwangerschaftsmonate straffrei stellte, wurde vom Bundesverfassungsgericht aufgehoben. Es sah darin einen Widerspruch zur im Grundgesetz verankerten Unantastbarkeit des menschlichen Lebens. Die daraufhin im Juni 1976 verabschiedete Regelung stellte einen Schwangerschaftsabbruch nur noch unter ganz bestimmten Bedingungen (z.B. Gefährdung der Gesundheit der Mutter oder des Kindes, schwere soziale Notlage) straffrei.

# Was geht uns die „neue Frauenbewegung" heute an?

**1.** Welche Antworten geben die beiden Texte M 2 und M 3?

**2.** Typische Bilder?
– Was sagen die Bilder (M 4) über die Lebenssituation der Frauen?
– Welches für die Gegenwart „typische" Bild würdet ihr zum Schluss einfügen?

**3.** Formuliert eure persönliche Antwort auf die Frage in der Überschrift und stellt sie in der Klasse zur Diskussion.

## Zwei Meinungen

### M 2 „Sie schlendern cool ..."

Alice Schwarzer war eine der führenden Persönlichkeiten der neuen Frauenbewegung und Gründerin der Frauenzeitschrift „Emma". Nach ihrer Ansicht ist die Frauenbewegung noch immer sehr aktuell. Zur Begründung schrieb sie 1997:

Woran das liegt? Daran, dass Frauen nicht länger nur Frauen sein wollen, sondern endlich auch Menschen! Daran, dass junge Frauen es selbstverständlich fin-
5 den, die Hälfte der Welt zu fordern (und die Hälfte des Hauses an die Männer abzutreten). Sie schlendern cool über die Pfade, die ihre Mütter noch mit heißem Herzen freigeschlagen haben. Doch sie
10 ahnen schon jetzt, dass der Fortschritt ihnen nicht geschenkt wird – und neue Gefahren lauern.
Was soll also das ganze Gerede? Es soll uns spalten! Den jungen Frauen, die gera-
15 de erst beginnen, eigene Erfahrungen zu machen, will man einreden, sie könnten von unseren Erkenntnissen gar nichts lernen […].

(„Emma", Januar/Februar 1997, S. 9)

### M 3 „Teilung der Macht"

Der Sozialwissenschaftler Walter Hollstein benennt Versäumnisse, die nach seiner Meinung die Frauenemanzipation bis heute behindern:

Die Forderungs- und Maßnahmekataloge zur Gleichstellung der Geschlechter beschreiben zwar Wege der Frauenförderung, stellen aber umgekehrt keine Kon-
5 zepte dar, wie männliche Herrschaftsformen abgelöst werden können. Wenn dies überzeugend geschehen soll, muss Männern konstruktiv verdeutlicht werden, warum eine Teilung der Macht his-
10 torisch vonnöten ist und welche mensch-lichen Vorteile sie daraus gewinnen können. Doch solche Konzeptionen fehlen durchgängig […].
Es gibt weder Maßnahmen noch Förde-
15 rungspläne, um Männer in den Bereichen von Haushalt, Kindererziehung und anderen ‚privaten' Aufgaben verstärkt anzusiedeln. Der […] Beitrag der Männerfrage zur Frauenbefreiung ist der offizi-
20 ellen Politik bislang verborgen geblieben; jedenfalls ist er nicht politisch problematisiert worden.

(W. Hollstein, Ende der Frauenpolitik?, in: Politik und Zeitgeschichte, H. 42/96)

### M 4 Frauenbilder ...

a) Titelbild „Brigitte" von 1959

c) Titelbild „Stern" von 1971

b) Titelbild „Freundin" von 1952

d) Titelbild „Stern" von 2005

## 1982: Eine „Wende"?

### Von der sozialliberalen zur christlich-liberalen Koalition (1974–1989)

„Die Wende" – so nannten die Zeitgenossen den Regierungswechsel von der sozial-liberalen Koalition und Bundeskanzler Helmut Schmidt (SPD) zur christlich-liberalen Koalition und Bundeskanzler Helmut Kohl (CDU).

- **Welche Ursachen führten zu dem Regierungswechsel?**
- **Bewirkte er einen grundsätzlichen Wandel der Politik, eine „Wende"?**

**Der Infotext informiert euch über die Zeit vor und nach der Wende.**

**1.** Notiert wichtige politische Entwicklungen und Probleme und ordnet sie auf einer Zeitleiste.

**2.** Beantwortet beide Leitfragen aus heutiger Sicht.

### Die Ölkrise

Als der bisherige Finanzminister Helmut Schmidt 1974 das Amt des Bundeskanzlers übernahm, hatte die „Ölkrise" des Vorjahres die Situation in der Bundesrepublik schon tiefgreifend verändert.

Ein Beschluss der Organisation der Erdöl exportierenden Länder (OPEC), die Fördermengen zu senken, hatte zu einem weltweit drastischen Anstieg der Rohölpreise geführt und die vom Öl abhängige Industriewirtschaft weltweit in eine Krise gestürzt.

### Ein Teufelskreis

Die steigenden Energiepreise hatten einen Anstieg aller Verbrauchsgüterpreise zur Folge. Die Bevölkerung musste sparen, was wiederum zu einem Rückgang der Nachfrage führte und die Unternehmen dazu zwang, ihre Produktion zu reduzieren. Auf diese Weise gingen Arbeitsplätze verloren und die Zahl der Arbeitslosen stieg sprunghaft an: bis Ende 1982 auf über zwei Millionen. Der Anstieg der Arbeitslosigkeit führte dazu, dass noch weniger Einkommen entstand und noch weniger Nachfrage ausgeübt werden konnte.

### Staatsverschuldung

Die Regierung versuchte den Teufelskreis zu durchbrechen, indem sie Schulden aufnahm. Mit diesem Geld vergab sie Staatsaufträge und unterstützte Arbeitslose und Sozialhilfeempfänger. So sollte die Nachfrage erhöht und die Wirtschaft angekurbelt werden. Diese Maßnahmen hatten nur begrenzten Erfolg, führten aber auf der anderen Seite zu einem Anstieg der Staatsverschuldung. 1980 erreichte sie die Summe von 225 Milliarden DM.

### Außenpolitische Erfolge und Rückschläge

Zunächst schien die Regierung Schmidt an die Ostpolitik der Regierung Brandt anknüpfen zu können: Die Unterzeichnung der KSZE-Schlussakte in Helsinki im Jahr 1975 (vgl. S. 148 ff.) bedeutete einen wichtigen Fortschritt auf dem Weg zur Entspannung.

Dann aber wurde auch die Bundesrepublik von der neuen Eiszeit im Ost/West-Konflikt erfasst: Bedroht von der Aufstellung sowjetischer Mittelstreckenraketen in Osteuropa fasste die NATO 1979 auf Initiative des deutschen Bundeskanzlers den sogenannten „Doppelbeschluss". Er bot Abrüstungsverhandlungen an und drohte gleichzeitig für den Fall des Scheiterns mit westlicher Aufrüstung.

### Verunsicherung und Protest

Die wirtschaftlichen Probleme und die wieder aufflammende atomare Bedrohung verunsicherten die Menschen und führten zu wachsendem Misstrauen gegenüber der Regierung und dem Staat. Besonders der Ausbau der menschheitsbedrohenden Atomwaffenarsenale erschien vielen Zeitgenossen zynisch und unmenschlich.

Die aus der Tradition der APO entstandene Bewegung der „Alternativen" bekam immer mehr Zulauf. Sie protestierte gegen Umweltzerstörung und den Ausbau der Atomkraftwerke. Im Oktober 1981 versammelten sich 250 000 Menschen in der größten Demonstration in der Geschichte der Bundesrepublik und protestierten gegen die Nachrüstungspläne der NATO (s. S. 151 ff.).

### Terrorismus

Eine kleine, aber effektiv organisierte Minderheit ehemaliger Anhänger der APO, die sogenannte „Rote-Armee-Fraktion", erschütterte die Bundesrepublik mit mörderischen Anschlägen, die im Herbst 1977 ihren Höhepunkt erreichten (s. S. 202 ff.).

Die führenden Politiker der sozialliberalen Koalition: Außenminister Hans-Dietrich Genscher und Bundeskanzler Helmut Schmidt (1977)

## Die „Wende"

Die ins Stocken geratene Entspannungspolitik, die Kritik der „Alternativen",
besonders aber die anhaltenden wirtschaftlichen Probleme führten zu einem
Autoritätsverlust der Regierung. Die sozialliberale Koalition zerbrach schließlich
im Streit um den wirtschaftspolitischen
Kurs. Am 1.10.1982 wurde erstmals von
der im Grundgesetz vorgesehenen Möglichkeit eines konstruktiven Misstrauens-
votums erfolgreich Gebrauch gemacht.
Eine Mehrheit von Abgeordneten des
Bundestages aus der CDU/CSU-Fraktion
und – was entscheidend war – der FDP-
Fraktion sprachen der Regierung Schmidt
das Misstrauen aus und wählten Helmut
Kohl zu seinem Nachfolger.

## „Geistig-moralische Wende"

Die christlich-liberale Koalition war mit
dem ausdrücklichen Versprechen ange-
treten, eine „geistig-moralische Wende"
in der Politik herbeizuführen, also andere,
eher konservative Werte wieder in den
Mittelpunkt stellen zu wollen.
In der Außenpolitik setzte die neue
Regierung aber eher die Politik ihrer Vorgängerin fort. Der neue Bundeskanzler

Die führenden Politiker der christlich-
liberalen Koalition: Wirtschaftsminister
Otto Graf Lambsdorff, Außenminister
Hans-Dietrich Genscher und Bundeskanzler Helmut Kohl (1983)

Die Grünen – zum ersten Mal im Bundestag (1983); vorne links: Petra Kelly und Marie-
Louise Beck-Oberndorf, hinten rechts: Otto Schily

bekräftigte schon in seiner ersten Regierungserklärung den NATO-Doppelbe-
schluss. Im November 1983 stimmte der
Bundestag der Stationierung von amerikanischen Pershing-II-Raketen mit den
Stimmen der Koalition zu.
Vor allem führte die neue Regierung zum
Erstaunen vieler Zeitgenossen die von ihr
zuvor bekämpfte Politik gegenüber der
DDR und dem Ostblock fort. Sie gewähr-
te der DDR-Regierung 1983 und 1984
einen Milliardenkredit und erreichte im
Gegenzug Reiseerleichterungen und den
Abbau der Selbstschussanlagen an der
innerdeutschen Grenze.
Der Besuch des DDR-Staatsratsvorsit-
zenden Erich Honecker im September
1987 demonstrierte die inzwischen trotz
der fundamentalen Gegensätze entstandene Normalität in den Beziehungen zwischen den beiden Staaten.
Besondere Akzente setzte die Regierung
Kohl in der Vertiefung der deutsch-fran-
zösischen Beziehungen und dem Ausbau
der Europäischen Gemeinschaft zu einer
Wirtschafts- und Währungsunion.

## Wirtschaftspolitik

In der Wirtschafts- und Sozialpolitik trat
die Wende viel deutlicher hervor. Unter
dem Motto „Leistung muss sich wieder
lohnen" betrieb die neue Regierung eine
eher unternehmerfreundliche Politik und
kürzte eine Reihe von Sozialleistungen.
Steuersenkungen sollten Investitionen
und Produktion wieder attraktiv machen.
Unterstützt von einer Erholung der Welt-

wirtschaft und wieder fallenden Ölpreisen
in der Mitte der 80er-Jahre gelang auch
in der Bundesrepublik ein neuer Wirt-
schaftsaufschwung. Die Zahl der Arbeitslosen blieb allerdings hoch.

## Eine neue Partei

Die innenpolitische Situation der 80er-
Jahre war widersprüchlich. Einerseits
nahm der Wohlstand zu und sicherte der
Regierung Zustimmung in breiten Bevöl-
kerungskreisen. Andererseits blies der
Regierung der Wind ins Gesicht. Gewerkschaften und Sozialverbände protestierten gegen die Sparpolitik im sozialen Bereich. Das Scheitern der Verhandlungen
um den Abbau der sowjetischen Mittelstreckenraketen im Herbst 1983 und die
Reaktorkatastrophe von Tschernobyl im
Jahr 1986 führten dazu, dass die Proteste der Friedens- und Umweltbewegung
an Schärfe zunahmen. Aus den verschiedenen alternativen Bewegungen heraus
wurde im Januar 1980 eine neue Partei,
„Die Grünen", gegründet. Ab 1983 war
sie auch im Bundestag vertreten.

## 1985 ...

wurde Michail Gorbatschow Generalsekretär der KPdSU. Obwohl die Grundelemente seiner Reformpolitik schnell deutlich wurden (s. S. 154 f.), ahnte kaum ein
Zeitgenosse, welche Bedeutung sie für
Deutschland und die Deutschen haben
würde.

# Demokratie und ihre Herausforderungen –
# Zwei Beispiele

Im Verlauf der Geschichte der Bundesrepublik begegnete die Demokratie zwei weiteren Herausforderungen, von denen die „Väter und Mütter" des Grundgesetzes noch nichts wissen konnten. Stellvertretend untersuchen wir in dieser Forschungsstation zwei Beispiele, die die Zeitgenossen der „Bonner Republik" besonders bewegten.

Die beiden Themen in dieser Station könnt ihr arbeitsteilig erforschen. Präsentiert eure Ergebnisse vor der Klasse. Schließt eure Präsentation mit pointierten Antworten (z.B. Thesen) auf eure Leitfrage. Stellt eure Antworten zur Diskussion.

## Forschungsthema 1: Der Herbst des Terrorismus

Eure **Forschungsfrage** lautet:
**Bedrohung durch Terror – Wie kann ein demokratischer Rechtsstaat reagieren?**

Am 5. September 1977 entführten Terroristen den Präsidenten der Bundesvereinigung der Deutschen Arbeitgeberverbände, Hanns Martin Schleyer. Sie forderten von der Bundesregierung die Freilassung von elf inhaftierten Mitgliedern der „Rote Armee Fraktion" (RAF). Die sieben Wochen dauernde Entführung bildete den Höhepunkt des Kampfes zwischen Terrorismus und demokratischem Rechtsstaat. Hinter den dramatischen Ereignissen im „heißen Herbst" stand die Frage, ob der Staat den Terrorismus besiegen kann, ohne seine eigenen Prinzipien und Grundlagen zu verletzen.

Polaroid-Foto des entführten Hanns Martin Schleyer (8.10.1977)

**Mithilfe der Materialien könnt ihr erforschen, …**

1. … vor welchen Alternativen die Bundesregierung stand und nach welchen Prinzipien sie handelte.

2. … wie die RAF entstand und welche Ziele sie verfolgte.

3. … wie Zeitgenossen den Kampf zwischen Staat und Terrorismus wahrnahmen und beurteilten – und wie sie heute denken.

## Die Ereignisse im Herbst 1977

**7. April 1977:** Generalbundesanwalt Buback und zwei Begleiter werden bei einem Anschlag der RAF getötet.

**30. Juli 1977:** Der Chef der Dresdner Bank, Jürgen Ponto, wird bei einem Entführungsversuch erschossen.

**5. September 1977:** Ein RAF-Kommando entführt Hanns Martin Schleyer. Im Kugelhagel sterben sein Fahrer und drei Polizeibeamte. Die Forderung der Terroristen: Freilassung der inhaftierten Mitglieder der „Rote Armee Fraktion".

**13. Oktober 1977:** Um die Forderung des RAF-Kommandos zu unterstützen, entführen arabische Terroristen die Lufthansa-Maschine „Landshut" und nehmen 91 Passagiere und Besatzungsmitglieder als Geiseln.

**15. Oktober 1977:** Die Familie des Entführten Hanns Martin Schleyer versucht die Bundesregierung über das Bundesverfassungsgericht zur Freilassung der RAF-Gefangenen zu zwingen. Ihr Eilantrag wird vom Gericht abgelehnt.

**18. Oktober 1977:** Ein Spezialkommando des Bundesgrenzschutzes stürmt auf dem Flughafen Mogadischu (Somalia) die entführte „Landshut" und befreit – bis auf den von den Terroristen zuvor bereits getöteten Piloten – alle Geiseln unverletzt. Drei Terroristen werden getötet. Am selben Abend begehen die RAF-Häftlinge Andreas Baader, Gudrun Ensslin und Jan-Carl Raspe im Hochsicherheitstrakt des Gefängnisses von Stuttgart-Stammheim Selbstmord.

**19. Oktober 1977:** Hanns Martin Schleyer wird im Kofferraum eines PKW ermordet aufgefunden.

## Wie handelte der Staat?

Die Entführung von Hanns Martin Schleyer – und später der Lufthansa-Maschine „Landshut" – stellte die Regierung vor eine schwierige Entscheidung: Sollte sie den Forderungen der Entführer nachgeben, um das Leben der Geiseln zu retten? Oder unnachgiebig bleiben, um dem Terrorismus standzuhalten?

Zugleich stand die Regierung vor einem weiteren doppelten Problem: Sie musste einen leistungsfähigen Sicherheitsapparat aufbauen und zugleich aber die Rechtsstaatlichkeit der Bundesrepublik bewahren.

Um Absprachen zwischen den inhaftierten Terroristen und den Entführern zu verhindern, wurde die Einzelhaft der Inhaftierten in einem speziell errichteten Hochsicherheitstrakt im Gefängnis von Stuttgart-Stammheim durch eine Kontaktsperre verschärft. Das Bundeskriminalamt wurde ausgebaut und neue elektronische Fahndungsmethoden entwickelt. Ein „Radikalenerlass" wurde verabschiedet, der sich allerdings nicht gegen die Terroristen selbst, sondern gegen mögliche Sympathisanten richtete. Ihnen wurde eine Anstellung im öffentlichen Dienst untersagt. Wirksamkeit und Rechtsstaatlichkeit dieser Maßnahmen blieben umstritten.

In der angespannten politischen Atmosphäre warfen sich manche Regierungsanhänger und Oppositionspolitiker gegenseitig vor, den Terrorismus gefördert oder nicht ausreichend bekämpft zu haben. Besonders das linke politische Spektrum sah sich dem Verdacht ausgesetzt, geistiger Wegbereiter der Terroristen zu sein. Kritische und besonnene Stimmen hatten es schwer.

---

### M 1 Das Klima im Herbst 1977

Das öffentliche Leben im Herbst 1977 war vom Terrorismus geprägt. Es herrschte ein Klima der Angst. Ein ausländischer Beobachter schilderte die Situation später so:

> Bonn wurde zu einem Heerlager. Panzerwagen ratterten durch die Straßen. Stacheldrahtzäune wurden rund um die Ministerien errichtet. […] Vor vielen Ge-
> 5 bäuden wurden Wachen mit Maschinenpistolen postiert, die Häuser von Politikern mit Scheinwerfern angestrahlt. Autofahrer, die nicht sofort alle Papiere zur Hand hatten, gerieten sofort in Verdacht
> 10 und wurden scharfen Verhören unterzogen.

(Jonathan Carr, Helmut Schmidt, Düsseldorf-Wien 1985, S. 148)

### M 2 Die Ziele der Bundesregierung

Nach dem Eingang der Forderungen der Entführer bildete Bundeskanzler Schmidt einen Krisenstab im Bundeskanzleramt. In einer später veröffentlichten Dokumentation der Bundesregierung heißt es über das Ergebnis der ersten Beratungen:

> Q Der Bundeskanzler fasst als Ergebnis der Beratungen zusammen, dass sich die zu treffenden Entscheidungen an folgenden Zielen orientieren sollen:
> 5 die Geisel Hanns Martin Schleyer lebend zu befreien;
> die Entführer zu ergreifen und vor Gericht zu stellen;
> die Handlungsfähigkeit des Staates und
> 10 das Vertrauen in ihn nicht zu gefährden; das bedeute auch: die Gefangenen, deren Freilassung erpresst werden sollte, nicht freizugeben.
> Eine Entscheidung darüber, welchem der
> 15 vorstehend aufgezählten Ziele im Falle ihres Widerstreits der Vorzug gegeben werden soll, soll erst dann getroffen werden, wenn sie unausweichlich gefordert sei.

(Presse- und Informationsamt der Bundesregierung, Dokumentation zu den Ereignissen und Entscheidungen im Zusammenhang mit der Entführung von Hanns Martin Schleyer und der Lufthansamaschine „Landshut" 1977, S. 18)

# Forschungs-station

## Wichtige Stationen in der Geschichte der „RAF"

**2./3. April 1969:** Als Reaktion auf den Tod von Benno Ohnesorg verüben radikale Anhänger der APO nächtliche Brandanschläge auf zwei Kaufhäuser in Frankfurt. U.a. werden Andreas Baader und Gudrun Ensslin als Brandstifter festgenommen.

**14. Mai 1970:** Andreas Baader wird von einer kleinen, konspirativen Gruppe, unter ihnen Ulrike Meinhof, aus der Haft befreit. Ein Unbeteiligter wird schwer verletzt. Die Aktion gilt als Geburtsstunde der RAF.

**24. Mai 1972:** Bei einem Bombenanschlag auf das Hauptquartier der US-Streitkräfte in Heidelberg sterben drei Soldaten. Die RAF bekennt sich zu dem Anschlag.

**1. Juni 1972:** Nach langer Großfahndung gelingt der Polizei die Festnahme von Andreas Baader, Holger Meins und Jan-Carl Raspe. Wenige Tage später werden auch Gudrun Ensslin und Ulrike Meinhof gefasst. Der Terrorismus scheint besiegt.

**9. November 1974:** Nach wochenlangem Hungerstreik für eine Aufhebung der sog. Isolationshaft stirbt Holger Meins im Gefängnis.

**24. April 1975:** Ein „Kommando Holger Meins" besetzt die deutsche Botschaft in Stockholm, um inhaftierte Terroristen freizupressen. Zwei Geiseln werden getötet.

**9. Mai 1976:** Ulrike Meinhof verübt in ihrer Zelle Selbstmord.

## Die „Rote Armee Fraktion"

Radikalisierte Mitglieder der ehemaligen Studentenbewegung gingen ab 1970 in den Untergrund, um den „bewaffneten Kampf" gegen den „Weltimperialismus" zu beginnen.

Eingeschlossen in die nach außen abgekapselte Welt ihrer Gruppe steigerten sich die Terroristen in eine wahnhafte Wahrnehmung der Welt, setzten ihre eigenen politischen Ziele absolut und stuften die Bundesrepublik als faschistischen, imperialistischen Staat ein.

Die Verschärfung der Haftbedingungen für Terroristen, der Ausbau der Sicherheitsdienste und die Verschärfung des Strafprozessrechts bestärkten sie in ihrer Wahrnehmung.

Da sie in der Bundesrepublik kaum Anhänger einer anti-imperialistischen Revolution finden konnten, suchten sie Unterstützung im internationalen Terrorismus, vor allem bei der „Palästinensischen Befreiungsorganisation" (PLO).

Eine ursprünglich relativ breite Sympathisantenszene, die den Terror der RAF zwar ablehnte, aber ihren Zielen nahe stand, schmolz nach den Ereignissen im Herbst 1977 dahin. Die „Alternativen" lehnten die RAF-Mitglieder als „Killer" ab.

### M 3  Das Selbstverständnis der RAF

Ein von Ulrike Meinhof in der Haft verfasstes Schreiben beschreibt die Weltsicht und die Strategie der RAF 1972 so:

**Q**  Das System hat es in den Metropolen geschafft, die Massen so tief in den eigenen Dreck zu ziehen, dass sie das Gefühl für ihre eigene Lage […] weitgehend ver-
5 loren haben, sodass sie fürs Auto, 'ne Lebensversicherung und 'nen Bausparvertrag jedes Verbrechen des Systems billigend in Kauf nehmen und sich was anderes als ein Auto, eine Ferienreise, ein
10 gekacheltes Bad kaum noch vorstellen können. […] Daraus folgt aber, dass jeder, der sich aus diesen Zwängen befreit, dass jeder, der im Befreiungskampf der Dritten Welt seine Identität findet, jeder, der
15 nicht mehr mitmacht: revolutionäres Sub-
jekt ist. Wer immer anfängt zu kämpfen und Widerstand zu leisten, ist einer von uns.

(Die Aktion – Zur Strategie des antiimperialistischen Kampfes, vermutl. Nov. 1972; zit. nach: Krebs, S. 250)

### M 4  Studentenbewegung und Terrorismus

In einem selbstkritischen Rückblick schrieb Daniel Cohn-Bendit, einer der Führer der Studentenbewegung der Jahre 1967/1968, später:

Ich gehörte 1977 nach der Auflösung der linksradikalen politischen Gruppen zu […] dem Milieu, das später alternative Szene genannt wurde. Für uns war der
5 deutsche Herbst eine harte Herausforderung, denn wir wurden von allen Seiten unter Beschuss genommen. Die im Untergrund sagten: Entweder gehört ihr zum Staat oder zu den Freiheitskämp-
10 fern. Der Staat forderte von uns: Entweder ihr gehört zu den Verteidigern der Demokratie oder zu den Sympathisanten des Terrorismus. Wir dagegen setzten die Parole: weder mit dem Staat noch mit der
15 Guerilla.

Ich will […] die historische Verantwortung meiner Generation, der Achtundsechziger, zu skizzieren versuchen […]. Die antiautoritäre Bewegung besaß einen
20 sehr undifferenzierten Begriff von Widerstand und Widerstandsrecht. Sie hat versucht, sämtliches mögliches Handeln mit den Missständen der Welt zu legitimieren. Der Vietnamkrieg, die Dikta-
25 turen […] mussten herhalten, um ein […] Widerstandsrecht gegen den westdeutschen Staat zu legitimieren. Dazu kam die schwer verdaubare Nichtauseinandersetzung der Eltern der revoltierenden
30 Studenten mit dem Nationalsozialismus, sie war ein wichtiger Ausgangspunkt der Revolte. Diese Diskussionsverweigerung, dieses Schweigen, hat bei uns wesentlich zur ungeheuren emotionalen
35 Unzufriedenheit mit dieser Gesellschaft geführt.

(Die Zeit, Nr. 43, 16.10.1987, S. 43ff.)

# Zwei Zeitgenossen über Demokratie und Terrorismus

## M 5 Walter Scheel

In einer Ansprache zum Staatsakt für den ermordeten Hanns Martin Schleyer in Stuttgart am 25.10.1977 sagte der damalige Bundespräsident Walter Scheel:

**Q** Hanns Martin Schleyer ist gestorben. Wir neigen uns vor dem Toten. Wir alle wissen uns in seiner Schuld. Die Wochen, die wir durchlebt haben, sind gewiss die

5 schlimmsten in der Geschichte der Bundesrepublik gewesen.
Wir alle bejahen den demokratischen Kampf, den Kampf der Meinungen und Argumente. Aber dieser Kampf beruht

10 auf der Achtung vor den Überzeugungen des Gegners. Wohin es in letzter Konsequenz führt, wenn der Kampf seinen Ursprung in Hass und Feindschaft hat, haben wir in diesen Tagen nur zu deutlich

15 erfahren. [...]
Uns allen ist bekannt, dass die Terroristen ihre Verbrechen nur ausführen können, weil es Menschen gibt, die ihnen helfen. [...] Sie helfen den Boden bereiten, auf

20 dem die böse Saat aufgehen kann. Auch sie sind deshalb mitschuldig. [...] Dann gibt es die Menschen, die ihre blinde Abneigung gegen die Demokratie dazu führt, die Ziele der Terroristen [...] in

25 Wort und Schrift öffentlich zu unterstützen, wenn sie selbst auch die Anwendung von terroristischer Gewalt für ihre eigene Person missbilligen. [...] Auch diese Gruppe ist, so meine ich, mitschuldig.

30 Menschen, die sich in den beschriebenen Weisen verhalten, müssen mit allen rechtsstaatlichen Mitteln bekämpft werden. Sie haben, davon bin ich fest überzeugt, im öffentlichen Dienst nichts zu

35 suchen. [...]
Nur wenn es uns gelingt, die Tätigkeit dieser Gruppen zu unterbinden, wird es uns gelingen, den Terrorismus zu besiegen. Dies geschieht am besten dadurch,

40 dass wir sie von der Würde einer freiheitlichen Ordnung überzeugen. Lassen sie sich nicht überzeugen, müssen wir uns mit der Strenge der Gesetze wehren.
Von den beschriebenen Gruppen sind

45 diejenigen zu unterscheiden, die weder die Ziele noch die Methoden der Terroristen billigen, die jedoch verstehen möchten, was die Terroristen zur Gewalt treibt; diejenigen, die auf der Menschen-

50 würde auch dessen bestehen, der selbst unmenschlich handelt.
Haben diejenigen, die die Terroristen geistig oder materiell unterstützen, überhaupt noch nicht begriffen, was eine de-

55 mokratische Lebensordnung ist, so haben diejenigen, die auf der menschlichen Würde auch des Terroristen bestehen, die Demokratie zu Ende gedacht.

(Presse- und Informationszentrum des Deutschen Bundestages, Zum Gedenken an die Opfer des Terrorismus, Bonn 1978, S. 13 ff.)

Bundeskanzler Helmut Schmidt neben Frau Schleyer während des Gedenkgottesdienstes für Hanns Martin Schleyer in Stuttgart am 25.10.1977

## M 6 Bundeskanzler Helmut Schmidt

In einer Regierungserklärung nach dem Tod von Hanns Martin Schleyer sagte der damalige Bundeskanzler Helmut Schmidt am 20.10.1977:

**Q** Wer weiß, dass er so oder so, trotz allen Bemühens, mit Versäumnis und Schuld belastet sein wird, wie immer er handelt, der wird von sich selbst nicht sa-

5 gen wollen, er habe alles getan und alles sei richtig gewesen. [...] Wohl aber wird er sagen dürfen: Dieses und dieses haben wir entschieden, jenes und jenes haben wir aus diesen oder jenen Gründen un-

10 terlassen. Aber dies haben wir zu verantworten.

(Presse- und Informationsamt der Bundesregierung, Dokumentation zu den Ereignissen und Entscheidungen im Zusammenhang mit der Entführung von Hanns Martin Schleyer und der Lufthansamaschine „Landshut" 1977, Anlage 22)

# Forschungs-station

## Kernenergie in der Bundesrepublik

**1973:** Die bis dahin wirtschaftlich unbedeutsame, aber intensiv erforschte Kernenergie spielt im Energieprogramm der Bundesregierung eine große Rolle. Sie soll die Hälfte des neuen Energiebedarfs decken. Geplant ist der Bau von 100 neuen Großanlagen.

**1974:** Infolge der Ölkrise gewinnt die Kernenergie Aktualität. Sie soll nach dem Willen der Regierung zügig ausgebaut werden. Etwa zeitgleich beginnt auch der Protest gegen die Kernenergie.

**1975:** Erste lang anhaltende und gewalttätige Proteste gegen das Kernkraftwerk Wyhl (Baden-Württemberg).

**1976:** Etwa 30 000 Demonstranten versuchen in Brokdorf (Schleswig-Holstein) das Baugelände zu besetzen. Sie werden von einem massiven Polizeiaufgebot vertrieben.

**1979:** Atomkraftgegner besetzen den Bauplatz des geplanten Atommülllagers in Gorleben für mehrere Wochen. Er wird am 4.6. von Polizei und Bundesgrenzschutz geräumt.

**1981:** Am 28. Februar findet die mit 100 000 Teilnehmern größte Demonstration gegen das Kernkraftwerk Brokdorf statt.

**1986:** Der Super-GAU im sowjetischen Atomkraftwerk Tschernobyl bewirkt einen Bewusstseinswandel in der westdeutschen Öffentlichkeit.

**1998:** Die neu gewählte rot-grüne Regierungskoalition beschließt in ihrem Regierungsprogramm den Ausstieg aus der Kernenergie. Nach langen Verhandlungen mit der Energiewirtschaft wird eine „Restlaufzeit" von 30 Jahren für die bestehenden Atomkraftwerke vereinbart.

## Forschungsthema 2: Die „Schlacht um Brokdorf"

Eure **Forschungsfrage** lautet:

**Streit um die Kernenergie – Wer entscheidet in lebenswichtigen Fragen?**

**Mithilfe der Materialien könnt ihr erforschen:**

**1.** Was geschah in der Wilster Marsch?

**2.** Um welche Fragen drehte sich der Streit?

**3.** Welche Parteien standen sich in dem Streit gegenüber? Mit welchen Mitteln agierten sie?

**4.** Wie urteilten Zeitgenossen über die Demonstranten?

**M 1**

Wilster Marsch bei Brokdorf, 28.2.1981 (Pressefoto)

### M 2 Was geschah in der Wilster Marsch?

Ein Augenzeuge berichtet über die Demonstration von 1981:

Q Die Demonstration war verboten worden, doch die Atomkraftgegner wollten sich das Recht auf Demonstration nicht nehmen lassen. Behördliches und gerichtliches Hin und Her waren vorausgegangen. Die Entscheidung des Bundesverfassungsgerichtes stand noch aus.
Die Polizei hatte das Gebiet um den Bauplatz des Kernkraftwerkes Brokdorf [...] weiträumig abgesperrt. Straßenblockaden, Kontrollstellen, Durchsuchungen. Dennoch ließ die Polizei die Demonstranten in die Wilster Marsch. Es war kalt, 8 Grad unter Null. Eisiger Wind in Orkanstärke. 12 Kilometer bis zum Bauplatz. Dazwischen: Straßensperren. Zwischen sandgefüllten Containern ließ die Polizei die Demonstranten einzeln passieren. Wer in die Marsch hinauswollte, musste sich vorher durchsuchen lassen. Andere Demonstranten [...] bauten behelfsmäßige Brücken über die nur mit dünnem Eis bedeckten Entwässerungskanäle. Eine riesige Menschenmenge bewegte sich in breiter Front über die gefrorenen Wiesen. [...]

Parallel dazu: die Einsatztruppen der Polizei. Mit Helmen, Stöcken und Schilden, ausgerüstet wie ein mittelalterliches Heer.
30 Daneben die Demonstranten. Man hatte ihnen alles abgenommen, was auch nur entfernt an ein Schlaginstrument erinnerte. Deshalb gab es nur wenige Transparente. Es wurde ein stummer, trauriger und trotziger Zug durch die Wilster
35 Marsch. Sprechchöre kamen nicht auf im eiskalten Wind – und wer hätte sie auch hören können?

(Stefan Aust, Der siebenjährige Krieg um Brokdorf; in: ders., Brokdorf. Symbol einer politischen Wende, Hamburg 1981, S. 45 ff.)

## M 3 Atomstaat?
### Das Urteil eines Atomkraftgegners

Der Autor des Textes, Josef Leinen, war Vorsitzender des „Bundesverbandes Bürgerinitiativen Umweltschutz" (BBU), der die Demonstration in Brokdorf vorbereitet hatte. Kurz nach der Demonstration vom 28.2.1981 schrieb er:

Die Bedeutung dieser Demonstration und die dazugehörenden Ereignisse gehen weit über den 28. Februar 1981 hinaus. Hier sollte ein schwerwiegender
5 Eingriff in das Recht auf freie Meinungsäußerung und in das Demonstrationsrecht erprobt werden. Für die Bürgerinitiativen stand fest, dass sie sich diesem Demonstrationsverbot nicht beugen wür-
10 den. Es gibt politische Situationen, in denen das Bewusstsein und der Wille der betroffenen Bürger derart stark ist, dass auch staatliche Repressionen nicht beeindrucken. Das Zustandekommen der bis-
15 her größten Anti-AKW-Demonstration mit über 100 000 Teilnehmern war der beste Beweis dafür, was die Bürgerinitiativen von diesen […] Versuchen, die Grundrechte einzuschränken, gehalten
20 haben.
Das Demonstrationsverbot wurde […] mit einer üblen Hetzkampagne gegen die Atomenergiegegner vorbereitet. Schon Wochen vor der Demonstration wurden
25 regelrechte Horrorgeschichten [verbreitet]. Schwere kriminelle Gewalttaten wurden vorausgesagt. Im Zuge dieser

Bürgerkriegsatmosphäre setzte sich […]
30 das Hirngespinst fest, in Brokdorf gehe es um die Existenz des Staates. Wer den gewaltigen Aufmarsch von 10 000 Polizisten mit schwerem Gerät miterlebt hat, konnte sich des Eindrucks nicht erwehren, dass einige Repräsentanten dieses Staates
35 sich durch die Demonstration tatsächlich in ihrer Existenz gefährdet sahen. In Brokdorf musste man mit Sorge feststellen, dass einige Politiker die Existenz des Staates bereits gefährdet sehen, wenn ein
40 derartig umstrittenes Kernkraftwerk nicht gebaut werden kann, und dass alle staatlichen Machtmittel aufgeboten wurden, um einen lächerlichen Bauplatz zu verteidigen.

45 Der […] große Erfolg der Großdemonstration vom 28.2.81 war der öffentliche Beweis, dass die ablehnende Haltung gegenüber der Atomenergie […] in der Bevölkerung immer noch weit verbreitet
50 ist.

(Josef Leinen, Brokdorf-Demonstration. Der Atomstaat zeigt seine Zähne; in: Stefan Aust, Brokdorf. Symbol einer politischen Wende, Hamburg 1981, S. 176 ff.)

### Protest gerechtfertigt?

Hatten die Atomkraftgegner das Recht, den von einer Mehrheit der Abgeordneten im Bundestag beschlossenen und von der Bundesregierung verfolgten Ausbau der Kernenergie nicht zu akzeptieren?

Mithilfe der beiden folgenden Texte (M 4) könnt ihr zwei Positionen erarbeiten und vergleichen.

## M 4 Zwei Politikwissenschaftler urteilen

### a) B. Guggenberger (1983)

Zumal bei den in der Nuklear- und Umweltkontroverse auftretenden Minderheiten handelt es sich um Minderheiten, die eine Abkehr vom ‚lebensbedro-
5 henden' Fortschrittsprogramm und eine […] Sensibilisierung des Mehrheitsbewusstseins erreichen wollen.
[Sie setzen] ihre Hoffnung gerade auf Demokratisierung und umfassende politische
10 Teilhabe. Sie bejahen das Prinzip ‚Mehrheit', kritisieren aber die Bedingungen, unter denen parlamentarische Mehrheitsentscheidungen zustande kommen.
Für diese Minderheiten [der Atomkraft-
15 gegner] sind zentrale Bedingungen außer Kraft gesetzt, die erfüllt sein müssen, damit die ‚Kröte' der Mehrheitsentscheidung auch von abweichenden Minderheiten geschluckt werden kann. Die
20 wichtigste dieser Voraussetzungen lautet: Mehrheitsentscheidungen dürfen keine irreversiblen [nicht mehr rückgängig zu machenden], durch nachfolgende neue Mehrheiten nicht mehr korrigierbaren
25 Festlegungen beinhalten.

(B. Guggenberger, Die neue Macht der Minderheit; in: Guggenberger/Offe, S. 211)

### b) K. Sontheimer (1983)

Wenn die Mehrheitsregel nicht mehr gilt, wenn nicht anerkannt wird, was eine parlamentarische Mehrheit und die von ihr getragene Regierung beschließt, wenn es
5 gar ein Recht auf Widerstand geben soll gegen Entscheidungen, die einer aktiven Minderheit von Bürgern aus irgendwelchen Gründen […] missfällt, dann ist der Verfall der rechtsstaatlichen Demokratie
10 programmiert.
Wo Minderheiten den Anspruch erheben, die Politik demokratischer Mehrheiten dort zu vereiteln, wo es ihnen von ihrer ideologischen Einstellung her notwendig
15 erscheint, ist stets ein totalitäres Element im Spiel, das die […] Verfahren der demokratischen Verfassungsordnung infrage stellt. […]
Solche Bewegungen bringen meist nicht
20 die Geduld auf, durch intensive Überzeugungsarbeit selbst mehrheitsfähig zu werden.

(K. Sontheimer, Zeitenwende? Die Bundesrepublik zwischen alter und alternativer Politik, Hamburg 1983, S. 254)

# Der ostdeutsche Staat –
# Wie sah die Alternative aus?

## Die Geschichte der Deutschen Demokratischen Republik (1949–1990)

Heute existiert die Deutsche Demokratische Republik nicht mehr. Aber sie prägte vier Jahrzehnte lang ihre Bewohner – diejenigen, die an ihre Ideale glaubten, ebenso wie diejenigen, die unter ihr zu leiden hatten.

- **Welches Selbstverständnis hatte dieser Staat?**
- **Wie lebten die Menschen in ihm?**
- **Wie weit klafften Anspruch und Wirklichkeit auseinander?**
- **Welche Erfahrungen aus 41 Jahren DDR können heute für uns noch bedeutsam sein?**

Schulalltag in der DDR: Was fällt euch auf?

**Walter Ulbricht**
(1946–1971)

**7.10.1949**
Gründung der DDR

**12.7.1952**
Auf ihrer II. Parteikonferenz beschließt die SED den „Aufbau des Sozialismus".

**17.6.1953**
Volksaufstand in der DDR und in Ost-Berlin

**Mai 1955**
Beitritt der DDR zum Warschauer Pakt

**1956**
Gründung der Nationalen Volksarmee (NVA)

## Die Generalsekretäre der SED und ihre Zeit – ein Überblick

Von Anfang an beruhte die DDR auf drei Fundamenten: auf der engen Verbindung mit der Sowjetunion, auf dem Grundsatz der „Volksdemokratie" und auf dem ökonomischen Konzept der Planwirtschaft.

Alle drei dienten dem Ziel, den Sozialismus nach den Lehren des Marxismus-Leninismus zu verwirklichen. Staat und Gesellschaft wurden nach dem Vorbild der Sowjetunion und unter der Führung der SED umgestaltet.

Die gewaltsame Niederschlagung des Volksaufstandes am 17. Juni 1953 machte deutlich, dass dieses Ziel von der Bevölkerung nicht infrage gestellt werden durfte.

Es gab keine freien Wahlen. Stattdessen versuchte das Regime mit einer Mischung aus Erziehung und Propaganda die Bevölkerung von seiner Politik zu überzeugen. Andere Meinungen wurden nicht zugelassen.

Ostberlin, 16.6.1953

Blick von Ost- nach West-Berlin, 1963

**1960**
Abschluss der
Kollektivierung der
Landwirtschaft

**13.8.1961**
Beginn der „Grenz-
sicherungsmaß-
nahmen"

**3.5.1971**
Ablösung Ulbrichts
und Wahl Hone-
ckers zum Ersten
Sekretär der SED

**21.11.1971**
Unterzeichnung
des Grundlagen-
vertrages mit der
Bundesrepublik

Grenzübergang Rudolphstein, 11.11.1989

**Erich Honecker**
(1971–1989)

**18.–22.5.1976**
Der IX. Parteitag
beschließt die
„Einheit von
Wirtschafts- und
Sozialpolitik"

**18.10.1989**
Rücktritt Honeckers

**9.11.1989**
Öffnung der Berliner
Mauer

**18.3.1990**
Erste freie Wahlen
zur Volkskammer

**1. 7. 1990**
Wirtschafts- und
Währungsunion

**3. 10. 1990**
Beitritt der ostdeut-
schen Länder zur
Bundesrepublik

Der Bau der Berliner Mauer und die Be-
festigung der Grenze zur Bundesrepublik
stoppte die Abwanderung nach Westen.
Flucht war nur noch unter Einsatz des eigenen Lebens möglich. Die Bürger der
DDR waren jetzt praktisch in ihren eigenen Staat eingesperrt; sie durften nur
noch in die sozialistischen Nachbarstaaten reisen.

Die Ablösung Ulbrichts und die Wahl Erich
Honeckers zu seinem Nachfolger weckte
große Erwartungen im In- und Ausland.
Aber sein Konzept der „Einheit von Wirt-
schafts- und Sozialpolitik" veränderte die
Realität in der DDR nur geringfügig. Durch
vorsichtige Reformen gelang es ihm für
kurze Zeit, die Versorgungslage der Bevölkerung zu verbessern. Zugleich zen-
tralisierte er das staatliche Herrschaftssystem und baute das Spitzel- und Über-
wachungssystem des Ministeriums für
Staatssicherheit (MfS) weiter aus.

Die Entspannungspolitik der 70er-Jahre
und insbesondere die KSZE-Erklärung
von Helsinki verstärkten bei vielen Bürgern der DDR die Forderungen nach
Menschenrechten und Reisemöglichkeiten. Die Regierung bekämpfte die ent-
stehende Opposition mit Verfolgung, Verhaftungen und Ausweisungen.

Als in der Ära Gorbatschow Reformen in
den sozialistischen Staaten möglich und
die Grenzen offener wurden, schwand die
Akzeptanz der SED-Führung rasch. Der
Ruf nach politischen Reformen und nach
Reisefreiheit wurde immer lauter. Ohne
Rückendeckung durch die Sowjetunion
konnte die DDR-Führung die Massenop-
position nicht mehr länger unterdrücken.
Am 18.10.1989 trat Erich Honecker zu-
rück, am 9.11.1989 wurde die Mauer nach
West-Berlin geöffnet.

Zu Tausenden strömten die Ostberliner in
den Teil der Stadt, der fast 40 Jahre lang
so nah und zugleich unendlich weit entfernt gewesen war.

**1.** Versucht die gesamte Geschichte der DDR (1949–1989) in Zeitabschnitte („Epochen")
zu unterteilen. Gebt jedem dieser Zeitabschnitte eine Übersicht und notiert Stichworte, die sie charakterisieren.

**2.** Vergleicht eure Ergebnisse: Nach welchen Kriterien seid ihr vorgegangen?

# „Das Schlimmste war die Lüge …"

## Die DDR in der Erinnerung ihrer Bewohner

1995, fünf Jahre nach dem Ende der DDR, untersuchte das Meinungsforschungsinstitut „Emnid" die Erinnerungen ehemaliger DDR-Bürger und -Bürgerinnen. Es stellte ihnen diese Frage: „Wenn Sie zurückdenken an die Zeit der DDR, was ist Ihre negativste Erinnerung? Was ist Ihre positivste Erinnerung?"

---

Die schriftlichen Antworten der Zeitzeugen haben wir (in Auszügen) auf dieser Doppelseite abgedruckt. Ihr könnt sie nutzen, um typische Aspekte des Alltags in der DDR zu erkennen, zu ordnen und zu bewerten.

**1.** Lest die Erinnerungen und formuliert eure ersten Eindrücke und Fragen.

**2.** Erstellt eine Liste von Lebensbereichen, auf die sich die Erinnerungen beziehen, und haltet die Wertungen der Zeitgenossen in Stichworten fest.

### Alltag in der DDR

| Lebensbereich | Positive Erinnerung | Negative Erinnerung |
|---|---|---|
| Arbeitswelt | Mehr Zusammenhalt (M 10) Alle hatten Arbeit (M 3) | Keine Aufstiegschancen ohne Parteimitgliedschaft (M 5) |
| … | … | … |

---

**M 1**

Q Das Eingesperrtsein, das war schon schlimm; im Fernsehen sah man, was los war in der Welt. Und jeden Tag das triste Einerlei hier bei uns. Nichts gab es richtig zu kaufen, aber man hatte keine Angst, dass der Mann arbeitslos werden kann, dass man aus der Wohnung fliegt, dass die Kinder nicht in den Kindergarten gehen können und so war das alles schon geregelt + geordnet + billig.

(M 1 bis 14 zit. nach: Der Spiegel, Nr. 27 vom 3.7.1995, S. 40 ff.; z.T. gekürzt und sprachlich leicht angepasst)

**M 2**

Q Ich wäre gern gereist, hätte mich besser gekleidet und versucht, mich als Friseuse selbstständig zu machen. Das war alles nicht möglich. Die Versorgung im Modebereich, mit Obst, mit technischem Gerät war schlimm. Wir hatten beide Arbeit, schönes Trinkgeld, und unser Sohn war gut betreut im Kindergarten und Schule/Hort. Ausgehen war billig. Ich war zufrieden und kannte keine Ängste.

**M 3**

Q Die Schule war nicht so anstrengend – Fast alle waren gleich – Jeder hatte Arbeit bis zur Rente – Das Kumpelhafte zwischen Leitung und Belegschaft im Betrieb – Billige Scheidung.

**M 4**

Q Beruflicher Stress war geringer – Man brauchte sich nicht um so viele Dinge zu kümmern – Es gab damals nicht so erbitterte Konkurrenzkämpfe wie heutzutage.

---

**M 15**

Blick in den Westen, Berlin 1963

**M 16**

**M 5**

Q Materialmangel im Krankenhaus – Keine Aufstiegschancen, ohne in der Partei zu sein – Es gab keine großen schlimmen Sachen, es waren die Kleinigkeiten.

**M 6**

Q Wir bekamen für unser Geld nicht viel, mussten hinter allem hinterherrennen. Schlimm war, dass wir alles gesagt bekamen, brauchten uns keine Gedanken zu machen. Wir konnten nicht reisen, obwohl ich das jetzt auch nicht mache, weil mir das Geld fehlt. Der Staat war sehr sozial, ich hatte Arbeit. […] Der Zusammenhalt unter den Bekannten, Nachbarn, Arbeitskollegen war sehr gut.

**M 7**

Q Das Schlimmste war die Lüge, mit der wir gelebt haben. Wenn man die Zeitung aufmachte, da war von Erfolgen und Planerfüllung zu lesen, und jeder wusste, dass das nicht stimmte.

**M 8**

Q Die Partei hatte immer Recht – Bummelanten wurden durchgefüttert – Nicht mal einen Sack Zement bekam man ohne Beziehungen.

**M 9**

Q Keine Mutter musste sich um ihre Arbeit Sorgen machen – Man kannte keine Überfälle am Tage in der Stadt – Kollegialität im Arbeitsprozess.

**M 10**

Q Eine Art von Zusammengehörigkeitsgefühl, besonders in der Familie, das für westliche Gesellschaften eher untypisch ist.

**M 11**

Q Man konnte Tag und Nacht ohne Angst durch die Parks, Felder, Wälder und einsame Straßen gehen.

**M 12**

Q Auf einen Trabi musste man 14 Jahre warten und er war sehr teuer.

**M 13**

Q Man konnte sich auf Nachbarn und Freunde verlassen, was nicht mehr der Fall ist, da jeder nur an sich denkt.

**M 14**

Q Jahrelang auf eine Wohnung warten war für Kinderreiche besonders schlimm (8 Kinder) – Schlechte Versorgung mit Babynahrung – Schießen auf Menschen – Politische Zwangserziehung bereits in Kinderkrippen und Kindergärten – Machtlosigkeit gegenüber den staatlichen Organen.

## Übrigens …

Die Fotos auf dieser Seite sind Momentaufnahmen aus der DDR. Spiegeln sie typische Lebensgefühle? Vergleicht sie mit den Aussagen der Zeitzeugen.

Im VEB Chemiekombinat Leuna 1984

Im Garten, Bitterfeld 1984

**M 17**

# Die Grundlagen des Staates

## Was heißt hier „Demokratie"?

**Demokratie?**

- Meinungsfreiheit und andere Grundrechte
- Wahlen
- eine oder mehrere Parteien
- Kontrolle der Regierung
- Gewaltenteilung
- …

In der „Volkskammer", dem Parlament der DDR, wurden Entscheidungen in der Regel einstimmig beschlossen. Die Führung der Partei bereitete die Beschlüsse vor und die Abgeordneten stimmten zu. (Foto 1988)

1. Welche Elemente gehören – eurer Ansicht nach – unverzichtbar zu einer echten Demokratie? Erstellt eine Liste von Merkmalen, bevor ihr mit der Arbeit auf dieser Doppelseite beginnt. (Die Stichworte im Kasten können euch bei der Formulierung helfen.)

2. Wie war das Verhältnis zwischen dem Anspruch der Verfassung der DDR und der Auffassung der DDR-Machthaber? (Vergleicht M 1 und M 2.)

3. Beschreibt mithilfe des Schaubildes (M 3) und des Darstellungstextes den Staatsaufbau der DDR: Wie wird darin der Führungsanspruch der SED deutlich? Welchen Einfluss hatten die Wählerinnen und Wähler?

4. Erklärt, wie das Demokratieverständnis der DDR von der ideologischen Grundlage des Marxismus-Leninismus geprägt war (M 3).

5. Vergleicht die Demokratievorstellungen der DDR mit eurem eigenen Verständnis von Demokratie: Zu welchem Ergebnis kommt ihr?

## M 1 Aus der Verfassung der DDR (1949)

**Q** Artikel 3

(1) Alle Staatsgewalt geht vom Volke aus.

(2) Jeder Bürger hat das Recht und die Pflicht zur Mitgestaltung in seiner Gemeinde, seinem Kreise, seinem Land und in der Deutschen Demokratischen Republik. […]

Artikel 51

(1) Die Volkskammer besteht aus den Abgeordneten des deutschen Volkes.

(2) Die Abgeordneten werden in allgemeiner, gleicher, unmittelbarer und geheimer Wahl nach den Grundsätzen des Verhältniswahlrechtes auf die Dauer von vier Jahren gewählt. […]

(5) Die Staatsgewalt muss dem Wohl des Volkes, der Freiheit, dem Frieden und dem demokratischen Fortschritt dienen.

(Zit. nach: Deutsche Verfassungen, München 1985, S. 189 ff.)

## M 2

Hermann Matern, Mitglied des Politbüros der SED, sagte 1958 in Leipzig:

**Q** Die Staatsmacht in den Händen zu haben, das ist eine große Sache. […] Wir denken nie daran, die Arbeiter- und Bauernmacht wieder aufzugeben. Bei uns lassen wir nicht zu, dass jemand bei den Wahlen kandidiert, der den Kapitalismus wieder aufbauen will. Es geht doch um die Macht, und die Macht ist keine Kleinigkeit, versteht ihr? […]

Da wären wir doch rückständige Menschen, wenn wir zulassen würden, die Macht mit dem Stimmzettel zu verlieren. Was wären wir dann für Politiker und Arbeiterfunktionäre. Nein, das dürft ihr von uns nicht erwarten.

Und es gibt bei uns auch keine Partei, die den Standpunkt vertritt, bei uns den Kapitalismus wieder herzustellen. Deshalb gibt es also auch keine Opposition nach bürgerlichen Vorstellungen. Das ist unsere sozialistische Demokratie, und darüber muss man sich klar sein.

(Zit. nach: Dokumente zur Geschichte der SED)

# Das politische System

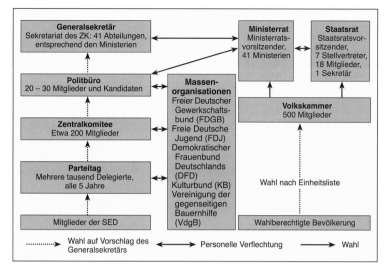

Organigramm: 

**Generalsekretär** – Sekretariat des ZK: 41 Abteilungen, entsprechend den Ministerien

**Politbüro** – 20 – 30 Mitglieder und Kandidaten

**Zentralkomitee** – Etwa 200 Mitglieder

**Parteitag** – Mehrere tausend Delegierte, alle 5 Jahre

**Mitglieder der SED**

**Massenorganisationen** – Freier Deutscher Gewerkschaftsbund (FDGB), Freie Deutsche Jugend (FDJ), Demokratischer Frauenbund Deutschlands (DFD), Kulturbund (KB), Vereinigung der gegenseitigen Bauernhilfe (VdgB)

**Ministerrat** – Ministerratsvorsitzender, 41 Ministerien

**Staatsrat** – Staatsratsvorsitzender, 7 Stellvertreter, 18 Mitglieder, 1 Sekretär

**Volkskammer** – 500 Mitglieder

**Wahlberechtigte Bevölkerung**

Wahl nach Einheitsliste

·····> Wahl auf Vorschlag des Generalsekretärs   ←→ Personelle Verflechtung   ⟶ Wahl

## Ideologische Grundlage: Marxismus-Leninismus

Das Demokratieverständnis der DDR beruhte auf der Theorie des Marxismus-Leninismus. Danach handeln diejenigen zum Wohle des Volkes – und damit demokratisch –, die das Ziel des Sozialismus verfolgen. Bestenfalls über den Weg zu diesem Ziel konnte es nach einem solchen Verständnis Auseinandersetzungen geben. Um dieses besondere Verständnis von Demokratie deutlich zu machen, prägte die DDR-Führung den Begriff der „sozialistischen Volksdemokratie".

## SED

Schon vor der Staatsgründung hatte die SED als „Partei neuen Typs" die Übernahme der Ideologie und Organisation der sowjetischen KPdSU begonnen. Das ursprüngliche Prinzip, wonach ehemalige KPD- und SPD-Mitglieder bei der Besetzung wichtiger Parteiämter gleichermaßen berücksichtigt werden sollten, wurde aufgegeben. Nicht anpassungswillige Sozialdemokraten und Kommunisten wurden verdrängt. Das innerparteiliche Prinzip des „Demokratischen Zentralismus" besagte, dass alle Parteigliederungen die Weisungen der Führung zu befolgen und zu vertreten hatten. Verschiedene Meinungen konnte es deshalb innerhalb der Partei nicht mehr geben; Opposition und Fraktionsbildung waren verboten. Mitglieder und Funktionäre wurden durch ständige Schulung und Einschüchterung auf den offiziellen Kurs der Partei festgelegt. Als Partei der Werktätigen beanspruchte die SED die Führung in Staat und Gesellschaft.

## Die „Nationale Front"

In den Jahren 1949/50 wurde das Parteiensystem neu geordnet. Die noch während der Besatzungszeit gegründeten Parteien CDU und Liberaldemokratische Partei Deutschlands (LDPD) wurden zusammen mit Massenorganisationen, wie dem Freien Deutschen Gewerkschaftsbund (FDGB) oder der Freien Deutschen Jugend (FDJ), unter der Führung der SED zur „Nationalen Front" zusammengeschlossen. Die Nationale Front bildete eine Art Dachorganisation, deren Aufgabe es war, die Bürger der DDR in den verschiedensten Lebenszusammenhängen (wie Schulen, Betrieben, Stadtvierteln etc.) von der Linie der SED zu überzeugen.

## Volkskammer

Bei den Wahlen zur Volkskammer trat die Nationale Front mit einer Einheitsliste an. Die Anzahl der Sitze auf dieser Liste wurde vorab zwischen den Parteien und Organisationen aufgeteilt. Da sich die SED mithilfe der von ihr völlig abhängigen Massenorganisationen die meisten Sitze sicherte, war ihr die absolute Mehrheit in der Volkskammer nicht zu nehmen. Die Wähler konnten nur zwischen Zustimmung und Ablehnung dieser Liste entscheiden. Die Volkskammer, das nominell oberste Verfassungsorgan, tagte nur wenige Wochen im Jahr. Ihre Beschlüsse erfolgten in der Regel einstimmig.

## Politbüro und Zentralkomitee

Die Mitglieder des Zentralkomitees und des Politbüros konnten nur auf Vorschlag des Generalsekretärs gewählt werden. Das Politbüro war – zusammen mit dem Sekretariat – die Schaltstelle der Macht. Es war personell eng mit den staatlichen Organen, dem Staatsrat und dem Ministerrat, verflochten.

## Ein totalitärer Staat

Insgesamt beherrschte die SED als „führende Partei" alle Bereiche des Staates und der Gesellschaft in der DDR. Die klassische Gewaltenteilung zwischen gesetzgebender, ausführender und rechtsprechender Gewalt war aufgehoben. Alle staatlichen Behörden, insbesondere auch die „Nationale Volksarmee" (NVA) und die Polizei, wurden von der SED beherrscht. Die Justiz arbeitete nicht unabhängig, sondern war von Weisungen der Partei abhängig. Die SED beanspruchte auch das Recht, die öffentliche Meinung und die Medien zu bestimmen und zu kontrollieren; abweichende Meinungen wurden mithilfe eines immer stärker anwachsenden Spitzel-, Kontroll- und Verfolgungsapparates in allen gesellschaftlichen Bereichen verfolgt. Nicht nur in den Kindergärten, Schulen und Universitäten, sondern auch in speziellen Organisationen, wie der „Freien Deutschen Jugend" (FDJ), und in den Medien betrieb die SED eine planmäßige, ideologische Erziehung der Bevölkerung zu „sozialistischen Persönlichkeiten".

# Die Planwirtschaft – ein Plan und seine Folgen

„Planwirtschaft" – das war das Wirtschaftssystem der DDR. Konzipiert als Gegenmodell zur westlichen Marktwirtschaft sollte sie die ökonomische Überlegenheit der sozialistischen DDR gegenüber der kapitalistischen Bundesrepublik unter Beweis stellen. Tatsächlich hatte sie – wie man heute zusammenfassend sagen kann – entscheidende Schwächen.

**1.** Mit den Informationen auf dieser Seite könnt ihr Grundlagen, Ziele der Planwirtschaft sowie ein Ablaufschema der Güterproduktion (am Beispiel der Fahrradproduktion) erarbeiten.

**2.** Mithilfe von M 1 könnt ihr die Kritikpunkte westlicher Wirtschaftswissenschaftler an der Planwirtschaft ermitteln. Erstellt eine Stichwortliste und erläutert sie in einem freien Vortrag.

**3.** Untersucht und erörtert die Grafik M 2: Wie leistungsfähig war die Planwirtschaft der DDR?

**4.** Überprüft eure Kenntnisse der Planwirtschaft und der Marktwirtschaft mithilfe von M 3.

## Grundlagen und Ziele der Planwirtschaft

Die Wirtschaftsordnung der DDR beruhte auf der Theorie des Marxismus-Leninismus. Danach ist die Umwandlung des privaten Eigentums an Produktionsmitteln in staatliches Eigentum die Grundlage des Sozialismus. Denn – so argumentieren die Anhänger dieser Theorie – wenn alle Produktionsmittel (wie Landgüter, Fabriken und Handwerksbetriebe) der gesamten Gesellschaft gehören, dann könne der Staat – im Auftrag des Volkes – bestimmen, welche Produkte hergestellt, wie sie produziert, wie die Arbeitsbedingungen gestaltet und wie die erwirtschafteten Werte gerecht verteilt werden sollen. Die gesamte Produktion könne zum Wohle aller besser geplant werden. Damit sei nicht – wie im Kapitalismus – die Politik von wirtschaftlichen Interessen bestimmt, sondern umgekehrt bestimme die Politik über die Wirtschaft.

### Zentrale Planung der Produktion

Diese Ziele sollten dadurch erreicht werden, dass die gesamte Wirtschaft durch Vorgaben und Entscheidungen einer zentralen Planungsbürokratie unter der Führung der „Partei der Arbeiterklasse" gelenkt wurde. Sie legte Produktionsmengen und -preise fest.

### Zum Beispiel Fahrräder: Wer produziert wie und wie viel?

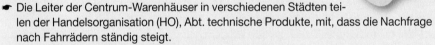

In den Achtzigerjahren stieg unter den Jugendlichen in der DDR die Nachfrage nach Fahrrädern deutlich an. Der folgende Text erklärt in vereinfachter Form den Weg bis zur Steigerung der Fahrradproduktion:

- Die Leiter der Centrum-Warenhäuser in verschiedenen Städten teilen der Handelsorganisation (HO), Abt. technische Produkte, mit, dass die Nachfrage nach Fahrrädern ständig steigt.
- Die HO leitet diese Meldungen weiter an das „Ministerium für Handel und Versorgung".
- Von dort gehen die Bedarfsmeldungen an das „Ministerium für bezirksgeleitete Industrie" weiter. Hier werden Produktionsplanungsentwürfe für Fahrräder ausgearbeitet.
- Die Entwürfe werden nun der „Staatlichen Planungskommission" zugeleitet. Im Volkswirtschaftsplan wird ausgewiesen, dass zukünftig aus Gründen der Erhaltung der Volksgesundheit 560 000 statt bisher 530 000 Fahrräder produziert werden sollen. Dem Wunsch nach Herstellung von 600 000 Fahrrädern könne aufgrund von Versorgungsengpässen nicht entsprochen werden.
- Der von der „Staatlichen Planungskommission" ausgearbeitete Volkswirtschaftsplan kann nur in Kraft treten, wenn er vom Zentralkomitee der Sozialistischen Einheitspartei (SED) genehmigt wird. Ohne die Zustimmung der Partei kann kein Wirtschaftsgut produziert werden. Das Politbüro der SED stimmt dem Plan zu. Die Volkskammer, das Parlament der DDR, wird aufgefordert, diesem Beschluss der Partei zuzustimmen.
- Die Abgeordneten der Volkskammer stimmen einstimmig für den Plan zur Erhöhung der Fahrradproduktion. Das Kombinat Zekiwa Zeitz erhält den Auftrag, die geplante Anzahl Fahrräder des gleichen Typs FR 174 zu produzieren. Der Preis für die Fahrräder wird nach den Vorschriften des „Amtes für Preise" einheitlich kalkuliert.

In der Theorie ist es vorstellbar, dass in einer Zentralverwaltungswirtschaft alle […] genannten Grundprobleme gelöst werden. In der Wirklichkeit scheiterte sie aber aus folgenden Gründen:

– Keine Planbehörde ist in der Lage, die Erzeugung und Verteilung von Abermillionen Gütern und Dienstleistungen zentral bis ins Detail zu planen. […]

– Da die Planerfüllung bzw. -übererfüllung höchstes Gebot war, suchten die Betriebe erfolgreich nach Methoden einer leichteren Zielerreichung. Dies äußerte sich im Streben nach „weichen Plänen", d.h. in bewusster Fehlinformation der Zentrale über das eigene Leistungsvermögen, ebenso wie im Widerstand gegen neue Produktionsverfahren und neue Produkte. Zur Planerfüllung selbst wurde oft der bequemste Weg gesucht […],

z.B. durch die Massenfertigung einiger weniger Standardprodukte mit geringer Qualität. […] Mit der Beseitigung des Privateigentums an Produktionsmitteln wurde auch das Interesse am Erhalt und an der rationellen Nutzung der Produktionsanlagen, der Gebäude, der Rohstoffe etc. abgeschafft. Die desolaten Fabriken, die heruntergekommenen Stadtviertel, die freudlosen Geschäfte, aber auch die horrenden Umweltschäden in der DDR zeugen von einer „kollektiven Verantwortungslosigkeit", die vom System verursacht und ermöglicht wurde.

– Um die Pläne leichter erfüllen zu können, horteten die Betriebe z.B. Rohstoffe und Arbeitskräfte […], die dann an anderer Stelle fehlten. Diese Tendenz zur Übersetzung der Arbeitsplätze wurde auch noch dadurch gefördert, dass Entlassungen in die Arbeitslosigkeit nicht zulässig waren. Die Kehrseite war eine entsprechend niedrige Arbeitsproduktivität.

– Weitere schwerwiegende Mängel resultierten aus dem starren Preissystem. […] Die Verbraucherpreise wurden entweder durch Subventionen künstlich niedrig gehalten oder durch hohe Steuern (z.B. bei Autos, Fernsehern, Waschmaschinen) kräftig heraufgesetzt, wobei die Abgaben zur Finanzierung der Subventionen dienten, dazu aber schließlich nicht mehr ausreichten. Die sehr niedrigen Mieten […] deckten nicht einmal die nötigsten Reparaturen, geschweige denn die Erhaltung oder Modernisierung der Häuser. Dafür waren viele Waren extrem überteuert oder so knapp, dass sich schwarze Märkte bildeten und „Beziehungen" erforderlich waren, um sie zu erhalten.

(Peter Czada/Michael Tolksdorf/Alparslan Yenal, Wirtschaftspolitik, Leske & Budrich/Opladen 1992, S. 25 ff.)

**M** 3

**Was gehört zur Planwirtschaft, was nicht?**

❏ Staat bestimmt über die Produktionsziele.
❏ Konkurrenz zwischen den Unternehmen
❏ Arbeitgeber und Arbeitnehmer handeln die Löhne aus.
❏ Staatliches Eigentum an Produktionsmitteln
❏ Staat sorgt für Arbeitsplätze für alle.
❏ Unternehmen treffen selbstständig alle bedeutsamen Entscheidungen.
❏ Zentrale Planung des gesamten Wirtschaftsablaufs
❏ Preise richten sich nach Angebot und Nachfrage.
❏ Gewinnerzielung als wichtigstes Unternehmensziel
❏ Einheitlicher Wirtschaftsplan
❏ Recht auf Unternehmensgründung für jeden (Gewerbefreiheit)
❏ Volkseigene Betriebe, Privatbetriebe nur als Kleinunternehmen (bis zehn Mitarbeiter)
❏ Preise lenken die Produktion (es werden die Güter produziert, deren Preise steigen und deren Produktion deshalb einen besonders hohen Gewinn verspricht).

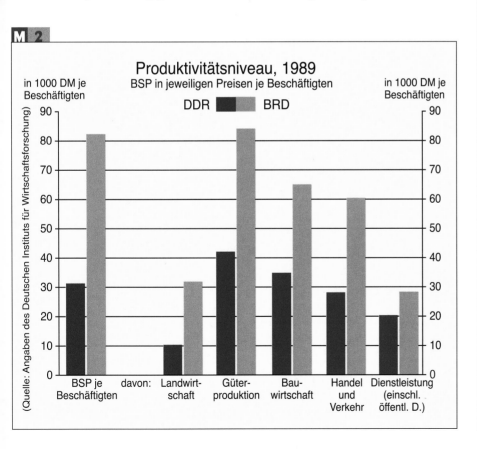

**M** 2

## Produktivitätsniveau, 1989
BSP in jeweiligen Preisen je Beschäftigten

DDR ■  BRD ▨

in 1000 DM je Beschäftigten

(Quelle: Angaben des Deutschen Instituts für Wirtschaftsforschung)

BSP je Beschäftigten    davon: Landwirtschaft · Güterproduktion · Bauwirtschaft · Handel und Verkehr · Dienstleistung (einschl. öffentl. D.)

# Der 17. Juni 1953

## – in der Schulklasse und im Politbüro

17. Juni 1953 – Volkserhebung in Ost-Berlin. Mithilfe sowjetischer Panzer wird der Aufstand niedergeschlagen.
In der Bundesrepublik wurde der 17. Juni zum Gedenken an die Volkserhebung zum Nationalfeiertag erklärt.
In der DDR wurden die Ereignisse am 17. Juni ganz anders gesehen …

- **Was lernten die Schülerinnen und Schüler in der DDR über diesen Tag?**
- **Was geschah hinter den Kulissen im Politbüro?**

Ostberlin, 16.6.1953

**Wir interpretieren zeitgenössische Quellen:**

**1.** Informiert euch anhand des Darstellungstextes über Ursachen, Verlauf und Folgen des 17. Juni 1953.

**2.** Interpretiert die Quellen M 1 bis M 5. Dabei könnt ihr arbeitsteilig vorgehen. Folgt diesen Leitfragen:
  – Welche realen Ereignisse, Entwicklungen und Absichten sind zu erkennen?
  – Welche ideologischen Grundhaltungen lassen sich erschließen?
  – An welchen Stellen und in welchem Ausmaß bestimmen die ideologischen Grundhaltungen die Aussagen in den Quellen?

**3.** Fasst eure Ergebnisse zusammen und versucht anschließend gemeinsam, die Bedeutung der Ideologie in Politik, Wirtschaft und Geschichtsschreibung der DDR zu bestimmen.

## Der 17. Juni 1953

Im Jahre 1952 beschloss die SED auf ihrer 2. Parteikonferenz den „Aufbau des Sozialismus" und beendete damit auch offiziell den in der Verfassung von 1949 noch behaupteten Weg zur Demokratie. Eine der ersten praktischen Maßnahmen war die Umwandlung landwirtschaftlicher Privatbetriebe in LPGs (Landwirtschaftliche Produktionsgenossenschaften). Die Enteignungsaktion verschlechterte die Nahrungsmittelversorgung und führte zu einer Fluchtwelle aus der DDR. Um die Industrialisierung des Landes voranzutreiben, erhöhte die DDR-Führung die Preise für Konsumgüter und zugleich die Arbeitsnormen (die Bemessungsgrundlage für Löhne) um 10 %. Das bedeutete eine deutliche Verschlechterung der Lebenssituation für viele Menschen.
Am 16. Juni 1953 gingen in Ost-Berlin Arbeiter auf die Straße und forderten eine sofortige Rücknahme der Maßnahmen. In Industriebetrieben warben sie um Unterstützung. Die Staatsführung reagierte schnell, indem sie durch Lautsprecherwagen die Herabsetzung der Normen bekanntgab. Es kam zu Ausschreitungen. Lautsprecherwagen wurden umgestürzt. Am 17. Juni hatte sich die Erhebung auf 270 Städte in der DDR ausgeweitet. Demonstranten forderten überall eine Rücknahme der Normerhöhung und freie Wahlen. In einigen Städten kam es zu gewaltsamen Übergriffen, in Ost-Berlin wurde ein Kaufhaus in Brand gesetzt. Die Staatsführung erklärte den Ausnahmezustand. Truppen der Volkspolizei und sowjetische Panzereinheiten schlugen den Aufstand nieder. Mehrere hundert Menschen kamen ums Leben. Die Normerhöhungen wurden unmittelbar danach gesenkt, ebenso die Preise. Die UdSSR ermöglichte dies durch Kredite und den Verzicht auf Reparationsforderungen.

## In einer Schulklasse

**M 1** **Ein DDR-Schulbuch über den 17. Juni 1953**

**Q** Am 17. Juni 1953 gelang es Agenten verschiedener imperialistischer Geheimdienste, die von Westberlin aus zahlreich in die Hauptstadt und einige Bezirke der
5 DDR eingeschleust worden waren, in der Hauptstadt und in verschiedenen anderen Orten der Republik einen kleinen Teil der Werktätigen zu zeitweiligen Arbeitsniederlegungen und Demonstrationen zu
10 bewegen. In einigen Städten plünderten Gruppen von Provokateuren und Kriminellen. Sie legten Brände, rissen Transparente herunter, misshandelten und ermordeten Funktionäre der Arbeiterbewe-
15 gung, holten verurteilte Kriegsverbrecher aus Gefängnissen und forderten den Sturz der Arbeiter-und-Bauern-Macht. Doch der junge sozialistische Staat bestand unter Führung der Partei auch die-
20 se Belastungsprobe. Die Mehrheit der Arbeiterklasse und der Bevölkerung stand zu ihrem Staat. In zahlreichen Großbetrieben, wie im Eisenhüttenkombinat Ost, in den Eisenwerken West (Cal-
25 be), im Bergbau sowie im Stahl- und Walzwerk Brandenburg wiesen Arbeiter die Provokateure entschieden zurück.

(Aus einem Geschichtsbuch für Klasse 10, erschienen in den 60er-Jahren)

# Hinter den Kulissen des Politbüros

## M 2 Beschluss der II. SED-Parteikonferenz (12.7.1952)

Q Die II. Parteikonferenz stellt fest: […] Sechstens: Die politischen und die ökonomischen Bedingungen sowie das Bewusstsein der Arbeiterklasse und der
5 Mehrheit der Werktätigen sind so weit entwickelt, dass der Aufbau des Sozialismus zur grundlegenden Aufgabe in der Deutschen Demokratischen Republik geworden ist. […]
10 Siebtens: Das Hauptinstrument bei der Schaffung der Grundlagen des Sozialismus ist die Staatsmacht. Deshalb gilt es, die volksdemokratischen Grundlagen der Staatsmacht ständig zu festigen. […]
15 Zehntens: a) Die leitenden Parteiorgane haben die Pflicht, allseitig die führende Rolle der Partei zu verwirklichen, das Kampfbewusstsein in der Partei zu stärken, sich enger mit der Arbeiterklasse
20 und den Volksmassen zu verbinden, die Vorschläge und Kritik der Massen sorgfältig zu beachten […].

(Zit. nach: Dokumente zur Geschichte der SED, Bd. 2, Dietz-Verlag/Berlin 1986, S. 168 ff.)

## M 3 Beschluss der 13. Tagung des ZK der SED (13./14.5.1952)

Q Die Leitungen der Betriebe und der Wirtschaftsorgane schenken der Ausarbeitung […] technisch begründeter Arbeitsnormen ungenügende Aufmerksamkeit. […] Dadurch entstehen Normen, die
5 zu den Interessen der Erhöhung des Lebensstandards der Bevölkerung in Widerspruch stehen. Ohne entsprechende Leistungen zu erzielen, werden Norm-
10 erfüllungen von 150 bis 200 Prozent erreicht. Das Zentralkomitee […] steht auf dem Standpunkt, dass die Minister […] Maßnahmen […] einleiten mit dem Ziel, die Arbeitsnormen auf ein normales Maß
15 zu bringen und eine Erhöhung der für die Produktion entscheidenden Arbeitsnormen um durchschnittlich 10 Prozent bis zum 1. Juni 1953 sicherzustellen.

(Zit. nach: Ilse Spittmann/Wilhelm Fricke (Hg.), 17. Juni 1953 – Arbeiteraufstand in der DDR, Ed. Deutschland-Archiv, Köln 1982, S. 178 f.)

## M 4 Beschluss des Ministerrates (28.5.1952)

Q Die Regierung der Deutschen Demokratischen Republik begrüßt die Initiative der Arbeiter zur Erhöhung der Arbeitsnormen. Sie dankt allen Arbeitern, die ihre
5 Normen erhöht haben, für ihre große patriotische Tat. Die Regierung […] kommt gleichzeitig dem Wunsche der Arbeiter, die Normen generell zu überprüfen und zu erhöhen, nach. Diese generelle Erhö-
10 hung ist ein wichtiger Schritt zur Schaffung der Grundlagen des Sozialismus.

(Zit. nach: ebd., S. 179)

## M 5 Beschluss der 15. Tagung des ZK der SED (24. – 26.7.1953)

Q Viele Parteiorganisationen haben in den Tagen der faschistischen Provokationen nicht die notwendige Aktivität und Standhaftigkeit gezeigt, sie vermochten
5 es infolge der schwachen politischen Bildung ihrer Mitglieder nicht, rasch das Wesen der faschistischen Provokationen zu begreifen und die Werktätigen zur entschlossenen Abwehr der Provokateure zu
10 mobilisieren. In einer Reihe von Fällen haben sich Parteimitglieder selbst im Schlepptau der Provokateure befunden und an den von den Provokateuren organisierten Kundgebungen […] teilgenom-
15 men. Andere Parteimitglieder wiederum sind in Panik verfallen […].
Die Arbeit der Parteipresse war unbefriedigend. In den Zeitungen und Sendungen kamen die Massen selbst wenig
20 zu Worte. […] Nach dem 17. Juni verloren einige Redakteure den Kopf, wichen – statt die Feinde zu entlarven – vor dem Druck des Gegners zurück und machten sich zum Teil sogar zu seinem Sprach-
25 rohr. Das Zentralkomitee verurteilt besonders die unrichtige, kapitulantenhafte Linie, die in einer Reihe Aufsätze des Organs des ZK „Neues Deutschland" vertreten wurde, dessen Chefredakteur
30 Genosse Herrnstadt in der Zeitung eine kapitulantenhafte, im Wesen sozialdemokratische Auffassung zum Ausdruck brachte […].
Das Zentralkomitee beschließt den Aus-
35 schluss der Genossen Zaisser und Herrnstadt aus dem Zentralkomitee der SED. Im Politbüro vertrat Genosse Ackermann gegenüber diesen Genossen eine versöhnlerische Position.

(Zit. nach: ebd., S. 203)

Ostberlin, 17.6.1953

# Schutzmaßnahme oder Verbrechen?

## Die innerdeutsche Grenze – Urteile aus verschiedenen Perspektiven

Am 13. August 1961 begann die DDR-Führung mit dem Bau der Berliner Mauer. Hintergründe und Folgen dieses Ereignisses habt ihr schon kennengelernt.
Die Mauer teilte nicht nur das Volk, sondern auch die Gedanken und Urteile.

- **Waren die Verantwortlichen und diejenigen, die als Grenzsoldaten die Mauer bewachten, Helden oder Verbrecher?**

**Wir untersuchen und bewerten Urteile über die innerdeutsche Grenze:**

**1.** Erinnert euch an die Hintergründe und Folgen des Baus der Mauer am 13. August 1961. Schlagt noch einmal im Buch (S. 188 f.) oder in euren Heften nach. Ein Kurzvortrag kann der Klasse bei der Wiederholung helfen.

**2.** Versetzt euch in die Lage eines Soldaten, der zur Bewachung der Grenze abkommandiert wurde. Wie muss er laut Schießbefehl (M 1) handeln? Welche Möglichkeiten hat er, Menschenleben zu schonen?

**3.** Vergleicht und interpretiert die Urteile über die Berliner Mauer (M 2 – M 4).

### M 1 Aus dem Befehl zum Schusswaffengebrauch für Grenzsoldaten der DDR

Von der Schusswaffe darf nur auf Befehl des Vorgesetzten oder auf eigenen Entschluss Gebrauch gemacht werden. […]
5 b) zur Verhinderung der Flucht oder Wiederergreifung von Personen […]
d) wenn andere Mittel nicht mehr ausreichen
e) zur Brechung bewaffneten Widerstandes […]
10 Der Gebrauch der Schusswaffe ist grundsätzlich mit „Halt! Grenzposten! Hände hoch!" anzukündigen. Wird der Aufforderung nicht Folge geleistet, ist ein Warn-
15 schuss abzugeben. Bleibt auch diese Warnung erfolglos, ist gezieltes Feuer zu führen. […] Beim Gebrauch der Schusswaffe ist das Leben der Personen nach Möglichkeit zu schonen. Verletzten ist […] Erste
20 Hilfe zu leisten. […] Tödlich Verletzte sind außerhalb der vom Gegner einsehbaren Geländeabschnitte unterzubringen. […] Wurde die Schusswaffe gegen Grenzverletzer angewandt, darf das Territori-
25 um des angrenzenden Staates oder West-Berlins nicht beschossen werden […].

### M 2 Das Urteil einer Historikergruppe aus der DDR (1981)

Die Grenzsicherungsmaßnahmen der DDR vom 13. August 1961, hinter denen geschlossen die Staaten des War-schauer Paktes standen, retteten den Frie-
5 den in Europa. Die Grenzen des sozialistischen Weltsystems gegenüber den Hauptkräften des Imperialismus in Europa wurden zuverlässig gesichert, die sozialistische Staats- und Gesellschaftsord-
10 nung der DDR wirksam geschützt. Der Imperialismus wurde in die Schranken gewiesen; das tatsächliche internationale Kräfteverhältnis trat deutlich zutage, die imperialistische Politik des „roll back"
15 war gescheitert. Für immer wurde revanchistischen Kräften der Weg nach dem Osten versperrt. Die Frontstadtfunktionen West-Berlins wurden erheblich eingeschränkt. Der BRD-Imperialismus erlitt
20 seine bis dahin schwerste Niederlage.

Die Maßnahmen vom 13. August 1961 demonstrierten die Macht und Entschlossenheit der Staaten des Warschauer Vertrages, die größte Errungenschaft der in-
25 ternationalen Arbeiterklasse, das Weltsystem des Sozialismus, unter Aufgebot aller Kräfte zu schützen. […] Die internationalen Positionen der DDR stabilisierten sich. Neue Perspektiven im Kampf
30 für Sicherheit, Entspannung und friedliche Koexistenz taten sich auf.

(Geschichte der Deutschen Demokratischen Republik, von einem Autorenkollektiv, 1981)

## M 3 Das Urteil westdeutscher Schriftsteller

Aus einem offenen Brief von Günter Grass und Wolfdietrich Schnurre an den Schriftstellerverband der DDR (16.8.1961):

Q Ohne Auftrag und Aussicht auf Erfolg dieses offenen Briefes bitten die Unterzeichneten hiermit alle Schriftsteller der DDR, die Tragweite der plötzlichen militä-
5 rischen Aktion vom 13. August zu bedenken. Es komme später keiner und sage, er sei immer gegen die gewaltsame Schließung der Grenzen gewesen, aber man habe ihn nicht zu Wort kommen lassen. […]
10 Viele Bürger Ihres Staates halten die DDR nicht mehr für bewohnbar, haben Ihren Staat verlassen und wollen Ihren Staat verlassen. Diese Massenflucht […] kann und darf die Aktion vom 13. August weder er-
15 klären noch entschuldigen. Stacheldraht, Maschinenpistole und Panzer sind nicht die Mittel, den Bürgern Ihres Staates die Zustände in der DDR erträglich zu machen. Nur ein Staat, der sich der Zustim-
20 mung seiner Bürger nicht mehr sicher ist, versucht sich auf diese Weise zu retten. [Sie haben] die Pflicht, das Unrecht vom 13. August beim Namen zu nennen. Wir fordern Sie auf, unseren offenen Brief
25 offen zu beantworten, indem Sie entweder die Maßnahmen Ihrer Regierung gutheißen oder den Rechtsbruch verurteilen.

(Zit. nach: Klaus Wagenbach/Winfried Stephan/Michael Krüger, Vaterland – Muttersprache. Deutsche Schriftsteller und ihr Staat seit 1945, Verlag Klaus Wagenbach/Berlin 1980, S. 184)

## M 4 Das Urteil eines westdeutschen Historikers (1988)

Zeitgenössische und rückblickende Perspektive klaffen selten tiefer auseinander als bei der Beurteilung des Mauerbaus. Denn was damals als der Gipfel kommu-
5 nistischer Unterdrückungspolitik erschien, erwies sich längerfristig als „heim-
licher Gründungstag der DDR". Ein allmählicher, wenn auch mühsamer Prozess der Konsolidierung und zwischenstaatli-
10 chen Normalisierung konnte sich erst auf dieser Basis entwickeln. Dies gehört zu den bitteren Aporien [Widersprüchen] der Situation Nachkriegsdeutschlands. Dass es Alternativen gab, lässt sich theo-
15 retisch mühelos vorstellen. In der Praxis der Politik sind sie angesichts der konsequenten Orientierung der DDR am 1952 verkündeten „Aufbau des Sozialismus" und der nicht weniger konsequenten
20 Nichtanerkennungspolitik der Bundesregierung schwer erkennbar […].

(Christoph Kleßmann, Zwei Staaten – eine Nation. Deutsche Geschichte 1955–1970, Vandenhoek & Ruprecht/ Göttingen 1988, S. 322 ff.)

Die Mauer – von West-Berlin aus fotografiert (1963)

# Die „entwickelte sozialistische Gesellschaft" – nur ein leeres Versprechen?

Das Leben in der DDR bietet im Rückblick ein zwiespältiges Bild: Einerseits sind Elemente einer diktatorischen Herrschaft unverkennbar. Andererseits versprach die offizielle DDR ihren Bürgern Fortschritt, Gerechtigkeit, Gleichheit und Emanzipation. Umstritten ist bis heute die Frage:

- **Waren diese hohen moralischen Ansprüche Leitlinie für das Leben in der DDR oder waren sie nur „leere Versprechungen" zur Absicherung der SED-Herrschaft?**

Beispielhaft untersuchen wir dazu drei wichtige Aspekte des Lebens in der DDR:

→ Kindheit und Jugend (S. 222/223)
→ Rolle der Frauen (S. 224/225)
→ Reformen für die Bevölkerung (S. 226/227)

**1.** Ihr könnt diese Aspekte arbeitsteilig bearbeiten.

**2.** Wir schlagen euch vor, eure Ergebnisse in einer neuen Form zu präsentieren: eine Dokumentation in Form einer Wandzeitung, einer kleinen Ausstellung oder eines Videofilmes.

**3.** Schaut euch die fertige Dokumentation an und diskutiert auf ihrer Grundlage die Leitfrage.

**M 1**

Am 1. Mai marschierte die FDJ in der DDR. (Foto 1973)

**M 2**

# 10 Gebote
## für den neuen sozialistischen Menschen

**1** DU SOLLST dich stets für die internationale Solidarität der Arbeiterklasse und aller Werktätigen sowie für die unverbrüchliche Verbundenheit aller sozialistischen Länder einsetzen.

**2** DU SOLLST dein Vaterland lieben und stets bereit sein, deine ganze Kraft und Fähigkeit für die Verteidigung der Arbeiter-und-Bauern-Macht einzusetzen.

**3** DU SOLLST helfen, die Ausbeutung des Menschen durch den Menschen zu beseitigen.

**4** DU SOLLST gute Taten für den Sozialismus vollbringen, denn der Sozialismus führt zu einem besseren Leben für alle Werktätigen.

**5** DU SOLLST beim Aufbau des Sozialismus im Geiste der gegenseitigen Hilfe und der kameradschaftlichen Zusammenarbeit handeln, das Kollektiv achten und seine Kritik beherzigen.

**6** DU SOLLST das Volkseigentum schützen und mehren.

**7** DU SOLLST stets nach Verbesserung deiner Leistungen streben, sparsam sein und die sozialistische Arbeitsdisziplin festigen.

**8** DU SOLLST deine Kinder im Geiste des Friedens und des Sozialismus zu allseitig gebildeten, charakterfesten und körperlich gestählten Menschen erziehen.

**9** DU SOLLST sauber und anständig leben und deine Familie achten.

**10** DU SOLLST Solidarität mit den um ihre nationale Befreiung kämpfenden und den ihre nationale Unabhängigkeit verteidigenden Völkern üben.

(Walter Ulbricht auf dem 1. Parteitag der SED am 10. Juli 1950 in Berlin)

# Methodenbox
## Dokumentieren

**Thema: Nur ein leeres Versprechen?**
**Die „entwickelte sozialistische Gesellschaft"**

### Was ist eine Dokumentation?

Eine Dokumentation ist eine Sammlung und übersichtliche Anordnung von Schriftstücken, Bildern und anderen Quellen zu einem bestimmten Thema in Form einer Dokumentationsmappe, einer Wandzeitung oder einer Ausstellung. Sie hilft bei der Strukturierung und Visualisierung eines komplexen Themenbereichs. Für die Betrachter bietet eine anschaulich gemachte Dokumentation die Möglichkeit der schnellen Information über ein Sachgebiet und über die Arbeitsergebnisse in einer Lerngruppe. Dokumentationen prägen sich in der Regel langfristig im Gedächtnis ein. Ihre Erstellung setzt voraus, dass sich die Autorinnen und Autoren intensiv mit einem Thema auseinandergesetzt haben. Das Thema „Die entwickelte sozialistische Gesellschaft" eignet sich besonders gut, weil auf interessante Bildquellen zurückgegriffen werden kann, die sich gut visualisieren lassen.

Sozialistische Demokratie – lebendige Wirklichkeit in unserem Staat

### Wie macht man das?

| | |
|---|---|
| **1. Schritt:** **Thema gliedern** | Untergliedert das Thema in einzelne Teilaspekte. Aus diesen Aspekten ergibt sich die Struktur für die Dokumentation. Zum Beispiel kann im Rahmen einer kleinen Ausstellung für jedes Teilthema eine Schautafel vorbereitet werden. |
| **2. Schritt:** **Ziele festlegen** | Welche Wirkung soll beim Betrachter erreicht werden? Die Frage muss vor der Auswahl der Inhalte geklärt werden. Will man zum Beispiel verdeutlichen, wie sich Kinder in der DDR gefühlt haben, so wird die Auswahl der Quellen und Materialien von dieser Zielvorstellung abhängen. |
| **3. Schritt:** **Produktion in Gruppen** | Arbeitsteiliges Vorgehen ermöglicht eine effektivere Arbeitsweise. In den Arbeitsgruppen wird das Teilthema erforscht und das Material für die Dokumentation besorgt, gesichtet, geordnet, besprochen und eventuell aussortiert. |
| **4. Schritt:** **Material anordnen** | Hier müsst ihr darauf achten, dass Fotos, Texte, Schaubilder, Karikaturen usw. in einem gut nachvollziehbaren Zusammenhang zueinander angeordnet werden. Ihr könnt auch eigene Beiträge verwenden. |
| **5. Schritt:** **Qualitätsprüfung** | Wenn die Dokumentation fertig ist, prüft ihr, wie sie aus der Perspektive eines Betrachters wirkt. Sind die wesentlichen Aspekte des Themas berücksichtigt? Ist im Verlauf ein roter Faden erkennbar? Ist die Dokumentation ansprechend gestaltet? |
| **Was macht eine gute Dokumentation aus?** | <ul><li>Sie kann die vorher festgelegten Ziele erreichen.</li><li>Sie enthält keine fachlichen Fehler.</li><li>Sie ist gut durchdacht und gegliedert.</li><li>Sie ist übersichtlich aufgebaut.</li><li>Sie ist optisch und inhaltlich ansprechend gestaltet.</li><li>Sie ist auch für Laien gut verständlich.</li></ul> |

Kinder und Jugendliche sollten nach dem Willen der SED zu „sozialistischen Persönlichkeiten" erzogen werden. Vor allem mithilfe der Massenorganisation der „Freien Deutschen Jugend" sollte dieser Erziehungsprozess systematisch gesteuert werden.

● **Aber ließen sich Kinder und Jugendliche planmäßig erziehen?**

Wir interpretieren Quellen unter diesen Fragestellungen:

**1.** Der „ideale Jugendliche":
Aus welchen Elementen bestand das staatliche Leitbild eines Jugendlichen (M 1 – M 4)?

**2.** Die Wirklichkeit:
Wie empfanden viele Jugendliche ihr Leben in der DDR (M 5)?

## Schule

Kinder wurden bis zum dritten Lebensjahr in einer Kinderkrippe betreut, danach im Kindergarten. Mit sechs Jahren begann die Schulpflicht.

Die Klassen 1 bis 4 bildeten die Unterstufe; danach schloss sich die Polytechnische Oberschule (POS) bis Klasse 10 an (Mittelstufe). Etwa 12 % der Schülerinnen und Schüler durften dann die Erweiterte Oberschule (EOS, Oberstufe) besuchen, die nach zwei Jahren zum Abitur führte.

## Freie Deutsche Jugend (FDJ)

Obwohl die Mitgliedschaft offiziell freiwillig war, waren 98% aller Kinder und Jugendlichen in der FDJ organisiert. Ein blaues Halstuch und das Pionierabzeichen waren die äußeren Zeichen der Mitgliedschaft bei den Jungpionieren und – ab der vierten Klasse – bei den Thälmannpionieren (rotes Halstuch).

Ab dem 14. Lebensjahr wurde man in die FDJ aufgenommen. Die FDJ war in der Schule präsent (Klassensprecher hießen in der DDR „FDJ-Sekretär"), half bei Lernschwierigkeiten, organisierte Freizeitaktivitäten von der Disko bis zum Zeltlager und beteiligte sich aktiv am allgemeinen politischen Leben (z. B. in den alljährlichen „FDJ-Parlamenten").

## Die Jugendweihe

Die Jugendweihe war seit 1954 eine feste Einrichtung in der DDR. Jugendliche wurden nach acht Jahren Schule feierlich in die Welt der Erwachsenen aufgenommen. Etwa 95% aller Jugendlichen nahmen daran teil, seit 1956 wurde die Jugendweihe in das Familienstammbuch eingetragen.

**M 1**

Gelöbnis zur Jugendweihe, 1957

**M 2**

**Q** GELÖBNIS

LIEBE JUNGE FREUNDE!

Seid ihr bereit, als junge Bürger unserer Deutschen Demokratischen Republik mit uns gemeinsam, getreu der Verfassung, für die große und edle Sache des Sozialismus zu arbeiten und zu kämpfen und das revolutionäre Erbe des Volkes in Ehren zu halten, so antwortet:

JA, DAS GELOBEN WIR!

Seid ihr bereit, als treue Söhne und Töchter unseres Arbeiter-und-Bauern-Staates nach hoher Bildung und Kultur zu streben, Meister eures Faches zu werden, unentwegt zu lernen und all euer Wissen und Können für die Verwirklichung unserer großen humanistischen Ideale einzusetzen, so antwortet:

JA, DAS GELOBEN WIR!

Seid ihr bereit, als würdige Mitglieder der sozialistischen Gemeinschaft stets in kameradschaftlicher Zusammenarbeit, gegenseitiger Achtung und Hilfe zu handeln und euren Weg zum persönlichen Glück immer mit dem Kampf für das Glück des Volkes zu vereinen, so antwortet:

JA, DAS GELOBEN WIR!

Seid ihr bereit, als wahre Patrioten die feste Freundschaft mit der Sowjetunion weiter zu vertiefen, den Bruderbund mit den sozialistischen Ländern zu stärken, im Geiste des proletarischen Internationalismus zu kämpfen, den Frieden zu schützen und den Sozialismus gegen jeden imperialistischen Angriff zu verteidigen, so antwortet:

JA, DAS GELOBEN WIR!

Wir haben euer Gelöbnis vernommen. Ihr habt euch ein hohes und edles Ziel gesetzt. Feierlich nehmen wir euch auf in die große Gemeinschaft des werktätigen Volkes, das unter Führung der Arbeiterklasse und ihrer revolutionären Partei, einig im Willen und im Handeln, die entwickelte sozialistische Gesellschaft in der Deutschen Demokratischen Republik errichtet.

Wir übertragen euch eine hohe Verantwortung. Jederzeit werden wir euch mit Rat und Tat helfen, die sozialistische Zukunft schöpferisch zu gestalten.

ZUM FESTTAG DER JUGENDWEIHE WÜNSCHEN WIR DIR

*Marschner Karin*

ALLES GUTE UND VIEL ERFOLG IN DEINEM KÜNFTIGEN LEBEN UND SCHAFFE
FÜR UNSERE DEUTSCHE DEMOKRATISCHE REPUBLIK

*Brandenburg* DEN *10. April 1971*

## M 3 Abschrift eines Reifezeugnisses

**Q** **Reifezeugnis**

DEUTSCHE DEMOKRATISCHE REPUBLIK

Michael …

Geb. am:

5 Hat die erweiterte allgemeinbildende polytechnische Oberschule besucht und sich der Reifeprüfung unterzogen.

GESAMTEINSCHÄTZUNG

10 Michael konnte seinen Leistungsstand im Vergleich zum Vorjahr erheblich verbessern. Er hat es in diesem Schuljahr besser verstanden, seine Arbeit zu planen, und ist in seiner Arbeitsweise
15 kontinuierlicher geworden. Sein Selbstvertrauen ist durch seinen besseren Leistungsstand gewachsen. Michael ordnet sich gut in das Klassenkollektiv ein. Er hat zu seinen Mitschülern im
20 Allgemeinen ein gutes Verhältnis. Er muss es jedoch noch lernen, in manchen Situationen beherrschter aufzutreten, um sein Ansehen zu wahren. Michael hat als Agitator der Klasse eine
25 gute gesellschaftliche Arbeit geleistet. Auch seine Vorbereitung und seine Mitwirkung am Fest der russischen Sprache müssen hervorgehoben werden. Michael hat das FDJ-Studienjahr
30 einer 9. Klasse mit gestaltet und konnte hier für seine Arbeit gelobt werden. Michael zeigt in politischen Diskussionen ein parteiliches Auftreten. Er muss sich aber auch weiterhin bemühen, seine In-
35 formationen zu vertiefen, um noch überzeugender vom Marxismus-Leninismus ausgehend argumentieren zu können. In der wissenschaftlich-praktischen Arbeit wurde besonders seine
40 Einsatzbereitschaft hervorgehoben.

## M 4 Das Hemd

Eine westdeutsche Journalistin berichtet von einem Besuch bei Abiturienten in der DDR:

**Q** Hat sich jemand am Morgen überlegt, was er heute anzieht? „Wir mussten heute im FDJ-Hemd kommen", erläutert mir die FDJ-Sekretärin Monika in der
5 Jeans-Latzhose, „weil wir eine Russisch-Arbeit geschrieben haben. Bei Prüfungen und Examen wird in festlicher Kleidung verteidigt. [In der DDR werden Titel und Examensarbeiten „verteidigt".] Bei uns
10 ist die festliche Kleidung das FDJ-Hemd.

(Marlies Menge, Abitur – Die große Prämie in der DDR; in: Zeit-Magazin, Nr. 18 vom 30.4.1982, S. 51)

# … und Wirklichkeit

## M 5 Ein Jugendlicher erinnert sich

**Q** Diese schulische Propaganda hatte bei mir weder großen Erfolg noch großen Misserfolg, wie das bei vielen der Fall ist, die zu jung sind, das Gesagte kritisch zu
5 verarbeiten und zu bewerten. Man wiederholt einfach die dargebotenen Phrasen – und der Lehrer ist zufrieden. […] Allein die Primitivität der Propaganda, die einem mit zunehmendem Alter immer
10 fragwürdiger erscheint, ihre Eindringlichkeit und Penetranz erschöpfen sehr schnell die Aufnahmefähigkeit und vor allem den Aufnahmewillen des Jugendlichen. So kommt es, dass Staatsbürger-
15 kunde zum Horrorfach wird, das einem nur die Zeit stiehlt und tödlich nervt. Dieser Anti-Effekt wurde bei mir noch verstärkt, als ich allmählich erwachte und meine Umwelt genauer wahrnahm. Ich
20 hörte aufmerksamer den Gesprächen meiner Eltern zu, die sich keineswegs mit dem deckten, was der Lehrer in der Schule erzählte. […] Dazu kam noch das Fernsehen, das buchstäblich jeden Tag den
25 enormen Qualitätsunterschied in Information und Unterhaltung demonstrierte. So wurde ich, wie fast alle Kinder und Jugendlichen in diesem Land, zur DDR-spezifischen Schizophrenie erzogen,
30 nämlich in der Schule so zu tun als ob und das zu sagen, was der Lehrer hören wollte, und zu Hause, unter Freunden die eigene wirkliche Meinung zu sagen. Diese Anpassungsfähigkeit funktioniert
35 erstaunlich reibungslos, wenngleich die Schäden, die die Persönlichkeit dabei nimmt, zwar nicht gleich offen zutage treten, aber dennoch unbestreitbar sind. In der DDR heißt das Acht-Stunden-Ideo-
40 logie. Dieser Begriff macht deutlich, dass sich die Persönlichkeitsspaltung von der Schule bis in das Berufsleben fortsetzt […].

(M. Bothe, 41 Jahre DDR; in: Praxis Geschichte, 4/1993, S. 32)

## M 6

Am Rande des Pfingsttreffens der FDJ, Berlin 1981

■ Wahrscheinlich wird kein Staat auf Erziehungsziele verzichten können. Denn Schule und Erziehung bedeuten immer auch, dass bestimmte Werte und Ideale vermittelt werden. Deshalb ist diese Frage wichtig: Welche Werte und Ideale sollten in der Schule vermittelt werden? Welche nicht? Formuliert Thesen, begründet sie und stellt sie in der Klasse zur Diskussion.

223

## „Eine der größten Errungenschaften des Sozialismus"

1. Interpretiert das Plakat zum Internationalen Frauentag von 1954 (M 1). Nutzt den Darstellungstext und die Materialien M 2–M 4.

2. Wie stand es um die Gleichberechtigung der Frauen in der DDR: erreicht, nicht erreicht?

**M 1**

INTERNATIONALER FRAUENTAG
8. MÄRZ 1954

FDGB

IM JAHR DER GROSSEN INITIATIVE
FÜR FRIEDEN EINHEIT UND WOHLSTAND

### M 2 Erich Honecker auf dem VIII. Parteitag der SED, 1971

Q Es ist in der Tat eine der größten Errungenschaften des Sozialismus, die Gleichberechtigung der Frau in unserem Staat sowohl gesetzlich als auch im Leben weitgehend verwirklicht zu haben. Kein kapitalistisches Land der Erde kann Gleiches von sich behaupten.

(Zit. nach: Haus der Geschichte der BRD (Hg.), Ungleiche Schwestern, S. 51)

### Das Ziel Gleichberechtigung

„Eine wirkliche Gleichberechtigung der Frau ist erst dann vorhanden, wenn sie einen Beruf erlernt hat und imstande ist, eine gesellschaftlich wirklich nützliche Arbeit zu verrichten." Diesen Grundsatz der Frauenpolitik der SED formulierte Walter Ulbricht im Februar 1949.

Weibliche Berufstätigkeit – auch in sogenannten „Männerberufen" – war in der DDR eine Selbstverständlichkeit. Sie galt als Garant für die ökonomische Unabhängigkeit der Frau und ihre intellektuelle und politische Selbstständigkeit.

Allerdings gab es für diese Politik der SED auch handfeste wirtschaftliche Notwendigkeiten. Erforderte der Männermangel in der unmittelbaren Nachkriegszeit die Mitarbeit der Frauen, so blieben später der Flüchtlingsstrom in den Westen und die Ineffizienz der Planwirtschaft wesentliche Hintergründe der Forderung nach weiblicher Berufstätigkeit.

Internationaler Frauentag (Plakat des FDGB, 1954). Der Freie Deutsche Gewerkschaftsbund (FDGB) war die Einheitsgewerkschaft der DDR, der fast alle Berufstätigen angehörten. Etwas mehr als die Hälfte seiner Mitglieder waren Frauen. Der FDGB stand als „Massenorganisation" vollständig unter dem Einfluss der SED.

VEB Leunawerke „Walter Ulbricht", 1984

## Verfassung und Gesetze

In Artikel 7 der Verfassung von 1949 hieß es: „Männer und Frauen sind gleichberechtigt. Alle Gesetze und Bestimmungen, die der Gleichberechtigung der Frau entgegenstehen, sind aufgehoben". Ein 1950 erlassenes Gesetz sah materielle und soziale Hilfen für werktätige Frauen und Mütter vor, zum Beispiel durch Kindergeld und Betreuungseinrichtungen für Kinder. Das Gesetzbuch der Arbeit schrieb 1961 Frauenförderpläne zur beruflichen Qualifikation vor.

## Ausbildung und Beruf

Ende der 80er-Jahre war der Beschäftigungsgrad von Frauen einer der höchsten der Welt: 78,1 % aller Frauen waren erwerbstätig; wenn man Frauen in der Ausbildung oder im Studium hinzuzählt, waren es sogar 91,2 %.
Mädchen strebten ebenso wie die Jungen eine solide Berufsausbildung an – dennoch blieb bei der Berufswahl die Verteilung zwischen den Geschlechtern unterschiedlich: In den medizinischen, pädagogischen und künstlerischen Berufen waren Frauen überrepräsentiert, in den technischen, naturwissenschaftlichen und mathematischen Fachrichtungen die Jungen.

## Sozialpolitik

In den 70er-Jahren signalisierten steigende Scheidungsquoten, sinkende Geburtenraten und der anhaltende Trend zu Teilzeitarbeit Probleme, die aus der Doppelbelastung von Frauen resultierten. Deshalb ergriff die Staatsführung Maßnahmen zur Entlastung berufstätiger Mütter und junger Familien: Verstärkung des Wohnungsbauprogramms, verbilligte Ehekredite, Erhöhung des Kindergeldes, Verkürzung der Arbeitszeit für Mütter, bezahlte Freistellung bei Krankheit der Kinder. Die Einrichtungen der Kinderbetreuung wurden weiter ausgebaut: 1982 waren rund 65 % der ein- bis dreijährigen Kinder in einer Kinderkrippe und 90 % der drei- bis sechsjährigen Kinder in einem Kindergarten untergebracht.

## Rollenbilder

Obwohl beide Elternteile familienrechtlich in gleicher Weise verantwortlich waren, richteten sich alle diese Maßnahmen vornehmlich an Mütter. Dadurch verfestigten sich traditionelle Rollenstrukturen in der Familie eher. Das Bild des Mannes als „Hauptverdiener" blieb auch in der DDR bestehen.
Seit 1972 gab es die Anti-Baby-Pille auf Rezept und die Volkskammer garantierte das Recht auf Abtreibung.
Mit diesen Maßnahmen wollte die DDR-Führung zugleich die kontinuierliche weibliche Erwerbsarbeit und steigende Geburtenraten erreichen.

## Frauen und Politik

Die sozialpolitischen „Errungenschaften" verfehlten in der DDR ihre Wirkung nicht: Sie trugen wesentlich zur Identifikation der Bürgerinnen der DDR mit ihrem Staat bei. Zugleich verdeckten sie aber auch bei Frauen ein kritisches Bewusstsein. Widersprüche zwischen Propaganda und Realität blieben so vielfach bestehen. Dazu gehörte neben der Tatsache, dass Frauen in Führungspositionen deutlich unterrepräsentiert waren, ihre fehlende politische Macht: In den politischen Organen der Parteien und des Staates waren Frauen kaum vertreten. Im Politbüro der SED gab es über die gesamte Dauer der Existenz der DDR niemals eine Frau als stimmberechtigtes Mitglied.

Kinderkrippen erleichterten Frauen in der DDR die Berufstätigkeit. (Foto 1968)

## Erich Honecker setzt neue Akzente

**1.** Sammelt die von Erich Honecker neu gesetzten Akzente.

**2.** Urteilt aus eurer Sicht: Welche dieser Akzente würdet ihr als Fortschritt bezeichnen, welche als Rückschritt?

### Die „Einheit von Wirtschafts- und Sozialpolitik"

Als Erich Honecker im Mai 1971 die Nachfolge von Walter Ulbricht als Generalsekretär antrat, verkündete er sein neues Konzept der „Einheit von Sozial- und Wirtschaftspolitik".

Das Konzept versprach den Bürgerinnen und Bürgern der DDR einen höheren Lebensstandard und soziale Reformen – auf der Basis einer Verbesserung der wirtschaftlichen Produktion, deren Effektivität durch wissenschaftlich-technischen Fortschritt erhöht werden sollte.

### Betonung der Konsumgüterproduktion

Während Walter Ulbricht sich auf den Ausbau der Grundstoffindustrie konzentriert hatte, versuchte Erich Honecker sich durch den Ausbau der Konsumgüterproduktion als Interessenvertreter der sozialen Belange der Bevölkerung zu profilieren.

Tatsächlich führte der Ausbau der Konsumgüterproduktion zu beachtlichen Ergebnissen. Die Produktion von Kühlschränken, Fernsehern und Personenkraftwagen wurde erheblich angehoben, die Versorgung der Bevölkerung deutlich verbessert. Dieser Trend weckte in der

Bevölkerung in den 70er-Jahren Hoffnungen auf weiteren Wohlstand.

Doch der Schein trog, denn der wirtschaftliche Aufschwung basierte nicht auf einer steigenden Produktivität der wirtschaftlichen Produktion, sondern auf einer Ausdehnung der Erwerbstätigkeit (vor allem von Frauen) und auf einer wachsenden Verschuldung der DDR im Ausland. Sie stieg von 2,2 Mrd. Mark im Jahr 1970 auf 13 Mrd. Mark im Jahr 1975.

### Sozialpolitik

Die von Erich Honecker verfolgte Sozialpolitik brachte eine Anhebung niedriger Einkommen und der Mindestrenten, eine bessere finanzielle Förderung von Familien und vor allem eine rasche Ankurbelung des Wohnungsbaus.

Mit diesen Maßnahmen erreichte Honecker eine wachsende Zustimmung der Bevölkerung. Aber die sozialpolitischen Leistungen überforderten die Wirtschaftskraft des Landes und führten zu weiterer Verschuldung, sodass die DDR schließlich in den 80er-Jahren nur noch mithilfe westlicher Kredite einen Bankrott vermeiden konnte. Aus Sorge, Einschrän-

kungen könnten zu Missmut und Unruhen in der Bevölkerung führen, hielt Erich Honecker aber an seinem Kurs fest.

### Industrialisierung der Landwirtschaft

Um die Effektivität der Landwirtschaft zu erhöhen, wurden die LPGs zu immer größeren Einheiten zusammengefasst. Sie spezialisierten sich entweder auf die Tierproduktion (LPG-T) oder auf die Pflanzenproduktion (LPG-P). Die Industrialisierung der Landwirtschaft stieß jedoch bald an Grenzen, denn die Ausrüstung mit landwirtschaftlichen Maschinen blieb unzureichend und veraltet.

### Kulturpolitik

„Wenn man von der festen Position des Sozialismus ausgeht, kann es meines Erachtens auf dem Gebiet von Kunst und Literatur keine Tabus geben. Das betrifft sowohl die Fragen der inhaltlichen Gestaltung als auch des Stils." Mit diesen Sätzen läutete Erich Honecker auf der 4. Tagung des Zentralkomitees der SED eine gewisse Liberalisierung der Kulturpolitik der SED ein. Man wollte nun ein breiteres Spektrum im kulturellen Leben zulassen. Sogar die ehemals verhasste Beatmusik wurde jetzt akzeptiert und DDR-Bands gründeten sich im ganzen Land.

Schon gegen Ende der 70er-Jahre wurde diese Liberalisierung jedoch weitgehend wieder zurückgenommen. Künstler, die sich ausdrücklich gegen die SED stellten, wurden verfolgt. Mit der Ausbürgerung des Sängers und Regimekritikers Wolf Biermann im Jahr 1976 und der anschließenden Verfolgung seiner Sympathisanten verdeutlichte die SED-Führung, dass sie Kritik an der Parteilinie als bedrohlich empfand und nicht hinzunehmen bereit war.

Spaziergänger Ulbricht und Honecker 1966

## Sozialistische Demokratie – lebendige Wirklichkeit in unserem Staat

- Den 7910 Volksvertretern – von der Volkskammer bis zu den Gemeindevertretungen – gehören 194 235 Abgeordnete an.
- Ihre Kraft wird durch hunderttausende Bürger, die verschiedenste gesellschaftliche Funktionen ausüben, vervielfacht.
- 458 200 Bürger arbeiten in ständigen Kommissionen und Aktivs der örtlichen Volksvertretungen mit.
- 335 000 Bürger wirken in Ausschüssen der Nationalen Front mit.
- 176 000 Werktätige gehören Ständigen Produktionsberatungen an.
- 234 000 Werktätige sind Bevollmächtigte für Sozialversicherung.
- 50 200 Bürger sind Schöffen an Kreis- und Bezirksgerichten.
- 53 400 Bürger sind Mitglieder der Schiedskommissionen.
- 217 900 Werktätige gehören den Konfliktkommissionen an.
- 196 000 Werktätige arbeiten in der Arbeiter- und Bauern-Inspektion mit.
- 676 900 Mütter und Väter sind in Elternbeiräten und Klassenelternaktivs tätig.
- 300 000 Bürger gehören HO-Beiräten, Verkaufsstellenausschüssen und Gästebeiräten an.

### Unsere Sache – das ist das Miteinander aller Bürger

Wir stimmen für die Festigung der sozialistischen Staatsmacht, die allen Bürgern Freiheit und Menschenwürde, Recht und Sicherheit gewährleistet, und für die ständige Vertiefung der sozialistischen Demokratie, in der sich die zentrale staatliche Leitung und Planung mit den Ideen und Initiativen der Werktätigen vereint.

*Wir wählen die
Kandidaten der Nationalen Front*

(Neues Deutschland v. 23.9.1976)

## Aktivierung der Bevölkerung

Mithilfe eines umfassenden Systems von Beteiligungsmöglichkeiten in Kommissionen, sogenannten „Aktivs" und Vertretungen wollte die SED den „Kontakt zu den Massen" verbessern, die Bevölkerung stärker in das System integrieren und gefährliche Stimmungen schneller aufgreifen können. Wirkliche Mitbestimmung und politische Macht waren damit allerdings nicht verbunden und die Mehrheit der Bevölkerung musste zu diesen meist ungeliebten Aktivitäten eher gedrängt werden. Vor allem bedeuteten sie keine Abstriche an der Vorherrschaft der SED, die vielmehr weiter ausgebaut wurde. Innerparteiliche Demokratie war nicht einmal in Ansätzen vorhanden, nur angepasste Mitglieder gelangten in Führungspositionen. Die Überwachung der Bevölkerung durch das Ministerium für Staatssicherheit wurde weiter ausgebaut.

## Entspannungspolitik

Nach dem Abschluss des „Grundlagenvertrages" mit der Bundesrepublik Deutschland (1972) stand die Führung der DDR vor einem Zwiespalt: Einerseits war sie in ihrem Streben nach internationaler Anerkennung ein großes Stück weiter gekommen und erhoffte sich vom Ausbau der innerdeutschen Beziehungen eine Verbesserung ihrer wirtschaftlichen Situation. Andererseits fürchtete sie eine innere Aufweichung ihrer Herrschaft durch zu viel Annäherung.

Derselbe Zwiespalt ergab sich durch die Unterzeichnung der Schlussakte von Helsinki (1975), von der sie sich internationale Anerkennung und den Ausbau wirtschaftlicher Beziehungen mit dem kapitalistischen Ausland erhoffte.

Doch die in diesem Dokument garantierten Menschenrechte, insbesondere das Recht auf ungehinderte Reisemöglichkeiten, widersprachen deutlich der Realität in der DDR und konnten eine für die DDR-Führung gefährliche Sprengkraft entwickeln.

Deshalb hielt es die SED für notwendig, die Entspannungspolitik durch eine strikte Abgrenzungspolitik im Inneren auszugleichen. Sie verstärkte und intensivierte die Überwachung und Niederhaltung „feindlich-negativer Kräfte". So erhielt das Ministerium für Staatssicherheit einen neuen Aufgabenbereich in der Observierung von Westkontakten und von Menschenrechtsgruppen.

## Eine neue Bedrohung

Die wirtschaftliche Situation der DDR verschlimmerte sich Mitte der 80er-Jahre dramatisch. Weitere Kredite mussten im westlichen Ausland aufgenommen werden, um eine unzumutbare Einschränkung des Lebensstandards der Bevölkerung zu verhindern. Von der Sowjetunion, die ebenfalls mit erheblichen wirtschaftlichen Problemen zu kämpfen hatte, war keine Hilfe mehr zu erwarten.

Immer größere Teile der Bevölkerung gingen auf Distanz zu ihrem Staat. Die Zahl der Ausreiseanträge stieg sprunghaft an. Die verschiedenen Oppositionsgruppen erhielten immer mehr Zulauf.

Sie wurden durch die umfassenden Reformen, die der neue Generalsekretär der KPdSU in der Sowjetunion begonnen hatte, ermuntert. „Glasnost" und „Perestroika" weckten die Hoffnung auf Reformen auch in der DDR. Doch die Führung der SED grenzte sich davon strikt ab und betonte mit ihrem Konzept des „Sozialismus in den Farben der DDR" ihr eigenes, dem Reformmodell der Sowjetunion entgegengesetztes, konservatives Konzept.

Die SED sah sich nun zu einer doppelten Abgrenzung gezwungen: Gegenüber dem kapitalistischen Ausland und gegenüber der einstigen Schutzmacht Sowjetunion. Als die Bevölkerung der DDR Anfang des Jahres 1989 begann, ihre Ablehnung des Regimes offen zu zeigen, stand ihr niemand mehr zur Seite.

Honecker begrüßt Gorbatschow, der zum XI. SED-Parteitag 1986 nach Berlin gekommen ist.

# Forschungs- station

## Stasi – „Schild der Partei" und Volksüberwacher

### Wir untersuchen einen Fall nach den Akten des Ministeriums für Staatssicherheit

„Stasi" – dieses Wort flößt noch heute ehemaligen DDR-Bürgern Angst und Schrecken ein. Offiziell stand dahinter das Ministerium für Staatssicherheit (MfS), das den Auftrag hatte, die Herrschaft der SED vor „antisozialistischen" und staatsfeindlichen Bestrebungen zu schützen. 1989 arbeiteten hier 91 000 hauptamtliche und 174 000 „inoffizielle Mitarbeiter" (IM) daran, das Volk in all seinen Aktivitäten und Äußerungen zu überwachen. Das macht rein rechnerisch je einen Spitzel pro 60 Einwohner. Wer überwachte wen? Wer war Spitzel, wer nicht? Diese Fragen schufen in der ehe-

maligen DDR ein Klima von Misstrauen und Angst. Insgesamt wurden vom Ministerium für Staatssicherheit für über sechs Millionen Menschen schriftliche Dossiers angelegt, die sogenannten „Stasi-Akten".
Eine davon ist auf den folgenden Seiten als der Fall Seifert dokumentiert. Wir dokumentieren die Akte Seifert in Auszügen

im Originaltext; nur die Namen sind aus Gründen des Persönlichkeitsschutzes geschwärzt. Es lohnt die Mühe, sich in die Aktenauszüge einzuarbeiten.
Euer **Forschungsauftrag** lautet:
**Der Fall Seifert: Wie und mit welchen Mitteln griff das Ministerium für Staatssicherheit in das Leben der Bürgerinnen und Bürger ein?**

**1.** Informiert euch auch über die Organisation, die Ziele und die Methoden des MfS.

**2.** Erörtert am Schluss gemeinsam die umstrittene Frage: Sollen die Stasi-Archive öffentlich sein, um den Opfern Klarheit zu verschaffen und die Täter zu brandmarken? Oder ist es besser, die Vergangenheit ruhen zu lassen und einen Neuanfang zu machen?

---

### Das Ministerium für Staatssicherheit

Das Ministerium für Staatssicherheit – von der Bevölkerung nur kurz „die Stasi" genannt – war eine Hauptstütze der Herrschaft der SED. Das MfS war geheimer Nachrichtendienst, politische Geheimpolizei und Untersuchungsorgan bei Straftaten. Die Ausweitung des Stasi-Apparates und insbesondere des Netzes der „inoffiziellen Mitarbeiter" zeugt von dem Grundmisstrauen der SED-Führung dem eigenen Volk gegenüber. Für alle Menschen, die in irgendeiner Weise nicht mit der SED konform gingen, blieb die Stasi

Joachim Gauck in der nach ihm benannten Behörde. Sechs Millionen Akten dokumentieren die totale Überwachung im SED-Staat.

eine ständige Bedrohung. Das vollkommen überzogene, aber für Diktaturen typische Ziel, alles und jeden unter Kontrolle zu bekommen, war aber letztlich auch für die Stasi nicht erreichbar. Gerade die heimliche, aber dennoch für alle spürbare Allgegenwart der Stasi zerstörte schließlich weiter das Vertrauen der Bürgerinnen und Bürger in ihren Staat.

### Die Akten der Staatssicherheit

Das Ministerium für Staatssicherheit hatte alle Überwachungsaktionen genauestens und schriftlich dokumentiert. Unmittelbar nach der Wende im November 1989 besetzten Bürgerrechtler die Zentrale der Staatssicherheit in Ost-Berlin und retteten den Großteil der ungefähr 180 Regalkilometer umfassenden Stasi-Akten.
Am 20. Dezember 1990 beschloss der Bundestag des nun vereinten Deutschlands das sogenannte Stasiunterlagen-Gesetz. Es erlaubte allen Bürgerinnen und Bürgern der DDR den Zugang zu allen über sie gespeicherten Informationen, um ihr persönliches Schicksal aufklären zu können.

### Die „Gauck-Behörde"

Die Verwaltung der Akten wurde einer Behörde übertragen, die im Volksmund nach ihrem langjährigen Leiter und ehemaligen Bürgerrechtler Joachim Gauck benannt wurde. Unbestritten sind die Gauck-Behörde und das Stasiunterlagen-Gesetz Ausdruck des – historisch bisher einmaligen – Versuchs, die Aktivitäten der ehemaligen Geheimpolizei aus dem Dunkel zu holen und den Opfern der Diktatur die Aufklärung ihres eigenen Schicksals zu ermöglichen. Die Akten bilden heute eine der wesentlichen Grundlagen für die oft schmerzhafte Auseinandersetzung der Ostdeutschen mit ihrer Vergangenheit. Angefeindet wurde die Behörde von denjenigen, die als Täter enttarnt zu werden drohten. Die Historiker sind sich einig, dass die in den Akten enthaltenen Informationen zwar in der Regel der Wahrheit entsprechen, aber sehr aufmerksam und kritisch gelesen werden müssen. Denn sie wurden aus der einseitigen Perspektive der Geheimpolizei einer Diktatur gesammelt und formuliert.

# Der Fall Matthias und Elke Seifert

## Die Hintergründe

Die Überwachung des Ehepaars Matthias und Elke Seifert (die Namen sind geändert) ist kein spektakulärer Fall, sondern war eher ein alltäglicher Vorgang, wie er tausendfach in der DDR üblich war.

Matthias Seifert war Lehrer an einer Oberschule in Brandenburg und arbeitete zugleich für das Bildungsfernsehen der DDR. Seine Frau Elke war Sonderschullehrerin und hatte Ende der 70er-Jahre ein Studium für Rehabilitationspädagogik an der Martin-Luther-Universität in Halle begonnen. Das Ehepaar hatte zwei Kinder.

## M 1 Q Bericht der KD Brandenburg (25.3.1977)

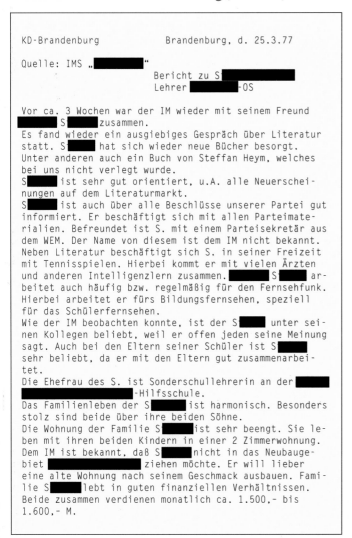

KD-Brandenburg        Brandenburg, d. 25.3.77

Quelle: IMS „███████"

           Bericht zu S███████
           Lehrer ███████-OS

Vor ca. 3 Wochen war der IM wieder mit seinem Freund ███████ S███████ zusammen.
Es fand wieder ein ausgiebiges Gespräch über Literatur statt. S███████ hat sich wieder neue Bücher besorgt. Unter anderen auch ein Buch von Steffan Heym, welches bei uns nicht verlegt wurde.
S███████ ist sehr gut orientiert, u.A. alle Neuerscheinungen auf dem Literaturmarkt.
S███████ ist auch über alle Beschlüsse unserer Partei gut informiert. Er beschäftigt sich mit allen Parteimaterialien. Befreundet ist S. mit einem Parteisekretär aus dem WEM. Der Name von diesem ist dem IM nicht bekannt.
Neben Literatur beschäftigt sich S. in seiner Freizeit mit Tennisspielen. Hierbei kommt er mit vielen Ärzten und anderen Intelligenzlern zusammen. ███████ S███████ arbeitet auch häufig bzw. regelmäßig für den Fernsehfunk. Hierbei arbeitet er fürs Bildungsfernsehen, speziell für das Schülerfernsehen.
Wie der IM beobachten konnte, ist der S███████ unter seinen Kollegen beliebt, weil er offen jeden seine Meinung sagt. Auch bei den Eltern seiner Schüler ist S███████ sehr beliebt, da er mit den Eltern gut zusammenarbeitet.
Die Ehefrau des S. ist Sonderschullehrerin an der ███████ ███████-Hilfsschule.
Das Familienleben der S███████ ist harmonisch. Besonders stolz sind beide über ihre beiden Söhne.
Die Wohnung der Familie S███████ ist sehr beengt. Sie leben mit ihren beiden Kindern in einer 2 Zimmerwohnung.
Dem IM ist bekannt, daß S███████ nicht in das Neubaugebiet ███████ ziehen möchte. Er will lieber eine alte Wohnung nach seinem Geschmack ausbauen. Familie S███████ lebt in guten finanziellen Verhältnissen. Beide zusammen verdienen monatlich ca. 1.500,- bis 1.600,- M.

## M 2 Q Bericht der KD Brandenburg (13.5.1977)

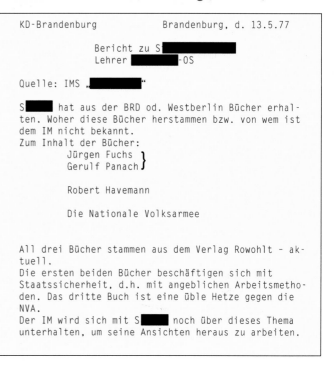

KD-Brandenburg        Brandenburg, d. 13.5.77

           Bericht zu S███████
           Lehrer ███████-OS

Quelle: IMS „███████"

S███████ hat aus der BRD od. Westberlin Bücher erhalten. Woher diese Bücher herstammen bzw. von wem ist dem IM nicht bekannt.
Zum Inhalt der Bücher:
      Jürgen Fuchs }
      Gerulf Panach }

      Robert Havemann

      Die Nationale Volksarmee

All drei Bücher stammen aus dem Verlag Rowohlt - aktuell.
Die ersten beiden Bücher beschäftigen sich mit Staatssicherheit, d.h. mit angeblichen Arbeitsmethoden. Das dritte Buch ist eine üble Hetze gegen die NVA.
Der IM wird sich mit S███████ noch über dieses Thema unterhalten, um seine Ansichten heraus zu arbeiten.

## M 3 Q Beschluss der BV Potsdam (23.2.1981)

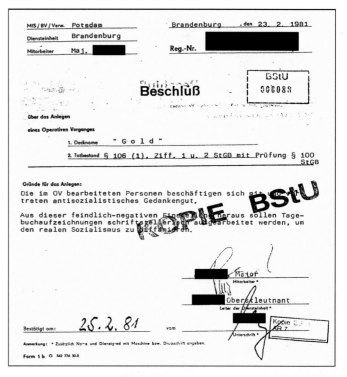

MfS/BV/Verw. **Potsdam**      **Brandenburg** , den **23. 2. 1981**
Diensteinheit **Brandenburg**
Mitarbeiter **Maj.** ███████      Reg.-Nr.

BStU 000083

**Beschluß** -

über das Anlegen
eines Operativen Vorganges

1. Deckname    "Gold"
2. Tatbestand § 106 (1), Ziff. 1 u. 2 StGB mit Prüfung § 100 StGB

Gründe für das Anlegen:
Die im OV bearbeiteten Personen beschäftigen sich mit ███████ treten antisozialistisches Gedankengut.

Aus dieser feindlich-negativen Einstellung heraus sollen Tagebuchaufzeichnungen schriftskelerich ausgearbeitet werden, um den realen Sozialismus zu diffamieren.

DIE BStU

███████ Major
Mitarbeiter *

███████ Oberstleutnant
Leiter der Diensteinheit *

Bestätigt am: **25.2.81**    vom ███████
Unterschrift      Kopie ... AR 7

Anmerkung: * Zusätzlich Name und Dienstgrad mit Maschine bzw. Druckschrift angeben.

Form 1b O 542 776 30.0

Operativplan zum     OV     „Gold"

## 1. Zielstellung

- Vorbeugende Verhinderung eines feindlich-negativen Wirksamwerdens in der Öffentlichkeit;
- Aufklärung der konkreten Pläne, Absichten und Handlungen sowie deren strafrechtliche Relevanz;
- Aufklärung des Charakters der operativ-bedeutsamen Verbindungen insbesondere in die BRD und WB.

## 2. Operative Maßnahmen

### 2.1. Einsatz von IM/GMS

1. IMB „▬"

   Der IMB ist derzeitig der einzigste IM, der in der privaten Sphäre eingesetzt ist.

   - Informationsbedarf

     o weitere Aufklärung des Persönlichkeitsbildes

     o Aufklärung der Wohnung

     o Feststellung, wo die schriftlichen Aufzeichnungen des S. liegen, wie sind sie gesichert und welche Möglichkeiten des Zugriffs bestehen?

     o Beschaffung des Wohnungsschlüssels bzw. welche Möglichkeiten des Zugriffs bestehen?

     o Feststellung, ob bei Abwesenheit der Familie S. jemand die Wohnung betreut.

     o Wie ist der Kontakt der Familie S. im Hause?

     o Urlaubspläne der Familie S. im Jahre 1981

     o Wie akurat ist die Ordnung in der Wohnung des S.? Stellen sie geringfügige Veränderungen fest? Machen sie sich Markierungen?

     o Feststellung des Standes der schriftstellerischen Arbeit

     o Der S. ist zu veranlassen, dem IM Einblick in seine Arbeit zu geben bzw. Lesungen zu tätigen.

     o Herausarbeiten: Wer hat alles und in welchem Umfang Kenntnis von seinem schriftstellerischen Vorhaben?

     o Wann, wo und über wen will der S. veröffentlichen?

     o Aufklärung anderer feindlich-negativer Pläne, Absichten und Handlungen durch den S.

     o Gibt es durch den S. Fehlverhaltensweisen bzw. kriminelle Handlungen?

     o Aufklärung des Umgangskreises der Familie S., insbesondere in das NSA

     o Herstellung eines Vertrauensverhältnisses zu den NSA-Kontakten, insbesondere zu dem S., ▬ (entsprechend den Möglichkeiten bei Einreisen).

       Termin: 10. 3. 1981, 24. 3. 1981, 7. 4. 1981
       verantw.: Major ▬

2. GMS „▬"

   Der GMS wohnt im Hause der bearbeiteten Person. Die Ehrlichkeit und Zuverlässigkeit des GMS ist gegeben. Persönliche Kontakte zu den OV-Personen bestehen nicht.

   Der GMS wird eingesetzt im Rahmen der Aufklärung, Beobachtung und Durchführung der konspirativen Hausdurchsuchung sowie der spezifischen Maßnahmen 26 „B". Des weiteren wird der GMS eingesetzt zur Aufklärung des Umgangskreises, des Persönlichkeitsbildes und der Lebensgewohnheiten der Familie S.
   Zu diesem Zweck erfolgt Treffteilnahme zur persönlichen Auftragserteilung und Instruierung durch Maj. ▬.
   [...]

3. IMS „▬"

   Bei dem IMS handelt es sich um einen leitenden Mitarbeiter der

Abt. Volksbildung. Die Ehrlichkeit und Zuverlässigkeit ist gegeben.

- Einsatzrichtung

  o Aufklärung und Vervollständigung des Persönlichkeitsbildes, des Umgangskreises der Familie S.

  o Aufklärung der Lehrer, die an der Schule des S. und seiner Ehefrau tätig sind

  o Verhinderung des Einsatzes des S. und seiner Ehefrau in leitenden Stellungen

  o Bindung des S. bei der Durchführung der operativ-technischen Maßnahmen

    Termin: 27.2.81, 6.3.81, 13.3.81 und danach bei Notwendigkeit
    verantw.: Ltn. ▬

4. Suche, Auswahl und Gewinnung eines IM/GMS an der OS „▬"

   Die OV-Person ist an der OS „▬" tätig. Zur Absicherung des S. im Arbeitsbereich ist ein IM/GMS zu schaffen.
   [...]

### 2.2. Einsatz weiterer operativer Kräfte und Mittel

1. Zur Beweisführung der staatsfeindlichen Tätigkeit ist eine konspirative Wohnungsdurchsuchung bei dem S. durchzuführen. Das Ziel ist die Dokumentierung seines Tagebuches, seiner schriftstellerischen Aufzeichnungen und die Literatur mit antisozialistischem Inhalt
   [...]

6. BV Halle, Abt. XX

   Die Ehefrau der OV-Person studiert zur Zeit in ▬ Sonderpädagogik. Durchführung einer persönlichen Absprache mit der Zielstellung:

   - Prüfung der Einführung eines IM
   - operative Kontrolle während ihres Aufenthaltes in ▬
   - weitere Aufklärung des S.
   - Verhinderung eines feindlich-negativen Wirksamwerdens
   - Erarbeitung von Informationen zu Fehlverhaltensweisen, die zur vorzeitigen Beendigung des Studiums führen könnten.
     [...]
   - Prüfung von Möglichkeiten, die S. zu zwingen, eine klare politische Haltung zu zeigen, um ihre wahre politische Einstellung herauszuarbeiten.
   - Überprüfung der Seminargruppe mit dem Ziel der Herausarbeitung operativ nutzbarer Personen

     Termin: 16.3.81
     verantw.: Maj. ▬
     [...]

### 4. Zusammenwirken mit anderen Einrichtungen

- Über die Abt. Volksbildung ist durchzusetzen, daß die S. in keine leitende Stellung eingesetzt wird.

  Termin: 28.2.81
  verantw.: Maj. ▬

- Über die Abt. Volksbildung ist durchzusetzen, daß der S. keine außerplanmäßige Aspirantur erhält und in keine leitende Stellung eingesetzt wird.

  Termin: 28.2.81
  Verantw.: Maj. ▬

Nach Abarbeitung der Maßnahmen erfolgt eine erneute Zwischeneinschätzung zum Stand der Bearbeitung sowie die Erarbeitung eines neuen Operativplanes.

Die Kontrolle der Maßnahmen erfolgt direkt durch den Leiter der KD - Gen. OSL ▬.

## M 5 🅠 Schreiben der KD Brandenburg an die BV Halle, Abteilung XX (6.3.1981)

Unterstützung bei der Realisierung von politisch-operativen
Maßnahmen im Rahmen des OV „G o l d"

Wir bitten Ihre DE um Unterstützung bei der Realisierung von politisch-operativen Maßnahmen im Rahmen des OV „Gold".
Im OV „Gold" werden Personen wegen des begründeten Verdachts der
Verletzung der Straftatbestände gem. §§ 100 und 106 StGB bearbeitet. Zur Verhinderung eines Öffentlichkeitswirksamwerdens
bitten wir um terminlich kurzfristige und aktive Unterstützung
bei der Ralisierung von Maßnahmen in Ihrem Verantwortungsbe-
reich.

Die Person

    S█████████   Elke geb. ████████
    […]   geb. am ███████████████

absolviert zur Zeit ein Studium an der „Martin-Luther-Universität" an der Sektion Erziehungswissenschaften/Rehabilitations-
pädagogik ████████████████. Die Person S███, Elke und ihr
Ehemann werden im genannten OV bearbeitet. Beide Personen vertreten eine politisch feindlich-negative Einstellung zur DDR und
der sozialistischen Staatengemeinschaft. Sie verfügen über umfangreiche antisozialistische Literatur, die aus der BRD/WB eingeführt wurde. Es besteht der dringende Verdacht, daß der Ehemann antisozialistische Schriften verfaßt, die in die BRD zur
Veröffentlichung verbracht werden sollen. Die Ehefrau identi-
ziert sich mit dem Gedankengut ihres Ehemannes und ist bestrebt,
aus der SED auszutreten, was aber zur Zeit wegen des gewünschten
Studienabschlusses nicht weitergeführt wird.

Wir bitten Sie um Unterstützung bei der Realisierung nachfolgen-
der Maßnahmen:

1. Prüfung der Einführung eines IM Ihrer DE oder Suche, Auswahl
   und Gewinnung eines geeigneten IM für die Bearbeitung der S.
2. Beschaffung der Stundenpläne der S.
3. Beschaffung von Handschriftenmaterial und Schreibmaschinen-
   schriften (wenn der S. eine Schreibmaschine zugänglich ist)
   für die Schriftenfahndung
4. Listen der Seminargruppen zur Überprüfung in der Abt. XII mit
   dem Ziel der Prüfung vor vorhandenen IM-Möglichkeiten
5. konspirative Hausdurchsuchung im Internat - Schriften-,
   Adressenmaterial und Wohnungsschlüssel sind zu sichern
6. Bei der Durchführung von spezifischen Maßnahmen in Brandenburg, die Person S. in ████████ unter Kontrolle zu halten.
7. Prüfung von Möglichkeiten ████████ der Verhinderung eines feindlich-negativen Wirksamwerdens während ihres Aufenthaltes in ████████ und
   Erarbeitung von Informationen zu Fehlverhaltensweisen, die
   zielgerichtet genutzt werden können.

Zur Koordinierung der Zusammenarbeit wird der Gen. Hptm. ████████
unserer KD sich mit Ihrer DE persönlich in Verbindung setzen.

## M 6 🅠 Schreiben der BV Halle an die KD Brandenburg (8.3.1982)

    s████, elke
    […]

konnte durch offensive masznamen im rahmen der vorgangsmaeszigen
bearbeitung politischer untergrundtaetigkeit im dv 'zentrum' unserer diensteinheit erreicht weden, dasz die s. im ergebnis eines parteiverfahrens aus der sed ausgeschlossen werden soll. in
auswertung offizieller auswertbarer informationen wird vom ministerium für volksbildung eine entscheidung getroffen, die zum
entzug der lehrbetaetigung fuehren kann und ueber den zustaen-
digen kreisschulrat eingeleitet wird.

inoffiziell wurde bekannt, dasz die s. in dieser woche ihren
kreisschulrat aufsuchen will, um den moeglichen sanktionen zu-
vorzukommen bzw. entgegezuwirken.

weiterhin unterhält die s. enge vebindunen zum pfarrer in ████
████████, der von der gesamten problematik kenntnis hat un d die s.
bezueglich ihres weitern vorgehens beraet.

wir bitten um einleitung enzsprechender vorbeugender masznamen
die die realisierung moeglicher sanktionen garantieren, bzw. ein
weitere politisch-negatives auftreten in verbindung mit aktivi-
taeten der kirche verhindern.

## M 7 🅠 Schreiben des Ministeriums für Volksbildung an den Bezirksschulrat in Potsdam (Datum unleserlich)

Werter Genosse Bezirksschulrat !

Wie bereits telefonisch vereinbart, ist die Delegierung für

    Genn. S████████, Elke, […]

zum Zusatzstudium Rehabilitationspädagogik der Martin-Luther-
Universität ████ mit sofortiger Wirkung zurückzuziehen.

Die persönliche Aussprache mit Genn. S████ dient der Information, daß ihre Delegierung zum Zusatzstudium an der Martin-Luther-
Universität ████ wegen verfassungsfeindlicher Tätigkeit zurück-
gezogen wird und die weitere Auseinandersetzung im Kollektiv ihrer bisherigen Schule erfolgt.

Der zuständige Kreisschulrat ist zu beauftragen, diese politische
Auseinandersetzung im jeweiligen Pädagogenkollektiv gut vorzubereiten.
Im Ergebnis der Auseinandersetzung ist das Disziplinarverfahren
einzuleiten und mit der fristlosen Entlassung zu beenden.
Die Kaderabteilung des Ministeriums für Volksbildung ist über
die Durchführung schriftlich zu informieren.

    Mit sozialistischem Gruß
    […]

---

### Abkürzungen in den Akten

**OV** „Operativer Vorgang" – Bezeichnung für eine Maßnah-
me der Stasi, wie zum Beispiel die Observierung von
Personen

**BV** „Bezirksverwaltung" des Ministeriums für Staatssicherheit

**KD** „Kreisdienststelle" des Ministeriums für Staatssicherheit

**DE** Diensteinheit

**IMS** „Inoffizieller Mitarbeiter Staatssicherheit" – verdeckt arbeitende Ermittler im Auftrag der Stasi. Die IMS wurden
von der Stasi meist für besondere Vorgänge angewor-
ben. Sie wurden zu ihrer Tätigkeit teils mit Versprechungen gelockt, teils mit Druckmitteln gezwungen.

**GMS** „Gesellschaftlicher Mitarbeiter Staatssicherheit" – verdeckt arbeitende Ermittler der Stasi, die den Auftrag
hatten, ihr soziales Umfeld (Wohnviertel, Betrieb etc.) zu
beobachten

**NVA** „Nationale Volksarmee"

**Gen.** „Genosse"

**OSL** „Oberstleutnant" – die hauptamtlichen Mitarbeiter des
MfS trugen militärische Dienstgrade.

**OS** „Oberschule" – bezeichnet die Oberschule, an der S. als
Lehrer arbeitete.

**BstU** „Behörde für Staatssicherheitsunterlagen" – die sog.
„Gauck-Behörde" (s. S. 228) versieht alle Kopien von
Aktenstücken, die sie auf Antrag aushändigt, mit einem
Stempel.

# Die „Wende"

## Was will die Opposition?

Im Oktober 1989 geschah das bis dahin Undenkbare: Die friedliche Revolution stürzte das Herrschaftssystem der DDR. Ihre Initiatoren waren oppositionelle Gruppen in der DDR. Trotz vielfältiger Schikanen und Unterdrückungsmaßnahmen durch die Stasi hatten sie schon zu einer Zeit, als ihre Erfolgsaussichten minimal waren, begonnen, eine von der SED-Ideologie unabhängige Denk- und Handlungsweise zu entwickeln. Nach der offiziellen DDR-Propaganda gab es gar keine Opposition. Von wenigen Ausnahmen abgesehen wurde sie auch von der westlichen Politik nicht wahrgenommen, weil man den Entspannungsprozess nicht gefährden wollte.

Wir fragen deshalb:

- **Woher kam die Opposition?**
- **Welche Ziele verfolgte sie?**

Untersucht den Gründungsaufruf des „Neuen Forums":
Was wird kritisiert? Was will man erreichen?

### M Aus dem Gründungsaufruf des „Neuen Forums" (1989)

Das „Neue Forum" war eine der Widerstandsgruppen, die sich im September 1989 in der DDR formierten. Am 19. September 1989 stellte das „Neue Forum" einen offiziellen Antrag auf seine Zulassung als politische Vereinigung. Der Antrag wurde vom Innenministerium der DDR mit der Begründung abgelehnt, die Gruppe sei staatsfeindlich.

**Q** In unserem Lande ist die Kommunikation zwischen Staat und Gesellschaft offensichtlich gestört. Belege dafür sind die weit verbreitete Verdrossenheit bis 5 hin zum Rückzug in die private Nische oder zur massenhaften Auswanderung. Fluchtbewegungen dieses Ausmaßes sind anderswo durch Not, Hunger und Gewalt verursacht. Davon kann bei uns 10 keine Rede sein. […] In Staat und Wirtschaft funktioniert der Interessenausgleich zwischen den Gruppen und Schichten nur mangelhaft. Auch die Kommunikation über die Situation und 15 die Interessenlage ist gehemmt. Im privaten Kreis sagt jeder leichthin, wie seine Diagnose lautet, und nennt die ihm wichtigsten Maßnahmen. Aber die Wünsche und Bestrebungen sind sehr verschieden. 20 […] Auf der einen Seite wünschen wir uns eine Erweiterung des Warenangebotes und bessere Versorgung, andererseits sehen wir deren soziale und ökologische Kosten und plädieren für die Ab- 25 kehr vom ungehemmten Wachstum. Wir wollen Spielraum für wirtschaftliche Initiative, aber keine Entartung in eine Ellenbogengesellschaft. Wir wollen das Bewährte erhalten und doch Platz für Er- 30 neuerung schaffen, um sparsamer und weniger naturfeindlich zu leben. Wir wollen freie, selbstbewusste Menschen, die doch gemeinschaftsbewusst handeln. Wir wollen vor Gewalt geschützt sein 35 und dabei nicht einen Staat von Bütteln und Spitzeln ertragen. Faulpelze und Maulhelden sollen aus ihren Druckposten vertrieben werden, aber wir wollen dabei keine Nachteile für sozial Schwache 40 und Wehrlose. Wir wollen ein wirksames Gesundheitswesen für jeden, aber niemand soll auf Kosten anderer krankfeiern. […] Um alle diese Widersprüche zu erkennen, Meinungen und Argumente 45 dazu anzuhören und zu bewerten […], bedarf es eines demokratischen Dialogs über die Aufgaben des Rechtsstaates, der Wirtschaft und der Kultur. Über diese Fragen müssen wir in aller Öffentlichkeit, 50 gemeinsam und im ganzen Land, nachdenken und miteinander sprechen. […] Wir bilden deshalb gemeinsam eine politische Plattform für die ganze DDR, die es Menschen aus allen Berufen, Lebenskrei- 55 sen, Parteien und Gruppen möglich macht, sich an der Diskussion und Bearbeitung lebenswichtiger Gesellschaftsprobleme in diesem Lande zu beteiligen. Für eine solche übergreifende Initiative 60 wählen wir den Namen Neues Forum.

(Zit. nach: Ch. Schüddekopf (Hg.), „Wir sind das Volk" – Flugschriften, Aufrufe und Texte einer deutschen Revolution, Rowohlt/Reinbek 1990, S. 29 ff.)

Nach über 40 Jahren kommen West und Ost sich in Freundlichkeit näher (November 1989).

# Die Vorgeschichte

### Rolle der Kirchen

Die Oppositionsgruppen in der DDR entstanden Ende der Siebzigerjahre im Umfeld und im Schutz der Kirchen, die als einzige nichtsozialistische und staatsfreie Großorganisationen im SED-Staat noch existierten.

Die zunächst kleinen oppositionellen Zirkel bildeten sich aus unterschiedlichen Motiven. Das vielleicht wichtigste war, dass freie Diskussionen über Probleme woanders nicht möglich waren.

### Motive

Hinzu kam, dass sich die internationale Lage verschärfte und Probleme aufwarf, die von der SED-Propaganda verschwiegen oder nur einseitig abgehandelt wurden: der Einmarsch der Sowjetunion in Afghanistan (1979), die sowjetische Stationierung von Mittelstreckenraketen und der nachfolgende NATO-Doppelbeschluss, das Aufbrechen der lang angestauten Krise in Polen 1981 – all dies ließ den Wunsch nach Frieden und Überwindung des Ost-West-Gegensatzes deutlich werden.

Die Reaktorkatastrophe im sowjetischen Kernkraftwerk Tschernobyl im April 1986 verdeutlichte die von der unkontrollierten Industrieproduktion ausgehenden Gefahren und bündelte den Unmut über die Umweltzerstörungen in der DDR. Die SED-Führung versuchte die Gefahren zu leugnen bzw. als antisowjetische Propaganda abzutun.

Die entstehenden Oppositionsgruppen wurden durch die Unterzeichnung der KSZE-Schlussakte, auf die sie sich nun auch ihrer eigenen Regierung gegenüber berufen konnten, durch die von tschechischen Oppositionellen formulierte „Charta 77" und durch die in der Bundesrepublik entstehenden Umwelt- und Friedensgruppen ermutigt.

### „Schwerter zu Pflugscharen"

Im Februar 1978 führte ein Erlass zur Einführung der „Sozialistischen Wehrkunde", einer vormilitärischen Ausbildung in der Schule. Dieser Erlass stand ebenso wie ein neues Grenzgesetz im Widerspruch zur Friedenspropaganda der SED und ging vielen Eltern erheblich zu weit. Die Kirchenleitungen beschlossen als Reaktion ein Aktionsprogramm „Erziehung zum Frieden". Im Frühjahr 1981 wurden über 100 000 Aufnäher der Kampagne „Schwerter zu Pflugscharen" verteilt. Obwohl das Tragen des Aufnähers verboten wurde, bildete die Kampagne das erste weithin sichtbare Auftreten der Opposition in der DDR.

### Umweltbibliothek

Besondere Bedeutung gewann der 1983 in Berlin-Lichtenberg gegründete „Friedens- und Umweltkreis". Durch ihn entstand die „Umweltbibliothek" in der Ost-Berliner Zionskirche. Vor allem durch die regelmäßig erscheinenden „Umweltblätter" wurde der Kreis zum Kristallisationspunkt der Oppositionsgruppen in der ganzen DDR.

Im November 1987 stürmte das MfS die Umweltbibliothek und verhaftete ihre Mitarbeiter. Als diese nach tagelangen Protesten und wohl auch, um einen internationalen Imageschaden zu vermeiden, wieder freigelassen wurden, hatte die Oppositionsbewegung ihren ersten Sieg über die SED-Führung errungen – mit friedlichen Mitteln.

### Wandel in Osteuropa

Entscheidend für den Erfolg der Opposition wurde aber Mitte der Achtzigerjahre der Wandel in der Sowjetunion und in Osteuropa. Die Reformen in der UdSSR bestärkten die Oppositionsbewegung politisch. Noch bedeutsamer aber war die Öffnung des „Eisernen Vorhangs" durch die reformorientierten Regierungen in Osteuropa seit dem 2. Mai 1989. Tausende ausreisewillige DDR-Bürger flohen über die Grenze der DDR nach Polen, Ungarn oder in die Tschechoslowakei, besetzten dort die Botschaften der Bundesrepublik und versuchten ihre Ausreise in den Westen zu erzwingen. Im Oktober brachten verplombte Züge die Botschaftsflüchtlinge in den Westen. Um den Schein einer ordnungsgemäßen Ausreise zu wahren, hatte die DDR-Regierung darauf bestanden, die Züge über DDR-Gebiet fahren zu lassen. Als einer der Züge am 3. Oktober 1989 durch den Dresdner Hauptbahnhof fuhr, versuchten tausende Demonstranten den Bahnhof zu stürmen und auf den Zug aufzuspringen.

### „Montagsdemonstrationen"

Die Fluchtbewegung brachte den Protesten der Opposition weiteren Zulauf. Seit dem 4. September 1989 fanden in Leipzig regelmäßig die „Montagsdemonstrationen" statt, jede Woche schwoll ihre Teilnehmerzahl an. Im Oktober 1989 stand die DDR am Rande eines Bürgerkrieges.

Der Reformkommunist und Physikprofessor Robert Havemann (1910–1982) war Gründungsvater und Leitfigur der Oppositionsbewegung. Von November 1976 bis zum Mai 1978 stand er unter Hausarrest. In seinem Haus in Grünheide unterzeichneten seine Witwe Katja Havemann, die Malerin Bärbel Bohley, der Physiker Jens Reich und andere den Gründungsaufruf des Neuen Forums. Das Foto zeigt ihn 1972, zusammen mit Wolf Biermann.

# Die friedliche Revolution

Im Sommer 1989 kippte die Stimmung in der Bevölkerung. Immer mehr Bürger schlossen sich den Protesten der Bürgerrechtler an. Seit dem 4. September fanden jeden Montag nach dem Friedensgottesdienst in der Leipziger Nicolaikirche Demonstrationen statt. Die Menge schwoll von Woche zu Woche an, bis es weit über 100 000 Menschen waren. Die Polizei ging brutal gegen sie vor.

Am 9. Oktober stand die DDR am Rande eines Bürgerkrieges: Die Montagsdemonstration war verboten worden. Niemand wusste, wie Polizei und NVA reagieren würden. Noch standen 380 000 sowjetische Soldaten in der DDR …

Die Montagsdemonstration am 9. Oktober endete friedlich. Die Demonstranten wendeten keine Gewalt an und noch während der Demonstration waren alle Volkspolizisten wie vom Erdboden verschluckt. Die SED-Führung hatte zum ersten Mal nachgegeben. Eine nicht unwesentliche Rolle spielte dabei die sowjetische Armeeführung. Im Unterschied zum Jahr 1953 war sie nicht bereit, ihre Truppen gegen die Demonstranten einzusetzen.

M 1     Leipzig, 9. Oktober 1989: „Wir bitten Sie dringend um Besonnenheit …"

**1.** Beschreibt mit eigenen Worten die Atmosphäre am 9. Oktober 1989 in Leipzig.

**2.** Versetzt euch in die Lage der sechs Autoren des Aufrufs M 3. Was bewegte sie, was wollten sie erreichen?

### M 2   Eine westdeutsche Zeitschrift über die Ereignisse am 9.10.1989 in Leipzig

An zentralen Punkten warteten damals hunderte von Bereitschaftspolizisten auf ihren Einsatz. […] Am Rande der Stadt standen Panzer der Nationalen
5 Volksarmee auf Abruf. […] In den Krankenhäusern von Leipzig waren am Nachmittag ganze Abteilungen freigeräumt worden. Blutkonserven standen bereit. […]
10 Doch die Leipziger wuchsen an diesem 9. Oktober über sich hinaus: Als sich 50 000 nach dem traditionellen Montagsgottesdienst zum historischen Marsch um die Innenstadt formierten, war die
15 Angst wie weggeblasen. Die Menschen im Zug zeigten eine fast schmerzende, heitere Gelassenheit.

(Der Spiegel, Nr. 48/1989, S. 20 f.)

### M 3   „Aufruf zu Dialog und Gewaltfreiheit", 9.10.1989

Noch während der Demonstration wurde über Rundfunk und öffentliche Lautsprecher ein „Aufruf zu Dialog und Gewaltfreiheit" verbreitet. Die Sensation daran: Er war von drei Oppositionellen und drei Bezirkssekretären der SED gemeinsam verfasst und unterzeichnet worden.

Unsere gemeinsame Sorge und Verantwortung haben uns heute zusammengeführt. Wir sind von der Entwicklung in unserer Stadt betroffen und suchen nach
5 einer Lösung. Wir alle brauchen freien Meinungsaustausch und die Weiterführung des Sozialismus in unserem Land. Deshalb versprechen die genannten Leute allen Bürgern, ihre ganze Kraft und
10 Autorität dafür einzusetzen, dass dieser Dialog […] geführt wird. Wir bitten Sie dringend um Besonnenheit, damit der friedliche Dialog möglich wird.

(Zit. nach: Der Spiegel, a.a.O.)

# Genauer hingesehen: flüchten oder verändern?

Transparent, Nov. 1989

Plakat, Nov. 1989

Außenminister Genscher verkündet 5 000 jubelnden DDR-Flüchtlingen vom Balkon der Prager Botschaft, dass ihre Ausreise in die Bundesrepublik genehmigt ist (Okt. 1989).

> In der Ablehnung der SED-Herrschaft waren sich alle Oppositionellen einig. Aber Ziele und Handlungsstrategien waren verschieden.
> Stellt mithilfe der Materialien auf dieser Seite Gemeinsamkeiten und Unterschiede fest.

**M 5** Die am häufigsten gerufenen Parolen auf den Montagsdemonstrationen in Leipzig:

**Q**

4. 9.: „Wir wollen raus!"
„Gorbi! Gorbi!"
25. 9.: „Wir bleiben hier!"
9. 10.: „Wir sind das Volk!"

**M 6 Zwei Stimmen aus der Bevölkerung**

**Q** Denn der Sozialismus ist tot. Aber obwohl der Sozialismus tot ist […], können seine ursprünglichen Inhalte nicht einfach ad acta gelegt werden. Trotz aller
5 vernichtenden Kritik am Sozialismus […] wird deutlich, dass die Menschen nicht unbedingt den Kapitalismus hier haben wollen.

**Q** Steht auf, bewegt euch, geht, aber
10 nicht in den Westen, sondern auf die Straße! Eine Lösung der Probleme ist ohne unsere Einmischung ganz bestimmt wieder eine, in der wir den Kürzeren ziehen. Wir müssen über unsere Zukunft selbst
15 entscheiden!

(Zit. nach: B. Bohley u.a. (Hg.), 40 Jahre DDR … und die Bürger melden sich zu Wort, Frankfurt a. M./Hanser)

## Das Ende der SED-Herrschaft: eine Chronik

- **2. Mai:** Ungarn beginnt mit dem Abbau von Grenzbefestigungen.
- **7. Mai:** Bürgerrechtlern gelingt der Nachweis von Wahlfälschungen bei den Kommunalwahlen in der DDR.
- **8. August:** Die „Ständige Vertretung" der Bundesrepublik wird wegen Überfüllung geschlossen, am 13. August auch die Botschaft der Bundesrepublik in Budapest. Hunderte hatten sich auf das Botschaftsgelände geflüchtet, um ihre Ausreise in den Westen zu erzwingen.
- **19. August:** 600 DDR-Bürgern gelingt durch ein offenes Grenztor die Flucht von Ungarn nach Österreich in den Westen.
- **4. September:** Beginn der „Montagsdemonstrationen" in Leipzig. Über tausend Menschen demonstrieren.
- **11. September:** Ungarn öffnet die Grenzen nach Österreich. Im September fliehen 25 000 DDR-Bürger über Ungarn nach Österreich.
- **Oktober:** Sonderzüge bringen die Flüchtlinge aus den Botschaften in Prag und Warschau in die Bundesrepublik. Die Züge werden mit Plomben versiegelt und fahren über DDR-Gebiet in den Westen. Die DDR-Führung versucht so den Schein aufrechtzuerhalten, sie würde die Flüchtlinge in den Westen abschieben.
- **3./4. Oktober:** Als ein weiterer Flüchtlingszug nachts durch den Dresdner Hauptbahnhof fährt, versuchen etwa 3 000 Menschen den Bahnhof zu stürmen und auf den Zug aufzuspringen.
- **9. Oktober:** Bisher größte Montagsdemonstration in Leipzig mit etwa 70 000 Teilnehmern. Es kommt nicht zu den befürchteten Auseinandersetzungen.
- **18. Oktober:** Erich Honecker tritt zurück. Egon Krenz wird sein Nachfolger.
- **30. Oktober:** 500 000 Demonstranten fordern in Leipzig ein Ende der SED-Herrschaft.
- **9. November:** Die SED gibt die Öffnung der Grenzen bekannt. Um 22 Uhr werden die Tore in der Berliner Mauer geöffnet. Tausende strömen noch in der Nacht nach West-Berlin.
- **28. November:** Die Volkskammer schafft die „führende Rolle" der SED ab.
- **3. Dezember:** ZK und Politbüro der SED treten endgültig zurück. Erich Honecker und andere ehemalige Spitzenfunktionäre werden aus der Partei ausgeschlossen.
- **16./17. Dezember:** Sonderparteitag der SED. Umbenennung in SED-PDS (Partei des demokratischen Sozialismus).
- **20. Februar 1990:** Die Volkskammer beschließt ein Wahlgesetz für freie und geheime Wahlen.
- **18. März 1990:** Erste freie und geheime Wahlen in der DDR seit über 40 Jahren.

# Warum scheiterte die DDR?

## Zeitgenössische Urteile

Das Ende der DDR bedeutete zugleich den Beginn einer wichtigen Diskussion unter den Zeitgenossen. Mit den zentralen Fragen setzen wir uns auf dieser Doppelseite auseinander.
Unsere drei Leitfragen:

- **Warum konnte die SED-Herrschaft sich so lange halten?**
- **Warum scheiterte sie letztlich?**
- **Welche Bedeutung hatte die friedliche Revolution des Jahres 1989?**

**1.** Entscheidet euch für eine der Quellen, die ihr bearbeiten wollt. Fasst ihre zentralen Aussagen in einer These zusammen und ordnet sie einer der drei Leitfragen zu. Präsentiert eure These der gesamten Klasse.

**2.** Sammelt auf der Grundlage eurer Kenntnisse der DDR und der Revolution von 1989 weitere mögliche Antworten auf die drei Leitfragen und versucht sie – aus eurer Sicht – in einem Kreisgespräch in ihrer Bedeutung zu gewichten.

### M 1 Eine Kommission des Deutschen Bundestages

Alltag in der DDR war immer ein Alltag mit Politik, in letzter Instanz mit der Politik der SED [...]. Das lässt sich sinnfällig an Entscheidungen, die die individuelle
5 Lebensführung und damit den Alltag verändern und neu ausrichten, veranschaulichen: Heiraten und Kinderkriegen standen in enger Wechselwirkung mit Wohnungsvergabepolitiken, Vereinbar-
10 keit von Mutterschaft und Beruf hing von den staatlicherseits zur Verfügung gestellten Kinderbetreuungseinrichtungen ab, Bildungsmöglichkeiten waren mit politisch codierten [ausgedrückten] Klas-
15 senzugehörigkeiten und Loyalitätsbekundungen verknüpft, die Teilhabe an anderen materiellen Errungenschaften wie Ferienplätzen, Eintragungen in eine Warteliste für Autos etc. an die Mitglied-
20 schaften in Massenorganisationen und so weiter.
Der alltägliche Umgang mit den vom politischen Willen der SED und nicht nur den materiellen Möglichkeiten diktierten
25 Konditionen [Bedingungen] für die Beschaffung und den Erwerb der Grundlagen für die eigene Lebensführung war eine Selbstverständlichkeit, eine Routine.

(Deutscher Bundestag [Hg.], Materialien der Enquete-Kommission „Überwindung der Folgen der SED-Diktatur im Prozess der deutschen Einheit", Bd. V: Alltagsleben in der DDR und den neuen Ländern, Baden-Baden 1999; zit. nach: Informationen zur politischen Bildung 270, 1/2001, S. 48)

### M 2 Der Oppositionelle Stefan Berg

Die allmächtige Partei brauchte nur noch in Ausnahmefällen – an der Grenze zum Beispiel – die brutalen Herrschaftsinstrumente. Für den Alltag hatte sie ausge-
5 sorgt. Denn die Angst hatte sie in den Jahren zuvor tief in die Bevölkerung eingepflanzt. Nun konnte sie die Anpassung ernten. Wie eine Erbkrankheit wurde sie von den Eltern an die Kinder weitergege-
10 ben. So verinnerlicht waren bestimmte Erfahrungen, dass viele sie gar nicht erst machen mussten, um sich doch so zu verhalten, als hätten sie sie gemacht. Heute werden, auch aus Verärgerung über das
15 eigene angepasste Verhalten, vielfach die Verhältnisse umgedeutet: Es sei alles gar nicht so schlimm gewesen. So steht jeder besser da, vor allem vor sich selbst.

(Stefan Berg, Die Geschichte der eigenen Angst; in: H. F. Buck/G. Holzweißig/E. Kurth, Am Ende des realen Sozialismus, Bd. 2, Opladen 1996, S. 38 ff.)

### M 4

Ohne Titel (Karikatur von 1989)

### M 3 Die Schriftstellerin Christa Wolf

Eine kleine Gruppe von Antifaschisten, die das Land regiert, hat ihr Siegesbewusstsein zu irgendeinem nicht genau zu bestimmenden Zeitpunkt [...] auf das
5 ganze Land übertragen. Die „Sieger der Geschichte" hörten auf, sich mit ihrer wirklichen Vergangenheit, der der Mitläufer, der Verführten, der Gläubigen in der Zeit des Nationalsozialismus ausein-
10 anderzusetzen. Ihren Kindern erzählten sie meistens wenig oder nichts von ihrer eigenen Kindheit und Jugend. Ihr untergründig schlechtes Gewissen machte sie ungeeignet, sich den stalinistischen
15 Strukturen und Denkweisen zu widersetzen [...]. Die Kinder dieser Eltern, nun schon ganz und gar „Kinder der DDR", selbst unsicher, entmündigt, häufig in ihrer Würde verletzt, wenig geübt, sich
20 in Konflikten zu behaupten, gegen unerträgliche Zumutungen Widerstand zu leisten, konnten wiederum ihren Kindern nicht genügend Rückhalt
25 geben, ihnen keine Werte vermitteln, an denen sie sich hätten orien-
30 tieren können.

(Christa Wolf, Das haben wir nicht gelernt; in: Angepasst oder mündig? Briefe an Christa Wolf im Herbst 1989, hg. v. Petra Gruner, Berlin 1990, S. 11)

236

## M 5 Der Historiker Günther Heydemann

Die DDR, der Staat der SED, ist aus mehreren unterschiedlichen Gründen zusammengebrochen. […]

Tatsächlich veränderten sich die Existenzbedingungen der DDR durch die Politik Gorbatschows grundlegend. Die Betonung der Eigenständigkeit der DDR […] ließ den SED-Staat […] auf Distanz gehen. Damit zeigte er aber nur umso krasser die eigene Erstarrung und Reformunfähigkeit auf. Noch entscheidender aber war, dass mit dem fundamentalen Politikwechsel in der UdSSR durch Gorbatschow die bis dahin existente Bestandsgarantie der DDR durch die Sowjetunion aufgegeben wurde […]. Das Nichteingreifen sowjetischer Streitkräfte während der Revolution von 1989/90 in der DDR besiegelte faktisch ihr Ende.

Die internen Gründe für den Zusammenbruch der DDR sind noch vielfältiger. Zu keiner Zeit war das mithilfe der sowjetischen Besatzungsmacht von der KPD/SED errichtete Herrschaftssystem demokratisch legitimiert. Zudem war und blieb die DDR immer nur ein Teilstaat einer Nation und stand mit dem anderen deutschen Teilstaat Bundesrepublik Deutschland in fortwährender Konkurrenz, der wiederum für die Partei wie für die Bevölkerung auf allen Ebenen Vergleichsmaßstab blieb.

Ebenso wenig gelang es, ein leistungsfähiges Wirtschaftssystem zu errichten, das international wettbewerbsfähig war und mehr als nur eine Grundversorgung der Bevölkerung sicherstellen konnte. Aus dieser ökonomischen Ineffizienz resultierte spätestens ab Mitte der Siebzigerjahre eine gleich bleibend hohe Verschuldung, die mit eigener Kraft nicht mehr zu bewältigen war, auch und nicht zuletzt deshalb, weil die zu diesem Zeitpunkt bereits nicht mehr finanzierbaren sozialpolitischen Leistungen beibehalten wurden.

Mit den wachsenden Wirtschafts- und Versorgungsproblemen nahm auch der innenpolitische Druck zu. Ab Mitte der Achtzigerjahre klafften Anspruch und Wirklichkeit des real existierenden Sozialismus in der DDR immer weiter auseinander. […] Die Zahl oppositioneller Gruppen im Schutz der Kirchen wuchs, noch mehr nahm die Zahl der Ausreisewilligen zu. Mit dem massenhaften Exodus von DDR-Bürgern, die ihr Land verließen und verlassen wollten, war letztlich das Ende des SED-Staates besiegelt – ein Staat, dem die eigenen Menschen davonliefen, besaß keine Existenzgrundlage mehr.

(Günther Heydemann, Entwicklung der DDR bis Ende der 80er-Jahre; in: Informationen zur politischen Bildung 270, 1/2001, S. 19ff., S. 33)

## M 6

„VEB-DDR stellt ein …" (Karikatur von 1989)

## M 7 Der westdeutsche Journalist Gustav Seibt (29.12.1989)

Was bedeuten die Ereignisse dieses Jahres 1989 im Zusammenhang der europäischen Geschichte? Jedenfalls handelt es sich um eine Revolution, wenn man darunter den Zusammenbruch von alter Legitimität und die dadurch notwendige Neubegründung von Staatsordnungen versteht. […]

Die osteuropäische Revolution ist keine Revolution im marxistischen Sinne, auch wenn soziale und ökonomische Probleme eine bedeutende Rolle spielen. […] Es geht nicht um Utopien und ferne Geschichtsziele, sondern um Ziele, die, wie unvollkommen auch immer, an einigen Stellen der Welt längst verwirklicht sind: die selbstverständliche Achtung der grundlegenden Menschen- und Bürgerrechte, die im Jahr 1789 endgültig formuliert wurden. Es geht um die Abschaffung der Folter, um Rede- und Versammlungsfreiheit, um Rechtsstaat, um Freizügigkeit, um all jene Sicherungen, die den Einzelnen vor dem Terror von Staat und Kollektiv bewahren. […]

Trotzdem ist die politisch-bürgerliche Revolution des Jahres 1989 in einem Punkt wesentlich verschieden von ihrer Vorläuferin von 1789. Niemand kann mehr an ihre geschichtliche Gesetzmäßigkeit glauben. 1789 meinten die Revolutionäre, die Bewegung der Zeit […] trage sie voran, sie waren der Zukunft gewiss. Revolution, das hieß zwangsläufig Fortschritt […]. Nach dem 20. Jahrhundert weiß man: Das Rad kann überall und zu jedem Zeitpunkt wieder zurückgedreht werden. Der Rückfall in die Barbarei kann sich immer als geschichtlicher Fortschritt maskieren. Es gibt keine Sicherheit und deshalb kein Recht mehr, das Recht zu brechen. Jetzt zählt nur noch, was hier und heute Wirklichkeit ist, ob Menschen in der Folterkammer sterben müssen oder ob sie frei atmen können.

(Frankfurter Allgemeine Zeitung vom 29. Dezember 1989)

# Deutschland – wieder ein vereintes Land?

In dieser Nacht war die Freude in ganz Deutschland groß und ungeteilt. Die Diktatur der SED war zu Ende. Die Teilung Deutschlands war überwunden.

- **Wie verlief der Weg zur staatlichen Einheit Deutschlands?**
- **Wie urteilen wir heute über die Einheit Deutschlands?**

---

„Nun wächst zusammen, was zusammengehört."

Der ehemalige Bürgermeister von Berlin, Willy Brandt

---

„Die Einheit der Deutschen betrifft zunächst die Deutschen […].
Aber das deutsche Volk muss bei seiner Entscheidung das europäische Gleichgewicht berücksichtigen […]. Bevor man dieses zerbrechliche Gebilde anrührt, muss man, wenn man den Frieden bewahren will, einen kühlen Kopf behalten."

Der französische Staatspräsident François Mitterrand während einer Diskussion mit Studenten in Leipzig, 21.12.1989

(Zit. nach: Auswärtiges Amt (Hg.), Umbruch in Europa – Eine Dokumentation, Bonn 1990, S. 161 f.)

Berlin, 3. Oktober 1990:
Feier zur Wiedervereinigung Deutschlands vor dem Reichstag

„Es wird harte Arbeit, auch Opfer, erfordern, bis wir Einheit und Freiheit, Wohlstand und sozialen Ausgleich für alle Deutschen verwirklichen können. Viele unserer Landsleute in der DDR werden sich auf neue und ungewohnte Lebensbedingungen einstellen müssen und auch auf eine gewiss nicht einfache Zeit des Übergangs. Den Deutschen in der DDR kann ich sagen: Es wird niemandem schlechter gehen als zuvor – dafür vielen besser."

Bundeskanzler Helmut Kohl in einer Rede vor dem Bundestag, 21.6.1990

(Das Parlament, Nr. 27 vom 29.6.1990, S. 1 ff.)

„Immer wieder begegne ich großartigen Beispielen dafür, wie Männer und Frauen aus Ost und West sich im Zuge der Vereinigung mit unglaublichem Pioniergeist und mit selbstloser Hingabe einsetzen. Dennoch fällt uns, aufs Ganze gesehen, die Vereinigung im menschlichen Bereich bisher am schwersten. Wir sind nicht offen genug miteinander."

Bundespräsident Richard von Weizsäcker in einer Ansprache zum Jahrestag der Einheit, 2.10.1991

(Bulletin des Presse- und Informationsamtes der Bundesregierung, Nr. 108, S. 853)

**9. Oktober 1989:**
Die bisher größte Montagsdemonstration in Leipzig bedeutet das Ende der DDR.

**9. November 1989:**
Öffnung der Berliner Mauer

**18. März 1990:**
Erste freie Wahlen zur Volkskammer der DDR

**12. April 1990:**
Wahl des CDU-Vorsitzenden Lothar de Maizière zum Ministerpräsidenten der DDR

**1. Juli 1990:**
Staatsvertrag zwischen der DDR und der Bundesrepublik zur Herstellung der Währungs-, Wirtschafts- und Sozialunion

**14.–16. Juli 1990:**
Michail Gorbatschow billigt bei einem Besuch von Bundeskanzler Helmut Kohl im Kaukasus Deutschland die volle Souveränität und Bündnisfreiheit zu.

**31. August 1990:**
Unterzeichnung des innerdeutschen „Vertrages über die Herstellung der staatlichen Einheit Deutschlands"

**12. September 1990:**
Unterzeichnung des „2+4-Vertrages" in Moskau

**3. Oktober 1990:**
Die DDR tritt nach Artikel 23 GG der Bundesrepublik Deutschland bei. Der 3. Oktober wird zum neuen Nationalfeiertag des wieder vereinten Deutschlands.

**19./21. November 1990:**
Erklärung der NATO, des Warschauer Paktes und der KSZE zum Ende des Kalten Krieges

**2. Dezember 1990:**
Erste gesamtdeutsche Bundestagswahlen

# Das Jahr der Entscheidungen – von der Wende zur Einheit

Zwischen der friedlichen Revolution in der DDR und der Vereinigung der beiden deutschen Staaten lag nur ein knappes Jahr. In den Augen der Zeitgenossen überschlugen sich die Ereignisse. Vieles, was jahrzehntelang undenkbar war, wurde plötzlich möglich. Viele Fragen mussten geklärt und entschieden werden.

---

**Beispielhaft untersuchen wir auf den folgenden Doppelseiten:**

- Der Streit um die Zukunft der beiden deutschen Staaten: Was wollten die Deutschen?
- Die Wahrnehmung der deutschen Einheit im Ausland: berechtigte Sorgen? (S. 242/243)
- Deutschland im Mittelpunkt der Weltpolitik: Wie reagieren die Siegermächte? (S. 244/245)

---

Demonstration für die Einführung der DM (Februar 1990)

## Was wollten die Deutschen?

Nach dem Zusammenbruch des SED-Regimes konnten die Bürgerinnen und Bürger der DDR in den ersten freien Wahlen zur Volkskammer am 18. März 1990 frei über ihre Zukunft entscheiden. Die von der West-CDU unterstützte „Allianz für Deutschland" ging mit 40,8 % der Stimmen als klarer Sieger aus dieser Wahl hervor, während die SPD mit 21,8 % nur den zweiten Platz erhielt und die Gruppen, die die Wende in der DDR mitgetragen hatten, noch schlechter abschnitten.

Die westdeutsche Regierung ergriff sehr schnell nach der Maueröffnung die Initiative zur Herstellung der deutschen Einheit. Schon am 28.11.1989 legte Bundeskanzler Helmut Kohl einen „Zehnpunkteplan" mit diesem Ziel vor. Weil die Frage der deutschen Einheit auch die Interessen und Rechte der europäischen Nachbarstaaten sowie insbesondere der Siegermächte des Zweiten Weltkrieg betrafen, begannen umfassende diplomatische Gespräche, die den Weg zur Einheit ebnen sollten (s. S. 245). Zugleich begann die Regierung Kohl Gespräche mit der ostdeutschen Regierung über eine schrittweise Angleichung der DDR an die gesellschaftlichen, wirtschaftlichen, rechtlichen und staatlichen Verhältnisse in der Bundesrepublik. Diese Gespräche mündeten am 1. Juli 1990 in die Unterzeichnung des Staatsvertrages zur Herstellung einer Währungs-, Wirtschafts- und Sozialunion zwischen der Bundesrepublik un der DDR. Damit wurden die beiden deutschen Staaten schon vor ihrer Vereinigung praktisch zu einem Wirtschaftsgebiet. Die DM wurde als Zahlungsmittel in der DDR eingeführt; DDR-Bürgerinnen und -Bürger konnten ihre Sparguthaben je nach Alter in einer Höhe von 4000–6000 Ost-Mark im Verhältnis 1:1 umtauschen. Auch Löhne und Renten wurden jetzt in DM ausgezahlt. Die wirtschaftliche Einheit mit der wohlhabenden BRD und die Einführung der DM gab den Bürgerinnen und Bürgern der DDR das Gefühl ökonomischer Stabilität und Sicherheit. Die Abwanderungsbewegung ging deutlich zurück.

Dennoch blieb der Vertrag umstritten. Während im Osten manche die Vereinnahmung der DDR durch die Bundesrepublik befürchteten, befürchteten Teile der westdeutschen Öffentlichkeit ein Wiedererwachen des deutschen Nationalismus und Großmachtstrebens.

Die westdeutsche Bundesbank warnte vor unabsehbaren wirtschaftlichen Problemen, denn durch die Einführung der DM wurden die veralteten DDR-Betriebe mit einem Schlag der Konkurrenz westlicher Unternehmen ausgesetzt, der sie nicht standhalten konnten.

Hinzu kam der Wegfall der traditionellen osteuropäischen Märkte, die die DDR-Produkte in harter Westwährung nicht mehr bezahlen konnten.

Eine eigens geschaffene Agentur, die Treuhandanstalt, versuchte die Staatsbetriebe der DDR zu privatisieren und an Investoren zu verkaufen. Diese übernahmen aber oft nur einen kleinen Teil der Produktionsanlagen und der Arbeitnehmer. Viele Betriebe wurden stillgelegt und die Zahl der Arbeitslosen stieg sprunghaft an. Die noch produzierenden Unternehmen mussten ihre Verkaufspreise senken, Löhne und Gehälter blieben deshalb in Ostdeutschland niedriger als in Westdeutschland.

Am 3. Oktober traten die fünf neu gegründeten ostdeutschen Länder nach Artikel 23 der Bundesrepublik bei. Damit wurde praktisch die gesamte westdeutsche Staats-, Wirtschafts- und Rechtsordnung auf das Gebiet der ehemaligen DDR übertragen. Das Leben der Ostdeutschen änderte sich über Nacht grundlegend.

Am 2. Dezember 1990 fanden die ersten gesamtdeutschen Bundestagswahlen statt, die die CDU/CSU als klarer Sieger für sich entschied. Der Wahlausgang konnte als Zustimmung der Mehrheit der Deutschen für ihren Kurs gewertet werden.

# Was soll mit den beiden deutschen Staaten geschehen?

**So könnt ihr vorgehen:**

**1.** Erarbeitet die drei Konzepte in Gruppen. Nutzt die Quellen und den Darstellungstext.

**2.** Versucht euch in die Lage der Bürgerrechtler, des SPD-Kandidaten und des Bundeskanzlers hineinzuversetzen. Spielt eine Podiumsdiskussion durch, in der jeweils ein oder mehrere Vertreter die Positionen einnehmen und anschließend diskutieren.

**3.** Welches Konzept war geeignet für ganz Deutschland? Darüber kann die Klasse diskutieren.

## M 1 Aufruf „Für unser Land", 26.11.1989

Der Aufruf wurde von einer Gruppe von Bürgerrechtlern aus der DDR, wie dem Schriftsteller Stefan Heym, dem Pfarrer Friedrich Schorlemmer und der Schriftstellerin Christa Wolf, veröffentlicht.

**Q** Gewaltfrei, durch Massendemonstrationen hat das Volk den Prozess der revolutionären Erneuerung erzwungen, der sich in atemberaubender Geschwin-
5 digkeit vollzieht. Uns bleibt nur wenig Zeit, auf die verschiedenen Möglichkeiten Einfluss zu nehmen. […]
Entweder können wir auf der Eigenständigkeit der DDR bestehen und versuchen,
10 mit allen unseren Kräften […] in unserem Land eine solidarische Gesellschaft zu entwickeln, in der Frieden und soziale Gerechtigkeit, Freiheit des Einzelnen, Freizügigkeit aller und die Bewahrung
15 der Umwelt gewährleistet sind.
Oder wir müssen dulden, dass, veranlasst durch starke ökonomische Zwänge und durch unzumutbare Bedingungen, an die einflussreiche Kreise […] aus der
20 Bundesrepublik ihre Hilfe für die DDR knüpfen, ein Ausverkauf unserer materiellen und moralischen Werte beginnt und über kurz oder lang die Deutsche Demokratische Republik durch die Bundesre-
25 publik vereinnahmt wird.
Lasst uns den ersten Weg gehen. Noch haben wir die Chance, in gleichberechtigter Nachbarschaft zu allen Staaten Europas eine sozialistische Alternative zur
30 Bundesrepublik zu entwickeln.

(Zit. nach: Klaus Schröder, Der SED-Staat, München/Propyläen Taschenbuch 2000, S. 721 f.)

## M 2 Oskar Lafontaine, 28.5.1990

Der damalige Kanzlerkandidat der SPD in der Bundesrepublik, Oskar Lafontaine, nahm in einem Zeitungsinterview Stellung zum Staatsvertrag zur Währungs-, Wirtschafts- und Sozialunion:

**Q** Ich halte die Ausdehnung des Geltungsbereiches der D-Mark zum 1. Juli in der DDR nach wie vor für einen schweren Fehler, weil sie Massenarbeitslosigkeit
5 zur Folge hat. […] Im Vertrag wird außerdem die Spaltung Deutschlands in zwei Sozialstaatsbereiche festgeschrieben, in denen es auf längere Zeit unterschiedliche Renten, Arbeitslosengelder und Sozialhil-
10 fen gibt. Die Regierungsparteien werden sich ihrer Worte erinnern müssen, dass dies eine Politik der Herzlosigkeit, der sozialen Kälte sei, dass hier eine neue Mauer in Deutschland gezogen werde. […]
15 Es gibt Leute, die unter Einheit nur die staatliche Einheit verstehen. Die Sozialdemokraten verstehen darunter aber auch die Herstellung der Einheitlichkeit der Lebensverhältnisse. Die abrupte Ein-
20 führung der D-Mark ist der teuerste Weg für beide Teile Deutschlands. […]
Ich kann eine Radikalkur nicht akzeptieren. Sie kann jemand vorschlagen, der hier in sicheren Verhältnissen lebt und
25 keinerlei Sorge hat, einen sicheren Arbeitsplatz oder eine Wohnung zu finden. Sicherlich gibt es in der DDR große Erwartungen in die Einführung der D-Mark, die im Wahlkampf leichtfertig ge-
30 schürt wurden. Man kann einer Bevölkerung, die jahrzehntelang nicht im marktwirtschaftlichen System gelebt hat, nicht abverlangen, dass sie die Auswir-
35 kungen auf die Wettbewerbsfähigkeit ihrer eigenen Wirtschaft und damit ihrer Arbeitsplätze überblickt. Das wäre Aufgabe der verantwortlichen Politiker gewesen, die hier eklatant versagt haben.

(Der Spiegel, Nr. 22 vom 28.5.1990, S. 26ff.)

## M 3 Bundeskanzler Helmut Kohl, 21.6.1990

Der damalige Bundeskanzler Helmut Kohl sagte in seiner Regierungserklärung zu Beginn der Debatte im Bundestag zum Staatsvertrag:

**Q** Die Bundesregierung will jetzt die Voraussetzungen dafür schaffen, dass bald alle Deutschen gemeinsam in Frieden, Freiheit und Wohlstand leben kön-
5 nen […].
Ich bin mir bewusst, dass der Weg, den wir jetzt einschlagen, schwierig sein wird. Das wissen auch die Menschen in der DDR. Aber sie sagen uns allen unmiss-
10 verständlich: Der Staatsvertrag muss kommen […]. Wer jetzt behauptet, man hätte sich noch mehr Zeit lassen können, der verkennt die Realitäten in Deutschland, und er verdrängt die Erfahrungen
15 der letzten Monate. Es sind die Menschen in der DDR, die das Tempo der Entwicklung bestimmt haben und im Übrigen weiter bestimmen werden. […]
Ein Hinauszögern des Staatsvertrages
20 hätte den Zusammenbruch der DDR bedeutet. Die Übersiedlerzahlen wären sprunghaft erneut angestiegen – wie wir alle wissen, mit verheerenden Folgen. […]
25 Es wird harte Arbeit, auch Opfer erfordern, bis wir Einheit und Freiheit, Wohlstand und sozialen Ausgleich für alle Deutschen verwirklichen können. Viele unserer Landsleute in der DDR werden
30 sich auf neue und ungewohnte Lebensbedingungen einstellen müssen und auch auf eine gewiss nicht einfache Zeit des Übergangs. Den Deutschen in der DDR kann ich sagen: Es wird niemandem
35 schlechter gehen als zuvor – dafür vielen besser.

(Zit. nach: Das Parlament, Nr. 27 vom 29.6.1990, S. 1–6)

# Berechtigte Sorgen?

## Die Wahrnehmung der deutschen Einheit im Ausland

Während die friedliche Revolution in der DDR auf der ganzen Welt mit Freude aufgenommen wurde, stieß der deutsche Wunsch nach nationaler Einheit im Ausland auf gemischte Gefühle.

- **Bestimmte, für einzelne Nationen typische Sorgen stellen wir euch auf dieser Doppelseite vor.**

**1.** Betrachtet die Ergebnisse der Meinungsumfrage (M 1), haltet Auffälligkeiten fest und formuliert Vermutungen über mögliche Hintergründe für die unterschiedlichen Meinungen zur deutschen Einheit.

**2.** Interpretiert in Gruppen jeweils eine der Karikaturen (M 3 – M 8) und ordnet ihnen jeweils eine der Schlagzeiten (M 2) zu.

**3.** Stellt eure Ergebnisse der Klasse vor. Schließt eure Präsentationen jeweils mit einer Antwort auf die Leitfrage in der Überschrift und stellt sie zur Diskussion.

**M 1** **Meinungen zur deutschen Vereinigung im Frühjahr 1990**

| Land | Zustimmung | Ablehnung | Keine Meinung |
|---|---|---|---|
| „Sind Sie für oder gegen die deutsche Einheit?" | | | |
| DDR | 90 | 6 | 5 |
| Spanien | 81 | 5 | 13 |
| BRD | 77 | 11 | 11 |
| Italien | 77 | 11 | 12 |
| USA | 61 | 13 | 9 |
| Irland | 61 | 13 | 9 |
| Griechenland | 74 | 11 | 15 |
| Ungarn | 68 | 22 | 10 |
| Frankreich | 66 | 15 | 19 |
| Großbritannien | 64 | 18 | 17 |
| Niederlande | 59 | 21 | 20 |
| Sowjetunion | 51 | 30 | 9 |
| Polen | 48 | 39 | 13 |
| Tschechoslowakei | 37 | 22 | 22 |
| Israel | 25 | 33 | 40 |

(Quelle: Haus der Geschichte der BRD)

**M 2** Schlagzeilen

Angst vor einem „Vierten Reich"

Angst vor dem deutschen Revisionismus

Angst vor einem Ausverkauf der Sicherheitsinteressen

Angst vor dem Vergessen

Sorge um das europäische Gleichgewicht

**M 3**

Jacek Sasin, ohne Titel
(Polityka, 13. April 1991, Polen)

**M 4**

Agris Liepins, Erfolgreicher Austausch (1990, Lettland).
In der Sprechblase: „Man kann erwerben durch Geben, man kann erwerben durch Nehmen. Das durch Geben Erworbene kann keiner mehr nehmen!" Auf der Tafel: „Deutschland"

Ya'acov Farkas, ohne Titel (Ha'aretz, 13. November 1989, Israel)

Jean Plantureux, „Ich habe Hunger für zwei!"
(Le Monde, 16. November 1989, Frankreich)

Christophe Vorlet, 1989–1938
(New York Times, 17. November 1989, USA)

Bill Caldwell, March of the Fourth Reich
(Daily Star, 26. Februar 1990, Großbritannien)

# Wie reagieren die Siegermächte?

Die deutsche Einheit betraf nicht nur die Deutschen, sondern auch ihre Nachbarn. Sie veränderte die europäische Nachkriegsordnung grundlegend. Auch wenn die Siegermächte des Zweiten Weltkrieges, deren Truppen noch immer in Deutschland stationiert waren, der deutschen Einheit grundsätzlich positiv gegenüberstanden, so mussten sie doch Rücksicht auf Sorgen und Vorbehalte in der Öffentlichkeit nehmen und ihre eigenen Interessen im Blick behalten.

> ● **Würden die Großmächte einer deutschen Einheit zustimmen? Und wenn ja – unter welchen Bedingungen?**
>
> Beispielhaft interpretieren wir eine Rede des französischen Präsidenten François Mitterrand.

### Ⓜ ███ François Mitterrand, 21.12.1989

Während einer Diskussion mit Studenten an der Karl-Marx-Universität in Leipzig äußerte sich der französische Staatspräsident zur Frage der deutschen Einheit:

Ⓠ Meine Position ist ganz einfach. Erstens, […] die Einheit der Deutschen betrifft zunächst die Deutschen. Nur freie, offene, demokratische Wahlen werden erlauben,
5 genau zu wissen, was die Deutschen auf beiden Seiten wollen. Man muss zuerst durch diese Probe, die eine gute Probe ist, bevor man für die Deutschen entscheidet. Sie müssen sagen, was sie wollen. […]
10 Es ist also eine gewisse Ordnung – wenn man das so nennen kann – in Europa entstanden, um zwei Militärbündnisse herum, mit einem Gleichgewicht zwischen diesen Bündnissen und auf der Grundla-
15 ge von Grenzen, die durch internationale Abkommen zu Protokoll genommen und bekräftigt wurden. […] Wenn man beginnt, die Grenzen hier anzurühren, so wird fast überall Bewegung aufkommen.
20 Wenn man dieses zerbrechliche Gebäude anrührt, muss man, wenn man den Frieden bewahren will, einen kühlen Kopf behalten. Man hat das Recht, mit Leidenschaft und Hoffnung zu handeln, aber
25 man muss doch wieder eine gewisse Dosis Vernunft hineinbringen. Ich sage also, die deutsche Einheit hängt zuerst wesentlich vom deutschen Volk ab. Wenn das deutsche Volk entscheidet, dass es so sein
30 soll, wird Frankreich sich dem nicht entgegenstellen.

Aber das deutsche Volk muss bei seiner Entscheidung das europäische Gleichgewicht berücksichtigen.
35 Ich sage also, dass die deutsche Einheit zweitens eine Angelegenheit ihrer Nachbarn ist, die sich nicht an die Stelle des deutschen Willens zu setzen haben, die aber das Gleichgewicht Europas zu wah-
40 ren haben. Das ist beinahe ein Widerspruch. Zwei verschiedene Elemente der Analyse, die These und Antithese für eine Synthese sein können. Ich glaube, dass es möglich ist, das heißt, dass man gleichzei-
45 tig die Formen der deutschen und der europäischen Einheit voranbringen kann. Sonst kommt es zu einem Ungleichgewicht, über das sie nachdenken müssen, wenn sie wählen. […]
50 Die Rolle der europäischen Gemeinschaft in diesem Prozess muss gewichtig sein, denn die europäische Gemeinschaft […] muss sich stärken, damit das deutsche Problem nicht nur ein deutsches Problem
55 ist, sondern ein europäisches Problem. Darin werden wir uns wohl gut verstehen, um die richtige Lösung zu finden.

(Zit. nach: Auswärtiges Amt (Hg.), Umbruch in Europa – Eine Dokumentation, Bonn 1990, S. 161f.).

---

### ▮ In Stichworten festgehalten …

– Mitterrands grundsätzliche Haltung zur deutschen Einheit:
– Seine Vorbehalte:
– Seine Folgerungen:

---

## Die außenpolitische Gestaltung der Einheit

### Die Haltung der Siegermächte

Während die USA von Anfang an die Vereinigung der beiden Staaten unterstützten und förderten, hatten die europäischen Nachbarstaaten größere Vorbehalte, denn der erwartete Machtzuwachs des vereinten Deutschlands machte ihnen Sorgen. Besonders schwierig war die Situation für die Sowjetunion, denn die Auflösung der DDR, ihres ehemaligen Verbündeten, bedeutete einen erheblichen Einflussverlust. Eine mögliche Mitgliedschaft des neuen Deutschlands in der NATO, dem ehemals feindlichen Militärbündnis, weckte zudem Ängste vor einer militärischen Bedrohung.

### Die „2+4"-Verhandlungen

Anfang Mai 1990 begannen die „2+4"-Verhandlungen, an denen außer den beiden deutschen Staaten die vier Siegermächte des Zweiten Weltkrieges (USA, UdSSR, Frankreich und Großbritannien) teilnahmen.

Die wichtigste Hürde konnte während eines Staatsbesuches des westdeutschen Bundeskanzlers Helmut Kohl im Kaukasus im Juli 1990 überwunden werden. Michail Gorbatschow, dessen Reformen die deutsche Einheit überhaupt erst ermöglicht hatten, stimmte nun auch der deutschen Einheit und der Integration eines vereinten Deutschlands in das westliche Militärbündnis zu. Die sowjetische Regierung unter Gorbatschow stand der deutschen Einheit grundsätzlich wohlwollend gegenüber, hatte aber

Sorge vor weiter gehenden Forderungen, etwa nach einer Infragestellung der deutsch-polnischen Grenze, und vor einer zu starken Machtverschiebung in Europa zu ihren Lasten und zugunsten der NATO. Deshalb war für ihn die Zusicherung Helmut Kohls und der westdeutschen Bundesregierung entscheidend, die Bundeswehr auf 370 000 Mann zu reduzieren und den Verzicht auf ABC-Waffen sowie die Unveränderbarkeit der polnischen Westgrenze zu bekräftigen. Zudem erklärte sich die Bundesregierung bereit, den teuren Abzug der noch in der DDR stationierten sowjetischen Soldaten zu finanzieren und neue Wohnunterkünfte für sie in der Sowjetunion zu errichten. Die Zustimmung der Sowjetunion beruhte also auf drei Beweggründen: Sie entsprach zunächst grundsätzlich der neuen sowjetischen Außenpolitik seit dem Amtsantritt Gorbatschows, die durch den Verzicht auf außenpolitische Machtansprüche gekennzeichnet war. Hinzu kamen zweitens Zusicherungen Deutschlands und der Westmächte, die den Bestand der europäischen Grenzen garantierten und den Einfluss der NATO in Europa beschränkten, sowie drittens finanzielle Zuwendungen durch die Bundesregierung.

Am 12. September 1990 wurde der „2+4"-Vertrag in Moskau unterzeichnet. Er entließ Deutschland in die volle Souveränität.

## Deutschland in Europa

In gemeinsamen Erklärungen der NATO und des Warschauer Paktes (kurz vor seiner Auflösung) sowie der 34 KSZE-Staaten am 19. und 21. November 1990 in Paris erklärten die versammelten Staats- und Regierungschefs das Ende des Kalten Krieges und ihren Willen, ein Europa der Demokratie, des Friedens und der Einheit aufbauen zu wollen.

Mit dieser Erklärung und den anschließenden Beitrittsverhandlungen osteuropäischer Staaten mit der NATO und der EU war die deutsche Einheit zu einem Teil des übergreifenden Prozesses der europäischen Neuordnung geworden.

Außenministertreffen (5.5.1990), v. l. n. r: James Baker (USA), Eduard Schewardnaze (UdSSR), Hans-Dietrich Genscher (BRD), Roland Dumas (F), Markus Meckel (DDR), Douglas Hurt (GB)

Staatsbesuch im Kaukasus. Hans-Dietrich Genscher, Michail Gorbatschow und Helmut Kohl machen Rast während eines Spazierganges. Die Sitzgruppe, auf der ein Teil der wichtigen Verhandlungen zur deutschen Einheit geführt wurde, ist heute im Haus der Geschichte der Bundesrepublik Deutschland in Bonn zu sehen.

# Forschungs-station

## Ein Volk oder zwei Welten?

### Die Deutschen nach der Wiedervereinigung (90er-Jahre)

Am 3. Oktober 1990 beherrschte die Freude um die wiedergewonnene Einheit die Stimmung der Deutschen. Bald machte sie einer nüchternen Betrachtungsweise Platz. Den Deutschen wurde klar, dass erhebliche Opfer und Anstrengungen von ihnen verlangt wurden.

Mit dem Beitritt der fünf neu gegründeten ostdeutschen Länder zur Bundesrepublik wurde das gesamte westliche Gesellschafts-, Wirtschafts- und Rechtssystem auf das Gebiet der ehemaligen DDR übertragen. Während sich für die Westdeutschen kaum etwas änderte, war für die Ostdeutschen mit einem Schlag alles neu und ungewohnt. Von ihnen wurden anstrengende Lern- und Anpassungsprozesse erwartet.

Die wirtschaftliche Sanierung und Modernisierung in Ostdeutschland erforderte viel Geld. Bis 1999 waren schon 1.569 Mrd. DM Aufbauhilfe in die neuen Bundesländer geflossen. Aufgebracht wurde dieses Geld durch Kredite, Steuermittel und den sogenannten „Solidarbeitrag". Die Westdeutschen mussten einsehen, dass die Einheit auch sie etwas kostete. Die Ostdeutschen erfuhren, dass die wirtschaftliche Angleichung nicht in wenigen Jahren zu erreichen war.

Es zeigte sich, dass nicht nur die lange Zeit der Trennung Spuren hinterließ, auch die Belastungen der Einheit waren für manche nur schwer zu verkraften.

Euer **Forschungsauftrag** lautet: **Haben sich die Deutschen in Ost und West im ersten Jahrzehnt der Wiedervereinigung einander angenähert?**

### So könnt ihr vorgehen:

**1.** Beginnt mit einem Kreisgespräch über die Leitfrage in der Überschrift. Die Materialien M 1 und M 2 können euch beim Einstieg in das Gespräch helfen.

**2.** Arbeitet anschließend – in Gruppen – in diesen Forschungsbereichen:
– Wirtschaft und Lebensverhältnisse (S. 247)
– Lebensgefühl und Meinungen (S. 248)
– Urteile und Vorurteile (S. 249)
– Gleichberechtigung der Geschlechter (S. 250/251).

**3.** Präsentiert eure Ergebnisse, diskutiert sie und versucht abschließend die Forschungsfrage zusammenfassend zu beantworten.

**4.** Ausblick: Und heute? Ihr könnt eure Untersuchung ergänzen, indem ihr zu den vier Forschungsbereichen aktuelles Material sammelt und auswertet.

**M 1**

Demonstration in Berlin, November 1989

**M 2**

Karikatur, Bundesrepublik Deutschland 1996

# Wirtschaft und Lebensverhältnisse

## M 3

## M 4  Wirtschaftswachstum und Arbeitsproduktivität

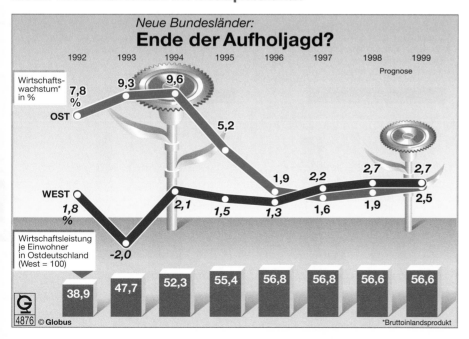

Neue Bundesländer:
### Ende der Aufholjagd?

|  | 1992 | 1993 | 1994 | 1995 | 1996 | 1997 | 1998 | 1999 |
|---|---|---|---|---|---|---|---|---|

Prognose

Wirtschaftswachstum* in %

OST  7,8% 9,3 9,6 5,2 1,9 2,2 2,7 2,7

WEST 1,8% -2,0 2,1 1,5 1,3 1,6 1,9 2,5

Wirtschaftsleistung je Einwohner in Ostdeutschland (West = 100)

| 38,9 | 47,7 | 52,3 | 55,4 | 56,8 | 56,8 | 56,6 | 56,6 |

G 4876 © Globus

*Bruttoinlandsprodukt

---

**So könnt ihr vorgehen:**

1. Stellt die Grafiken und Statistiken vor.

2. Beschreibt die inneren Zusammenhänge zwischen ihnen.

3. Präsentiert eure Interpretationen und beantwortet die Frage der Frau (M 3, Foto um 1992) in Form einer These.

## M 5  Arbeitslosigkeit

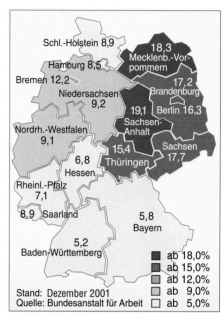

Schl.-Holstein 8,9
Hamburg 8,5
Bremen 12,2
Niedersachsen 9,2
Mecklenb.-Vorpommern 18,3
Brandenburg 17,2
Berlin 16,3
Sachsen-Anhalt 19,1
Nordrh.-Westfalen 9,1
Thüringen 15,4
Sachsen 17,7
Hessen 6,8
Rheinl.-Pfalz 7,1
Saarland 8,9
Bayern 5,8
Baden-Württemberg 5,2

- ab 18,0%
- ab 15,0%
- ab 12,0%
- ab 9,0%
- ab 5,0%

Stand: Dezember 2001
Quelle: Bundesanstalt für Arbeit

## M 6  Einkommen

Durchschnittliches Einkommen in den neuen Bundesländern in Prozent des durchschnittlichen Einkommens in den alten Bundesländern

| Jahr | Prozent |
|---|---|
| 1991 | 45,2  West = 100% |
| 1992 | 56,1 |
| 1993 | 63,6 |
| 1994 | 66,5 |
| 1995 | 68,9 |
| 1996 | 71,1 |
| 1997 | 72,1 |
| 1998 | 72,4 |
| 1999 | 72,4 |
| 2000 | 72,0 |
| 2001 | 71,8 |

Quelle: Inst. für Wirtschaftsforschung Halle

# Forschungs-station

## Lebensgefühl und Meinungen

**So könnt ihr vorgehen:**

**1.** Stellt die statistischen Daten und die Ergebnisse der Meinungsumfragen vor.

**2.** Präsentiert eure Interpretationen. Macht vor allem deutlich, worauf bestimmte Entwicklungen und Haltungen eurer Ansicht nach zurückzuführen sein könnten.

### M 9 Meinungen über die deutsche Einheit

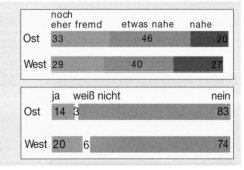

„Wie nah sind sich die Ost- und Westdeutschen seit der Wende gekommen?"

| | noch eher fremd | etwas nahe | nahe |
|---|---|---|---|
| Ost | 33 | 46 | 20 |
| West | 29 | 40 | 27 |

„Wäre es besser, wenn die Mauer heute noch stehen würde?"

| | ja | weiß nicht | nein |
|---|---|---|---|
| Ost | 14 | 3 | 83 |
| West | 20 | 6 | 74 |

### M 7 Wanderungen von Ost nach West

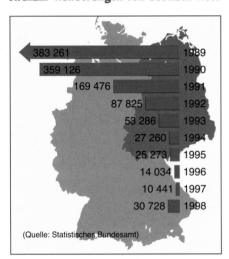

| | |
|---|---|
| 383 261 | 1989 |
| 359 126 | 1990 |
| 169 476 | 1991 |
| 87 825 | 1992 |
| 53 286 | 1993 |
| 27 260 | 1994 |
| 25 273 | 1995 |
| 14 034 | 1996 |
| 10 441 | 1997 |
| 30 728 | 1998 |

(Quelle: Statistisches Bundesamt)

### M 10 Haltung zur Demokratie

„Wie zufrieden sind Sie mit der Demokratie in der Bundesrepublik und unserem politischen System?"

(M 9 u. M 10: Repräsentative Umfrage des forsa-Institutes im Auftrag des „Stern"; aus: Stern, Nr. 38/1999 v. 16.9. 1999, S. 35)

| | sehr zufrieden/zufrieden | weniger/gar nicht zufrieden |
|---|---|---|
| Ost | 38 | 61 |
| West | 60 | 39 |

### M 11 Meinungen zur sozialen Marktwirtschaft

**Frage 1**
„Wie sehen Sie das: Sind die wirtschaftlichen Verhältnisse bei uns in der Bundesrepublik – ich meine, was die Menschen besitzen und was sie verdienen – im Großen und Ganzen gerecht oder nicht gerecht?"

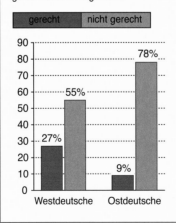

gerecht / nicht gerecht

Westdeutsche: 27%, 55%
Ostdeutsche: 9%, 78%

**Frage 2**
„Hat die soziale Gerechtigkeit bei uns in den letzten drei, vier Jahren zugenommen, abgenommen oder ist sie gleich geblieben?"

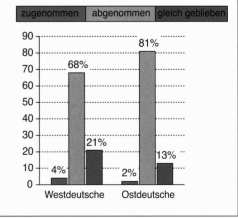

zugenommen / abgenommen / gleich geblieben

Westdeutsche: 4%, 68%, 21%
Ostdeutsche: 2%, 81%, 13%

An 100 % fehlende = unentschieden. Befragt wurden Personen ab 16 Jahren.

(Quelle: Allensbach Archiv, Ifd-Umfrage 6057, Mai 1996)

### M 8 Geburtenraten in Ost und West

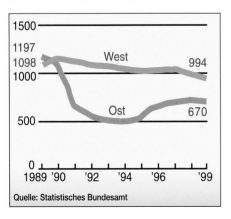

| | |
|---|---|
| 1500 | |
| 1197 | West |
| 1098 | |
| 1000 | 994 |
| 500 | Ost 670 |
| 0 | |
| 1989 '90 '92 '94 '96 '99 | |

Quelle: Statistisches Bundesamt

248

# Urteile und Vorurteile

Oft urteilen Menschen über andere, ohne sie jemals kennengelernt zu haben. Gerüchte, einzelne Nachrichten, Bilder aus dem Fernsehen etc. führen dazu, dass wir mehr oder weniger bewusst über andere Menschen urteilen. Solche Urteile heißen „Vorurteile" – manchmal halten sie einer Überprüfung stand, manchmal auch nicht.

● **Wie urteilen die Menschen in Ost und West übereinander?**

### Ein kleines Experiment

Versucht zu beschreiben, was jemand, der euch genau gegenübersitzt, mit seinen oder ihren Augen sieht!
Gar nicht so einfach, oder?
Es ist schwer, sich in jemand anderen hineinzuversetzen. Diese Fähigkeit entwickelt sich erst im Laufe der Kindheit und Jugend. Je weiter man darin fortgeschritten ist, desto weniger wird man durch Vorurteile belastet sein.

### So könnt ihr vorgehen:

1. Lasst eure Mitschüler und Mitschülerinnen das Experiment machen. Versucht gemeinsam, den Unterschied zwischen Vorurteil und Urteil möglichst genau zu definieren.

2. Präsentiert eure Interpretation von M 12. Nehmt euch Zeit, genau zu erklären, welche Ursachen ihr für einzelne Aussagen vermutet. (Wenn ihr möchtet, könnt ihr vorher die Umfrage in eurer Klasse durchführen und die Ergebnisse mit M 12 vergleichen.)

3. Stellt die beiden „Schlaglichter" (M 13, M 14) vor. Beschreibt, welche Bilder die Jugendlichen voneinander haben und womit sie vielleicht erklärt werden können. Stellt eine mögliche Folge von Vorurteilen, wie sie in M 14 deutlich wird, zur Diskussion.

---

**M 12 Wie die Deutschen übereinander denken …**

| ostdeutsche Eigenschaften | | westdeutsche Eigenschaften | |
|---|---|---|---|
| 63 | menschlich | 51 |
| 47 | unsicher | 7 |
| 30 | weltoffen | 74 |
| 28 | flexibel | 64 |
| 25 | bescheiden | 18 |
| 38 | unselbstständig | 9 |
| 33 | berechnend | 73 |
| 30 | provinziell | 19 |
| 33 | geldgierig | 53 |
| 33 | egoistisch | 58 |
| 19 | oberflächlich | 28 |
| 16 | arrogant | 58 |

(Repräsentative Umfrage des forsa-Institutes im Auftrag des „Stern"; aus: Stern, Nr. 38/1999 v. 16.9.1999, S. 35)

**M 13 Schlaglicht: ostdeutsche Jugendliche über Begegnungen mit westdeutschen Jugendlichen**

**Q** Welchen Eindruck habt ihr von den Schülern im Westen?
Eva: Sie sind selbstbewusster und selbstständiger. Zum Beispiel haben sie strenge
5 Noten schon die ganze Zeit und werden damit fertig. Ich mach mir eben immer noch was aus einer schlechten Zensur.

Janni: Wir spielen Basketball in einer Halle in einer ganz alten Schule. Ich meine,
10 was will man erwarten von so einer alten Turnhalle. Sind eben keine Duschen da. Sobald die Westmannschaft reinkommt, geht es los, sie verdrehen die Augen. Neulich hatten wir unsere Spielkleidung
15 an, wirklich ziemlich übel – rosa mit roten Ärmeln. Noch von früher. Wir haben uns selber drüber lustig gemacht. Trotzdem unmöglich, dass die Westler so drüber gelästert haben. Das Spiel haben wir
20 aber gewonnen.
Anna-Laura: Wir waren drüben in einer Realschule zu einem Basketballspiel. Als wir ankamen, lief mir ein Mädchen nach, fasste meine Jacke an und sagte: „Bleib
25 mal stehen!". Sie suchte das Etikett. – „I, Billigjacke!", und dann ging sie wieder weg. Meine schöne weiße Jeansjacke, die 120 Mark gekostet hat.

(Zit. nach: Wochenpost, Nr. 9 vom 20.2.1992)

**M 14 Schlaglicht: ein westdeutscher Jugendlicher über Begegnungen mit ostdeutschen Jugendlichen**

**Q** Die ganze Sache mit der Wiedervereinigung, die hat mich zuerst vollkommen kalt gelassen. Ging mich nichts an.

Am Anfang sind die Ostler ja auch meist
5 nur in die Grenzgebiete gedüst, zum Einkaufen. […] Aber langsam hat man dann das Gefühl, sie machen sich überall breit. […] Überall nur Ostblock: in den Kaufhäusern, dem Supermarkt, der Disko.
10 Das behagt mir nicht. Wir haben hier unsere Art zu leben entwickelt und sie die ihre. Das passt nicht zusammen. Da braucht man sich die doch nur mal anzusehen, wie sie sich bewegen, reden, anziehen.
15 Die Ossis denken, nur weil sie jetzt auch bei Karstadt, Horten oder Aldi kaufen und Urlaub in Italien machen, gehören sie jetzt schon dazu. Dabei äffen sie alles nur nach, glauben alles, was man ihnen vorsetzt, in der Werbung und vonseiten der Politiker.
Und wenn es mal schiefgeht, da jammern sie nur. Mein Vater war auch mal arbeitslos, und jetzt fährt er täglich 40 Kilometer
25 zu seiner Arbeit. […] Macht er deshalb so ein Geschrei? Ein bisschen wendig muss man schon sein heutzutage. […]
In unsere Clique kommt jedenfalls kein Ossi rein. Wir bleiben unter uns. Wüsste
30 auch keins von den Mädels, die mit einem von drüben was anfangen würde.

(Zit. nach: Bundeszentrale für politische Bildung (Hg.), Gemeinsam sind wir unterschiedlich, Bonn 1995, S. 127)

**M 15**

„Frauen – Opfer der Einheit"
(Karikatur von 1992)

„Wir haben uns mit Ausbildung, Beruf und Wunschkindern zufriedengegeben. Heute weiß ich, dass das noch keine Emanzipation ist. Heute weiß ich aber auch, dass das nicht wenig ist."
(Zit. nach: Haus der Geschichte der BRD (Hg.), Ungleiche Schwestern, S. 93)

So fasste eine Frau aus Ostdeutschland ihre zwiespältigen Gefühle nach der deutschen Einheit zusammen.
Das Abtreibungsrecht in der DDR und die selbstverständliche Berufsausbildung und -tätigkeit von Frauen waren für die Frauen in Ostdeutschland nach der Wende Vergangenheit. Für viele bedeutete dies einen Verlust, der den neu gewonnenen Vorteilen, wie Reisefreiheit und Konsummöglichkeiten, gegenüberstand.

- **Wie erlebten Frauen die deutsche Einheit?**

**So könnt ihr vorgehen:**

1. Interpretiert die Karikatur (M 15). Nutzt dazu eure Kenntnisse über die Geschichte der Frauen in der DDR und in der Bundesrepublik (S. 198f. und S. 224f.) sowie die Materialien auf dieser Doppelseite.

2. Stellt eure Ergebnisse der Klasse vor.

## M 16 Die Lebenssituation von Frauen in den neuen Bundesländern

Die Historikerin Ursula Schröter schrieb:

Frauen wurden nicht nur früher arbeitslos als Männer, sondern hatten und haben schlechtere Chancen zum Wiedereinstieg ins Berufsleben. Seit Jahren sind in den
5 neuen Bundesländern etwa 60 % der Arbeitslosen weiblich, bei Langzeitarbeitslosen inzwischen mehr als 70 %. Eine [...] Lösung ist nicht in Sicht. Stattdessen wird [...] empfohlen, mit Arbeitslosigkeit lo-
10 ckerer umzugehen, sie als Schicksal hinzunehmen. Bisher jedenfalls fehlt ostdeutschen Frauen diese Lockerheit, auch nach jüngsten Befragungen verstehen sich weniger als drei Prozent als freiwilli-
15 ge Hausfrauen, in Westdeutschland hingegen mehr als 25 Prozent. Das hat ganz sicher nicht nur damit zu tun, dass Arbeitslosigkeit mit materiellen Einschränkungen verbunden ist [...], sondern auch
20 mit der Vergangenheit, mit den Erfahrungen von gesellschaftlicher Wertschätzung und Selbstbewusstsein.
Frauen haben plötzlich die „Wahlfreiheit" zwischen beruflicher und familiärer Ent-
25 wicklung, das heißt sie müssen Entscheidungen treffen, die so oder so ihren ganzheitlichen Lebensansprüchen widersprechen. [...]
Die Geburtenzahlen Anfang der Neunzi-
30 gerjahre belegen zunächst, dass junge ostdeutsche Frauen mehrheitlich die Erwerbsarbeit der Familie und Kindern vorzogen. Unterschiedliche Forschungsergebnisse verweisen jedoch darauf, dass
35 es sich hierbei nicht um eine freiwillige Wahl handelte, sondern um die Angst vor Arbeitsplatzverlust.
Frauen [...] empfinden sich bei der Anpassung an die soziale Marktwirtschaft
40 als in zweifacher Hinsicht benachteiligt: als Ostdeutsche und als Frauen.

(Ursula Schröter, Zur Situation der Frauen nach der deutschen Vereinigung; in: Ungleiche Schwestern, a. a. O., S. 90ff.)

## M 17 Armutsrisiken in Deutschland

Ein Sozialwissenschaftler über Armut in der Bundesrepublik:

Bestimmte Bevölkerungsgruppen haben aus unterschiedlichen Gründen ein wesentlich höheres Risiko als andere, mit Einkommen an oder unterhalb der Ar-
5 mutsgrenzen auskommen zu müssen. [...]
**Arbeitslose** [...] waren schon seit Anfang der 80er-Jahre (in der alten Bundesrepublik) etwa dreimal so oft arm wie der Rest
10 der Bevölkerung. Daran hat sich bis heute kaum etwas geändert. Sie unterliegen nach wie vor in Westdeutschland einem Armutsrisiko von etwa 30 % (d.h. 30 % der Arbeitslosen leben unter der Armuts-
15 grenze). In den neuen Bundesländern hat es bis zur Wende keine nominelle Arbeitslosigkeit gegeben. Von diesem Stand Null ist das Verarmungsrisiko Arbeitsloser in Ostdeutschland auf 25 % gestiegen. Da
20 die Menschen in den neuen Bundesländern bis 1990 in einer extrem abgesicherten Gesellschaft gelebt haben und auf Arbeitslosigkeit in keiner Weise vorbereitet waren, wird dieser Anstieg als über-
25 aus bedrohlich empfunden. Schon im Jahre 1962/63 waren doppelt so viele **Alleinerziehende** mit ihren Kindern arm wie im Bevölkerungsquerschnitt. Seither ist die Armutsquote unter Alleinerzie-
30 henden bis 1995 auf das Dreifache des „Normalen" (31 %) gestiegen. Vor allem sind es die ca. 85 % weiblichen Alleinerziehenden, selten sind es die männlichen Alleinerziehenden, die in Armut geraten.
35 Im Gefolge wachsender Arbeitslosigkeit und zunehmender Anteile von Alleinerziehenden verarmen immer mehr Familien mit mehreren Kindern. Das Armutsrisiko der **Kinder** nimmt in Westdeutschland
40 seit den 80er-Jahren, in Ostdeutschland seit der Wende ständig zu [...].

(Stefan Hradil, Soziale Ungleichheit in Deutschland, Leske + Budrich/Opladen 1999, S. 248ff.)

## M 18 Wie beurteilen ostdeutsche Männer und Frauen die gesellschaftlichen Veränderungen seit 1990?

„Im Großen und Ganzen" einverstanden waren:

| im Mai 1990 | 78 % | der Frauen |
| | 81 % | der Männer |
| im Oktober 1991 | 64 % | der Frauen |
| | 71 % | der Männer |
| im Mai 1993 | 39 % | der Frauen |
| | 51 % | der Männer |

## M 19 Beruf und Familie – Meinungen aus Ost- und Westdeutschland

„Es ist für ein Kind sogar gut, wenn seine Mutter berufstätig ist und sich nicht nur auf den Haushalt konzentriert."

Zustimmung in Prozent:

| | 1992 | 1996 |
|---|---|---|
| Ostdeutsche Frauen | 63 % | 73 % |
| Ostdeutsche Männer | 51 % | 62 % |
| Westdeutsche Frauen | 39 % | 45 % |
| Westdeutsche Männer | 25 % | 28 % |

## M 20 Arbeitslosenquoten in West und Ost

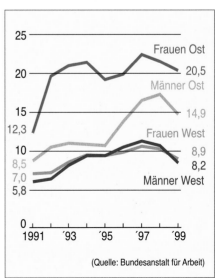

(Quelle: Bundesanstalt für Arbeit)

# Stopp
## Ein Blick zurück

**Diese Grundbegriffe kann ich erklären:**

* Entnazifizierung
* Blockbildung und doppelte Staatsgründung
* Westintegration
* Entspannung
* Soziale Marktwirtschaft
* Planwirtschaft
* Währungs-, Wirtschafts- und Sozialunion
* Einigungsvertrag

## Die Mauer – Experten rekonstruieren Geschichte

Die Mauer: Mithilfe von Fotos könnt ihr wichtige Stationen der wechselvollen Geschichte der Deutschen nach dem Zweiten Weltkrieg rekonstruieren.

**So könnt ihr vorgehen:**

**1.** Wählt eines der Fotos aus und erarbeitet die historischen Zusammenhänge, in denen es entstand.

**2.** Stellt fest, wie diese Zusammenhänge in den Fotos zum Ausdruck kommen.

**3.** Präsentiert „euer" Foto und eure Rekonstruktion der dazugehörigen Geschichte in einem Kurzvortrag oder im Rahmen einer Ausstellung.

**Tipp!** In der Bücherei oder im Internet könnt ihr weitere Materialien finden.

**M 2**

Szene in Berlin 1961

**M 1**

An der Sektorengrenze von West- nach Ostberlin, 13.8.1961

Aus Angst vor der wütenden Bevölkerung besucht Bundeskanzler Adenauer erst neun Tage nach dem 13. August West-Berlin. Das Foto hält seinen ersten Blick auf die Mauer fest (22.8.1961).

Grenzübergang Rudolphstein, 11.11.1989

M 5

M 4

17.8.1962

253

# Begriffe zum Nachschlagen

**Abrüstung.** Seit der Aufklärung gibt es Vorstellungen über die Begrenzung, Kontrolle und Verminderung der Rüstung, um Kriege zu verhindern. Am Ende des 19. Jahrhunderts wurden diese Vorstellungen sehr konkret und mündeten in zwei große – in der Abrüstungsfrage allerdings erfolglose – Friedenskonferenzen in Den Haag ein (1899, 1907). Nach den beiden Weltkriegen hat die moderne Kriegstechnik, insbesondere das Vorhandensein nuklearer Waffen, Abrüstungsgespräche sehr schwierig gemacht und allenfalls Teilerfolge im Bereich der Rüstungskontrolle und Rüstungsbegrenzung ermöglicht. Erst am Ende des Kalten Krieges, vor allem seit dem Niedergang des sozialistischen Weltsystems, sind mit dem Mittelstreckenabkommen und den START-Verträgen (Strategic Arms Reduction Talks) durch den US-Präsidenten George Bush und den letzten Präsidenten der UdSSR, Michail Gorbatschow, Durchbrüche erzielt worden, die eine echte Abrüstung durch die Vernichtung von Waffensystemen mit einer wirksamen Kontrolle vor Ort verbinden und eine Basis für die dringend erforderliche Abrüstung darstellen.

**Abschreckung.** Die militärisch-politische Strategie der Abschreckung beruht auf der Vorstellung, durch den Ausbau und die Verstärkung der eigenen Streitkräfte einen möglichen militärischen Gegner davon abzuhalten, einen Angriff zu starten. Diese in der Geschichte immer wieder verwendete Strategie gipfelte im 20. Jahrhundert in der Abschreckungspolitik während des Kalten Krieges und der Jahre der Entspannungspolitik, als die führenden Atommächte und ihre Verbündeten sich gegenseitig mit konventionellen, chemischen, biologischen und nuklearen Waffen bedrohten, um den Ausbruch des Dritten Weltkrieges zu verhindern.

**Antisemitismus.** In einem sehr weiten Sinne meint der Begriff jede Form von Abneigung oder Feindschaft gegenüber den Juden. Im engeren Sinne meint Antisemitismus eine politische Weltanschauung, die gegen Ende des 19. Jahrhunderts entstanden ist und die die Judenfeindschaft mit biologisch-rassistischen Argumenten zu begründen versucht. In Anlehnung an die Überlegungen Darwins werden Juden als eine minderwertige „Rasse" betrachtet. Letztlich bildete dieses Denken die Voraussetzung für die nationalsozialistische Ideologie und die Massenvernichtung.

**Appeasement-Politik.** Die Bezeichnung leitet sich vom englischen Verb „to appease" ab (= beschwichtigen, Zorn mildern). Gemeint ist der Versuch der britischen Regierung, die aggressiven Tendenzen der deutschen Außenpolitik zwischen 1933 und 1938 durch eine Politik der Zugeständnisse einzudämmen und somit den Frieden zu sichern. Die Münchener Konferenz von 1938 gilt als Inbegriff dieser Strategie und gleichzeitig als Ausdruck ihres Scheiterns, denn die weitgehenden diplomatischen und territorialen Konzessionen konnten den Krieg nicht verhindern.

**Aufrüstung.** Der scheinbar einfache Vorgang der Rüstungssteigerung mit dem Ziel, die militärische Kampfkraft der eigenen Truppen zu verbessern, kann sehr unterschiedlichen Motiven dienen: Kriegsvorbereitung, Ausgleich für gegnerische Rüstung, Abschreckung, Ruinieren der gegnerischen Finanzen durch Verstrickung in einen Rüstungswettlauf, Arbeitsbeschaffung, Arbeitsmarktentlastung durch Heeresverstärkung. Der Beurteilung von Aufrüstungsmaßnahmen muss daher eine genaue Analyse der politisch-strategischen und wirtschaftlichen Lage vorausgehen.

**Balance of Power.** Die Vorstellung eines Systems souveräner Staaten, die „sich die Waage" halten oder durch Bündnissysteme die Kräfte ausgleichen, um die Hegemonie eines Staates oder einer Staatengruppe zu verhindern, war seit dem 18. Jahrhundert bis zum Ersten Weltkrieg das beherrschende Prinzip des europäischen Staatensystems und gab vor allem der britischen Außenpolitik die Chance, das „Zünglein an der Waage" zu spielen. Nach 1918 sollte ein System kollektiver Sicherheit das Gleichgewichtsprinzip ersetzen (Völkerbund, Völkerbundsrat), was in den 30er-Jahren am Aufstieg der Diktaturen scheiterte. Im Zeitalter des Kalten Krieges taucht das Gleichgewichtsprinzip wieder auf, und zwar in der Form des „atomaren Patts" zwischen den beiden Supermächten bzw. den weltpolitischen Lagern. Ganz allgemein ist das Gleichgewichtsprinzip eines der wichtigsten Gestaltungsprinzipien für die Machtverhältnisse in vielen Regionen der Erde.

**DAF/Deutsche Arbeitsfront.** Organisation, die in der Arbeitswelt die Idee der Volksgemeinschaft umsetzen sollte. Interessengegensätze zwischen Unternehmern, Angestellten und Arbeitern konnte es in einer national organisierten Arbeitswelt nicht mehr geben. Gewerkschaften und Arbeitgeberverbände hatten in diesem Denkmodell keinen Platz. Führer (= Unternehmer) und Gefolgschaft (= Arbeiter) kämpften gemeinsam zum Wohle des Volkes. Folgerichtig gab es kein Streikrecht mehr und die Löhne wurden festgesetzt. Die Organisation „Kraft durch Freude" versuchte, den gesellschaftlichen Abstand zwischen Unternehmern und Arbeitern aufzuheben: durch Betriebsfeste, Konzerte in Werkshallen und Urlaubsangebote.

**Diktatur.** Der Begriff bezeichnet die auf Gewalt beruhende, uneingeschränkte Herrschaft eines Einzelnen oder einer Gruppe. Im 20. Jahrhundert können z. B. der Nationalsozialismus oder der Stalinismus als Diktaturen bezeichnet werden.

**Einigungsvertrag.** Umgangssprachliche Bezeichnung für den innerdeutschen „Vertrag zur Herstellung der staatlichen Einheit Deutschlands", der am 31. August 1990 von dem Ministerpräsidenten der DDR, Lothar de Maizière, und dem Bundeskanzler der Bundesrepublik Deutschland, Helmut Kohl, unterzeichnet wurde. Die deutsche Einheit trat am 3. Oktober 1990 in Kraft.

**Entnazifizierung.** Sammelbegriff für den Versuch der Siegermächte des Zweiten Weltkrieges, die deutsche Bevölkerung vom nationalsozialistischen Denken zu „säubern". Neben der Aburteilung der Hauptkriegsverbrecher in Nürnberg (Nürnberger Prozess) wurden die ehemaligen Parteimitglieder in Hauptschuldige, Belastete, Minderbelastete, Mitläufer und Entlastete eingestuft. Viele belastete Berufstätige verloren ihre Stellung, die meisten Erfassten wurden als Mitläufer bezeichnet. In der SBZ umfasste der Begriff „Entnazifizierung" auch Maßnahmen zur gesellschaftlichen Umgestaltung, wie die Enteignung von Industrieunternehmen oder landwirtschaftlichem Großgrundbesitz. Auf diese Weise sollten nach dem Verständnis der sowjetischen Besatzungsmacht die Trägerschichten des Nationalsozialismus entmachtet werden. Infolge des aufkommenden Ost-West-Gegensatzes und der Teilung Deutschlands wurde die E. für die Siegermächte in allen Zonen bald zu einem untergeordneten Vorhaben. Im Westen wurde sie vorzeitig abgebrochen.

**Entspannung.** Zustand des friedlichen Nebeneinanders von Machtblöcken oder Nationen mit der Praxis des diplomatisch geregelten Interessen- und Konfliktaustrags; die Entspannungs-politik seit dem Ende der 1950er-Jahre verfolgte durch Vereinbarungen zur Sicherung des Friedens, zur Rüstungskontrolle und zur Aufnahme intensiver Beziehungen auf allen Ebenen das Ziel der Spannungsminderung zwischen den führenden Atommächte und ihren Bündnissystemen auf westlicher und östlicher Seite.

**Euthanasie.** Die wörtliche Übersetzung lautet: „leichter Tod" – eine Menschen verachtende Vokabel, mit der die Ermordung behinderter oder kranker Menschen verschleiert wird.

**Faschismus.** Das aus dem Italienischen stammende Wort „fascisti" könnte etwa mit „Bündler", „Angehöriger eines Bundes" wiedergegeben werden. Im engeren Sinne bezeichnet der Begriff Faschismus nur das italienische Herrschaftssystem unter Mussolini. Die politischen Gegner, insbesondere die Marxisten, haben das Wort jedoch in einem allgemeineren Sinn verwendet und auch auf den Nationalsozialismus in Deutschland bezogen. Führende deutsche Nationalsozialisten wie Hitler oder Goebbels haben zwar immer Gemeinsamkeiten mit den italienischen Fascisti betont (etwa Nationalismus, Idee der Volksgemeinschaft, Machtmonopol einer Partei, diktatorische Strukturen, Ausschaltung jeder Opposition und expansionistische Tendenzen). Aber sich selbst haben sie nie als Faschisten bezeichnet.

**Föderalismus.** Prinzip der Aufteilung politischer Macht zwischen einer Zentralregierung (in der Bundesrepublik: Bundestag und Bundesregierung) und regionalen politischen Strukturen (in der Bundesrepublik: Bundesländer mit ihren Länderparlamenten und Landesregierungen). Der föderale Staat soll übermäßige Machtkonzentration verhindern und für mehr Bürgernähe von Politik und Verwaltung sorgen.

**Frauenemanzipation.** Emanzipation bedeutet Selbstständigkeitserklärung, Gleichstellung vorher Minderberechtigter.

Durch die Weimarer Verfassung erhielten Frauen erstmalig in Deutschland das Wahlrecht. In den 20er-Jahren wurde in den Medien das Bild der „neuen Frau" verbreitet. Sie beanspruchte eine neue Rolle, strebte nach akademischem Studium und nach einem qualifizierten Arbeitsplatz. In der Mode signalisierten Bubikopffrisuren und kurze Röcke das neue Frauenbild. Dieses Frauenbild entsprach aber in vielen Fällen nicht der Wirklichkeit. Frauen waren im Reichstag unterrepräsentiert, verdienten für gleiche Arbeit weniger als Männer und erhielten eine weniger qualifizierte Ausbildung. Neuen Schwung erhielten die traditionellen Forderungen der Frauenemanzipation in der BRD durch die „neue Frauenbewegung" zu Beginn der 70er-Jahre.

**Friedensvertrag.** Am 12. September 1990 unterzeichneten die Vertreter der vier Siegermächte des Zweiten Weltkrieges und der beiden deutschen Staaten den sogenannten 2+4-Vertrag, mit dem alle noch aus dem Zweiten Weltkrieg resultierenden alliierten Vorbehalte aufgehoben wurden und Deutschland in die volle Souveränität entlassen wurde.

**Führer (Führerprinzip, Führerstaat).** Der offizielle Titel Hitlers lautete seit August 1934: „Führer und Reichskanzler". In seinem Selbstverständnis verkörperte der Führer das Volk und verwirklichte den „wahren Volkswillen", was sich auch in der Anrede „Mein Führer" ausdrückte. Der Führerstaat sollte das Prinzip von Befehl und Gehorsam auf allen Ebenen durchführen und setzte uneingeschränkte Befugnisse des Führers voraus. In Wirklichkeit schuf er ein schwer durchschaubares System rivalisierender Ämter.

**Genozid/Holocaust.** Gemeint ist der Völkermord an den europäischen Juden, der von den Nationalsozialisten systematisch geplant und durchgeführt wurde. Die Ausgrenzung der Juden begann bereits 1933: Schikanen und Demütigungen steigerten sich über die

Nürnberger Gesetze (1935) und die „Reichskristallnacht" (1938). Nach Kriegsbeginn weitete sich die Verfolgungswelle aus. Deportationen bildeten die Zwischenstufe zur „Endlösung", die auf der Wannsee-Konferenz 1942 beschlossen wurde und zur Ermordung von etwa sechs Millionen europäischen Juden in Massenvernichtungslagern führte.

**Gleichschaltung.** Der Begriff taucht zuerst auf im „Vorläufigen Gesetz zur Gleichschaltung der Länder" vom 31.1.1933, das die Zusammensetzung der Landtage nach den Stärkeverhältnissen des Reichstages regelte. Übertragen wurde der Begriff auf die nationalsozialistische Durchdringung aller wirtschaftlichen, sozialen und kulturellen Vereinigungen und des gesamten Informationswesens. Alle Menschen sollten in den wichtigen Dingen „gleich" denken – was der Idee der Volksgemeinschaft entsprach.

**Ideologie.** Im engeren Sinne bezeichnet der Begriff eine Ansammlung von Ideen oder Wertvorstellungen, die beansprucht, die Wirklichkeit sinnvoll zu deuten – seien die politischen, wirtschaftlichen oder gesellschaftlichen Verhältnisse auch noch so kompliziert. Wichtige Elemente der NS-Ideologie sind z.B. das Führerprinzip, die Idee des (knappen) Lebensraumes, der Rassismus und der Antisemitismus. Aufgabe der Ideologiekritik ist es, die Hintergründe und Interessengebundenheit eines derartigen Denkens aufzudecken und damit nachzuweisen, dass dieses Denken mit der Wirklichkeit nicht übereinstimmt, aber für die Träger der Ideologie Nutzen bringt.

**Inflation.** Darunter versteht man eine durch anhaltende Preissteigerung gekennzeichnete Geldentwertung. Während und vor allem nach dem Ersten Weltkrieg kam es insbesondere in Deutschland und Österreich, aber auch in anderen Staaten zu einer schweren Inflation, weil die Regierungen die Ausgaben für die Kriegsfinanzierung und

Reparationen durch Ausweitung der Geldmengen aufzubringen versuchten, während das Warenangebot gleichzeitig aufgrund des Krieges zurückging. Den Höhepunkt erreichte die Inflation in Deutschland im Jahre 1923. Die sozialen Folgen waren steigende Arbeitslosigkeit, Verlust von Besitz und Geld bei Sparern, riesige Gewinne dagegen bei Schuldnern und Spekulanten. Durch einen Währungsschnitt wurde die Inflation im Oktober 1923 beendet.

**Kalter Krieg.** Der Begriff bezeichnet die nach dem Zweiten Weltkrieg entstandene machtpolitische und ideologische Auseinandersetzung zwischen den USA und der ehemaligen Sowjetunion und ihren Bündnissystemen. Eine direkte militärische Auseinandersetzung konnte trotz mehrerer schwerer Krisen (Berlin 1948 und 1958, Kuba 1962), die einen „heißen Krieg" hätten herbeiführen können, vermieden werden. Während des Kalten Krieges versuchten beide Staaten, ihre eigene Position durch Aufrüstung, Paktsysteme, Wirtschaftshilfe, Propaganda, Unterstützung von Staatsstreichen, Revolutionen und Stellvertreterkriegen in der Dritten Welt zu stärken bzw. zur Verhinderung eines Dritten Weltkrieges die jeweils andere Seite abzuschrecken. Noch während dieser Epoche wurde aber auch eine Entspannungspolitik entworfen und erfolgreich abgeschlossen.

**Kollektivschuld.** Überlegung, dass bestimmte Handlungen nicht (nur) einzelnen Tätern zuzuordnen sind, sondern der gesamten Gruppe, in der diese Täter gelebt haben und ihre Taten ausüben konnten. Die These der Kollektivschuld wurde vor allem nach dem Zweiten Weltkrieg als Vorwurf gegen die deutsche Bevölkerung erhoben.

**Konzentrationslager (KL, KZ).** Ursprünglich Internierungslager für politische Gegner als „Schutzhäftlinge", vor allem Funktionäre der KPD und SPD; erste Lager waren Oranienburg, Dachau, dann Buchenwald bei Weimar; Leitung seit 1934 durch die SS.

Nach Kriegsbeginn Errichtung riesiger Arbeits- und Vernichtungslager für Juden, Polen, Sinti und Roma u.a. vor allem im besetzten Polen: Auschwitz ist bis heute Inbegriff eines Konzentrationslagers.

**Marxismus-Leninismus.** Der Begriff bezeichnet die von Lenin vorgenommene Ausdeutung, Erweiterung bzw. Veränderung der marxistischen Lehre zu einer ideologischen Grundlage des politischen Systems der UdSSR und anderer Staaten, z.B. der DDR.

**Modernisierung.** Modernisierung werden die politischen, wirtschaftlichen, sozialen und kulturellen Veränderungsprozesse genannt, die seit dem ausgehenden 18. Jahrhundert die fortgeschrittenen Gesellschaften in den USA und Europa umformten. Das Prinzip der Veränderung setzte sich gegen das der Tradition durch. Individuelle Freiheit, Fortschrittsdenken, Verweltlichung gehörten zu den Leitideen. Die Gesellschaften wurden offener, vielfältiger.

Zentren der Moderne in der Weimarer Republik waren die Großstädte. Berlin erlebte die „Goldenen Zwanziger". Die Massenmedien (Tageszeitungen, Illustrierte, Rundfunk, Film) veränderten Lebensstil und Wertvorstellungen. Es entstand eine Massenkultur (Tanz, Revuen, Sportgroßveranstaltungen).

**NATO.** Die NATO wurde im April 1949 von zwölf Staaten Europas, den USA und Kanada gegründet und steht im Zusammenhang mit dem Brüsseler Vertrag (1948) über europäische Zusammenarbeit und der Gründung des Europarates (1949). Sie versteht sich als Bündnis der westlichen Welt zur Verteidigung von Demokratie, Menschenrechten, Marktwirtschaft und Rechtsstaatlichkeit in dem Territorium ihrer Mitglieder und der assoziierten Staaten. In der Zeit des Kalten Krieges dominierte das militärische Gegengewicht gegen das Sowjet-Imperium (Warschauer Pakt), wozu die Unterstützung Europas (nur Frankreich betonte seine atomar gesicherte Eigenständigkeit) durch Nordamerika notwendig war. Die militärische Struktur wurde durch weitere Gesetze und Verträge laufend modernisiert, doch gilt die NATO im Kern als eine politische Wertegemeinschaft, d.h., das Militär ist der politischen Führung der demokratisch legitimierten Staaten unterstellt.

**Ostpolitik.** Sammelbezeichnung für diejenigen außenpolitischen Aktivitäten der sozialliberalen Koalition (SPD/FDP), die auf dem Konzept einer Zusammenarbeit mit den Ostblockstaaten und insbesondere der DDR beruhten. Die Ostpolitik bildete das Gegenstück zur Politik der Westintegration in der Ära Adenauer. Die O. ging von der Anerkennung der territorialen und politischen Verhältnisse aus, die durch den Zweiten Weltkrieg geschaffen waren. Sie betonte den Verzicht auf Gewalt als Mittel zur Veränderung dieser Verhältnisse und versuchte durch eine Reihe von Verträgen, Vertrauen zu schaffen sowie wirtschaftliche Zusammenarbeit und menschliche Begegnungen zu fördern. Auf diese Weise sollte die Teilung Europas und Deutschlands für die Menschen erträglicher gemacht und langsame Veränderungen in der Konfrontation der Blöcke ermöglicht werden.

**Parlamentarische Demokratie.** Bezeichnung für ein politisches System, bei dem ein Parlament, das aus Wahlen hervorgegangen ist, die Wählerschaft repräsentiert und somit die wichtigste Instanz der politischen Willensbildung darstellt. Die zentralen Rechte eines Parlamentes sind das Gesetzgebungsrecht, Haushaltsrecht und die Funktion, Regierung und Verwaltung zu kontrollieren.
In der deutschen „Revolution" von 1918/19 konkurrierten für eine kurze Übergangzeit die parlamentarische Demokratie und die sozialistische Räte-Republik. Schließlich wurde eine verfassunggebende Nationalversamm-

lung gewählt, die die Verfassung für eine parlamentarische Demokratie verabschiedete. Als besondere demokratische Errungenschaften gingen in die Verfassung ein: das Frauenwahlrecht, die Volksbefragung und Volksabstimmung und die Volkswahl des Reichspräsidenten.

**Parteienstaat.** Eine Partei ist der organisierte Zusammenschluss von Bürgern, die gemeinsame soziale Interessen und politische Vorstellungen über die Gestaltung ihrer staatlichen, gesellschaftlichen und wirtschaftlichen Ordnung haben. Ihr Ziel ist es, auf verfassungsmäßig geregeltem Weg Herrschaft zu übernehmen. Im Grundgesetz ist die Rolle der Parteien klar geregelt; sie wirken mit an der „politischen Willensbildung des Volkes". Der Begriff „Parteienstaat" bezeichnet deshalb wertneutral die ausschlaggebende Rolle, die Parteien in der parlamentarischen Demokratie spielen. In der Weimarer Republik wurde der Begriff abwertend für eine Demokratie gebraucht, in der es aufgrund des Wahlsystems und der fehlenden 5 %-Klausel eine Vielzahl von Splitterparteien gab. Dadurch wurde die Regierungsbildung erheblich erschwert. In der Weimarer Verfassung wurden Parteien nicht ausdrücklich erwähnt, ihre wesentliche Aufgabe war die Organisation von Wahlen.

**Planwirtschaft.** Bezeichnung für die Wirtschaftsordnung in sozialistischen Staaten wie der Sowjetunion oder der DDR. Die P. beruht auf dem staatlichen Eigentum an Produktionsmitteln. Das gesamte Wirtschaftsgeschehen wird von einer zentralen Behörde gelenkt, die festlegt, wann welche Güter von welchen Betrieben zu welchen Preisen produziert werden.

**Präsidialregierungen.** In der Endphase der Weimarer Republik (1930–1933) büßten die kompromissunfähigen Parteien ihre Kontrollfunktion gegenüber der Regierung weitgehend ein. Der Reichspräsident wurde zum eigentlichen Machtzentrum. Er beriet die Kanzler (Brüning, Papen, Schleicher),

die sich an seinen Wünschen und Vorstellungen orientieren mussten. Er nutzte dazu den Artikel 48 der Weimarer Verfassung, um Gesetzesvorlagen im Wege der Notverordnung zu erlassen, und den Artikel 25, um den Reichstag bei Ablehnung der Notverordnungen aufzulösen. Diese Kombination der Artikel 48 und 25 war letztlich verfassungswidrig.

**Propaganda.** Versuch der Beeinflussung von Menschen. In der Zeit des Dritten Reiches wurde der Begriff durchaus positiv gesehen und in einem Atemzug mit „Aufklärung" genannt. Propagandaminister Goebbels bediente sich vor allem der gleichgeschalteten Massenmedien (Radio, Film, Presse), um die Bevölkerung noch stärker an die Ideen des Nationalsozialismus zu binden.

**Rassismus.** Im Gegensatz zur wissenschaftlichen Biologie, die Rassen nach angeborenen äußeren Merkmalen beschreibt und unterscheidet (z.B. Hautfarbe), geht der Rassismus von der Idee einer Verschiedenwertigkeit der Rassen aus. Die höherwertige Rasse, das war in der Ideologie der NS-Zeit die arische Rasse, habe das Recht und die Pflicht, die minderwertigen Rassen zu unterdrücken. In der Logik des Denkansatzes liegt es, dass die sogenannten parasitären Rassen vernichtet werden müssen, um das Überleben der „Herrenrassen" zu sichern.

**Rätedemokratie.** Dieses Regierungssystem entstand in Russland, wo es sich 1917 durchsetzte. Eine Aufteilung der Gewalten in Exekutive, Legislative und Judikative wird abgelehnt, die gesamte Gewalt liegt bei den sogenannten Räten. Die Mitglieder entstammen der Klasse der Arbeiter, Bauern und Soldaten. Anders als die Abgeordneten im parlamentarischen System, die ihrem Gewissen verpflichtet sind, sind Räte an die Beschlüsse der Gruppe gebunden, die sie gewählt hat. Sie sind jederzeit abwählbar. Die Regierung ist an die Weisungen des Rätekongresses gebunden. Die politische Zielsetzung besteht in der Enteignung der Besitzenden, der Beseitigung der Klassenunterschiede und damit der Durchsetzung einer sozialistischen Staats- und Wirtschaftsordnung.

**Revolution.** Im politischen Sprachgebrauch meint Revolution die im Allgemeinen unter Einsatz von Gewalt ablaufende Umwälzung einer politischen Ordnung, die gleichzeitig zu tief greifenden gesellschaftlichen Veränderungen führt. Als klassisches Beispiel eines solchen Umsturzes gilt die Französische Revolution von 1789. Aber auch frühere Jahrhunderte und vor allem das 19. und 20. Jahrhundert kennen zahlreiche Beispiele von Revolutionen. Im 20. Jahrhundert brachte in Europa die Russische Revolution von 1917 wohl die einschneidendsten Folgen. Ob die politische Neugestaltung in Deutschland im November 1918 als Revolution bezeichnet werden kann, ist umstritten. Im Herbst 1918 entwickelte sich aus der Meuterei von Matrosen in Kiel eine „Revolutionswelle", in deren Verlauf Arbeiter- und Soldatenräte die politische Macht übernahmen. Am 9. November wurde der Kaiser zum Abdanken gezwungen, eine Regierung unter der Führung des Sozialdemokraten Friedrich Ebert gebildet und die Republik ausgerufen. Der Reichsrätekongress in Berlin stimmte für die Wahl zu einer Nationalversammlung. Obwohl sich also die parlamentarische Republik durchsetzte, fand eine tiefgreifende gesellschaftliche Veränderung nicht statt; so blieben z.B. der aus dem Kaiserreich stammende Verwaltungsapparat sowie das Offizierskorps der Reichswehr unangetastet. Der Adel behielt seine führende gesellschaftliche Stellung.

**SA.** Abkürzung für „Sturmabteilung". Gruppierung von Nationalsozialisten, die zur Zeit der Weimarer Republik eigene Veranstaltungen schützen und gegnerische Aktionen sprengen sollte. SA-Männer wurden von weiten Teilen des Bürgertums abgelehnt, u.a. weil sie oft grölend durch die Straßen zogen, mit Saal- und Straßenschlachten assoziiert wurden und ein (diffuses) sozialistisches Gedankengut vertraten. Wegen der Gewalttätigkeiten war die SA in der Weimarer Republik zeitweilig verboten. 1934 wurde die Führungsspitze der SA endgültig ausgeschaltet. Die SA spielte von nun an kaum noch eine Rolle.

**Sozialdarwinismus.** Der Rassismus und der Antisemitismus greifen auf das sozialdarwinistische Denkmodell zurück, das sich auf die Lehre des britischen Naturforschers Charles Darwin (1809–1882) von der Entstehung und Selbstbehauptung der Arten beruft. Der Sozialdarwinismus überträgt auf das Zusammenleben der Menschen die These, dass sich nur die biologisch stärkeren oder angepassteren Lebewesen im „Kampf ums Dasein" durchsetzen.

**Soziale Marktwirtschaft.** Bezeichnung für die Wirtschaftsordnung in der Bundesrepublik Deutschland, die vor allem vom Wirtschaftsminister und späteren Bundeskanzler Ludwig Erhard in der Nachkriegszeit in die Praxis umgesetzt und später weiter ausgebaut wurde. Sie beruht einerseits auf dem System der Marktwirtschaft, nach dem der Markt (Angebot und Nachfrage) und die freie Konkurrenz alle wirtschaftlichen Vorgänge regeln, und andererseits auf der Idee des sozialen Ausgleichs durch staatliche Politik (z.B. durch sozialpolitische Maßnahmen, wie Sozialhilfe, Kindergeld oder Wohngeld, oder durch wirtschaftspolitische Maßnahmen, wie die Bekämpfung von Inflation oder Arbeitslosigkeit).

**Sozialismus.** Eine im 19. Jahrhundert als Gegenmodell zur kapitalistischen Wirtschafts- und Gesellschaftsordnung entstandene weltanschauliche Richtung und politische Bewegung. Ziel aller verschiedenen sozialistischen Strömungen ist eine von sozialer Gleichheit gekennzeichnete Gesellschaft. Dem Gleichheitsgrundsatz räumen sozialistische Zukunftsmodelle bewusst höheren Rang ein als der Entfaltungsfreiheit des Individuums, wie sie vom Liberalismus stark betont wird.

**SS.** Die SS (= Schutzstaffel) ist eine Gruppierung, die sich selbst als Elitetruppe verstand und nach der Machtergreifung zum stärksten Machtfaktor aufstieg. Aufgenommen wurde nur, wer den strengen rassischen Aufnahmebedingungen entsprach. Seit 1929 stand die SS unter Leitung des „Reichsführers SS" Heinrich Himmler, der SS-Ordensburgen errichten ließ, die Idee des Herrenmenschentums zuspitzte und eine Symbolik entwickelte, die an germanische Kulte erinnert. Die Geheime Staatspolizei und der Sicherheitsdienst waren Untergliederungen der SS. Mit Beginn des Krieges wurde die Ausrottung der unterworfenen Völker zur zentralen Aufgabe.

**Totalitarismus.** Mit diesem Begriff werden die Eigenarten solcher politischen Systeme des 20. Jahrhunderts bezeichnet, deren Absicht es ist, alle Lebensbereiche der Gesellschaftsmitglieder vollständig zu erfassen und gleichzuschalten. Dabei spielt die Ausrichtung auf ein neues, dem bisher bestehenden entgegengesetztes Wertesystem eine entscheidende Rolle: Ein „neuer Mensch" soll geschaffen werden. Um dies zu erreichen, bedienen sich totalitäre Systeme neuartiger Mittel, die erst durch die moderne Technik zur Verfügung gestellt werden: Informations- und Propagandamonopol durch Beherrschung der Massenmedien, Geheimpolizei, die gegen die eigene Bevölkerung eingesetzt wird, eine Monopolpartei als Mittel der Massenerfassung und -mobilisierung. Der Totalitarismusbegriff wurde vorwiegend eingesetzt, um die strukturellen Ähnlichkeiten zwischen dem Nationalsozialismus und dem Bolschewismus aufzuzeigen. Bis heute ist eine solche Parallelisierung umstritten.

**Vereinte Nationen (UN).** Am 26.6.1945 in San Francisco gegründete Weltorganisation der Völker der Erde, deren Mitglieder sich auf die Erhaltung des Weltfriedens, notfalls mit militärischer Gewalt, verpflichtet haben, auf Gewalt als Mittel der Durchsetzung ihrer Ziele im Übrigen aber verzichten und die Achtung der Menschenrechte garantieren. Organe der UN sind die jährlich tagende Vollversammlung (ein Staat – eine Stimme), ein aus 15 Mitgliedern bestehender Sicherheitsrat (5 mit einem Vetorecht ausgestattete ständige, 10 nichtständige Mitglieder), ein von der Vollversammlung gewählter Generalsekretär und eine Reihe von sehr wichtigen Unterorganisationen wie die Weltgesundheitsorganisation und die UNESCO. Die Machtmittel der UN erstrecken sich über diplomatische Schritte, wirtschaftliche Maßnahmen bis hin zu militärischen Kampfeinsätzen zur Friedenserzwingung.

**Versailler Vertrag.** Am 28.6.1919 wurde im Schloss von Versailles, einem Vorort von Paris, zwischen dem Deutschen Reich und 27 alliierten Staaten der Versailler Vertrag zur Beendigung des Ersten Weltkrieges unterzeichnet. Deutschland, das von den Verhandlungen ausgeschlossen war, verlor 13 % seines Gebietes, wichtige Rohstoffvorkommen und Produktionseinrichtungen. Einhellige Empörung in der Bevölkerung riefen vor allem die zeitweilige Besetzung deutscher Gebiete an Rhein und Saar, die erzwungene Abrüstung sowie der „Kriegsschuldartikel" hervor.

**Völkerbund/Völkerbundsrat.** Internationale Staatenorganisation, die 1920 auf Anregung des amerikanischen Präsidenten Wilson mit dem Ziel der Friedensbewahrung gegründet wurde, der die Vereinigten Staaten von Amerika jedoch nicht beitraten. Oberste Organe waren die in Genf tagende Bundesversammlung sowie der Völkerbundsrat, dem die Hauptmächte (Großbritannien, Frankreich, Italien bis 1937, Japan bis 1933, Deutschland 1926–1933 und die UdSSR 1934–1939) als ständige Mitglieder angehörten. Die Mitgliedstaaten verpflichteten sich zur Schlichtung von Streitfragen durch internationale

Organisationen. Die Machtmittel des Völkerbundes beschränkten sich auf wirtschaftliche Druckmittel.

**Volksgemeinschaft.** Überzeugung der Nationalsozialisten von der Zusammengehörigkeit des ganzen Volkes und der Überwindung aller Gegensätze. Die Zersplitterung in Klassen, in Parteien, in Konfessionen sei in der schicksalhaft verbundenen Volksgemeinschaft überwunden. Der Ausspruch „Ein Volk – ein Reich – ein Führer" zeigt die große Nähe dieser Idee zum Führerprinzip, nach welchem sich unterschiedslos alle Volksgenossen dem Führer anvertrauen sollten. Raum für Minderheiten oder individuelle Präferenzen lässt die Idee der Volksgemeinschaft nicht zu.

**Vorurteile.** Als Vorurteile bezeichnet man Stellungnahmen zu Menschen und Sachen, die nicht auf einer ausreichenden Kenntnis dieser Menschen oder Sachen beruhen. Vorurteile sind nicht angeboren, sondern werden erworben.

**Währungs-, Wirtschafts- und Sozialunion.** Die W. wurde am 1. Juli 1990 durch einen Staatsvertrag zwischen der DDR und der BRD begründet. Sie schuf – vor allem durch die Einführung der DM in der DDR und die Übertragung westdeutscher Regelungen – ein gemeinsames Wirtschaftsgebiet. Die W. bereitete die Vereinigung der beiden deutschen Staaten vor.

**Warschauer Pakt.** Der Warschauer Pakt wurde 1955 als Antwort auf die NATO, der die Bundesrepublik Deutschland 1955 beitrat, als Militärbündnis der osteuropäischen Staaten unter der Führung der Sowjetunion gegründet. Er stabilisierte den Ostblock gegenüber dem Westen; nach der Breschnew-Doktrin war aber auch jeder Mitgliedstaat verpflichtet, militärisch gegen jeden Staat im eigenen Bündnis vorzugehen, der die Bedingungen des Ostblocks nicht einhielt. Die Sowjetunion hatte allein die oberste Kommandogewalt im Pakt, in dem Zwangsmitgliedschaft herrschte. Unter dem Begriff der Nichteinmischung in die inneren Ange-

legenheiten setzte die Sowjetunion ihre Macht im Pakt und gegenüber dem Westen durch. 1990 löste der Warschauer Pakt sich selbst auf.

**Weltwirtschaftskrise.** Seit dem Ende des 19. Jahrhunderts wurden die USA zur führenden Wirtschaftsmacht der Welt. Von ihr ging eine zweite industrielle Revolution aus, die wesentlich von der Massenproduktion von Konsumgütern (Autos, Radios) geprägt wurde. Die USA wurden zum Inbegriff der hochentwickelten kapitalistischen Gesellschaft, in der sich einerseits Macht und Reichtum bei wenigen privaten Firmen konzentrierten, in der sich andererseits die Konsummöglichkeiten der breiten Bevölkerungsschichten entscheidend veränderten. Ab 1929 geriet das „amerikanische System" in eine schwere Krise. Der Schwarze Freitag, der 24. Oktober 1929, markiert mit seinen dramatischen Kursstürzen den Beginn der Krise. Die Produktion sank um die Hälfte, Millionen Menschen wurden arbeitslos. Da die USA ihre Kredite aus Europa abzogen und ihren Markt durch Zölle abschirmten, wurden auch andere Staaten, in besonderem Maße auch Deutschland, in die Krise hineingezogen. Die amerikanische Krise wurde zur Weltwirtschaftskrise. Im Unterschied zu den USA entwickelte sich in Deutschland die Wirtschaftskrise zur Staatskrise; die Weimarer Republik wurde zerstört.

**Westintegration.** Politischer Leitbegriff der Außenpolitik der Adenauer-Ära. Die Konfrontation der Weltblöcke im Kalten Krieg und die politischen Grundbedingungen der Nachkriegszeit erlaubten der Bundesrepublik keine volle Souveränität. Deshalb wurde die Einbindung in das westliche Bündnis (NATO, EWG) einer Politik der Wiedervereinigung vorgezogen. Nach Ansicht ihrer Verfechter war nur durch die W. Stabilität, Sicherheit, wirtschaftlicher Aufschwung und die innere Entwicklung der Bundesrepublik möglich. Eine Weiterentwicklung gab es erst mit der Ostpolitik der sozialliberalen Koalition.

# Register

# Bildquellenverzeichnis

akg-images: S. 16 u., S. 18, S. 28 o. und u., S. 50 o., S. 51 u.r., S. 58/59 M2, S. 80 M2, S. 102 r., S. 117 o.l. o.r. und m.m., S. 124, S. 164 u., S. 170; aus: Anschläge - Politische Plakate in Deutschland 1900-1970, Verlag Langewiesche-Brandt: S. 27 M1 M3 und M4, S. 32 u.m., S. 49 M7, S. 70 M1, S. 88 M2, S. 193 M2 und M3; AP Photo: S. 129 o.r., S. 154 u.l., S. 235 M8; aus: Arbeitsgruppe Pädagogisches Museum (Hg.): Heil Hitler, Herr Lehrer!, Rowohlt 1983 (Foto aus Privatbesitz): S. 80 M3, S. 81 o.; Archiv Yad Vashem, Jerusalem: S. 114 r.; argus Fotoarchiv, Hamburg: S. 247 M3; ARTOTHEK: Umschlag o.m. und S. 37 u.r.; Bildarchiv Preußischer Kulturbesitz (bpk): S. 11 o., S. 14, S. 24, S. 35 o., S. 46 u., S. 50 m., S. 55, S. 71 o., S. 81 u., S. 107 M5/2, S. 113, S. 119 M1, S. 177, S. 178 u.r., S. 179 r.o.; Bilderdienst Süddeutscher Verlag/DIZ München: S. 8 u.l. und S. 13, S. 10 m.r. und S. 185, S. 16 o., S. 27 M2, S. 39, S. 40 M2 und M5, S. 51 o.l. und o.r., S. 53 r., S. 54 u., S. 60, S. 63, S. 66 u.l. und u.r., S. 67, S. 68 u.r., S. 93, S. 104, S. 105, S. 117 m.l., S. 126 l., S. 143 (M1), S. 146 M1 und M2, S. 178 m.r., S. 179 r.u. und S. 202, S. 214, S. 252 l.; Thomas Billhardt /© Gustav Kiepenheuer Verlag GmbH, Leipzig 1999: S. 209 o. und S. 210 l., S. 210/211, S. 211 r., S. 218/219, S. 223, S. 246 u.l.; Brend' amour, Simhart & Co., München: S. 88 M3; Bundesarchiv Koblenz: S. 78 o. (Plak 3/11/18), S. 87 m., S. 90 M1 (Plak/3/2/46); Caro, MDR/A. Bastian: S. 228; CCC, www.c5.net: S. 154 m.r. (Klaus Pielert), S. 157 (Horst Haitzinger), S. 159 M4 (LUFF), S. 159 M6 (Horst Haitzinger), S. 236 (Joachim Kohlbrenner), S. 237 (P. Fuchs), S. 246 u.r. (Gerhard Mester); Centre Georges Pompidou, Paris: S. 37 o.m. und S. 58 l.; Deutsches Filminstitut (DIF), Frankfurt a.M.: S. 8 o.l.; Deutsches Historisches Museum, Berlin: Umschlag o.l. und S. 64, S. 36, S. 78 u., S. 80 M1 (Bestand Zeughaus/P 62/1755), S. 167, S. 235 M7; Deutsches Technikmuseum, Berlin: S. 37 o.r. und u.l. (Foto: Firmenarchiv AEG); Distr. Bulls/Caldwell 2000: S. 243 M8; Stefan Doblinger, Berlin: S. 123 M6; From the Collection of Janet and Marvin Fishman, Milwaukee: S. 45 M7; Paul Flora: S. 158 M2; Friedrich-Ebert-Stiftung/Archiv der sozialen Demokratie: S. 182 m.; Friedrich-Naumann-Stiftung/Archiv des Liberalismus, Gummersbach: S. 182 r.; Reproduktion: Gedenkstätte Deutscher Widerstand, Berlin: S. 117 o.m. und u.m., S. 119 M2; Globus Infografik: S. 139, S. 247 M4; Haus der Geschichte der Bundesrepublik Deutschland: S. 151 u. (Jupp Wolter), S. 190 m.l. und 192 M1a, S. 198 (Peter Leger), S. 221 o.m. und S. 224, S. 242 M4, S. 243 M5 M6 und M7; Hessisches Landesmuseum, Darmstadt: S. 19; Photo-Hoffmann, München: S. 82; Imperial War Museum, London: S. 79 M7, S. 172, S. 174 o. und u.; Institut für Zeitgeschichte der Universität Wien: S. 92 M10; Institut für Zeitungsforschung der Stadt Dortmund: S. 49 M6; INTERFOTO: S. 147 o.r.; Jürgens Ost + Europa-Foto: S. 208 o.; Keystone Pressedienst: S. 10 m., S. 44 M1, S. 46 m., S. 92 M7, S. 147 u.l., S. 178 o.l., S. 179 l. 1 v.o., S. 208 l.; Konrad-Adenauer-Stiftung e.V., Archiv für Christlich-Demokratische Politik (ACDP), Plakatsammlung: S. 182 l.; Landesarchiv Berlin: S. 43 o.; Ute Mahler, Lehnitz: S. 161 u.; Marie Marcks, Heidelberg: S. 250; Münchner Stadtmuseum: S. 35 u.; Museum Karykatury w Warszawie, Warschau: S. 242 M3; Niedersächsische Landeszentrale für politische Bildung: S. 101 l.; Panstwowe muzeum, Auschwitz: S. 10 o. und S. 110 m.; Picture Press, Hamburg: S. 190 u.l., S. 199 M4a c und d, S. 248 M9 und M10, S. 249 M12; picture-alliance/dpa: Umschlag m.m., S. 8/9 (epa/Haignere), S. 10 u.l., S. 61 o.r., S. 119 M5, S. 122 M1 M2 und M3, S. 123 M5, S. 126/127 m., S. 127 u., S. 128, S. 130 u.r., S. 132 r., S. 133, S. 136 u., S. 137 o. und u., S. 138 u., S. 140 o. und S. 142, S. 140 u. und S. 144, S. 141 u. und S. 151 o., S. 147 u.m., S. 150 o.l., S. 154 u.r., S. 155 o., S. 156, S. 178 u.l., S. 179 l. 1. und 3 v.o., S. 188 l., S. 190 u.r. und S. 201 o., S. 194, S. 200, S. 201 u., S. 205, S. 206, S. 209 l., S. 209 u. und S. 253 M5, S. 212, S. 220, S. 227, S. 233, S. 234, S. 235 M4, S. 238/239, S. 240, S. 244, S. 245 o. und u.; Popperfoto: S. 106 M3; Presse- und Informationsamt der Bundesregierung/Bundesbildstelle, Berlin: Umschlag o.r. und S. 10/11 u. (Lehnartz), S. 117 u.l., S. 160, S. 161 u., S. 162/163, S. 163, S. 179 u.l., S. 189 u. und S. 253 M4, S. 190 m.m. und S. 195 o., S. 192 M1b, S. 208 u. und S. 216, S. 252 r., S. 253 o.; report, München: S. 199 M4b; aus: Reutlinger General-Anzeiger 11.3.1933 (StadtA Rt., S 106 Nr. 05B0294): S. 72; O. Rheindorf, Düsseldorf: S. 77 o.r.; Hans Schaller, Berlin: S. 15; Sipa-Press, Paris: S. 154 u.m., S. 232; SPIEGEL: S. 103; Staatliche Museen zu Berlin - Preußischer Kulturbesitz/Kunstbibliothek: S. 40 M4 (Photo: Dietmar Katz/2000); Stadtmuseum Düsseldorf: S. 44 M3; Karl Stehle, München: S. 77 u.r.; Stiftung Archiv der Akademie der Künste, Berlin: S. 42 (Foto: Roman März); Stiftung AutoMuseum Volkswagen, Wolfsburg: S. 87 o.r.; Tagesspiegel: S. 40 M1; Wolfgang Trees, Aachen: S. 121; Tretjakow-Galerie, Moskau: S. 132 l.; Abisag Tüllmann: S. 195 u.; U.S. Army Center of Military History (Kat. V/2): S. 95; ullstein bild: S. 8 u.l. und S. 71 u., S. 9 o.r. und u., S. 11 m. S. 179 m. S. 190 o.r. und S. 196, S. 12, S. 31, S. 32 Foto m., S. 40 M3, S. 53 l., S. 54 u., S. 56, S. 61 o.l., S. 73, S. 75 l., S. 79 o., S. 84, S. 94 o.l., S. 98, S. 99, S. 102 l., S. 107 M6 und M8/3, S. 112, S. 143 M2, S. 150 u.r., S. 164 o., S. 173, S. 181, S. 188 r., S. 217, S. 221 o.r. und S. 222, S. 225 o., S. 226; VG Bild-Kunst, Bonn 2005: S. 24, S. 37 o.m. und S. 58 l., S. 42, S. 45 M6 und M7, S. 58/59 M2, S. 59 r., S. 62 u.r.; Archiv Westermann /Sammlung R. Sterz, Braunschweig: S. 107 M7; Wilhelm-Busch-Gesellschaft: S. 159 M5; Katja Worch, Berlin: S. 225 u.; Zahlenbilder/Erich Schmidt Verlag: S. 29; Zentrum für Antisemitismusforschung, Berlin: S. 83 u.; Zydowski Instytut Historyczny, Warschau: S. 92 M9; weitere: Verlagsarchiv Schöningh, Paderborn.

Sollte trotz aller Bemühungen um korrekte Urheberangaben ein Irrtum unterlaufen sein, bitten wir darum, sich mit dem Verlag in Verbindung zu setzen, damit wir eventuell notwendige Korrekturen vornehmen können.